Charles Duhigg

Mais rápido e melhor
Os segredos da produtividade na vida e nos negócios

TRADUÇÃO
Leonardo Alves

1ª reimpressão

Copyright © 2016 by Charles Duhigg
Todos os direitos reservados.

Grafia atualizada segundo o Acordo Ortográfico da Língua Portuguesa de 1990, que entrou em vigor no Brasil em 2009.

Título original
Smarter Faster Better – The Secrets of Being Productive in Life and Business

Capa
Eduardo Foresti

Ilustrações de miolo
Anton Ioukhnovets

Preparação
Nina Lua

Índice remissivo
Probo Poletti

Revisão
Valquíria Della Pozza
Carmen T. S. Costa
Ana Maria Barbosa

Dados Internacionais de Catalogação na Publicação (CIP)
(Câmara Brasileira do Livro, SP, Brasil)

Duhigg, Charles
  Mais rápido e melhor: os segredos da produtividade na vida e nos negócios / Charles Duhigg; tradução Leonardo Alves. – 1ª ed. – Rio de Janeiro : Editora Objetiva, 2016.

  Título original: Smarter Faster Better: The Secrets of Being Productive in Life and Business.
  ISBN 978-85-470-0008-0

  1. Eficiência mental 2. Motivação (Psicologia) 3. Performance 4. Sucesso 5. Tomada de decisão I. Título.

16-02817   CDD-158

Índice para catálogo sistemático:
1. Produtividade : Motivação : Psicologia aplicada 158

Todos os direitos desta edição reservados à
EDITORA SCHWARCZ S.A.
Praça Floriano, 19, sala 3001 — Cinelândia
20031-050 — Rio de Janeiro — RJ
Telefone: (21) 3993-7510
www.companhiadasletras.com.br
www.blogdacompanhia.com.br
facebook.com/editoraobjetiva
instagram.com/editora_objetiva
twitter.com/edobjetiva

Para Harry, Oliver, Doris e John, Andy e, principalmente, Liz

Sumário

Introdução 9

1. MOTIVAÇÃO 15
   Reimaginando o treinamento, revoltas na casa de repouso
   e o lócus de controle

2. EQUIPES 41
   Segurança psicológica no Google e no *Saturday Night Live*

3. FOCO 72
   Restrição cognitiva, voo 447 da Air France e o poder dos
   modelos mentais

4. DETERMINAÇÃO DE METAS 100
   Metas SMART, metas forçadas e a Guerra do Yom Kippur

5. GESTÃO DE PESSOAS 129
   A solução de um sequestro com raciocínio enxuto e ágil
   e uma cultura da confiança

6. TOMADA DE DECISÃO 159
   Prevendo o futuro (e vencendo no pôquer) com psicologia
   bayesiana

7. INOVAÇÃO 192
   Como mediadores de ideias e desespero criativo salvaram
   Frozen, da Disney

8. ABSORÇÃO DE DADOS... 221
Transformando informação em conhecimento nas escolas públicas de Cincinnati

Apêndice: Guia do leitor para usar essas ideias 247

Agradecimentos 265

Nota sobre as fontes... 269

Notas 271

Índice remissivo.. 341

Introdução

Minha introdução à ciência da produtividade começou no verão de 2011, quando pedi um favor a um amigo de um amigo meu.

Na época, eu estava terminando um livro sobre a neurologia e a psicologia por trás da formação de hábitos. Eu me encontrava naqueles estágios finais, e frenéticos, do processo de escrita — uma correria de telefonemas, revisões angustiantes, correções de última hora — e tinha a sensação de estar ficando cada vez mais atrasado. Minha esposa, que trabalhava em horário integral, tinha acabado de dar à luz nosso segundo filho. Eu era um repórter investigativo do *New York Times* e passava os dias correndo atrás de notícias e as noites, reescrevendo páginas do livro. A vida parecia uma linha de montagem com listas de tarefas, e-mails que exigiam respostas imediatas, reuniões apressadas e subsequentes pedidos de perdão pelo atraso.

Em meio a toda essa correria e afobação — e com a desculpa de pedir um conselho editorial —, escrevi para um autor que eu admirava, amigo de um de meus colegas no *Times*. O nome desse autor era Atul Gawande, e ele parecia um exemplo de sucesso. Aos 46 anos, fazia parte do quadro fixo de redatores de uma revista prestigiosa, além de ser um cirurgião renomado em um dos melhores hospitais do país. Era professor associado de Harvard, consultor da Organização Mundial da Saúde e fundador de uma organização sem fins lucrativos que enviava equipamentos cirúrgicos para regiões desprovidas de suprimentos médicos. Havia escrito três livros — todos best-sellers —, era casado e tinha três filhos. Em 2006, ganhara o prêmio para "gênios" da Fundação MacArthur — e imediatamente doara para caridade uma parte considerável dos 500 mil dólares que recebera.

Existem pessoas que simulam produtividade, com currículos que aparentam ser impressionantes até nos darmos conta de que o maior talento delas é o marketing pessoal. E existem outras, como Gawande, que parecem existir em outro patamar de realizações. Seus textos eram inteligentes e interessantes, e ele tinha reputação de ser um cirurgião excepcional, comprometido com os pacientes, e também um pai dedicado. Sempre que concedia uma entrevista para a televisão, parecia relaxado e atencioso. Suas realizações na medicina, na literatura e na saúde pública eram importantes e genuínas.

Enviei-lhe um e-mail para perguntar se poderíamos marcar uma conversa. Eu queria saber como ele conseguia ser tão produtivo. Acima de tudo, qual era o segredo? E, se o descobrisse, será que eu poderia mudar minha própria vida?

"Produtividade", claro, tem significados diferentes em situações diferentes. Uma pessoa pode fazer exercícios pela manhã, durante uma hora, antes de levar as crianças para a escola, e considerar que o dia foi um sucesso. Outra pode preferir passar esse tempo trancada no escritório, respondendo a e-mails e telefonando para alguns clientes, e se sentir igualmente satisfeita. Um cientista ou um artista podem achar produtivo um experimento que não tenha dado certo ou uma tela que tenha sido descartada, já que esperam que cada erro seja um novo passo na direção de uma descoberta, enquanto para um engenheiro o conceito de produtividade talvez tenha a ver com agilizar a produção de uma linha de montagem. Um fim de semana produtivo pode ser passear no parque com os filhos, enquanto um dia de semana produtivo pode ser levá-los correndo para a creche e chegar ao escritório o mais rápido possível.

Em termos simples, produtividade é o nome que damos às nossas tentativas de descobrir a melhor forma de usar nossa energia, nosso intelecto e nosso tempo conforme tentamos obter as recompensas mais significativas com o mínimo de esforço desperdiçado. É um processo de aprendizado sobre como ter sucesso com menos estresse e dificuldade. É realizar algo sem sacrificar tudo o que importa no caminho.

Considerando essa definição, Atul Gawande parecia estar bastante bem resolvido.

Alguns dias depois, ele respondeu ao meu e-mail com um pedido de desculpas. "Eu adoraria poder ajudá-lo", escreveu ele, "mas estou completamente tomado por compromissos diversos." Ao que parecia, até ele tinha limites. "Espero que você compreenda."

Mais tarde, naquela mesma semana, comentei com nosso amigo em comum sobre a troca de mensagens. Deixei claro que não tinha ficado ofendido — que, na verdade, admirava a disciplina de Gawande. Eu imaginava que os dias dele eram consumidos por cuidados com os pacientes, aulas para estudantes de medicina, artigos acadêmicos e consultoria à maior organização de saúde do mundo.

Mas meu amigo me disse que eu estava enganado. Não era isso. Gawande estava especialmente ocupado naquela semana porque tinha comprado ingressos para ir a um show de rock com os filhos. E depois ia tirar umas férias curtas com a esposa.

Na realidade, Gawande havia sugerido ao nosso amigo em comum que eu voltasse a lhe escrever, mais para o fim do mês, quando sua agenda estaria mais livre para batermos um papo.

Naquele instante, percebi duas coisas:

Primeiro: era nítido que eu estava fazendo algo errado, pois não tinha tirado um dia de folga sequer em nove meses; na verdade, estava começando a recear que, se tivessem que escolher entre o pai e a babá, meus filhos escolheriam a babá.

Segundo, e mais importante: havia pessoas que sabiam ser mais produtivas. Eu só precisava convencê-las a me contar seus segredos.

Este livro é o resultado de minhas investigações sobre como a produtividade funciona e de meus esforços para entender por que algumas pessoas e empresas são muito mais produtivas do que todo o resto.

Desde meu primeiro contato com Gawande, quatro anos atrás, recorri a neurologistas, empresários, autoridades do governo, psicólogos e outros especialistas em produtividade. Conversei com os cineastas da Disney responsáveis pela produção de *Frozen* e descobri que eles realizaram um dos filmes de maior sucesso de todos os tempos sob prazos acachapantes — e evitaram um desastre por um triz —, incentivando uma espécie de tensão criativa na equipe. Conversei com cientistas de dados no Google e com roteiristas das primeiras temporadas de *Saturday Night Live* que me disseram que o sucesso dos dois empreendimentos se devia em parte ao fato de adotarem um conjunto semelhante de regras implícitas relativas a apoio mútuo e riscos. Entrevistei agentes do FBI que solucionaram um sequestro graças a um gerenciamento ágil e a uma cultura influenciada por uma antiga montadora de automóveis em Fremont, na Califórnia. Perambulei pelos corredores das escolas públicas de Cincinnati e vi como uma iniciativa de aprimoramento educacional transformou a vida dos alunos, curiosamente, ao *dificultar* a absorção de informações.

Conforme eu conversava com as pessoas — jogadores de pôquer, pilotos de avião, generais, executivos, cientistas cognitivos —, um punhado de conclusões-chave começou a surgir. Reparei que as pessoas citavam sempre os mesmos conceitos. Passei a acreditar que havia uma pequena quantidade de ideias por trás da capacidade de produzir tanto que certas pessoas e empresas possuem.

Este livro, portanto, explora as oito ideias que parecem ser as mais importantes para a expansão da produtividade. Por exemplo, um capítulo examina como a sensação de controle pode gerar motivação e como as Forças Armadas transformam adolescentes desorientados em fuzileiros navais ao ensiná-los a fazer escolhas "com tendência para a ação". Outro capítulo analisa o motivo por que conseguimos manter a concentração quando construímos modelos mentais — e o caso de um grupo de pilotos que contou histórias para si mesmos e conseguiu evitar que 440 passageiros caíssem do céu.

Os capítulos deste livro descrevem a forma certa de determinar metas — aceitando tanto ambições grandiosas quanto objetivos corriqueiros — e o que levou os líderes de Israel a ficarem tão obcecados com aspirações equivocadas no período que precedeu a Guerra do Yom Kippur. Eles exploram a importância de tomar decisões com base na visão do futuro como possibilidades diversas, em vez de se ater à esperança de que algo aconteça, e a história de uma mulher que usou essa técnica para vencer um torneio nacional de pôquer. Descrevem como algumas empresas do Vale do Silício se tornaram gigantes por terem construído "culturas de compromisso" que davam apoio aos funcionários mesmo quando esse compromisso ficava difícil.

Essas oito ideias possuem um poderoso princípio subjacente em comum: produtividade não é trabalhar ou suar mais. Não é apenas o resultado de mais horas no escritório ou sacrifícios maiores.

Produtividade tem a ver com fazer determinadas escolhas de determinadas formas. A maneira como escolhemos encarar a nós mesmos e enquadrar decisões cotidianas; as histórias que contamos a nós mesmos e as metas fáceis que ignoramos; o sentimento de comunidade que criamos junto de colegas de equipe; as culturas criativas que estabelecemos como líderes: são esses elementos que separam as pessoas ocupadas das genuinamente produtivas.

Hoje, existimos em um mundo onde é possível se comunicar com colegas de trabalho em qualquer horário, ter acesso a documentos importantes pelo celular, descobrir qualquer fato em questão de segundos e mandar entregarem praticamente qualquer produto na porta de casa em até 24 horas. Empresas podem criar dispositivos na Califórnia, receber encomendas de clientes em Barcelona, enviar projetos por e-mail para Shenzhen e monitorar fretes em qualquer lugar do planeta. Pais podem sincronizar automaticamente a agenda da família inteira, pagar contas pela internet deitados na cama e localizar o celular das crianças um minuto depois da hora combinada de elas voltarem para casa. Estamos vivenciando uma revolução econômica e social que, em muitos sentidos, é tão profunda quanto as revoluções agrária e industrial de eras anteriores.

Esses avanços em comunicação e tecnologia deveriam facilitar a nossa vida. Contudo, parecem muitas vezes encher nossos dias com mais trabalho e estresse.

Isso se deve em parte ao fato de estarmos prestando atenção às inovações erradas. Temos observado as ferramentas de produtividade — dispositivos, aplicativos e sistemas de arquivamento complicados feitos para acompanhar várias listas de tarefas —, e não as lições que essas tecnologias tentam nos ensinar.

Porém, algumas pessoas aprenderam a dominar esse mundo em transformação. Há empresas que descobriram como encontrar vantagens em meio a essas mudanças aceleradas.

Sabemos agora como a produtividade funciona de fato. Sabemos quais escolhas são mais importantes e nos deixam mais perto do sucesso. Sabemos determinar metas que fazem com que o audacioso seja realizável; reenquadrar situações de modo que, em vez de ver problemas, identificamos oportunidades ocultas; abrir a cabeça para associações novas e criativas; e aprender mais rápido ao reduzir a velocidade com que as informações passam por nós.

Este é um livro sobre como reconhecer as escolhas que fomentam a verdadeira produtividade. É um guia para a ciência, as técnicas e as oportunidades que mudaram vidas. Existe gente que aprendeu a ter sucesso com menos esforço. Existem empresas que criam coisas maravilhosas com menos desperdício. Existem líderes que transformam as pessoas à sua volta.

Este é um livro sobre como ficar mais inteligente, mais rápido e melhor em tudo o que você faz.

1. Motivação

REIMAGINANDO O TREINAMENTO, REVOLTAS NA CASA DE REPOUSO E O LÓCUS DE CONTROLE

A intenção original da viagem era comemorar, um passeio de 29 dias pela América do Sul que levaria Robert, que tinha acabado de completar sessenta anos, e sua esposa, Viola, primeiro para o Brasil e depois para a Bolívia e o Peru. O itinerário incluía roteiros em ruínas incas, um passeio de barco no lago Titicaca, um ou outro mercado de artesanato e um pouco de ornitofilia.

Antes de partir, Robert havia brincado com amigos que essa quantidade toda de relaxamento parecia perigosa. Ele já estava imaginando a fortuna que ia gastar em telefonemas para a secretária. Ao longo das décadas anteriores, Robert Philippe havia convertido um pequeno posto de gasolina em um império de peças automotivas na região rural da Louisiana e se transformara em um magnata do *bayou* por meio de trabalho árduo, carisma e lábia. Além do empreendimento com peças de carros, ele era dono de uma empresa de produtos químicos, uma fornecedora de papel, diversos terrenos e uma corretora imobiliária. E, nesse momento, entrando na sétima década de vida, fora convencido pela esposa a passar um mês em países onde ele desconfiava que teria enorme dificuldade para encontrar algum canal que transmitisse partidas de futebol americano.

Robert gostava de dizer que não havia uma estrada de terra ou um beco sequer ao longo da costa do Golfo que ele não tivesse percorrido pelo menos uma vez em busca de bons negócios. Conforme a Philippe Incorporated crescia, Robert foi ficando famoso por arrastar empresários sofisticados de New Orleans e Atlanta a bares decadentes e proibi-los de sair até que não houvesse mais carne nas costelas e cerveja nas garrafas. Então, na manhã seguinte, enquanto penavam com ressacas dolorosas, Robert os convencia a assinar acordos milionários. Os barmen sabiam que só podiam encher o copo dele com club soda e servir coquetéis para os figurões. Fazia anos que Robert não bebia nada alcoólico.

Ele era membro da associação Cavaleiros de Colombo e da Câmara de Comércio, ex-presidente da Associação de Atacadistas de Louisiana e da Comissão Portuária do Grande Baton Rouge, chefiava o banco local e contribuía fielmente para o partido político que estivesse mais inclinado a ratificar seus alvarás no momento. Roxann, sua filha, me disse: "Ninguém conhecia um homem que gostasse tanto de trabalhar".

Robert e Viola estavam ansiosos para aquela viagem à América do Sul. Mas, quando desembarcaram do avião em La Paz, já no meio do descanso de um mês, Robert começou a se comportar de um jeito estranho. Ficou cambaleando pelo aeroporto e precisou se sentar para recuperar o fôlego na área das esteiras de bagagem. Quando um grupo de crianças se aproximou para pedir esmolas, Robert jogou uns trocados aos pés delas e deu risada. No ônibus a caminho do hotel, ele começou um monólogo alto e confuso sobre os vários países que havia visitado e a beleza relativa das mulheres locais. Talvez fosse a altitude. A 3600 metros, La Paz é uma das cidades mais altas do mundo.

Assim que eles desfizeram as malas, Viola insistiu para que Robert tirasse um cochilo. Ele disse que não estava a fim. Queria sair. Passou a hora seguinte circulando pela cidade, comprando quinquilharias e explodindo de raiva quando os nativos não entendiam inglês. Por fim, aceitou voltar para o hotel. Acabou dormindo, mas acordou várias vezes durante a noite para vomitar. Na manhã seguinte, disse que não estava se sentindo bem, e ficou irritado quando Viola sugeriu que ele descansasse. Passou o terceiro dia na cama. No quarto dia, Viola decidiu dar um basta e interrompeu as férias.

De volta à Louisiana, Robert pareceu melhorar. A desorientação passou e ele parou de dizer coisas estranhas. No entanto, a mulher e os filhos continuaram preocupados. Ele estava letárgico e se recusava a sair de casa espontaneamente. Viola imaginara que Robert voltaria correndo para o escritório quando chegasse da viagem, mas, passados quatro dias, ele não havia sequer ligado para a secretária. Quando Viola o lembrou de que a temporada de caça de cervos estava se aproximando e que ele precisaria obter uma licença, Robert disse que tinha pensado em não caçar naquele ano. Ela ligou para um médico. Pouco depois, os dois estavam a caminho da Ochsner Clinic, em New Orleans.[1]

O dr. Richard Strub, chefe da neurologia, submeteu Robert a uma série de testes. Tudo normal com os sinais vitais. Nada fora do comum no exame de sangue. Nenhum indício de infecção, diabetes, ataque cardíaco ou derrame. Robert mostrou entender o jornal daquele dia e conseguia se lembrar da infância com clareza. Foi capaz de interpretar um conto. A forma revista da Escala de Inteligência Wechsler para Adultos apresentou QI normal.

"Você poderia descrever para mim seu trabalho?", perguntou o dr. Strub.

Robert explicou a organização de sua empresa e os detalhes de alguns contratos fechados recentemente.

"Sua esposa comentou que você tem se comportado de um jeito diferente", disse o dr. Strub.

"É", respondeu Robert, "acho que não ando tão ativo quanto costumava ser."

O dr. Strub me disse que "aquilo não parecia incomodá-lo. Ele falou das mudanças de personalidade de um jeito muito tranquilo, como se estivesse descrevendo o clima".

Tirando a apatia súbita, o dr. Strub não encontrou nenhum sinal de doença ou dano cerebral. Sugeriu que Viola esperasse algumas semanas para ver se Robert ficava mais disposto. Contudo, quando eles voltaram, um mês depois, nada havia mudado. Segundo sua esposa, Robert não tinha interesse em encontrar velhos amigos. Não lia mais. Antes, era insuportável ver televisão com Robert porque ele não parava de trocar de canal, procurando algum programa mais empolgante. Agora ele só ficava olhando para a tela, indiferente quanto ao que estava passando. Viola, enfim, conseguira convencê-lo a ir ao escritório, mas a secretária disse que ele passava horas à mesa olhando para o nada.

"Você está infeliz ou deprimido?", perguntou o dr. Strub.

"Não", respondeu Robert. "Estou me sentindo bem."

"Pode me dizer o que fez ontem?"

Robert descreveu um dia diante da televisão.

"Sabe, sua mulher me disse que seus funcionários estão preocupados, porque já não o veem mais no escritório."

"Acho que estou mais interessado em outras coisas agora", explicou ele.

"Como o quê?"

"Ah, não sei", disse Robert, que então ficou quieto e passou a olhar para a parede.

O dr. Strub receitou diversos medicamentos — remédios para combater desequilíbrios hormonais e distúrbios de atenção —, mas nenhum parecia fazer diferença. Pessoas que sofrem de depressão costumam dizer que estão infelizes e descrevem pensamentos de desesperança. Robert, por sua vez, dizia que estava satisfeito com a vida. Ele reconhecia que a mudança de personalidade era estranha, mas não ficava incomodado com isso.

O dr. Strub fez um exame de ressonância magnética, o que lhe permitiu adquirir imagens do interior do crânio de Robert. Bem dentro do crânio, perto do centro da cabeça, ele viu uma pequena sombra, sinal de que vasos se haviam rompido e uma quantidade ínfima de sangue se acumulara temporariamente dentro de uma parte do cérebro de Robert conhecida como corpo estriado. Esse tipo de lesão pode, em casos raros, provocar danos cerebrais ou oscilações de humor. Mas, exceto pela letargia, o comportamento de Robert não apresentava muitos sinais de que ele estivesse sofrendo alguma deficiência neurológica.

Um ano depois, o dr. Strub apresentou um artigo à revista *Archives of Neurology*.[2] "A mudança de comportamento [de Robert] se caracterizava por apatia e falta de motivação", escreveu. "Ele desistiu de seus hobbies e deixou de tomar decisões oportunas no trabalho. Sabe que ações deve tomar em relação aos negócios, mas procrastina e ignora detalhes. Não há presença de depressão." O dr. Strub sugeriu que essa passividade fora causada pelo ligeiro dano no cérebro, que talvez tivesse sido resultado da altitude da Bolívia. No entanto, nem isso era uma certeza. "É possível que as hemorragias sejam uma coincidência e que a altitude elevada não tenha exercido nenhum efeito fisiológico."

O dr. Strub escreveu que era um caso interessante, mas inconclusivo.

Ao longo das duas décadas seguintes, apareceram alguns outros estudos em periódicos médicos. Havia o professor de sessenta anos que apresentou um "declínio de interesse" acentuado. Ele havia sido um especialista em seu ramo de atuação, com uma ética profissional ferrenha. E então, um belo dia, simplesmente parou. "Só me falta o ânimo, a energia", disse ele a seu médico. "Não tenho nenhuma disposição. Preciso me obrigar a sair da cama de manhã."[3]

Havia uma mulher de dezenove anos que ficara inconsciente por um breve instante em função de um vazamento de monóxido de carbono e depois pareceu perder a motivação para realizar as tarefas mais básicas. Ela passava o dia inteiro sentada na mesma posição se ninguém a obrigasse a se mexer. Segundo um neurologista, o pai descobriu que não podia deixá-la sozinha quando ela "foi encontrada muito queimada de sol na praia, exatamente no mesmo lugar onde deitara horas antes sob um guarda-sol: uma inércia intensa a impedira de mudar de posição junto com a sombra, de acordo com o deslocamento do sol".

Havia um policial aposentado que começou a acordar "tarde todas as manhãs, nunca tomava banho por iniciativa própria, mas obedecia humildemente assim que sua esposa lhe pedia. Depois, ele sentava em sua poltrona e não saía mais". E também um homem de meia-idade que foi picado por uma vespa e, pouco depois, perdeu o desejo de interagir com a esposa, os filhos e os colegas de trabalho.

No final dos anos 1980, um neurologista francês de Marselha chamado Michel Habib ouviu falar de alguns desses casos, ficou intrigado e começou a pesquisar histórias parecidas em arquivos e periódicos especializados. Os estudos que encontrou eram escassos, mas apresentavam semelhanças: alguém trazia um parente para uma consulta, queixando-se de passividade e mudança súbita de comportamento. Os médicos não encontravam nenhum problema clínico. Os pacientes apresentavam resultados normais em testes para verificar transtornos mentais. O QI de todos ia de moderado a alto, e eles pareciam fisicamente saudáveis. Nenhum deles dizia se sentir deprimido nem incomodado com a própria apatia.

Habib começou a entrar em contato com os médicos que haviam tratado esses pacientes e pedir para que reunissem exames de ressonância magnética. E então descobriu outro fator em comum: todos os indivíduos apáticos tinham pontos minúsculos de vasos rompidos no corpo estriado, no mesmo lugar onde Robert havia apresentado uma pequena sombra dentro do crânio.

O corpo estriado atua como uma espécie de central telefônica no cérebro, retransmitindo comandos de áreas como o córtex pré-frontal, onde são tomadas as decisões, para uma parte mais antiga de nossa neurologia, os gânglios da base, onde surgem o movimento e as emoções.[4] Os neurologistas acreditam que o corpo estriado ajuda a traduzir decisões em ação e exerce um papel importante na regulação do humor.⁵ O dano dos vasos rompidos no corpo estriado dos pacientes apáticos era pequeno — pequeno demais, segundo alguns dos colegas de Habib, para explicar as mudanças comportamentais. Contudo, exceto por esses pontos, Habib não encontrou nada que explicasse por que a motivação dos pacientes tinha desaparecido.⁶

Há muito os neurologistas se interessam por danos no corpo estriado,⁷ porque essa área do cérebro está relacionada ao mal de Parkinson. Porém, enquanto em geral o mal de Parkinson provoca tremores, depressão e perda de controle físico, os pacientes que Habib estudou só pareciam ter perdido a disposição. "Pessoas que sofrem de Parkinson têm dificuldade para iniciar um movimento", explicou-me Habib. "Mas os pacientes apáticos não têm dificuldade para se mexer. Eles só não têm vontade." A mulher de dezenove anos que não podia ficar sozinha na praia, por exemplo, conseguia arrumar o próprio quarto, lavar louça, dobrar as roupas limpas e seguir receitas quando a mãe pedia. No entanto, se *não* solicitassem sua ajuda, ela passava o dia inteiro sem se mexer. Quando a mãe lhe perguntava o que ela queria jantar, a jovem dizia que tanto fazia.

Habib escreveu que, quando examinado pelos médicos, o professor de sessenta anos "permanecia imóvel e calado durante períodos intermináveis de tempo, sentado de frente para o médico, esperando a primeira pergunta". Quando lhe pediam para descrever o trabalho, ele conseguia abordar ideias complicadas e citar artigos de cabeça. E então voltava ao silêncio até que lhe perguntassem outra coisa.

Nenhum dos pacientes estudados por Habib reagiu a medicamentos, e nenhum parecia melhorar com acompanhamento psicológico. "Os pacientes demonstram uma indiferença mais ou menos total diante de acontecimentos que normalmente provocariam uma reação emocional, seja ela positiva ou negativa", escreveu Habib.

"Era como se a parte do cérebro deles onde reside a motivação, onde se abriga o impulso vital, tivesse sumido de modo completo", explicou-me ele. "Não havia pensamentos negativos, não havia pensamentos positivos. Não havia pensamento algum. Eles não tinham ficado menos inteligentes ou cientes do mundo à sua volta. A personalidade antiga ainda estava lá dentro, mas havia uma ausência total de disposição ou ímpeto. A motivação tinha sumido completamente."

II.

O espaço onde o experimento foi conduzido na Universidade de Pittsburgh era pintado com um tom alegre de amarelo e continha um aparelho de ressonância magnética funcional, uma tela de computador e um pesquisador sorridente que parecia jovem demais para ter um doutorado. Os participantes do estudo foram convidados a entrar no cômodo, retirar todas as joias e quaisquer objetos de metal que tivessem nos bolsos e, por fim, deitar em uma mesa de plástico que deslizava para dentro do aparelho.

Quando estavam deitados, podiam ver uma tela de computador.[8] O pesquisador explicava que apareceria um número de um a nove no monitor. Mas, antes que esse número aparecesse, os participantes teriam de apertar botões variados para adivinhar se seria maior ou menor que cinco. O pesquisador avisou que haveria várias rodadas de adivinhação. Explicou que o jogo não exigia nenhum grau de habilidade. Nenhuma capacidade seria testada. E, embora não mencionasse isso aos participantes, o pesquisador achava que aquele era um dos jogos mais tediosos do universo. Na realidade, ele o havia concebido para ser exatamente assim.

A verdade era que o pesquisador, Mauricio Delgado, não estava preocupado com os acertos. Ele estava interessado em entender que partes do cérebro se ativavam quando eles jogavam algo extremamente entediante. Conforme os participantes faziam as apostas, o aparelho de ressonância magnética funcional registrava a atividade dentro do crânio deles. Delgado queria identificar onde as sensações neurológicas de empolgação e expectativa se originavam — onde a motivação tinha início. Delgado disse aos participantes que eles poderiam parar quando quisessem. Mas ele sabia, a partir de experiência prévia, que as pessoas davam chutes e mais chutes, às vezes durante horas, e esperavam para ver se tinham errado ou acertado.

Cada participante entrava no aparelho e observava a tela com atenção, apertava os botões e fazia previsões. Alguns comemoravam quando ganhavam ou gemiam quando perdiam. Delgado, que monitorava a atividade dentro da cabeça deles, viu o corpo estriado das pessoas — aquela central telefônica — se iluminar com atividade sempre que os participantes jogavam, qualquer que fosse o resultado. Ele sabia que aquele tipo de atividade no corpo estriado estava associado a reações emocionais — em especial sentimentos de expectativa e empolgação.[9]

Quando Delgado terminou uma sessão, um dos participantes perguntou se podia continuar jogando em casa, sozinho.

"Não vai ser possível", respondeu Delgado, explicando que o jogo só existia no computador dele. Além do mais, disse, confidenciando ao homem, o experimento era manipulado. Para garantir que o jogo tivesse os mesmos resultados para cada participante, Delgado havia programado o computador para que todo mundo ganhasse na primeira rodada, perdesse na segunda, ganhasse na terceira, perdesse na quarta e assim por diante, em um padrão predeterminado. O resultado tinha sido estabelecido antecipadamente. Era como apostar em cara ou coroa com uma moeda de duas caras.

"Tudo bem", respondeu o homem. "Não me importo. Só gosto de jogar."

"Aquilo foi estranho", Delgado comentou comigo mais tarde. "Não tinha por que ele querer continuar jogando depois de saber que era tudo armado. Quer dizer, qual é a graça em um jogo manipulado? Suas decisões não têm impacto algum. Mas levei cinco minutos para convencê-lo de que ele não ia querer levar o jogo para casa."

Depois, Delgado passou dias pensando naquele homem. Por que o jogo o deixara tão interessado? Aliás, por que tinha entretido tantos outros participantes? Os dados do experimento haviam ajudado Delgado a identificar que partes do cérebro das pessoas se ativavam enquanto elas participavam de um jogo de adivinhação, mas não explicavam *por que* afinal elas ficavam motivadas a jogar.

Então, alguns anos mais tarde, Delgado concebeu outro experimento. Recrutou um novo grupo de participantes. Como antes, era um jogo de adivinhação. Porém, havia uma diferença fundamental: na metade das vezes, os participantes podiam decidir seus próprios chutes; nas outras, era o computador que adivinhava.[10]

Quando as pessoas começaram a jogar, Delgado observou a atividade no corpo estriado delas. Dessa vez, quando as pessoas podiam decidir por conta própria, o cérebro se iluminava tal qual no experimento anterior. Elas apresentaram os sinais neurológicos de expectativa e empolgação. Mas, nas rodadas em que os participantes não exerciam qualquer controle sobre os chutes, quando o computador escolhia por eles, o corpo estriado ficava praticamente inerte. Era como se o cérebro perdesse o interesse pelo exercício. Mais tarde, Delgado e seus colegas escreveram que ocorria "atividade robusta no núcleo caudado somente quando os indivíduos" tinham permissão para escolher. "A expectativa da escolha em si estava associada ao aumento de atividade nas regiões corticoestriatais, em especial no estriado ventral, envolvido em processos afetivos e motivacionais."

Além disso, quando Delgado perguntou aos participantes o que eles haviam achado do jogo, eles disseram que haviam se divertido muito mais quando tinham controle sobre as próprias escolhas. Eles se importavam com o fato de ganhar ou perder. Disseram que, quando o computador tomava as decisões, o experimento parecia uma obrigação. Eles ficavam entediados e queriam que acabasse.

Aquilo não fazia sentido para Delgado. A probabilidade de vitória ou derrota era exatamente a mesma e não importava quem estava no controle, o participante ou o computador. Permitir que a pessoa adivinhasse, em vez de esperar até o computador adivinhar por ela, não devia fazer nenhuma grande diferença na experiência do jogo. As reações neurológicas das pessoas *deviam* ter sido as mesmas em ambos os casos. Mas, de alguma forma, permitir que elas decidissem transformava o jogo. Em vez de ser uma tarefa, o experimento se tornava um desafio. Os participantes se sentiam mais motivados para jogar simplesmente porque acreditavam que detinham o controle.[11]

III.

Em décadas recentes, conforme a economia se transformou e as empresas grandes, com promessas de empregos de uma vida inteira, cederam espaço a trabalhos freelance e carreiras migratórias, compreender a motivação se tornou cada vez mais importante. Em 1980, mais de 90% da força de trabalho nos Estados Unidos respondia a algum chefe.[12] Hoje, mais de um terço da força de trabalho americana é composta de freelancers, prestadores de serviços ou profissionais em cargos transitórios.[13] Os trabalhadores que tiveram sucesso nessa nova economia são os que souberam decidir por conta própria como investir seu tempo e sua energia.[14] Eles compreendem como devem determinar metas, estabelecer prioridades e fazer escolhas quanto a que projetos desenvolver. Estudos mostram que pessoas com capacidade de automotivação ganham mais, apresentam maior índice de felicidade e dizem que se sentem mais satisfeitas com sua família, seus trabalhos e sua vida.

Muitos livros de autoajuda e manuais de liderança retratam a automotivação como uma característica estática de nossa personalidade ou como o resultado de um cálculo neurológico em que, inconscientemente, comparamos esforços com benefícios. Mas, segundo os cientistas, a motivação é algo mais complicado que isso. Motivação está mais para uma habilidade semelhante a ler ou escrever, algo que pode ser aprendido e aperfeiçoado. Cientistas descobriram que podemos aprimorar a automotivação se a exercitarmos do jeito certo. O segredo, segundo os pesquisadores, é entender que um dos pré-requisitos para a motivação é acreditar que temos autoridade sobre nossas ações e nosso entorno. Para nos motivarmos, precisamos sentir que estamos no controle.

Em um artigo de 2010 para o periódico *Trends in Cognitive Sciences*, um grupo de psicólogos da Universidade Columbia escreveu que "a necessidade de controle é um imperativo biológico".[15] Quando as pessoas acreditam que estão no controle, tendem a trabalhar e se empenhar mais. Em média, são mais confiantes e superam contratempos mais rápido.[16] Em muitos casos, quem acredita possuir autoridade sobre si próprio vive mais tempo.[17] O instinto pelo controle é uma parte tão central do desenvolvimento de nosso cérebro que crianças pequenas, depois de aprenderem a comer sozinhas, resistirão às tentativas de controle dos adultos ainda que a submissão aumente as chances de a comida entrar na boca.[18]

Uma forma pela qual podemos provar a nós mesmos que estamos no controle é tomando decisões. "Cada escolha, por menor que seja, reforça a percepção de controle e eficácia pessoal", observaram os pesquisadores de Columbia. Mesmo que o ato da decisão não proporcione nenhum benefício, as pessoas ainda querem a liberdade de escolher.[19] "Animais e humanos demonstram uma preferência pela escolha em relação à não escolha, mesmo quando essa escolha não oferece gratificação adicional alguma", sugeriu Delgado em um artigo publicado em 2011 no *Psychological Science*.[20]

A partir dessas conclusões, surgiu uma teoria da motivação: o primeiro passo para criar disposição é oferecer oportunidades de escolha que deem uma sensação de autonomia e determinação.[21] Nos experimentos, as pessoas se sentem mais motivadas a completar tarefas difíceis quando as atividades são apresentadas como decisões, não comandos. Esse é um dos motivos por que a empresa de TV por assinatura faz todas aquelas perguntas quando você contrata um pacote. Quando perguntam se você prefere receber a conta por e-mail a recebê-la por um extrato detalhado, ou se você quer o pacote "ultra" em vez do "platina", ou a HBO em vez do Showtime, é mais provável que você se sinta motivado a pagar a conta todo mês. Se tivermos uma sensação de controle, ficamos mais dispostos a aquiescer.

"Sabe quando você está preso num engarrafamento na estrada e vê uma saída chegando, e aí quer pegá-la mesmo sabendo que provavelmente vai levar mais tempo para chegar em casa?", disse Delgado. "Isso é o nosso cérebro ficando empolgado com a possibilidade de assumir o controle. Você não vai chegar em casa mais rápido, mas vai se *sentir* melhor porque acreditará que está no comando."

Essa é uma lição útil para qualquer um que pretenda motivar a si próprio ou aos outros, porque sugere um método fácil de ativar a vontade de agir: descubra uma escolha, praticamente qualquer uma, que lhe permita exercer o controle. Se você estiver penando para responder a uma torrente tediosa de e-mails, decida responder a uma mensagem do meio da caixa de entrada. Se estiver tentando começar um trabalho, redija primeiro a conclusão, ou comece montando os gráficos, ou faça a parte que achar mais interessante. Para conseguir motivação a fim de confrontar um funcionário desagradável, escolha o lugar da reunião. Para começar a próxima ligação de vendas, decida qual pergunta fará primeiro.

A motivação é ativada pelas escolhas que demonstram a nós mesmos que estamos no controle. A decisão específica que tomamos é menos importante que a reafirmação do controle. É essa sensação de determinação que nos leva para a frente. É por isso que os participantes do experimento de Delgado estavam dispostos a jogar repetidas vezes quando achavam que estavam no comando.

O que não significa dizer que a motivação é, portanto, sempre fácil. Na verdade, às vezes simplesmente escolher não basta. Há ocasiões em que, para nos motivarmos de fato, precisamos de algo mais.

IV.

Depois que Eric Quintanilla assinou o formulário que fez dele oficialmente um fuzileiro naval dos Estados Unidos, o recrutador apertou-lhe a mão, encarou-o e disse que ele havia feito a escolha certa.

"É a única opção que eu vejo para mim, senhor", respondeu Quintanilla. A intenção era soar ousado e confiante, mas a voz vacilou na hora de falar, e sua mão estava tão úmida de suor que os dois esfregaram a palma nas calças depois.

Quintanilla tinha 23 anos. Cinco anos antes, concluíra o ensino médio em uma cidadezinha a uma hora ao sul de Chicago. Ele havia pensado em fazer faculdade, mas não sabia bem o que estudar, não tinha certeza absoluta do que queria fazer depois — não tinha certeza de nada, para falar a verdade. Então se inscreveu em uma *community college** local e se formou em estudos gerais. Ele tinha esperança de que o diploma o ajudasse a conseguir emprego em alguma loja de celulares no shopping. "Tentei me candidatar, sei lá, para umas dez vagas", disse Quintanilla. "Mas nunca recebi nenhuma resposta."

Ele arranjou um emprego de meio período em uma loja de produtos para colecionadores e às vezes dirigia um caminhão de gelo quando o motorista habitual ficava doente ou saía de férias. À noite, jogava World of Warcraft. Não era isso que Quintanilla havia imaginado para a sua vida. Ele estava pronto para algo melhor. Decidiu pedir em casamento a garota com quem namorava desde a escola. A festa foi fantástica. No entanto, depois dela, ele continuava no mesmo lugar. E então sua esposa ficou grávida. Ele tentou as lojas de celular outra vez e conseguiu uma entrevista. Na noite anterior, ensaiou com a mulher.

"Querido", disse ela, "você precisa dar um motivo para eles o contratarem. Fale de tudo o que anima você."

No dia seguinte, quando o gerente da loja lhe perguntou por que ele queria vender celulares, Quintanilla ficou paralisado. "Não sei", respondeu. Era a verdade. Ele não fazia ideia.

Algumas semanas depois, Quintanilla foi a uma festa e viu um dos ex--colegas de turma, recém-chegado do programa básico de treinamento e dez quilos mais magro, com músculos enormes e uma nova sensação de confiança. Contava piadas e paquerava garotas. Na manhã seguinte, Quintanilla disse para a esposa que talvez devesse considerar se tornar um fuzileiro naval. Ela não gostou da ideia, nem a mãe dele, mas Quintanilla não conseguia pensar em mais nada para fazer. Certa noite, sentou-se à mesa da cozinha, traçou

---

* As *community colleges* americanas não possuem equivalente no sistema educacional brasileiro. São instituições de ensino superior que oferecem cursos de até dois anos e uma certificação intermediária entre o ensino médio e o bacharelado. (N. T.)

uma linha no meio de uma folha de papel, escreveu "Corpo de Fuzileiros Navais" no lado esquerdo e tentou preencher o direito com outras opções. A única coisa em que conseguiu pensar foi "Conseguir uma promoção na loja de colecionadores".

Cinco meses depois, chegou ao San Diego Marine Corps Recruit Depot [Centro de Recrutas do Corpo de Fuzileiros Navais de San Diego] no meio da noite, foi conduzido a um salão com outros oitenta rapazes, teve o cabelo raspado, fez exame de tipagem sanguínea, trocou as roupas por uma farda e embarcou em uma vida nova.[22]

O treinamento básico de treze semanas que Quintanilla começou em 2010 era um experimento relativamente novo na missão de 235 anos do Corpo de Fuzileiros Navais de produzir o combatente perfeito. Durante a maior parte da história da força, o programa de treinamento tinha se concentrado em transformar adolescentes arruaceiros em tropas disciplinadas. Mas, quinze anos antes do alistamento de Quintanilla, um general de 53 anos chamado Charles C. Krulak fora promovido a comandante do Corpo de Fuzileiros Navais, o cargo máximo da força. Krulak acreditava que o treinamento básico tinha que mudar. "Estamos recebendo candidatos muito mais fracos", explicou-me. "Vários desses garotos não precisavam só de disciplina, precisavam de uma reformulação mental. Eles nunca haviam participado de um time esportivo, nunca tinham tido um emprego de verdade, nunca tinham *feito* nada. Nem sequer tinham vocabulário para ambição. Haviam passado a vida inteira seguindo instruções."[23]

Isso era um problema, porque o Corpo de Fuzileiros precisava cada vez mais de homens capazes de tomar decisões de forma independente. Fuzileiros navais, como eles adoram declarar, são diferentes de soldados e marinheiros. "Somos os primeiros a chegar e os últimos a sair", disse Krulak. "Precisamos de gente com iniciativa extrema." No mundo atual, isso significa que a força necessita de homens e mulheres capazes de lutar em lugares como Somália e Bagdá, onde as regras e as táticas mudam de maneira imprevisível e, muitas vezes, os fuzileiros precisam decidir — por conta própria e na hora — a melhor ação a tomar.[24]

"Comecei a passar algum tempo com psicólogos e psiquiatras, tentando descobrir como poderíamos ensinar melhor esses recrutas a pensarem por conta própria", disse Krulak. "Havia recrutas excelentes chegando, mas eles não tinham nenhum senso de orientação ou motivação. Só sabiam fazer o mínimo absoluto. Era como trabalhar com um monte de molengas. Fuzileiros navais não podem ser molengas."

Krulak começou a analisar estudos sobre ensino de automotivação e ficou particularmente intrigado por uma pesquisa conduzida pelo Corpo de Fuzileiros Navais anos antes que mostrava que os fuzileiros mais bem-sucedidos eram aqueles com um forte "lócus de controle interno" — uma crença de que eles podiam influenciar o próprio destino por meio das escolhas que faziam.

Lócus de controle é um tema importante de estudos em psicologia desde a década de 1950.[25] Pesquisas revelam que pessoas com lócus de controle interno tendem a elogiar ou culpar a si mesmas por sucessos ou fracassos, em vez de transferir a responsabilidade para algum fator externo. Por exemplo, um aluno que apresente um lócus de controle interno forte atribuirá notas boas a muito estudo, e não a uma inteligência natural. Se perder um cliente, um vendedor com lócus de controle interno culpará a própria falta de lábia, em vez da falta de sorte.

Em um artigo publicado em 2012 na *Problems and Perspectives in Management*, uma equipe de psicólogos afirmou que "o lócus de controle interno está associado a sucesso acadêmico, maior automotivação e maior maturidade social, menor incidência de estresse e depressão, e uma vida mais longa".[26] Pessoas com lócus de controle interno costumam ter mais dinheiro, mais amigos, casamentos mais duradouros e maior sucesso e satisfação profissionais.

Por outro lado, um lócus de controle *externo* — a crença de que a vida é influenciada principalmente por circunstâncias além de nosso controle — "está correlacionado com maiores índices de estresse, [muitas vezes] porque o indivíduo acha que lidar com a situação está além de sua capacidade".

Estudos mostram que o lócus de controle de uma pessoa pode ser influenciado por treinamento e feedback. Por exemplo, um experimento realizado em 1998 apresentou a 128 crianças do quinto ano uma série de quebra-cabeças difíceis.[27] Depois, cada aluno era informado de que tinha tido um bom resultado. Metade deles também ouviu: "Você deve ter se esforçado bastante com esses problemas". Constatou-se que o ato de dizer a crianças dessa idade que elas haviam se esforçado bastante ativou o lócus de controle *interno* delas, porque esforço é algo que decidimos fazer. Elogiar os alunos pelo esforço reforça a crença de que eles exercem controle sobre si mesmos e seu entorno.

A outra metade dos estudantes também foi informada de que tinha ido bem, e que "você deve ser muito inteligente com esse tipo de problema". Elogiar as crianças pela inteligência ativa um lócus de controle *externo*. A maioria dos alunos do quinto ano não acredita que é possível escolher quão inteligentes eles são. Em geral, crianças pequenas acham que a inteligência é uma capacidade inata, então dizer a uma pessoa jovem que ela é esperta reforça a crença de que o sucesso ou o fracasso dependem de fatores *além* de seu controle.

Depois, todos os alunos foram convidados a trabalhar em outros três quebra-cabeças de dificuldades variadas.

Os estudantes que haviam sido elogiados pela inteligência — que haviam sido orientados a pensar em termos de fatores que *não* podiam influenciar — apresentaram uma probabilidade muito maior de se concentrar nos quebra-cabeças mais fáceis durante a segunda rodada, embora tivessem recebido elogios por ser espertos. Eles se sentiram menos motivados a se esforçar. Mais tarde, disseram que o experimento não tinha sido muito divertido.

Por outro lado, os alunos que haviam recebido elogios pelo esforço — que foram incentivados a encarar a experiência em termos de determinação pessoal — começaram com os quebra-cabeças difíceis. Eles trabalharam por mais tempo e tiveram resultados melhores. Mais tarde, disseram ter se divertido muito.

"O lócus de controle interno é uma habilidade adquirida", disse-me Carol Dweck, a psicóloga de Stanford que ajudou a conduzir o estudo.[28] "A maioria das pessoas o adquire no começo da vida. Mas o senso de determinação pessoal de algumas acaba suprimido pela maneira como são criadas, ou por experiências vividas, e elas se esquecem de quanta influência podem exercer sobre a própria vida.

"É aí que o treinamento é útil, porque, se você apresenta a alguém situações em que possa *exercitar* a sensação de estar no controle, situações que despertem esse lócus de controle interno, ele pode começar a desenvolver hábitos que o fazem sentir que está no comando da própria vida — e, quanto mais se sentir assim, mais vai assumir de fato o controle sobre si próprio."[29]

Para Krulak, estudos como esse pareciam conter o segredo para ensinar automotivação aos recrutas. Ele tinha esperança de que, se conseguisse reformular o treinamento básico para obrigar os jovens a controlar as próprias escolhas, esse impulso se tornaria mais automático. "Hoje, chamamos isso de ensinar 'uma tendência para a ação'," explicou-me Krulak. "A ideia é que, uma vez que os recrutas assumem o controle de algumas situações, eles começam a descobrir como a sensação é boa."

"Nunca dizemos para ninguém que ele é um líder nato. 'Nato' significa algo fora de nosso controle", disse Krulak. "Em vez disso, ensinamos que a liderança é algo que se aprende, é um produto do esforço. Obrigamos os recrutas a experimentar aquela emoção de assumir o controle, de sentir a empolgação do comando. Quando conseguimos deixá-los viciados nisso, eles já foram fisgados."

Para Quintanilla, esse tutorial começou assim que ele chegou. No início, foram longos dias de marcha pesada, sequências intermináveis de abdominais, flexões e exercícios tediosos com fuzis. Os instrutores gritavam com ele o tempo todo. (Conforme Krulak me disse, "temos que manter nossa imagem".) Mas, junto com os exercícios, Quintanilla se viu diante de uma série constante de situações que o obrigavam a tomar decisões e assumir o controle.

Por exemplo, na quarta semana de treinamento, o pelotão de Quintanilla recebeu ordem para limpar o refeitório. Os recrutas não faziam ideia de como obedecer. Não sabiam onde ficavam os produtos de limpeza nem como a lava-louças industrial funcionava. O almoço havia acabado logo antes, e eles não sabiam se deviam guardar as sobras ou jogar tudo fora. Quando alguém pedia conselhos a um instrutor, a única resposta era uma bronca. Então o pelotão começou a tomar decisões. A salada de batata foi para o lixo, os hambúrgueres que haviam sobrado foram para a geladeira e a lava-louças foi carregada com tanto detergente que o chão logo ficou coberto de espuma. O pelotão levou três horas e meia, contando o tempo de limpar a espuma, para terminar a limpeza do refeitório. Eles jogaram comida boa fora por engano, desligaram o congelador dos sorvetes sem querer e, de alguma forma, conseguiram perder duas dúzias de garfos. Porém, quando terminaram, o instrutor foi até o integrante mais baixo e tímido do pelotão e disse que havia reparado na forma confiante com que ele se posicionara quando fora preciso tomar uma decisão quanto ao lugar do ketchup. Na verdade, era bem óbvio onde o ketchup deveria ficar. Havia uma estante enorme cheia de potes de ketchup.[30] Mas o recruta tímido abriu um sorriso ao ser elogiado.

"Distribuo alguns elogios, e todos com a intenção de ser inesperados", disse o sargento Dennis Joy, um instrutor absolutamente intimidador que um dia me acompanhou em um tour pelo Recruit Depot. "Ninguém é recompensado por fazer algo fácil. Se você é um atleta, eu nunca vou elogiá-lo por correr bem. Só o cara baixinho recebe os parabéns por ser rápido. Só o cara tímido recebe reconhecimento por assumir um papel de liderança. Elogiamos as pessoas por fazerem coisas difíceis. É assim que elas aprendem a acreditar que são capazes de fazê-las."

O elemento principal do treinamento básico reformulado de Krulak era a Forja [no original, Crucible], um desafio severo de três dias no final do programa. Quintanilla morria de medo da Forja. Ele e os colegas de dormitório ficavam cochichando sobre ela à noite. Havia boatos e conjecturas absurdas. Alguém disse que um recruta tinha perdido um membro no ano anterior. A Forja de Quintanilla começou numa manhã de terça-feira, quando seu pelotão foi acordado às duas da madrugada e informado de que todos deviam se preparar para marchar, rastejar e escalar ao longo de oitenta quilômetros de trajetos com obstáculos.[31] Cada pessoa carregava catorze quilos de equipamentos. Eles só receberiam duas refeições cada um para durar 54 horas. Teriam no máximo umas poucas horas de sono. Era provável que ocorressem ferimentos. Avisaram que qualquer um que parasse de se mexer ou ficasse muito para trás seria expulso do Corpo de Fuzileiros Navais.

No meio da Forja, os recrutas se viram diante de uma tarefa chamada Tanque do Sargento Timmerman. "O inimigo contaminou esta área com alguma substância química", gritou um instrutor, apontando para um fosso do tamanho de um campo de futebol. "Vocês têm de atravessá-lo com todo o seu equipamento e usando máscaras de gás. Se um recruta encostar no chão, vocês terão fracassado e precisarão começar de novo. Se passarem mais de sessenta minutos no fosso, terão fracassado e precisarão começar de novo. Vocês deverão obedecer ao líder da equipe. Repito: vocês não poderão avançar sem uma ordem verbal direta do líder da equipe. Devem *ouvir* uma ordem antes de agir, caso contrário terão fracassado e precisarão começar de novo."

A equipe de Quintanilla fez um círculo e começou a usar uma técnica que eles tinham aprendido durante o treinamento básico.

"Qual é o nosso objetivo?", disse um recruta.

"Atravessar o fosso", respondeu alguém.

"Como usamos as pranchas?", perguntou outro recruta, apontando para as tábuas com cordas.

"Podemos colocá-las uma na frente da outra", respondeu alguém. O líder da equipe deu uma ordem verbal, e o círculo se desfez para testar a ideia ao longo da margem do fosso. Todos pisaram em uma das tábuas enquanto puxavam a outra para a frente. Ninguém conseguiu manter o equilíbrio. O círculo se formou de novo.

"Como usamos as cordas", perguntou um recruta.

"Para levantar as tábuas", disse outro. Ele sugeriu que todos pisassem nas duas pranchas ao mesmo tempo e usassem as cordas para erguer uma depois da outra, como se estivessem esquiando.

Todos vestiram as máscaras de gás e subiram nas pranchas, e o líder assumiu a dianteira. "Esquerda!", gritou ele, e os recrutas puxaram uma das tábuas um pouco para a frente. "Direita!" Eles começaram a se arrastar pelo fosso. Porém, depois de dez minutos, era nítido que aquilo não estava funcionando. Algumas pessoas estavam levantando as pranchas muito rápido, outras as empurravam longe demais. E, como todos estavam usando máscaras de gás, era impossível ouvir os comandos do líder. Eles já haviam avançado demais para voltar — mas, naquele ritmo, a travessia levaria horas. Os recrutas começaram a gritar uns com os outros para todo mundo parar.

O líder deu ordem de parar. Ele se virou para o homem logo atrás. "Olhe meus ombros", gritou por trás da máscara. O líder ergueu o ombro esquerdo, depois o direito. Ao observar o ritmo do líder, o recruta atrás dele pôde coordenar o movimento das pranchas. O único problema dessa ideia era que ela violava uma das regras básicas. Os recrutas haviam sido informados de que só poderiam agir se ouvissem uma ordem verbal do líder da equipe. Contudo, com as máscaras de gás, ninguém conseguia escutar nada. Mas não havia nenhuma outra forma de avançar. Então, o líder da equipe começou a mexer os ombros e a balançar os braços ao mesmo tempo que gritava ordens. Ninguém entendeu no começo, então ele passou a gritar uma das canções que haviam aprendido nas marchas longas. O recruta atrás dele conseguiu entender o suficiente para cantar junto. O seguinte fez o mesmo. Depois de um tempo, todos cantavam e mexiam os ombros e balançavam de forma coordenada. Eles atravessaram o campo em 28 minutos.

"Tecnicamente, eu poderia mandar todo mundo voltar porque eles não ouviram uma ordem verbal direta do líder da equipe", explicou-me, mais tarde, um sargento instrutor. "Mas esta era a ideia do exercício: sabemos que não dá para ouvir nada com a máscara. A única maneira de atravessar o fosso é bolar alguma alternativa. Estamos tentando ensinar-lhes que não dá para simplesmente obedecer a ordens. É preciso assumir o controle e chegar às próprias conclusões."

Depois de 24 horas e mais uma dúzia de obstáculos, o pelotão de Quintanilla se reuniu na base do último desafio da Forja, um morro alto e íngreme que eles chamavam de Ceifador de Almas. "Ninguém *precisa* ajudar ninguém no Ceifador", disse Krulak. "Já vi isso acontecer antes. Alguns recrutas caem e, como eles não têm amigos, ficam para trás."

Quintanilla havia marchado durante dois dias até então. Tivera menos de quatro horas de sono. O rosto estava dormente e as mãos, cheias de bolhas e cortes por ter superado obstáculos carregando tonéis de água. "Tinha gente vomitando no Ceifador", contou-me ele. "Uma pessoa estava com o braço apoiado em uma tipoia." Quando o grupo começou a subir o morro, os recrutas tropeçavam o tempo todo. Estavam todos tão exaustos que pareciam se mexer em câmera lenta, sem avançar praticamente nada. Então começaram a enlaçar os braços para evitar que alguém caísse pelo barranco.

"Por que você está fazendo isto?", chiou um camarada do bando de Quintanilla, recorrendo a uma chamada e resposta que eles haviam treinado nas caminhadas. Os instrutores tinham falado que, nos momentos de maior dificuldade, eles deveriam fazer uns aos outros perguntas que começassem com "por quê".

"Para me tornar um fuzileiro naval e dar uma vida melhor para a minha família", respondeu Quintanilla.

Na semana anterior, a mulher dele tinha dado à luz uma menina, Zoey. Ele recebera permissão para falar com ela ao telefone por um total de cinco minutos após o parto. Foi o único contato de Quintanilla com o mundo exterior em quase dois meses. Se ele concluísse a Forja, veria a esposa e a filha recém-nascida.

Os instrutores de Quintanilla lhe haviam explicado que, se ele conseguisse associar algo difícil a uma escolha que ele achasse importante, a tarefa ficaria mais fácil. Por isso eles faziam uns aos outros perguntas que começavam com "por quê". Transforme uma obrigação em uma decisão *significativa*, e a automotivação surgirá.

O pelotão atingiu o último cume quando o sol estava a pino e cambaleou até uma clareira com um mastro. Todo mundo ficou imóvel. Eles finalmente haviam terminado. A Forja tinha acabado. Um instrutor percorreu a formação deles, parando diante de cada homem para entregar a insígnia da força, a Águia, o Globo e a Âncora. Eles eram, oficialmente, fuzileiros navais.

"Imaginamos que o treinamento básico vai ser um monte de gritaria e brigas", disse-me Quintanilla. "Mas não é. Não tem nada a ver. É mais uma aula para aprender a fazer coisas que achávamos que não conseguíamos fazer. Na verdade, é bastante emocional."

O treinamento básico, assim como a carreira na força propriamente dita, não oferece muitos benefícios materiais. O salário inicial de um fuzileiro é de 17 616 dólares ao ano. No entanto, o Corpo de Fuzileiros Navais apresenta um dos maiores índices de satisfação profissional. O treinamento que a força oferece a cerca de 40 mil recrutas todos os anos transformou a vida de milhões de pessoas que, como Quintanilla, não faziam ideia de como gerar a motivação e a auto-orientação necessárias para que assumissem o controle da própria vida. Desde as reformas de Krulak, os índices de retenção de novos recrutas e de desempenho dos novos fuzileiros subiram mais de 20%. Pesquisas indicam que o lócus de controle interno do recruta típico aumenta consideravelmente durante o treinamento básico.[32] Os experimentos de Delgado foram um começo para compreender a motivação. Os Fuzileiros Navais complementam essas conclusões ajudando-nos a descobrir como ensinar disposição a indivíduos que não têm prática com determinação pessoal: se receberem a oportunidade de ter uma sensação de controle e de exercitar a tomada de decisão, as pessoas podem aprender a exercer a força de vontade.

Quando se sabe como transformar escolhas auto-orientadas em um hábito, a motivação fica mais automática.

Além do mais, para que seja mais fácil ensinar a nós mesmos a automotivação, precisamos aprender a encarar nossas escolhas não apenas como expressões de controle, mas como afirmação de nossos valores e objetivos. É por isso que os recrutas perguntam "por quê" uns aos outros: porque isso os ensina a associar tarefas pequenas a aspirações mais amplas.

É possível perceber a importância dessa conclusão em uma série de estudos realizados em casas de repouso nos anos 1990. Os pesquisadores estavam investigando por que alguns idosos prosperavam nesse tipo de instituição, enquanto outros apresentavam um declínio físico e mental acelerado. Eles determinaram que uma diferença fundamental era o fato de que os idosos que prosperavam faziam escolhas que contrariavam os cronogramas rígidos, os cardápios fixos e os regulamentos rigorosos que as casas de repouso tentavam impor.[33]

Alguns pesquisadores se referiam a esses pacientes como "subversivos", visto que várias de suas decisões se manifestavam como pequenos atos de rebeldia contra o status quo. Por exemplo, no começo de todas as refeições, um grupo de uma instituição de Santa Fé trocava alimentos entre eles mesmos a fim de compor refeições personalizadas, em vez de aceitar placidamente o que havia sido servido. Um paciente explicou a um dos pesquisadores que sempre dava seu pedaço de bolo para outra pessoa porque, embora gostasse de bolo, "preferia comer algo menos saboroso mas que eu mesmo tenha escolhido".

Um grupo de moradores de uma casa de repouso em Little Rock violou as regras da instituição ao deslocar a mobília de seus quartos para personalizar a decoração. Como os armários eram presos às paredes, eles usaram um pé de cabra — surrupiado de um armário de ferramentas — para soltar as penteadeiras. O administrador decidiu marcar uma reunião e dizer que ninguém podia realizar decorações independentes; se os idosos precisassem de ajuda, a equipe estaria à disposição. Os moradores informaram ao administrador que não queriam auxílio algum, não precisavam de permissão e pretendiam continuar fazendo o que lhes desse na telha.

Esses pequenos atos de rebeldia, no quadro geral, eram relativamente banais. Mas eram potentes do ponto de vista psicológico, porque os subversivos encaravam as revoltas como indício de que ainda controlavam a própria vida. Os subversivos andavam, em média, cerca de duas vezes mais do que os outros pacientes das casas de repouso. Comiam cerca de um terço a mais. Obedeciam às ordens dos médicos com mais regularidade, tomavam seus remédios, faziam exercício e mantinham relacionamentos com parentes e amigos. Esses idosos haviam chegado às casas de repouso com o mesmo número de problemas de saúde dos outros, mas, lá dentro, viviam por mais tempo, mostravam um nível de felicidade maior e eram muito mais ativos física e intelectualmente.

"É a diferença entre tomar decisões que comprovam que você ainda está no comando da sua vida e assumir a postura de que só está esperando a morte chegar", disse Rosalie Kane, gerontóloga da Universidade de Minnesota. "Não faz muita diferença se você come ou não o bolo. Mas, se você se recusa a comer o bolo *deles*, mostra a si mesmo que ainda dá as regras." Os subversivos prosperavam porque sabiam assumir o controle, da mesma forma como a tropa de Quintanilla aprendeu a atravessar o fosso de forma subversiva durante a Forja decidindo por uma interpretação própria das regras.

Em outras palavras, as escolhas mais poderosas para gerar motivação são as que produzem dois efeitos: convencer-nos de que estamos no controle *e* atribuir às nossas ações um sentido mais amplo. Decidir escalar uma montanha pode se tornar uma expressão de amor por uma filha. Resolver promover uma insurreição na casa de repouso pode virar uma prova de que ainda se está vivo. Um lócus de controle interno surge quando desenvolvemos um hábito mental de transformar obrigações em *escolhas significativas* quando estabelecemos que temos autoridade sobre nossa vida.

Quintanilla concluiu o treinamento básico em 2010 e serviu como fuzileiro naval por três anos. Depois, pediu baixa. Acreditava que estava enfim pronto para a vida real. Arrumou outro emprego, mas ficou decepcionado com a falta de camaradagem entre os colegas. Ninguém parecia motivado para se superar. Então, em 2015, ele se alistou de novo. "Eu sentia falta daquela lembrança constante de que eu podia fazer qualquer coisa. Sentia falta de pessoas me pressionando a escolher uma versão melhor de mim mesmo."

V.

Viola Philippe, a esposa do ex-magnata das peças automotivas de Louisiana, era uma espécie de expert em motivação antes de viajar com Robert para a

América do Sul. Nascera com albinismo — seu corpo não produzia a enzima tirosinase, essencial para a síntese de melanina — e, portanto, sua pele, seu cabelo e seus olhos não possuíam pigmentação alguma, e ela enxergava mal. Era praticamente cega e só conseguia ler se o texto estivesse muito perto do rosto, e apenas com o auxílio de uma lupa. "Mas você nunca conheceu ninguém mais determinada", disse-me sua filha, Roxann. "Ela era capaz de fazer qualquer coisa."

Quando Viola era pequena, a Subsecretaria de Educação do distrito tentara transferi-la para uma turma de reforço, apesar de o problema dela ser nos olhos, não no cérebro. Mas ela se recusou a sair da sala onde seus amigos estavam. E lá permaneceu até os gestores desistirem. Depois do ensino médio, Viola ingressou na Universidade Estadual da Louisiana e disse à instituição que esperava que lhe fosse designada uma pessoa para ler os livros acadêmicos em voz alta. A faculdade aquiesceu. No segundo ano do curso, ela conheceu Robert, que pouco depois abandonou os estudos e começou a lavar e encerar carros em uma concessionária local da Ford. Ele a incentivou a sair da faculdade também. Viola recusou educadamente e obteve o diploma. Os dois se casaram em dezembro de 1950, quatro meses depois da formatura.

Tiveram seis filhos, um atrás do outro, e, enquanto Robert construía seu império, Viola administrava o lar. Havia reuniões matinais e tabelas com as atividades que cada filho deveria fazer a cada dia. Havia reuniões nas noites de sexta-feira, em que todo mundo estabelecia os objetivos para a semana seguinte. "Os dois eram iguaizinhos, totalmente dedicados", disse Roxann. "A mamãe se recusava a deixar que a deficiência a impedisse de qualquer coisa. Acho que é por isso que ela ficou tão abalada quando o papai mudou."

A princípio, quando Robert foi acometido da apatia, Viola concentrou as energias em cuidar do marido. Contratou enfermeiras para ajudá-lo a se exercitar e trabalhou com o irmão dele para formar um comitê que administraria e, por fim, venderia as empresas de Robert. No entanto, depois de um tempo, já não havia mais nada a fazer. Ela tinha se casado com um bon vivant, um homem cheio de vida e com quem era difícil até ir ao mercado porque ele ficava parando para bater papo com todo mundo. E agora Robert passava o dia inteiro sentado na frente da televisão. Viola estava arrasada. "Ele não conversava comigo", disse ela em um tribunal quando a família processou uma seguradora a fim de pleitear alguma indenização pelos danos neurológicos de Robert. "Ele não... não parecia se interessar por nada do que eu fazia. Eu preparava as refeições dele e agia mais ou menos como uma cuidadora. Acho que daria para me chamar de cuidadora."

Durante alguns anos, ela teve pena de si mesma. Então ficou com raiva. Depois, ocupada. Se Robert não pretendia exibir nenhuma motivação para reassumir a própria vida, ela o obrigaria a se mexer de novo. Forçaria o marido a se envolver. Começou a bombardeá-lo com perguntas intermináveis. Enquanto fazia o almoço, enchia-o de opções. Sanduíche ou sopa? Alface ou tomate? Presunto de porco ou de peru? E maionese? Água gelada ou suco? A princípio, ela não tinha nenhuma intenção de fato. Só estava frustrada e queria fazê-lo falar.

Mas então, depois de alguns meses atormentando-o, Viola descobriu que, sempre que era pressionado a tomar alguma decisão, Robert parecia voltar um pouco à vida. Ele gracejava um pouco com a esposa, ou falava de um programa que tinha visto. Certa noite, depois que Viola o obrigara a fazer uma dúzia de escolhas quanto ao que jantaria, qual mesa usariam e que música escutariam, ele começou a tagarelar, lembrando uma história engraçada que havia acontecido depois do casamento dos dois, quando tinham ficado presos fora de casa durante uma tempestade. Ele contou a história meio sem jeito e riu ao lembrar que tinha tentado arrombar uma janela. Era a primeira vez depois de anos que Viola o ouvia rir. Durante alguns minutos, foi como se o Robert de antes tivesse voltado. E então ele se virou para a TV e ficou quieto de novo.

Viola continuou com a campanha, e, com o passar do tempo, cada vez mais o velho Robert ressurgia. Ela parabenizava, bajulava e recompensava o marido sempre que, por um instante, ele parecia voltar. Quando Robert voltou ao dr. Strub, o neurologista de New Orleans, para a consulta anual sete anos após a viagem pela América do Sul, o médico sentiu a diferença. "Ele cumprimentou as enfermeiras, perguntou dos filhos delas", disse o dr. Strub. "Puxou conversa comigo, me perguntou sobre meus hobbies. Expressou opiniões sobre o caminho que eles deveriam pegar para voltar para casa. Era o tipo de coisa que não chamaria atenção em mais ninguém, mas, em relação a ele, parecia que alguém estava reacendendo as luzes."

Conforme os neurologistas estudavam a maneira como a motivação funciona no cérebro, convenciam-se cada vez mais de que pessoas como Robert não perdem a disposição porque perderam a capacidade de motivarem a si mesmas. Na verdade, a apatia delas é resultado de uma disfunção *emocional*. Uma das coisas que Habib, o pesquisador francês, percebeu nos indivíduos analisados foi que todos exibiam algum isolamento emocional curioso. Uma mulher apática disse que quase não reagira à morte do pai. Um homem relatou que, desde que fora acometido da passividade, nunca mais sentira vontade de abraçar a esposa ou os filhos. Quando Habib perguntou aos pacientes se eles estavam tristes com as mudanças em sua vida, todos disseram que não. Eles não sentiam nada.[34]

Neurologistas sugeriram que esse marasmo emocional é o motivo por que algumas pessoas não sentem motivação alguma. Nos pacientes de Habib, os danos no corpo estriado os impediam de sentir a gratificação que acontece quando se assume o controle. A motivação ficava inerte porque eles haviam esquecido como é bom fazer uma escolha. Em outros casos, eram pessoas que nunca haviam aprendido o que é ser determinado, porque cresceram em um bairro que parecia oferecer muito poucas opções, ou porque esqueceram os benefícios da autonomia depois de se mudarem para uma casa de repouso.

Essa teoria sugere um modo de ajudarmos a fortalecer o lócus de controle interno, seja em nós mesmos ou em outras pessoas. Deveríamos recompensar tomadas de iniciativa, parabenizar pessoas por atos de automotivação, comemorar quando um bebê quer comer por conta própria. Deveríamos elogiar uma criança que demonstra uma teimosia atrevida e cheia de si e recompensar um aluno que dá um jeito de contornar as regras para cumprir objetivos.

É claro que isso é mais fácil na teoria do que na prática. Todo mundo valoriza a automotivação até uma criança se recusar a calçar o sapato, um pai idoso arrancar uma penteadeira da parede ou um adolescente ignorar as regras. Mas é assim que se fortalece o lócus de controle interno. É dessa forma que nossa mente aprende e se lembra de como é boa a *sensação* de estar no controle. E, se não exercitarmos a determinação pessoal e nos dermos prêmios emocionais por atos de reafirmação subversiva, nossa capacidade de automotivação pode desaparecer.

Além do mais, precisamos provar a nós mesmos que nossas escolhas têm significado. Quando começamos uma tarefa nova ou enfrentamos uma obrigação desagradável, deveríamos parar um instante e nos perguntarmos "por quê". Por que estamos nos obrigando a escalar este morro? Por que estamos nos esforçando para ficar longe da televisão? Por que é tão importante responder àquele e-mail ou lidar com um colega de trabalho cujos pedidos parecem tão irrelevantes?

Quando começamos a perguntar o porquê, aquelas tarefas insignificantes se tornam partes de uma constelação maior de projetos, metas e valores importantes. Começamos a reconhecer que trabalhos pequenos podem render benefícios emocionais imensos, pois são prova de que estamos fazendo escolhas significativas, de que realmente estamos no controle de nossa própria vida. É aí que a automotivação prospera: quando nos damos conta de que o mero ato de responder a um e-mail ou ajudar um colega pode ser irrelevante quando encarado por si só, mas que ele faz parte de um projeto maior em que acreditamos, que pretendemos alcançar, que *decidimos* realizar. Em outras palavras, automotivação é uma escolha que fazemos porque é parte de algo maior e mais satisfatório do ponto de vista emocional do que a tarefa imediata que precisa ser cumprida.

Em 2010, 22 anos depois das férias na América do Sul, Viola foi diagnosticada com câncer de ovário. A doença a consumiu em dois anos. A cada instante, Robert esteve sempre lá, ajudando-a a sair da cama de manhã e lembrando-a de tomar os remédios à noite. Fazia perguntas para distraí-la da dor e lhe dava de comer quando ela ficava fraca. Quando Viola enfim faleceu, Robert passou dias sentado à beira da cama vazia. Seus filhos, com medo de que ele estivesse recaindo na apatia, sugeriram mais uma visita ao neurologista de New Orleans. Talvez o médico pudesse recomendar algo que evitasse a volta da letargia.

Não, disse Robert. Não era por apatia que ele não saía de casa. Ele só precisava de um pouco de tempo para refletir sobre os 62 anos do casamento. Viola o ajudara a construir uma vida — e depois, quando tudo fugira do controle, ela o ajudara a construir tudo de novo. Robert disse aos filhos que queria apenas honrar essa história com alguns dias de descanso. Uma semana depois, saiu de casa e foi tomar café da manhã com eles. Mais tarde, ficou cuidando dos netos. Robert faleceu 24 meses depois, em 2014. Segundo seu obituário, foi ativo até o fim.

2. Equipes

SEGURANÇA PSICOLÓGICA NO GOOGLE E NO *SATURDAY NIGHT LIVE*

Julia Rozovsky tinha 25 anos e nenhuma certeza do que fazer da vida quando decidiu que era hora de mudar. Era formada em matemática e economia pela Tufts e trabalhara em uma firma de consultoria, uma atividade que não a deixava satisfeita. Depois, passara a atuar como pesquisadora para dois professores de Harvard, algo que achava divertido, mas que não encarava como uma carreira duradoura.

Ela pensou que, talvez, seu lugar fosse em uma grande empresa. Ou talvez devesse seguir carreira acadêmica. Ou quem sabe fosse melhor entrar para uma start-up de tecnologia. Era tudo muito confuso. Então ela escolheu a opção que a poupava de ter que decidir: tentou vaga em cursos de administração e, em 2010, passou para a Faculdade de Administração de Yale.

Chegou a New Haven preparada para fazer amizade com os colegas da turma e, como todos os alunos novos, foi designada para um grupo de estudos. Ela concluiu que esse grupo seria uma parte importante de sua formação. Eles ficariam bastante amigos e aprenderiam juntos, discutiriam questões importantes e ajudariam um ao outro a descobrir o que fazer da vida.

Grupos de estudo são um rito de passagem na maioria dos programas de MBA, uma forma de os alunos exercitarem o trabalho em equipe. Em Yale, "cada grupo de estudo tem a mesma grade de horários e colabora em todos os trabalhos em grupo", explicava um dos sites da instituição.[1] "Grupos de estudo foram concebidos com cuidado para reunir alunos de formações diversas, tanto na esfera profissional quanto na cultural." Todos os dias, durante a hora do almoço ou depois do jantar, Julia e os outros quatro integrantes de seu grupo de estudos se encontravam para falar de exercícios e comparar planilhas, formular estratégias para as provas seguintes e trocar anotações feitas durante as aulas. Verdade seja dita, o grupo dela não era lá muito diverso. Duas pessoas tinham sido consultoras de gestão, como Julia. Outra havia trabalhado em uma start-up. Eram todos inteligentes, curiosos e simpáticos. Julia esperava que, com as semelhanças, fosse mais fácil fazer amizade com todos. "Muitas pessoas dizem que conheceram alguns de seus melhores amigos do curso de administração nos grupos de estudo", explicou Julia. "Mas não foi o que aconteceu comigo."[2]

Praticamente desde o início, o grupo de estudos parecia uma dose diária de estresse. "Eu nunca me sentia de fato relaxada", contou-me ela. "Sempre ficava com a sensação de que tinha que provar meu valor." Logo se estabeleceu uma dinâmica que a deixou tensa. Todo mundo queria exibir liderança, então, quando algum professor passava trabalhos de grupo, ocorriam embates sutis para determinar quem estava no comando. "As pessoas falavam mais alto ou interrompiam umas às outras, em uma tentativa de demonstrar autoridade", disse Julia. Na hora de distribuir as tarefas para esses projetos, um integrante do grupo às vezes se antecipava e determinava funções para cada um, e logo os outros criticavam essas funções; em seguida, alguém afirmava a própria autoridade sobre alguma parte do trabalho, e por fim todos os demais se apressavam em tomar para si algum pedaço. "Talvez fosse só minha própria insegurança, mas eu sempre tinha a sensação de que precisava tomar cuidado para não cometer erros perto deles", confessou Julia. "Eles criticavam uns aos outros, mas falavam em tom de brincadeira, então o grupo era meio passivo-agressivo."

"Eu estava louca para fazer amizade com o meu grupo", disse ela. "Fiquei bem chateada pelo fato de a gente não ter se entrosado."

Julia passou então a procurar outros grupos, outras formas de se relacionar com os colegas. Uma pessoa comentou que alguns alunos estavam formando uma equipe para participar de "torneios de casos", nos quais estudantes de administração propunham soluções inovadoras para problemas reais de negócios. As equipes recebiam um estudo de caso, passavam algumas semanas formulando um plano de negócios e então o apresentavam a executivos importantes e professores, que escolhiam um vencedor. Essas disputas eram patrocinadas por empresas, e havia também prêmios em dinheiro; às vezes, esses torneios também resultavam em empregos. Julia se inscreveu.

Yale abrigava cerca de uma dúzia de equipes de torneios de casos. A de Julia incluía um ex-oficial do Exército, um pesquisador de um *think tank*, o diretor de uma organização sem fins lucrativos da área de educação em saúde e o gestor de um programa de refugiados. Ao contrário do grupo de estudos, todo mundo vinha de áreas diferentes. Mas, logo de cara, todos se entrosaram. Sempre que chegava um novo caso, a equipe se reunia na biblioteca e punha a mão na massa, debatendo opções durante horas, distribuindo tarefas de pesquisa e dividindo trabalhos de escrita. Depois, eles se reuniam várias outras vezes. "Um dos melhores casos em que trabalhamos foi sobre a própria Yale", contou Julia. "Sempre existira uma lanchonete administrada por alunos, mas a universidade passaria a assumir a comercialização de alimentos, então a faculdade de administração bancou um concurso para reformular o espaço da lanchonete.

"Durante uma semana, nos reunimos todas as noites. Achei que devíamos encher a lanchonete de leitos para cochilos, e outra pessoa disse que o lugar devia virar uma sala de jogos, e alguém ainda sugeriu um esquema de brechó. Bolamos um monte de ideias malucas." Ninguém desprezava nenhuma sugestão, nem sequer a dos leitos para cochilos. O grupo de estudos de Julia também havia realizado várias sessões de brainstorming durante os trabalhos em grupo, "mas, se eu tivesse mencionado qualquer coisa na linha de espaços para tirar sonecas, alguém reviraria os olhos e listaria quinze motivos pelos quais a ideia era idiota. E *era* uma ideia idiota. Mas minha equipe de casos adorou. Sempre adorávamos as ideias idiotas uns dos outros. Passamos uma hora imaginando como leitos para cochilos podiam ser rentáveis com a venda de acessórios como tampões de ouvido".

Por fim, a equipe de Julia se decidiu pela ideia de transformar a lanchonete estudantil em uma miniacademia com aulas de ginástica e alguns aparelhos de musculação. Eles passaram semanas pesquisando modelos de precificação e entrando em contato com fabricantes de equipamentos. Acabaram vencendo a competição, e hoje a miniacademia está lá. No mesmo ano, dedicaram um mês a estudar maneiras de expandir para a Carolina do Norte uma rede de lojas de conveniência ecologicamente responsáveis. "Acho que chegamos a analisar mais de vinte planos", disse ela. "No fim das contas, vários não faziam o menor sentido." Quando a equipe foi a Portland, no Oregon, para apresentar a sugestão final — uma estratégia de crescimento lento que punha ênfase nas opções de alimentos saudáveis da rede —, conquistou o primeiro lugar nacional.[3]

O grupo de estudos de Julia acabou se dissolvendo no segundo semestre, quando um estudante parou de comparecer, depois outro, e por fim todo mundo. A equipe de torneios de casos foi crescendo conforme novos alunos pediam para entrar. Os cinco integrantes da formação inicial, incluindo Julia, continuaram envolvidos durante todo o tempo que estudaram em Yale.[4] Hoje em dia, essas pessoas estão entre os melhores amigos dela. Vão ao casamento uns dos outros, visitam-se em viagens, trocam conselhos profissionais e repassam vagas de emprego.

Julia sempre achou curioso o fato de os dois núcleos passarem uma *sensação* tão diferente. O grupo de estudos parecia estressante porque todo mundo estava disputando a liderança e criticando as ideias dos demais. A equipe de torneios de casos era estimulante porque todo mundo demonstrava muito apoio e entusiasmo. Contudo, os dois grupos eram compostos basicamente do mesmo tipo de gente. Eram todos inteligentes, e fora das reuniões todo mundo era simpático. Não tinha por que a dinâmica do grupo de estudos de Julia ter se tornado tão competitiva, enquanto a cultura da equipe de casos era tão tranquila.

"Não dava para entender por que as coisas tinham sido tão diferentes", contou-me ela. "Não tinha motivo para ser necessariamente assim."

Depois de se formar, Julia foi trabalhar no Google e entrou para o grupo de People Analytics [análise de pessoas] da empresa, encarregado de estudar quase todos os aspectos de como os funcionários passavam o tempo.[5] Ela descobriu o que deveria fazer da vida: usar dados para entender por que as pessoas se comportam do jeito como se comportam.

Por seis anos consecutivos, o Google tinha sido apontado pela *Fortune* como um dos melhores lugares para trabalhar nos Estados Unidos.[6] Os executivos da empresa acreditavam que isso se devia ao fato de que, embora tivesse crescido até a ordem dos 53 mil funcionários, o Google investia uma quantidade enorme de recursos na observação da felicidade e da produtividade de seus empregados. O grupo de People Analytics, parte da divisão de recursos humanos do Google, ajudava a examinar se os trabalhadores estavam satisfeitos com seus chefes e colegas, se eles se sentiam sobrecarregados, estimulados intelectualmente, bem pagos, se estavam conseguindo encontrar equilíbrio entre a vida profissional e a pessoal, além de centenas de outras variáveis. A divisão ajudava nas decisões de contratação e demissão, e os analistas opinavam quanto a quem devia ser promovido e quem, talvez, tivesse avançado rápido demais. Nos anos antes de Julia entrar para o People Analytics, o grupo havia determinado que bastavam quatro entrevistas com um candidato para prever, com 86% de certeza, se a pessoa seria uma boa contratação para a empresa. A divisão conseguira ampliar o tempo da licença-maternidade de doze para dezoito semanas porque projeções de computador indicavam que isso reduziria em 50% a frequência com que novas mães pediam demissão. No nível mais elementar, o objetivo da divisão era fazer com que a vida no Google fosse um pouco melhor e muito mais produtiva. O People Analytics acreditava que, com informação suficiente, era possível resolver praticamente qualquer quebra-cabeça comportamental.

O maior empreendimento do grupo nos anos anteriores havia sido um estudo — cujo codinome antes de seu anúncio era Projeto Oxigênio — que examinava por que alguns gerentes eram mais eficazes que outros. Por fim, os pesquisadores haviam identificado oito habilidades de gestão essenciais.* "O Oxigênio foi um sucesso imenso para nós", disse Abeer Dubey, um gestor do People Analytics. "Ajudou a esclarecer o que distinguia os bons gestores de todos os demais e o que podia ser feito para ajudarmos as pessoas a melhorar." Na realidade, o projeto foi tão útil que, mais ou menos na mesma época em que Julia foi contratada, o Google iniciou outro esforço gigantesco, intitulado Projeto Aristóteles.

Dubey e seus colegas haviam reparado que muitos funcionários do Google, em pesquisas internas, sempre comentavam sobre a importância de suas equipes. "Os Googlers diziam coisas como 'Tenho um gestor ótimo, mas minha equipe nunca se entrosou' ou 'Meu gestor não é fantástico, mas a equipe

---

* O Projeto Oxigênio concluiu que um gestor 1) é um bom treinador; 2) dá autonomia e não tenta controlar tudo; 3) expressa interesse e preocupação pelo sucesso e bem-estar de seus subordinados; 4) é orientado para resultados; 5) escuta e compartilha informações; 6) ajuda no desenvolvimento profissional; 7) possui uma visão e uma estratégia claras; 8) possui habilidades técnicas relevantes.

é tão forte que não faz diferença'", disse Dubey. "E isso foi meio que revelador, porque o Projeto Oxigênio havia analisado a liderança, mas não tinha se concentrado na maneira como as equipes funcionam ou em pensar se havia uma mistura ótima de tipos de pessoas ou formações." Dubey e seus colegas queriam descobrir uma forma de criar a equipe perfeita. Julia se tornou uma das pesquisadoras do programa.[7]

O projeto começou com uma análise abrangente da literatura acadêmica sobre o assunto. Alguns cientistas haviam revelado que as equipes funcionavam melhor quando possuíam uma concentração de pessoas com níveis semelhantes de extroversão e introversão, enquanto outros tinham concluído que o segredo era um equilíbrio de personalidades. Havia estudos sobre a importância de que os colegas tivessem interesses e hobbies parecidos, e outros incentivavam a diversidade. Algumas pesquisas sugeriam que as equipes precisavam de pessoas que gostavam de colaborar; outras diziam que os grupos se saíam melhor quando havia rivalidades saudáveis entre os indivíduos. Em outras palavras, a bibliografia falava de tudo.

Assim, o Projeto Aristóteles passou mais de 150 horas perguntando a funcionários do Google o que *eles* achavam que fazia com que uma equipe fosse eficaz.[8] "Descobrimos que as equipes estão mais ou menos nos olhos de quem vê", disse Dubey. "Um grupo pode parecer trabalhar muito bem quando visto de fora, mas, por dentro, todo mundo está sofrendo." Com o tempo, eles estabeleceram critérios para medir a eficácia das equipes com base em fatores externos, como o cumprimento de metas de vendas, e também em variáveis internas, como a sensação de produtividade dos integrantes. Depois, o grupo do Aristóteles começou a mensurar tudo o que podia. Os pesquisadores examinaram a frequência com que os colegas de equipe socializavam fora da empresa e como as tarefas eram divididas. Formularam diagramas complexos para demonstrar participações coincidentes nas equipes e, depois, compararam-nos a dados estatísticos de quais grupos haviam superado as metas de seus departamentos. Observaram quanto tempo as equipes permaneciam juntas e se a proporção de gêneros exercia algum impacto na eficácia.

Contudo, por mais que eles reorganizassem os dados, era quase impossível encontrar algum padrão — ou qualquer indício de que a composição da equipe possuía alguma relação com seu sucesso. "Analisamos 180 equipes da empresa inteira", disse Dubey. "Tínhamos um *monte* de dados, mas não havia nada que mostrasse que uma combinação de tipos específicos de personalidade, habilidade ou formação fazia qualquer diferença. Parecia que a parte 'quem' da equação não importava."

Por exemplo, algumas equipes produtivas do Google eram formadas por amigos que praticavam esportes juntos fora do trabalho. Outras eram compostas de pessoas que praticamente nem se falavam fora da sala de reuniões. Alguns grupos preferiam gestores fortes. Outros queriam uma estrutura mais horizontal. O mais estranho era que, às vezes, duas equipes apresentavam uma composição quase idêntica, com participações coincidentes, mas níveis de eficácia radicalmente distintos. "No Google, somos bons para encontrar padrões", disse Dubey. "Não havia padrões nítidos ali."

Então o Projeto Aristóteles adotou uma abordagem diferente. Um segundo conjunto de pesquisas acadêmicas se concentrava no que se conhece como "normas de grupo". Uma equipe de cientistas havia publicado um artigo na *Sociology of Sport Journal* em que dizia que, "com o tempo, qualquer grupo desenvolve normas coletivas quanto ao comportamento apropriado".[9] As normas são tradições, padrões de comportamento e regras tácitas que regem a maneira como agimos. Quando uma equipe atinge um consenso implícito de que mais vale evitar discordâncias do que debater, uma norma se faz presente. Outra norma se denuncia quando uma equipe desenvolve uma cultura que incentiva diferenças de opinião e estimula o pensamento coletivo. Os integrantes podem se comportar de um jeito como indivíduos — podem reclamar da autoridade ou preferir trabalhar de forma independente —, mas, dentro de um grupo, é comum que um conjunto de normas supere essas preferências e inspire deferência à equipe.[10]

Os pesquisadores do Projeto Aristóteles voltaram aos dados que haviam coletado e os analisaram mais uma vez, agora em busca de normas. Descobriram que algumas equipes permitiam constantemente que as pessoas interrompessem umas às outras. Outras determinavam rodadas de fala. Algumas equipes comemoravam aniversários e começavam cada reunião com alguns minutos de conversa fiada. Outras iam direto ao assunto. Havia grupos cujos extrovertidos obedeciam às normas sóbrias sempre que a equipe se juntava, e havia outros em que os introvertidos se soltavam assim que a reunião começava.

E os dados indicavam que algumas normas se relacionavam continuamente com alta eficácia em equipe. Por exemplo, um engenheiro disse aos pesquisadores que a líder de sua equipe "é direta e objetiva, o que cria um espaço seguro para que possamos arriscar [...]. Ela também faz questão de perguntar como vamos, de pensar em maneiras de nos ajudar e dar apoio". Esse era um dos grupos mais eficazes do Google.

Em outro caso, um engenheiro disse aos pesquisadores que o "líder da equipe não tem muito controle emocional. Ele entra em pânico por causa de problemas pequenos e vive tentando controlar tudo. Eu odiaria dirigir com ele no banco do carona, porque ele ficaria o tempo todo tentando pegar o volante e acabaria batendo com o carro". Essa equipe não tinha um bom desempenho.

Porém, os funcionários falaram sobretudo de como era a *sensação* em equipes diversas. "E isso fez muito sentido para mim, talvez por causa da minha experiência em Yale", disse Julia. "Eu tinha feito parte de equipes que me deixavam completamente exausta e de outras em que o grupo me enchia de energia."

Há fortes indícios de que normas de grupo exercem uma função crucial na experiência emocional associada à participação em uma equipe. Pesquisas conduzidas por psicólogos de Yale, Harvard, Berkeley, da Universidade do Oregon e de outras instituições indicam que as normas determinam se nos sentimos seguros ou ameaçados, irritados ou empolgados, motivados ou desestimulados por parte dos colegas de equipe.[11] O grupo de estudos de Julia em Yale, por exemplo, parecia exaustivo porque as normas — as brigas por liderança, a pressão para exibir conhecimento o tempo todo, a tendência a criticar — fizeram-na assumir uma postura defensiva.[12] Por outro lado, as normas da equipe de torneios de casos — entusiasmo pelas ideias de cada um; ausência de críticas; incentivo para que todos assumissem um papel de liderança ou não, conforme preferissem — permitiam que todos fossem receptivos e espontâneos. A coordenação era fácil.

Os pesquisadores do Projeto Aristóteles concluíram que normas de grupo eram a resposta para o aprimoramento das equipes no Google. "Os dados finalmente começaram a fazer sentido", disse Dubey. "Precisávamos gerir o *como* das equipes, não o *quem*."

No entanto, a questão era definir quais normas eram as mais importantes. A pesquisa do Google havia identificado dezenas de normas que pareciam relevantes — e, às vezes, as normas de uma equipe eficaz contradiziam as de outro grupo igualmente bem-sucedido.[13] Será que era melhor permitir que todo mundo falasse à vontade, ou que líderes fortes interrompessem debates intermináveis? Era mais proveitoso que as pessoas discordassem abertamente umas das outras, ou os conflitos deviam ser refreados? Quais eram as normas mais cruciais?

II.

Em 1991, Amy Edmondson, no primeiro ano do doutorado, começou a visitar hospitais com a intenção de demonstrar que um bom trabalho em equipe andava de mãos dadas com um bom atendimento médico. Mas os dados insistiam em dizer que ela estava enganada.

Edmondson estava estudando comportamento organizacional em Harvard. Um professor havia pedido a ela que o ajudasse em um estudo sobre erros médicos, então Edmondson, em busca de um tema para sua tese, começou a visitar salas de recuperação, conversar com enfermeiros e estudar relatórios de erros em dois hospitais de Boston.[14] Em um setor de cardiologia, ela descobriu que um enfermeiro, sem perceber, aplicara em um paciente uma dose intravenosa de lidocaína, um anestésico, em vez de heparina, um anticoagulante. Em um setor de ortopedia, um paciente recebera anfetaminas em vez de aspirina. "Você ficaria espantado com a quantidade de erros que acontecem todos os dias", disse-me Edmondson. "Não por causa de incompetência, mas porque hospitais são lugares muito complicados, e em geral cada paciente fica sob os cuidados de uma equipe grande — chegam a ser mais de vinte pessoas, entre enfermeiros, técnicos e médicos. São muitas oportunidades para que alguém cometa algum deslize."[15]

Algumas partes dos hospitais que Edmondson visitou pareciam mais passíveis de acidentes que outras. A ortopedia, por exemplo, registrava em média um erro a cada três semanas; a cardiologia, por sua vez, registrava um erro praticamente dia sim, dia não. Ela também constatou que os diversos departamentos tinham culturas muito diferentes. No setor de cardiologia, os enfermeiros eram informais e tagarelas; fofocavam pelos corredores e penduravam retratos dos filhos nas paredes. Na ortopedia, os funcionários eram mais sóbrios. Chefes de enfermagem usavam trajes formais, em vez de uniformes, e pediam para todo mundo evitar deixar objetos pessoais e bagunça em áreas comuns. Edmondson pensou que talvez pudesse estudar as culturas variadas das equipes e ver se havia alguma relação com os índices de erros.

Com um colega, criou uma pesquisa para mensurar a coesão das equipes em diversos departamentos do hospital. Pediu para os enfermeiros descreverem com que frequência o líder da equipe estabelecia objetivos claros e dizerem se os companheiros tratavam de conflitos abertamente ou evitavam conversas tensas. Mediu a satisfação, a felicidade e a automotivação de grupos diferentes e contratou um assistente de pesquisa para observar os departamentos durante dois meses.

"Imaginei que seria bem simples", disse-me ela. "As unidades com a maior noção de trabalho em equipe apresentariam o menor índice de erros." Só que, quando tabelou os dados, Edmondson constatou justamente o contrário. Os setores com maior coesão cometiam muito *mais* erros. Ela reviu os dados. Aquilo não fazia o menor sentido. Por que equipes fortes errariam mais?

Confusa, Edmondson decidiu examinar as respostas dos enfermeiros, pergunta por pergunta, em conjunto com os índices de erro para ver se aparecia alguma explicação. Ela havia incluído uma questão que indagava especificamente sobre os riscos pessoais associados aos erros cometidos. Queria saber se as pessoas concordavam ou discordavam da seguinte frase: "Se você cometer um erro nesta unidade, ele vai pesar contra você". Quando comparou os dados dessa pergunta com a incidência de erros, ela percebeu o que estava acontecendo. Não era que os departamentos com equipes mais fortes estavam cometendo mais erros. Na verdade, era que os enfermeiros das equipes mais fortes se sentiam mais à vontade para *relatar* seus erros. Os dados indicavam que uma norma específica — a punição de alguém por equívocos — influenciava se as pessoas seriam honestas quando faziam besteira.

Alguns líderes "estabeleceram um clima de receptividade que facilita a discussão de erros, o que é provável que seja uma influência importante nos índices que são detectados", escreveu Edmondson no *Journal of Applied Behavioral Science* em 1996. No entanto, ela ficou particularmente surpresa diante de como a situação se complicava quando vista mais de perto: não se tratava apenas do fato de equipes fortes incentivarem uma comunicação franca e equipes fracas a reprimirem. Na verdade, enquanto algumas equipes fortes encorajavam as pessoas a admitir os próprios erros, em outros grupos igualmente fortes enfermeiros tinham dificuldade para se pronunciar. A diferença não residia na coesão da equipe, mas na cultura que cada uma estabelecia. Por exemplo, em um setor do hospital com uma equipe forte, os enfermeiros eram supervisionados por "um gestor atuante que incentiva a expressão de dúvidas e preocupações [...]. Em uma entrevista, o chefe de enfermagem explicou que 'haverá certa quantidade de erros', então um 'ambiente não punitivo' é essencial para lidar com esses erros de forma produtiva", escreveu Edmondson. "Existe uma regra implícita de ajuda e supervisão mútuas", disse uma enfermeira ao assistente de Edmondson. "As pessoas ficam mais dispostas a admitir os erros aqui, porque o chefe de enfermagem vai defendê-las."

Em outro setor com uma equipe que, à primeira vista, também parecia forte, uma enfermeira disse que, quando admitia machucar um paciente ao tirar sangue, a chefe de enfermagem "fazia com que ela se sentisse como se estivesse sob julgamento". Outra disse que os médicos "comem o seu fígado se você cometer algum erro". Mas, ainda assim, os índices de coesão do grupo nesse departamento eram altos. Uma enfermeira disse ao assistente que o setor "se orgulha de ser limpo, arrumado e com aparência de profissionalismo". A chefe de enfermagem usava terninho e, quando criticava alguém, tinha a consideração de fazê-lo a portas fechadas. A equipe dizia que valorizava o profissionalismo da gestora, tinha orgulho do departamento e sentia uma forte união. Para Edmondson, os integrantes da equipe pareciam apreciar e respeitar uns aos outros genuinamente. Mas eles também admitiram que a cultura da unidade às vezes fazia com que fosse difícil confessar um erro.

Não era a força da equipe que determinava quantos erros eram relatados — na verdade, era uma norma específica.

Quando Edmondson começou a trabalhar na tese, visitou empresas de tecnologia e fábricas e perguntou às pessoas sobre as regras implícitas que moldavam o comportamento dos companheiros de equipe.[16] Ela me contou que "as pessoas disseram coisas como 'Esta é uma das melhores equipes em que já trabalhei, porque não tenho que fazer cara de profissional aqui' ou 'Não temos medo de sugerir ideias malucas'". Nesses grupos, havia normas de entusiasmo e apoio estabelecidas, e todo mundo se sentia no direito de expressar opiniões e assumir riscos. "E outras equipes me diziam: 'As pessoas em meu grupo são muito dedicadas umas às outras, então tento não sair do meu departamento sem antes pedir permissão para meu supervisor' ou 'Estamos todos no mesmo barco, então prefiro sugerir uma ideia nova só depois de saber que vai dar certo.'" Nessas equipes havia uma norma de lealdade — e ela prejudicava a disposição das pessoas de fazer sugestões ou se arriscar.

Tanto entusiasmo como lealdade são normas admiráveis. Os gestores não percebiam que elas produziriam impactos tão diferentes no comportamento das pessoas. E, no entanto, produziam. Nesse cenário, normas de entusiasmo resultavam em equipes melhores, enquanto as de lealdade resultavam em menos eficácia. "Os gestores nunca têm a intenção de criar normas nocivas", disse Edmondson. "Mas, às vezes, eles fazem escolhas que parecem lógicas, como incentivar as pessoas a desenvolver suas ideias antes de apresentá-las, mas que no fim das contas prejudicam a capacidade da equipe de trabalhar em conjunto."

No decorrer da pesquisa, Edmondson entrou em contato com um punhado de normas boas que pareciam sistematicamente associadas a maior produtividade. Por exemplo, nas melhores equipes, os líderes incentivavam as pessoas a se expressar; os companheiros se sentiam à vontade para expor suas próprias vulnerabilidades uns aos outros; as pessoas diziam que podiam sugerir ideias sem medo de retaliação; a cultura desestimulava críticas agressivas. Conforme a lista de boas normas de Edmondson crescia, ela começou a perceber que todas elas partilhavam de um mesmo atributo: eram todos comportamentos que criavam uma sensação de unidade ao mesmo tempo que incentivavam as pessoas a se arriscar.

Edmondson disse que "chamamos isso de 'segurança psicológica'". Segurança psicológica é uma "crença compartilhada, comum aos integrantes de uma equipe, de que o grupo é um lugar seguro para correr riscos". É "uma noção de confiança no fato de que a equipe não constrangerá, rejeitará ou punirá alguém que queira expressar sua opinião", escreveu ela em um artigo de 1999.[17] "Descreve um ambiente caracterizado por confiança interpessoal e respeito mútuo em que as pessoas se sentem à vontade para ser autênticas."

Julia e seus colegas no Google encontraram os artigos de Edmondson quando pesquisavam normas.[18] Eles acharam que a ideia de segurança psicológica continha tudo o que os dados indicavam que era importante para as equipes do Google. As normas que as pesquisas da empresa apontaram como as mais eficazes — permitir que as pessoas cometessem erros sem repercussões, respeitar opiniões divergentes, sentir-se livre para questionar as escolhas de outros, mas também confiar que as pessoas não estão tentando prejudicar umas às outras — eram todas aspectos de uma sensação de segurança psicológica. "Era nítido que essa ideia de segurança psicológica estava indicando quais eram as normas mais importantes", disse Julia. "Mas não estava claro o que podia ser feito para ensinar essas normas no Google. As pessoas aqui são muito atarefadas. Precisávamos de parâmetros claros para criar segurança psicológica sem perder a capacidade de discordância e debate, que é essencial para o jeito como o Google funciona." Em outras palavras, como convencer as pessoas a se sentir seguras e ao mesmo tempo incentivar que discordem?

"Por muito tempo, essa foi a pergunta de um milhão de dólares", disse-me Edmondson. "Sabíamos que era importante que os companheiros de equipe fossem francos um com o outro. Sabíamos que era importante que as pessoas acreditassem que podiam se expressar se achassem que havia algo errado. Mas esses comportamentos também podem causar desavenças. Não sabíamos por que alguns grupos podiam gerar conflitos e ainda assim apresentar segurança psicológica, enquanto outros passavam por um período tumultuoso e tudo se arruinava."

III.

No primeiro dia de testes para o programa de televisão que se tornou conhecido como *Saturday Night Live*, os atores foram chegando, um depois do outro, hora após hora, até parecer que nunca ia acabar.[19] Apareceram duas mulheres que interpretaram donas de casa do Meio-Oeste preparando-se para o desastre climático anual ("Posso pegar emprestado seu centro de mesa para o tornado deste ano?") e uma cantora com uma composição original intitulada "I Am Dog" [Eu sou cachorro], uma paródia do hino feminista "I Am Woman". Um imitador andando de patins e um músico obscuro chamado Meat Loaf subiram ao palco na hora do almoço. O ator Morgan Freeman e o comediante Larry David estavam incluídos na lista, assim como quatro malabaristas e cinco mímicos. Para os observadores exaustos que assistiam aos testes, parecia que todas as trupes de vaudeville e todos os humoristas de stand-up entre Boston e Washington, D.C., haviam comparecido.

O que era justamente o que Lorne Michaels, trinta anos de idade e criador do programa, queria. Ao longo dos nove meses anteriores, Michaels havia atravessado o país assistindo a centenas de espetáculos de comédia. Conversara com roteiristas de programas de TV e rádio e com redatores de toda revista que tivesse uma seção de humor. Mais tarde, ele disse que seu objetivo era ver "todo e qualquer indivíduo engraçado da América do Norte".

Ao meio-dia do segundo dia de testes, o cronograma atrasado, um homem irrompeu pelas portas, pulou para o palco e exigiu a atenção dos produtores. Tinha um bigode bem aparado e um terno de três peças. Portava um guarda-chuva e uma valise. "Estou lá fora há três horas e não vou esperar mais!", gritou. "Vou perder meu avião!" Ele cruzou o palco batendo os pés. "Chega! Vocês tiveram uma chance! Passar bem!" E então foi embora.

"Que raios foi isso?", perguntou um produtor.

"Ah, era só Danny Aykroyd", respondeu Michaels. Os dois haviam se conhecido em Toronto, onde Aykroyd fora um dos alunos na turma de improvisação de Michaels. "Ele provavelmente vai fazer parte do programa", disse Michaels.

Ao longo do resto daquele mês, conforme Michaels completava a seleção do elenco, isto aconteceu várias vezes: em vez de escolher alguém dentre as centenas de pessoas testadas, Michaels contratou comediantes que já conhecia ou que haviam sido indicados por algum amigo. Michaels conhecia Aykroyd do Canadá, e Aykroyd, por sua vez, estava animado com um cara chamado John Belushi, que ele havia conhecido em Chicago. A princípio, Belushi disse que jamais se apresentaria na televisão porque ela era um meio vulgar, mas recomendou uma colega de elenco do *National Lampoon Show* chamada Gilda Radner (que Michaels, por acaso, já contratara; eles tinham se conhecido no musical *Godspell*). O *National Lampoon Show* era afiliado à revista *National Lampoon*, fundada pelo roteirista Michael O'Donoghue, que morava com outra roteirista de comédia chamada Anne Beatts.

Todas essas pessoas criaram a primeira temporada do *Saturday Night Live*. Howard Shore, o diretor musical do programa, havia frequentado colônias de férias com Michaels. Neil Levy, o coordenador de talentos, era primo de Michaels. Michaels havia conhecido Chevy Chase em uma fila de Hollywood para ver *Monty Python em busca do cálice sagrado*. Tom Schiller, outro roteirista, conhecia Michaels porque eles tinham ido juntos ao parque Joshua Tree para comer cogumelos mágicos, e o pai de Schiller, um roteirista de Hollywood, havia acolhido Michaels no começo da carreira do jovem.

Quase todos os integrantes do elenco e os roteiristas originais do *Saturday Night Live* vinham do Canadá, de Chicago e de Los Angeles, e todos se mudaram para Nova York em 1975. "Manhattan era um deserto do mundo do entretenimento na época", disse Marilyn Suzanne Miller, uma roteirista que Michaels contratou depois de os dois trabalharem juntos em um especial da comediante Lily Tomlin em Los Angeles. "Parecia que Lorne tinha nos depositado em Marte."

Quando a equipe chegou a Nova York, ninguém conhecia ninguém de fora do grupo. Muitos deles se consideravam ativistas anticapitalistas ou antiguerra — ou, pelo menos, gostavam das drogas recreativas que aqueles ativistas apreciavam —, e lá estavam todos andando de elevador com um bando de engravatados no Rockefeller Center, número 30, onde o estúdio do programa estava sendo construído. "Todo mundo tinha, tipo, 21, 22 anos. Ninguém tinha dinheiro, nem a menor ideia do que estava fazendo, então passávamos o tempo inteiro tentando fazer os outros rirem", contou-me Schiller. "Fazíamos todas as refeições juntos. Íamos aos mesmos bares todas as noites. Morríamos de medo de que, se nos separássemos, alguém acabasse perdido e sumisse para sempre."[20]

Nos anos que se seguiram, o *Saturday Night Live* se tornou um dos programas mais populares e longevos da história da televisão, e criou-se uma espécie de mitologia. "Nos primeiros dias do *SNL*", escreveu o jornalista Malcolm Gladwell em 2002, "todo mundo conhecia todo mundo, e todos estavam sempre tomando conta da vida uns dos outros, e esse fato ajuda muito a explicar a química extraordinária entre os integrantes do elenco."[21] Há livros cheios de histórias de quando John Belushi invadia o apartamento de algum colega para cozinhar macarrão no meio da noite, ou de alguém que incendiou um quarto de visita por descuido com um baseado, ou de roteiristas que colaram a mobília de outros no teto, ou de uns passando trote em outros, ou de um grupo que pediu trinta pizzas em nome do departamento de jornalismo e depois vestiu uniforme de guarda para se infiltrar nos andares inferiores, roubar a pizza e deixar a conta para os jornalistas. Existem planilhas com detalhes de quem do *SNL* dormia com quem. (Elas tendem a ficar complicadas, porque Michaels era casado com a roteirista Rosie Shuster, que depois acabou ficando com Dan Aykroyd, que havia namorado Gilda Radner, que todo mundo desconfiava que estivesse apaixonada pelo roteirista Alan Zweibel, que mais tarde escreveu um livro para explicar que eles *estavam* apaixonados, mas nunca aconteceu nada e, além do mais, Radner depois se casou com um integrante da banda do *SNL*. "Eram os anos 1970", explicou-me Miller. "Sexo era a ordem do dia.")

O *Saturday Night Live* é considerado um modelo de excelente dinâmica de grupo. Textos acadêmicos o citam como um exemplo de o que uma equipe é capaz de conquistar diante das circunstâncias certas e com uma equipe intensamente integrada.[22]

Uma teoria diz que o grupo que criou o *Saturday Night Live* se formou com tanto sucesso porque necessidades individuais deram lugar a uma cultura comunal. Havia vivências semelhantes ("Nós todos éramos as crianças que não podiam sentar à mesa dos alunos populares na escola", contou-me Beatts), redes sociais em comum ("Lorne era um líder de seita", disse o roteirista Bruce McCall. "Desde que você tivesse uma devoção cega pelo grupo, estava tudo bem"), e as necessidades do grupo superavam egos individuais ("Não digo isso no mau sentido, mas éramos a Guiana no 17º andar", disse Zweibel. "Era uma prisão").[23]

Mas essa teoria fica consideravelmente mais complicada quando se buscam as pessoas da equipe original do *Saturday Night Live*. É verdade que aqueles roteiristas e atores passavam uma quantidade enorme de tempo juntos e desenvolveram um senso de união forte — mas não foi por causa de intimidade forçada, um passado em comum ou uma afeição mútua. Na verdade, as normas de grupo no *Saturday Night Live* geravam tantos momentos de tensão quanto de força. "Havia uma quantidade imensa de competitividade e conflito", disse Beatts. "Éramos muito jovens, e ninguém sabia se controlar. Sempre tinha briga."

Certa noite, na sala dos roteiristas, Beatts brincou que havia sido uma sorte Hitler ter matado 6 milhões de judeus, porque, caso contrário, ninguém teria conseguido um apartamento em Nova York. "Marilyn Miller ficou sem falar comigo durante duas semanas", disse ela. "Marilyn ficava completamente irritada com piadas sobre Hitler. Acho que, àquela altura, ela me odiava. Passávamos horas nos encarando." Havia ciúme e rivalidade, batalhas pela afeição de Michaels, competição por tempo diante das câmeras. "Você queria que seu esquete aparecesse, então o de outra pessoa tinha de ser cortado", contou Beatts. "Se você se saía bem, alguém se saía mal."[24]

Até mesmo os relacionamentos mais íntimos, como o de Alan Zweibel com Gilda Radner, eram turbulentos. "Gilda e eu bolamos um personagem, Roseanne Roseannadanna, e na sexta-feira eu chegava ao escritório e passava a noite inteira escrevendo o roteiro, umas oito ou nove páginas", disse Zweibel. "Aí Gilda chegava no meio da manhã, totalmente descansada, pegava uma caneta vermelha e começava a riscar a porra toda, como se fosse uma professorinha, e eu ficava furioso. Aí eu voltava para a minha sala e refazia tudo, e ela riscava de novo. Quando o programa enfim ia ao ar, em geral já havíamos parado de nos falar. Uma vez, passei três semanas sem escrever esquetes com ela. Reservei de propósito meus melhores trabalhos para outras pessoas"[25]

Além do mais, não é uma verdade absoluta o fato de que os integrantes do SNL gostavam de ficar juntos. Garrett Morris, o único ator negro do programa, se sentia deslocado e pretendia pedir demissão assim que juntasse dinheiro suficiente. Jane Curtin fugia para casa e o marido assim que os trabalhos da semana acabavam. As pessoas formavam alianças, depois brigavam, depois formavam contra-alianças. "Todo mundo criava panelinhas que viviam mudando", disse Bruce McCall, que foi contratado como roteirista para a segunda temporada do programa. "Era um lugar bastante desanimador."

Em alguns sentidos, é incrível que a equipe do *Saturday Night Live* tenha sequer se entrosado. Na verdade, Michaels havia escolhido todo mundo justamente por causa dos interesses divergentes. Zweibel era especialista em humor judaico. Michael O'Donoghue compunha sátiras mordazes de humor negro sobre temas como o assassinato de JFK (quando uma secretária emocionada disse a O'Donoghue que Elvis havia morrido, ele respondeu: "Boa sacada para a carreira dele"). Tom Schiller ambicionava dirigir filmes artísticos. E todo mundo se tornava um crítico severo quando as sensibilidades entravam em conflito. "Ótimo, Garrett", disse O'Donoghue certa vez quando leu um roteiro que o ator havia passado semanas escrevendo. E então jogou o material em uma lata de lixo. "Muito bom."

"Roteiristas de comédia têm muita raiva contida", comentou Schiller. "Éramos cruéis uns com os outros. Se você achava algo engraçado e ninguém mais concordava, podia ser brutal."[26]

Tendo em vista todas as tensões e brigas, como os criadores do *Saturday Night Live* se tornaram uma equipe tão eficaz e produtiva? A resposta não está no tempo que passavam juntos, nem no fato de as normas do programa priorizarem as necessidades do grupo acima dos egos individuais.

Na verdade, a equipe do SNL deu certo porque, por incrível que pareça, todo mundo se sentia seguro o bastante em meio aos demais para sempre sugerir piadas e ideias novas. Os roteiristas e atores trabalhavam em meio a normas que faziam todos terem a sensação de que podiam correr riscos e ser sinceros uns com os outros, mesmo quando descartavam ideias, passavam rasteiras entre si e disputavam por tempo de câmera.

"Sabe aquele ditado 'Uma andorinha só não faz verão'?", perguntou-me Michaels. "Meu objetivo era por aí. Eu queria um monte de andorinhas. Só que eu queria que todo mundo escutasse uns aos outros, mas que ninguém fosse soterrado no grupo."

Foi assim que surgiu a segurança psicológica.

Imagine que existem duas equipes e que você tenha recebido um convite para participar de uma delas.

A Equipe A é composta de oito homens e duas mulheres, e todos são extraordinariamente inteligentes e bem-sucedidos. Quando você assiste a um vídeo deles trabalhando juntos, vê profissionais articulados que falam cada um de uma vez e se portam com educação e cortesia. A certa altura, quando surge uma questão, uma pessoa — claramente uma especialista no assunto — fala por um bom tempo, enquanto todo mundo escuta. Ninguém interrompe. Quando alguém foge do assunto, um colega lembra com delicadeza o tema e recupera o fio da meada. A equipe é eficiente. A reunião termina bem na hora combinada.

A Equipe B é diferente. Tem a mesma quantidade de homens e mulheres, entre os quais alguns são executivos de sucesso, enquanto outros são gerentes de nível intermediário sem grandes realizações profissionais. Em um vídeo, você observa integrantes participando aleatoriamente de uma discussão caótica. Alguns falam sem parar; outros são lacônicos. As pessoas se interrompem tanto que, às vezes, é difícil acompanhar a conversa. Quando alguém da equipe muda de assunto de repente ou perde o fio da meada, o resto do grupo vai junto. No final da reunião, a reunião na verdade não acaba: todos permanecem sentados batendo papo.

Em que grupo você preferiria entrar?

Antes de decidir, imagine ter recebido mais uma informação. Quando as duas equipes foram formadas, cada integrante precisou preencher um teste conhecido como "Ler a mente nos olhos". Todos receberam 36 fotos de olhos de pessoas e tiveram que escolher qual palavra, dentre quatro opções, melhor descrevia a emoção que as tais pessoas estavam sentindo.*

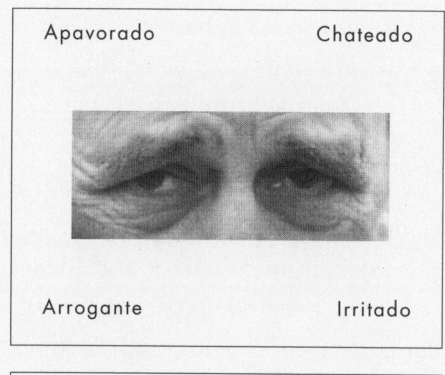

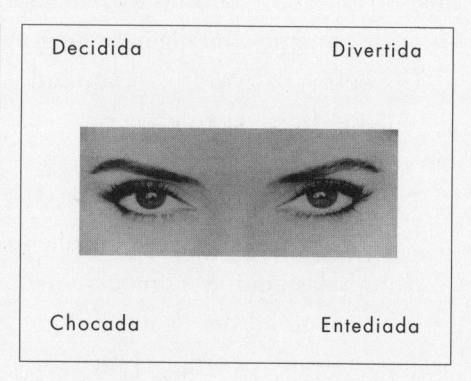

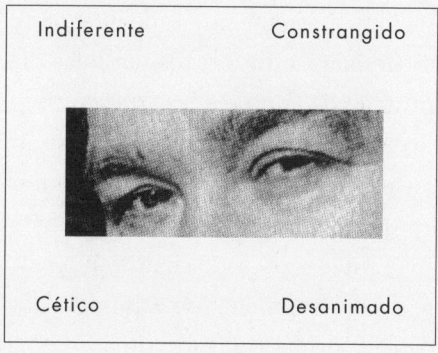

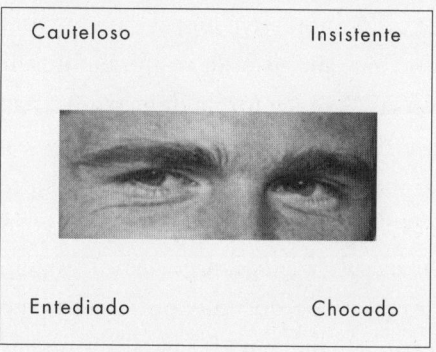

Apavorado	Chateado		Decidida	Divertida
Arrogante	Irritado		Chocada	Entediada
Indiferente	Constrangido		Cauteloso	Insistente
Cético	Desanimado		Entediado	Chocado

Explicam-lhe que esse teste mede a empatia das pessoas. Os integrantes da Equipe A acertaram a emoção, em média, em 49% das vezes. Os da Equipe B: 58%.[27]

Isso faz você mudar de ideia?

Em 2008, um grupo de psicólogos da Universidade Carnegie Mellon e do Instituto de Tecnologia de Massachusetts (MIT) se perguntou se seria possível descobrir que tipos de equipe eram claramente superiores. "Conforme atividades de pesquisa, gestão e diversos outros tipos vêm sendo realizadas cada vez mais por grupos — tanto em contato direto quanto 'virtual' —, é cada vez maior a importância de entender os fatores determinantes do desempenho coletivo", escreveram os pesquisadores na revista *Science* em 2010.[28] "Ao longo

---

* As respostas corretas dessas fotos encontram-se na nota 27 na página 285.

do século passado, os psicólogos realizaram progressos consideráveis na definição e na mensuração sistemática da inteligência de indivíduos. Usamos o método estatístico desenvolvido para a inteligência individual a fim de medir sistematicamente a inteligência de grupos."

Em outras palavras, os pesquisadores queriam saber se uma equipe gera alguma inteligência coletiva que seja distinta do nível intelectual de cada integrante.

Para tanto, recrutaram 699 pessoas, divididas em 152 equipes, e deram a cada grupo uma série de tarefas que exigiam formas variadas de cooperação. A maioria das equipes começava dedicando dez minutos para trocar ideias sobre as possibilidades de uso de um tijolo e recebia um ponto para cada ideia original. Depois, os grupos precisavam planejar um roteiro de compras como se todos morassem juntos e compartilhassem um mesmo carro: cada integrante recebia uma lista de compras diferente e um mapa com preços em lojas diversas. A única forma de maximizar a pontuação da equipe era se cada pessoa sacrificasse um item que ela quisesse muito em troca de algo que agradasse ao grupo inteiro. Por fim, as equipes precisavam alcançar um veredito para um caso disciplinar em que um jogador de basquete universitário supostamente havia subornado um professor. Alguns integrantes representariam os interesses do corpo docente; outros fariam parte do departamento de esportes. Um veredito que maximizasse os interesses de cada grupo rendia pontos.

Cada uma dessas tarefas exigia a participação integral da equipe; cada uma demandava formas distintas de colaboração. Conforme os grupos realizavam as tarefas, os pesquisadores observaram o surgimento de dinâmicas variadas. Algumas equipes concebiam dezenas de aplicações inteligentes para os tijolos, chegavam a um veredito que satisfazia todo mundo e organizavam com facilidade o roteiro de compras. Outras se limitavam a descrever as mesmas aplicações dos tijolos, só que com outras palavras; chegavam a vereditos que deixavam alguns participantes com a sensação de terem sido ignorados; e só conseguiam comprar sorvete e Froot Loops porque ninguém estava disposto a ceder. O mais interessante era o fato de que as equipes que se saíam bem em uma tarefa também pareciam se sair bem nas outras. Por outro lado, as que se davam mal em uma pareciam se dar mal em tudo.

Alguém poderia propor a hipótese de que as "equipes boas" tinham sucesso porque seus integrantes eram mais inteligentes — que a inteligência coletiva não seria nada além da inteligência dos indivíduos que compõem o grupo. Mas os pesquisadores haviam realizado testes de QI de antemão e concluído que a inteligência individual não apresentava relação com o desempenho da equipe. Juntar dez pessoas inteligentes em uma sala não queria dizer que elas resolveriam problemas de forma mais inteligente — na realidade, muitas vezes essas pessoas eram superadas por grupos compostos de outras que haviam obtido pontuação menor nos testes de intelecto, mas, mesmo assim, parecia mais inteligente como um grupo.

Outros poderiam supor que as boas equipes tinham líderes mais decididos. Mas a pesquisa demonstrou que também não era esse o caso.

Os pesquisadores, por fim, concluíram que as equipes boas tinham obtido sucesso não devido às qualidades inatas de seus integrantes, mas à forma como eles tratavam uns ao outros. Em outras palavras, os grupos mais eficazes tinham normas que resultavam em um entrosamento particularmente bom de todo mundo.

"Encontramos sinais convergentes de um fator de inteligência coletiva geral que explica o desempenho de um grupo em uma ampla gama de atividades", relataram os pesquisadores no artigo para a *Science*. "Esse tipo de inteligência coletiva é propriedade do grupo em si, não apenas dos indivíduos que o integram."[29] Eram as normas, e não as pessoas, que faziam com que as equipes fossem tão espertas. As normas certas podiam incrementar a inteligência coletiva de pensadores medíocres. As erradas tinham o potencial de comprometer um grupo composto de pessoas que, individualmente, possuíam um intelecto excepcional.

Mas, quando os pesquisadores analisaram o vídeo das interações das equipes boas, perceberam que nem todas as normas eram parecidas. Anita Woolley, a principal autora do estudo, observou que "era impressionante a diferença do comportamento de alguns deles". "Algumas equipes tinham um punhado de pessoas inteligentes que davam um jeito de distribuir o trabalho de forma equilibrada. Outras eram compostas de gente bem mediana, mas bolavam maneiras de tirar proveito dos pontos fortes de cada integrante. Alguns grupos tinham um líder forte. Outros eram mais fluidos, e todo mundo exercia uma função de liderança."

Entretanto, havia dois comportamentos presentes em todas as equipes boas.

Em primeiro lugar, todos os integrantes das equipes boas falavam mais ou menos na mesma proporção, um fenômeno que os pesquisadores descreveram como "igualdade de distribuição de turnos conversacionais". Em alguns grupos, por exemplo, todo mundo falava durante cada tarefa. Em outros, as conversas variavam conforme a atividade — mas, no fim do dia, todo mundo havia falado mais ou menos a mesma quantidade de vezes.

"Desde que todo mundo tivesse chance de falar, o grupo se saía bem", disse Woolley. "Mas, se apenas uma pessoa ou um grupo menor falasse o tempo todo, a inteligência coletiva decaía. As conversas não precisavam ser igualitárias a cada instante, mas, no conjunto, tinham que se equilibrar."

Em segundo lugar, as equipes boas apresentaram "sensibilidade social média elevada" — um jeito elegante de dizer que os grupos intuíam com habilidade o sentimento de seus integrantes com base no tom de voz, na postura e nas expressões faciais.

Uma das formas mais fáceis de avaliar sensibilidade social é mostrar a alguém fotos dos olhos de uma pessoa e pedir que descreva o que essa pessoa está pensando ou sentindo — o teste de empatia descrito antes. É um "teste da habilidade com que o participante se coloca na cabeça da outra pessoa e 'sintoniza' o estado mental dela", escreveu Simon Baron-Cohen, da Universidade de Cambridge, criador do teste "Ler a mente nos olhos".[30] Enquanto homens acertam a emoção da pessoa na foto em média 52% das vezes, as mulheres costumam acertar 61%.

Os integrantes das equipes boas no experimento de Woolley tiveram um resultado acima da média no teste "Ler a mente nos olhos". Eles pareciam saber quando alguém estava chateado ou se sentia ignorado. Perguntavam uns aos outros o que estavam pensando. As equipes boas também eram formadas por mais mulheres.

De volta à questão de qual equipe escolher, se você tiver que se decidir entre a Equipe A, profissional e séria, e a Equipe B, mais informal e casual, você deveria ingressar na Equipe B. A Equipe A é inteligente e cheia de colegas eficazes. Como indivíduos, todos serão bem-sucedidos. Mas, mesmo em uma equipe, ainda tendem a se comportar como indivíduos. Não há muitos sinais de que, como grupo, eles se tornam *coletivamente* inteligentes, porque não há muitos indícios de que a voz de todo mundo tenha o mesmo peso e de que os integrantes estejam cientes das emoções e necessidades dos colegas.

Em contraste, a Equipe B é mais confusa. As pessoas interrompem umas às outras, saem por tangentes, socializam em vez de se concentrar no assunto. Mas todo mundo fala tanto quanto precisa. Todos se sentem igualmente úteis e estão atentos à linguagem corporal e às expressões dos colegas. Tentam prever as reações uns dos outros. A Equipe B pode não ter tantos gênios individuais, mas, quando o grupo se junta, a soma é muito maior do que todas as partes.

Se você perguntar à equipe original do *Saturday Night Live* por que o programa era um sucesso tão grande, eles vão falar de Lorne Michaels. Dirão que, de alguma forma, a liderança dele fazia com que todos se unissem. Ele tinha uma capacidade de fazer todo mundo se sentir útil, de fazer até mesmo os atores e roteiristas mais egocêntricos prestarem atenção às outras pessoas. Nos últimos quarenta anos, o dedo dele para escolher talentos tem sido praticamente inigualável no mundo do entretenimento.

Você também vai encontrar gente que diz que Michaels é insensível, socialmente estranho, orgulhoso e ciumento e que, quando ele decide demitir alguém, abandona a pessoa por completo. Você talvez não queira ser amigo de Michaels. Mas, como líder do *Saturday Night Live*, ele criou algo extraordinário: um dos programas mais longevos da história, formado pelo talento de comediantes egomaníacos que, vinte vezes por ano ao longo de quatro décadas, puseram a própria loucura de lado por tempo o bastante para fazer um programa de TV ao vivo com apenas uma semana de tempo de preparação.

O próprio Michaels, que ainda é o produtor executivo do programa, diz que o motivo do sucesso do *Saturday Night Live* é o esforço que ele faz para obrigar as pessoas a se tornarem uma equipe. Segundo ele, o segredo para isso acontecer é permitir que todo mundo tenha voz e encontrar gente disposta a ser sensível o bastante para dar ouvidos aos outros.

"Lorne fazia questão de garantir que todo mundo tivesse chance de sugerir ideias", contou-me a roteirista Marilyn Miller. "Ele falava: 'Temos esquetes para as meninas nesta semana?' 'Quem não aparece há algum tempo?'."

"Ele tem alguma habilidade psíquica de atrair todo mundo", disse Alan Zweibel. "Acredito piamente que é por isso que o programa existe há quarenta anos. No começo de cada roteiro, tem uma lista com as iniciais de todo mundo que trabalhou naquele esquete, e Lorne sempre diz que, quanto mais iniciais vê, mais feliz ele fica."[31]

Michaels é quase ostensivo em suas demonstrações de sensibilidade social — e espera que o elenco e os roteiristas o imitem. Nos primeiros anos do programa, era ele quem vinha com palavras tranquilizadoras quando um roteirista exausto ia chorar em sua sala. Sabe-se que já interrompeu um ensaio ou uma leitura geral e puxou discretamente um ator de lado para perguntar se ele precisava conversar sobre algum problema pessoal. Uma vez, quando o roteirista Michael O'Donoghue estava muito orgulhoso de uma paródia de comercial obscena, Michaels mandou o texto ser lido em dezoito ensaios — mesmo que todo mundo soubesse que os censores do canal jamais deixariam aquilo ir ao ar.

"Lembro que cheguei para Lorne e disse: 'Certo, a minha ideia é esta, um monte de meninas faz uma festa de pijama pela primeira vez, e elas começam a explicar umas para as outras como é que funciona o sexo'. E Lorne disse 'Monte um roteiro', assim, sem perguntar nada. Depois pegou uma cartela e colocou no mural para o programa seguinte." O esquete — que apareceu no *Saturday Night Live* em 8 de maio de 1976 — veio a se tornar uma das cenas mais famosas do programa. "Eu estava me sentindo o máximo", disse Miller. "Ele tem uma telepatia social. Às vezes, sabe exatamente o que vai fazer você se achar a pessoa mais importante do planeta."

Muitos dos atores e roteiristas originais do *Saturday Night Live* eram pessoas um tanto difíceis. Eles admitem que até hoje são belicosos, fofoqueiros e, às vezes, cruéis mesmo. Mas, quando trabalhavam juntos, preocupavam-se com os sentimentos dos colegas. Michael O'Donoghue pode ter jogado o roteiro de Garrett Morris numa lixeira, mas depois fez questão de dizer para Morris que estava brincando, e, quando Morris sugeriu a ideia de uma história infantil deprimente, O'Donoghue escreveu "The Little Train That Died" [O trenzinho que morreu] ("Eu sei que consigo! Eu sei que consigo! Ataque cardíaco! Ataque cardíaco! Ai, meu Deus, que dor!").[32] A equipe do *SNL* evitava brigas internas. ("Quando eu contei aquela piada de Hitler, Marilyn ficou sem falar comigo", disse-me Beatts. "Mas a questão é essa. Ela não falou comigo. Não transformou a situação em um problemão enorme.") As pessoas podiam criticar as ideias umas das outras, mas tomavam cuidado para que as críticas não fossem longe demais. Eles discordavam e discutiam, mas todo mundo ainda tinha direito de se pronunciar a cada leitura geral e, apesar das provocações e do clima de disputa, de forma curiosa, todos se protegiam mutuamente. "Todo mundo gostava de todos os demais, ou pelo menos se esforçava muito para *fingir* gostar de todo mundo", disse Don Novello, roteirista do programa nos anos 1970 e 1980 e o ator que interpretava o Padre Guido Sarducci. "Confiávamos de verdade uns nos outros, por mais maluco que pareça."

Para que a segurança psicológica possa surgir em um grupo, os integrantes não precisam ser amigos. No entanto, precisam ter sensibilidade social e permitir que todo mundo se sinta ouvido. "A melhor tática para estabelecer segurança psicológica é uma demonstração do líder da equipe", explicou-me Amy Edmondson, hoje professora na Faculdade de Administração de Harvard. "Parece algo relativamente banal, mas, quando o líder se esforça para fazer com que alguém se sinta relevante ou começa uma reunião dizendo 'Eu posso deixar algo passar, então preciso que todo mundo me ajude a apontar meus erros' ou 'Jim, faz tempo que você não fala nada, o que você acha?', a diferença é enorme."

Nos estudos de Edmondson nos hospitais, as equipes com maiores índices de segurança psicológica eram também aquelas com mais probabilidade de que seus líderes fossem modelos de sensibilidade social e atenção. Eles pediam para as pessoas se pronunciarem. Falavam de suas próprias emoções. Não interrompiam os outros. Quando alguém estava preocupado ou triste, eles demonstravam para o grupo que não tinha problema intervir. Tentavam prever como as pessoas reagiriam e então tratavam de atender a essas reações. É assim que as equipes incentivam as pessoas a discordar sem deixar de se expressar com sinceridade e às vezes entrar em conflito. É assim que surge a segurança psicológica: permitindo que todos tenham voz e estimulando sensibilidade social entre os companheiros de equipe.

O próprio Michaels diz que o trabalho de estruturar normas é sua tarefa mais importante. "Todo mundo que passa por este programa é diferente, e eu preciso *mostrar* para cada pessoa que a trato de um jeito diferente, e mostrar para *todos os outros* que os trato de um jeito diferente. Só assim é possível extrair a genialidade peculiar de todo mundo", contou-me Michaels.

"O *SNL* só funciona quando estilos de escrita e de atuação diferentes ficam se esbarrando e se misturando", disse ele. "Este é o meu trabalho: proteger as vozes únicas das pessoas, mas também fazê-las trabalhar juntas. Quero preservar tudo o que faz alguém ser especial antes de ele vir para o programa, mas também ajudar todo mundo a ter sensibilidade o bastante para aparar os atritos. Só assim podemos fazer um programa diferente a cada semana sem que todos queiram matar uns aos outros assim que acabamos."

IV.

No verão de 2015, fazia dois anos que os pesquisadores do Google envolvidos com o Projeto Aristóteles vinham fazendo enquetes, conduzindo entrevistas, realizando regressões e avaliando estatísticas. Eles haviam examinado dezenas de milhares de dados e programado dezenas de softwares para analisar tendências. Enfim, estavam prontos para revelar suas conclusões aos funcionários da empresa.

Marcaram uma reunião na sede, em Mountain View. Milhares de funcionários compareceram, e muitos mais assistiram pela internet. Laszlo Bock, o chefe do departamento de recursos humanos do Google, subiu ao palco e agradeceu a presença de todos. "A questão mais importante que vocês devem entender deste projeto é que a *forma* como as equipes trabalham, em muitos sentidos, importa mais do que *quem* faz parte delas", declarou.

Ele havia falado comigo antes de subir ao palco. "Existe um mito que todos temos na cabeça", disse Bock. "Achamos que precisamos de superastros. Mas não foi isso que nosso estudo revelou. Podemos pegar uma equipe de pessoas medianas e, se as ensinarmos a interagir do jeito certo, elas farão coisas que nenhum superastro conseguiria realizar. E existem outros mitos, como o de que equipes de vendedores deveriam ser geridas de forma diferente do que equipes de engenheiros, ou o de que equipes de alto desempenho precisam de um grande volume de trabalho para continuar ativas, ou de que equipes precisam estar juntas fisicamente.

"Mas agora podemos dizer que nada disso está certo. Os dados demonstram que existe uma universalidade no desempenho de equipes boas. É importante que todos os integrantes sintam que têm voz, mas acontece que o fato de eles terem ou não o direito de decidir algo não é tão relevante. Nem o volume de trabalho ou a localização física. O importante é ter voz e sensibilidade social."

No palco, Bock apresentou uma série de slides. "O que importa são cinco normas essenciais", disse ele à plateia.

As equipes precisam acreditar que seu trabalho é importante.

As equipes precisam sentir que seu trabalho é pessoalmente significativo.

As equipes precisam de objetivos claros e funções definidas.

Os integrantes precisam saber que podem confiar uns nos outros.

Mas, acima de tudo, as equipes precisam de segurança psicológica.

Bock disse que, para criar segurança psicológica, os líderes precisavam moldar os comportamentos certos. Eles poderiam usar listas especiais feitas pelo Google: líderes não devem interromper colegas durante conversas, porque isso vai estabelecer uma norma de interrupção. Devem demonstrar atenção resumindo o que as pessoas dizem logo depois que elas acabam de falar. Devem admitir quando não sabem de algo. Só devem encerrar uma reunião depois de todos os integrantes da equipe falarem pelo menos uma vez. Devem encorajar as pessoas que estiverem chateadas a expressar suas frustrações e incentivar os colegas a reagir sem criticar. Devem chamar a atenção para quaisquer conflitos no grupo e resolvê-los por meio de uma conversa franca.

Havia dezenas de táticas na lista. Contudo, todas partiam de dois princípios gerais: as equipes têm êxito quando todos sentem que podem se expressar e quando cada integrante demonstra sensibilidade em relação aos sentimentos dos demais.

"Tem vários gestos pequenos que um líder pode fazer", disse-me Abeer Dubey. "Nas reuniões, o líder interrompe as pessoas dizendo 'Deixe-me fazer uma pergunta', ou ele espera até alguém terminar de falar? Como o líder reage quando alguém fica chateado? Esse tipo de coisa é muito sutil, mas pode ter um impacto enorme. Todos os grupos são diferentes, e não é incomum em uma empresa como o Google que engenheiros ou vendedores sejam instruídos a brigar por aquilo em que acreditam. Mas é preciso ter as normas certas para que as discussões sejam produtivas, não destrutivas. Caso contrário, a equipe nunca vai ficar mais forte."

Durante três meses, o Projeto Aristóteles foi de departamento em departamento para explicar suas conclusões e orientar líderes de equipes. Os principais executivos do Google lançaram ferramentas que qualquer equipe poderia usar para avaliar se os integrantes se sentiam psicologicamente seguros e planilhas para ajudar os líderes e colegas de equipe a melhorar a pontuação.

"Eu fui ensinado a pensar em termos quantitativos. Se preciso acreditar em algo, tem que estar fundamentado em dados concretos", disse Sagnik Nandy, que, à frente do Google Analytics Engineering, comanda uma das maiores equipes da empresa. "Então ver aqueles dados mudou tudo para mim. Engenheiros adoram depurar programas, porque sabemos que é possível melhorar a eficiência em 10% só com alguns ajustes. Mas nunca damos atenção para a depuração de interações humanas. Juntamos algumas pessoas ótimas e torcemos para dar certo, e às vezes dá, e às vezes não dá, e na maioria das vezes não sabemos por quê. O Aristóteles nos permitiu depurar as pessoas. Ele mudou completamente a maneira como eu conduzo reuniões. Agora estou muito mais consciente de como dirijo minha atenção, ou da hora de interromper, ou de incentivar todo mundo a falar."

O projeto também teve impacto na equipe do Aristóteles. "Há alguns meses, estávamos em uma reunião, e eu cometi um erro", disse-me Julia Rozovsky. "Não era um erro absurdo, mas foi um mico, e depois mandei uma mensagem para explicar o que tinha dado errado, por que aquilo tinha acontecido e o que íamos fazer para resolver a situação. Logo depois, recebi um e-mail de um colega da equipe dizendo só 'Ai'.

"Foi um soco no estômago. Eu já estava chateada por causa do erro, e aquela resposta atingiu com força na minha insegurança. Mas, por causa de todo o trabalho que tínhamos feito, escrevi de volta para a pessoa e disse: 'Nada como um bom Ai para destruir a segurança psicológica logo pela manhã!'. E ele respondeu: 'Estou só testando sua resiliência.' Isso podia ter sido a resposta errada para outra pessoa, mas ele sabia que era exatamente o que eu precisava escutar. Com uma interação de trinta segundos, anulamos a tensão.

"É engraçado trabalhar em equipe para fazer um projeto sobre eficiência de equipes, porque podemos testar tudo o que descobrimos no meio do processo. O que eu percebi foi que, desde que todo mundo sinta que pode falar e que se mostre de verdade que queremos ouvir um ao outro, dá para sentir que todos vão se apoiar."

Ao longo das últimas duas décadas, o universo profissional dos Estados Unidos se tornou muito mais voltado para equipes. Hoje, o trabalhador típico pode fazer parte de uma equipe de vendas, e também de um grupo de gestores de unidade, de uma equipe especial que planeja produtos futuros e da equipe que está organizando a festa de fim de ano. Executivos integram grupos que administram remunerações, estratégias, contratações, demissões, políticas de RH e formas de reduzir gastos. Essas equipes podem fazer reuniões presenciais todos os dias ou se corresponder por e-mail ou se comunicar via teleconferência com integrantes do mundo inteiro. Equipes são importantes. Seja em empresas e conglomerados, agências do governo ou escolas, hoje em dia as equipes são a unidade fundamental de organização.

E, afinal, as regras implícitas que determinam o sucesso ou o fracasso de uma equipe são as mesmas em qualquer lugar. A maneira como banqueiros de investimentos coordenam seus esforços pode parecer diferente da forma como enfermeiras da ortopedia distribuem as tarefas. E as normas específicas, nesses ambientes distintos, provavelmente vão variar. Mas um fato permanecerá inalterado se essas equipes trabalharem bem: em ambas as situações, os grupos terão uma sensação de segurança psicológica. Eles se sairão bem porque os integrantes sentem que podem confiar um no outro e que é possível haver uma conversa franca sem medo de retaliação. Os integrantes têm voz em proporção mais ou menos igual. Os colegas demonstram que estão atentos às emoções e necessidades dos demais.

Em geral, o caminho para a segurança psicológica começa no líder da equipe. Então, se você está à frente de uma equipe — seja um grupo de colegas de trabalho ou um time esportivo, um grupo da igreja ou a mesa de jantar da família —, pense na mensagem que suas escolhas estão passando. Você está incentivando igualdade de expressão ou valoriza as pessoas mais ruidosas? Está sabendo escutar e dando o exemplo? Está demonstrando sensibilidade ao que as pessoas sentem e pensam, ou está permitindo que a liderança resoluta seja uma desculpa para não tomar tanto cuidado quanto deveria?

Sempre existem bons motivos para escolher comportamentos que prejudicam a segurança psicológica. Muitas vezes, é mais eficiente interromper um debate, tomar uma decisão rápida, dar ouvidos à pessoa que sabe mais e pedir para os outros ficarem quietos. Mas uma equipe vai se tornar uma ampliação de sua cultura interna, para o bem ou para o mal. Inúmeros estudos comprovam que, embora a segurança psicológica possa ser menos eficiente a curto prazo, torna-se mais produtiva com o tempo.

Se a motivação surge quando se dá aos indivíduos uma maior sensação de controle, a segurança psicológica é a ressalva que devemos ter em mente quando os indivíduos formam um grupo. Para estabelecer o controle, não basta garantir a determinação pessoal. Ser subversivo funciona, a menos que você esteja à frente de uma equipe.

Quando as pessoas se juntam em um grupo, às vezes precisamos *ceder* controle a outros. Em última análise, normas de equipe são isto: indivíduos dispostos a ceder uma parte do controle para os colegas. Mas isso só funciona quando as pessoas sentem que podem confiar umas nas outras. Só dá certo quando nos sentimos psicologicamente seguros.

Portanto, na condição de líder de uma equipe, é importante dar controle às pessoas. Alguns líderes de equipe no Google fazem um sinal ao lado do nome das pessoas cada vez que elas falam e só encerram uma reunião quando a quantidade de sinais é mais ou menos equivalente. E, na condição de integrante de equipe, partilhamos o controle quando demonstramos atenção genuína — repetindo o que alguém acabou de dizer, respondendo aos comentários, reagindo quando alguém parece chateado ou perdido em vez de agir como se não houvesse problema algum. Quando recorremos à opinião de outras pessoas, quando tratamos explicitamente os problemas dos outros como se fossem nossos, cedemos controle ao grupo e a segurança psicológica se estabelece.

"A parte de que eu mais gosto é quando vejo a apresentação de um esquete e os atores estão mandando ver no palco, e os roteiristas do esquete estão se cumprimentando na frente do monitor, e a pessoa esperando na coxia está rindo, e outra equipe já está pensando em como fazer com que os personagens sejam mais engraçados na vez seguinte", disse-me Michaels.

"Quando vejo a equipe inteira de algum jeito se inspirar com a mesma coisa, sei que está indo tudo bem", contou ele. "Nesse momento, todos os integrantes do grupo estão torcendo uns pelos outros, e cada pessoa se sente uma estrela."

3. Foco

RESTRIÇÃO COGNITIVA, VOO 447 DA AIR FRANCE E O PODER DOS MODELOS MENTAIS

Quando os destroços enfim foram encontrados, ficou claro que, até o momento fatídico, poucas vítimas haviam percebido que o desastre estava próximo. Não havia nenhum sinal de passageiros tentando apertar os cintos às pressas ou levantar as bandejas. As máscaras de oxigênio continuavam bem guardadas no teto. Um submarino que sondou os destroços no fundo do oceano Atlântico revelou uma fileira inteira de assentos cravados na areia, como se esperassem para decolar de novo.

As buscas pelas caixas-pretas do avião haviam levado quase dois anos, e todo mundo esperava que, quando fossem recuperadas, a causa do acidente pudesse ser enfim esclarecida. Contudo, a princípio, as gravações renderam poucas pistas. De acordo com os dados, nenhum dos computadores do avião havia sofrido pane. Não havia indicação alguma de falha mecânica ou problema elétrico. Os investigadores só começaram a entender quando ouviram a gravação das conversas na cabine de comando. Aquele Airbus — uma das maiores e mais sofisticadas aeronaves já construídas, um avião concebido para ser um exemplo infalível de automação — estava no fundo do mar não devido a um defeito no maquinário, mas à falta de atenção.

Em 31 de maio de 2009, 23 meses antes, o céu noturno estava limpo quando o voo 447 da Air France se afastou do portão de embarque no Rio de Janeiro com 228 pessoas a bordo com destino a Paris.[1] Dentro da cabine havia casais em lua de mel e um ex-maestro da Ópera Nacional de Washington, um famoso ativista pelo desarmamento e um menino de onze anos a caminho do internato. Um dos pilotos do avião tinha levado a esposa ao Rio para que eles pudessem aproveitar uma folga de três dias na praia de Copacabana. Ela estava na parte traseira da gigantesca aeronave, e ele e os dois colegas, na cabine de comando, a caminho de casa.[2]

Quando o avião começou a subir, houve algumas mensagens trocadas pelo rádio com os controladores do tráfego aéreo, o diálogo habitual de qualquer decolagem. Quatro minutos após deixar a pista, o piloto no assento à direita — o mais moço e com menos tempo na empresa — ativou o piloto automático. Pelas dez horas e quarenta minutos seguintes, se tudo corresse de acordo, o avião voaria praticamente sozinho.

Apenas duas décadas antes, voar do Rio a Paris era um processo muito mais desgastante. Antes dos anos 1990 e dos avanços em automação na cabine de comando, os pilotos eram responsáveis pelo cálculo de dezenas de variáveis durante um voo, incluindo velocidade, consumo de combustível, direção e altitude ótima de cruzeiro, ao mesmo tempo que monitoravam variações meteorológicas, conversas com os controladores de tráfego aéreo e a posição do avião no céu. Essas viagens eram tão desgastantes que, muitas vezes, os pilotos se alternavam.[3] Todos eles estavam cientes do risco de permitir que a atenção vacilasse. Em 1987, um piloto em Detroit ficara tão sobrecarregado durante uma decolagem que se esquecera de baixar os flaps. Cento e cinquenta e quatro pessoas morreram quando o avião caiu depois de decolar.[4] Quinze anos antes, os pilotos de um avião que voava perto de Miami ficaram tão fixados em um defeito na luz de trem de pouso que não perceberam que estavam descendo gradualmente. Cento e uma pessoas morreram[5] quando a aeronave caiu nos Everglades.[6] Antes da invenção de sistemas automáticos de aviação, não era raro que mais de mil pessoas morressem todo ano em acidentes de avião, muitas vezes por causa da atenção sobrecarregada de pilotos ou de outros erros humanos.[7]

No entanto, o avião que seguia do Rio a Paris havia sido projetado para reduzir de maneira drástica a quantidade de decisões que o piloto precisava fazer e, assim, eliminar esses erros. O Airbus A330 era tão avançado que seus computadores podiam intervir de forma automática no caso de qualquer problema, identificando soluções e avisando aos pilotos, por instruções em uma tela, no que eles deveriam se concentrar para responder a comandos computadorizados. Em condições ideais, um humano talvez fosse responsável pelo voo apenas cerca de oito minutos por viagem, durante a decolagem e o pouso. Aviões como o A330 transformaram de forma essencial a profissão de piloto, que passou a ter uma natureza reativa, em vez de proativa. Como resultado, pilotar era mais fácil. O índice de acidentes caiu e a produtividade das companhias aéreas foi às alturas, porque mais clientes podiam viajar com menos tripulantes. Um voo transoceânico antes exigia até seis pilotos. Na época do voo 447, graças à automação, a Air France só precisava ter duas pessoas dentro da cabine de comando a qualquer momento.

Depois de quatro horas de viagem, no meio do caminho entre o Brasil e o Senegal, o avião cruzou o Equador. A maioria dos passageiros devia estar dormindo. Havia nuvens de uma tempestade tropical ao longe. Os dois homens na cabine de comando fizeram um comentário sobre a eletricidade estática que passava pelas janelas, um fenômeno conhecido como fogo de santelmo. "Vou diminuir a luz um pouco para ver lá fora, o.k.?", disse Pierre-Cedric Bonin, o piloto cuja esposa estava na cabine de passageiros. "Sim, sim", respondeu o comandante. Havia um terceiro aviador no compartimento pequeno atrás da cabine de comando, tirando um cochilo. O comandante chamou o terceiro homem para rendê-lo e deixou os dois pilotos mais novos na cabine de comando para ir dormir. O voo seguia tranquilo, completamente no piloto automático, a 32 mil pés.

Vinte minutos depois, houve uma ligeira turbulência. "Talvez seja uma boa pedir para os passageiros apertarem os cintos", avisou Bonin a uma comissária de bordo pelo comunicador. O ar do lado de fora da cabine de comando esfriou, e três cilindros metálicos que se projetavam da fuselagem — os tubos de Pitot, que medem a velocidade pela força do ar que passa por dentro deles — ficaram entupidos por cristais de gelo. Os aviadores reclamam de gelo nos tubos de Pitot há quase cem anos, e toleram o problema com segurança. A maioria dos pilotos sabe que, se a medição da velocidade despenca de repente, é provável que o motivo seja um tubo de Pitot entupido. Quando os tubos de Pitot do voo 447 congelaram, os computadores do avião perderam a informação da velocidade e o sistema de piloto automático foi desativado, tal como havia sido programado para fazer.

Ouviu-se um alarme.

"Estou com os controles", disse Bonin com tranquilidade.

"O.k.", respondeu o colega.

A essa altura, se os pilotos não tivessem feito absolutamente nada, o avião teria continuado o voo em segurança e os tubos de Pitot acabariam descongelando. Mas, talvez por ter sido despertado de um devaneio com o alarme e querer compensar a perda do piloto automático, Bonin puxou um pouco o stick, fazendo com que o nariz da aeronave se inclinasse para cima e eles ganhassem altitude. Apenas um minuto depois, o avião já havia subido 3 mil pés.[8]

Com o nariz apontado ligeiramente para cima, a aerodinâmica do avião começou a mudar. Naquela altitude, a atmosfera era rarefeita, e a ascensão havia alterado o fluxo regular de ar sobre as asas. A "sustentação" da aeronave — a força básica da física que ergue os aviões no céu porque a pressão em cima da asa é menor do que embaixo dela — começou a se deteriorar. Em condições extremas, isso pode causar estol, uma situação perigosa em que o avião começa a cair, mesmo com as turbinas no máximo e o nariz apontado para cima. É fácil corrigir o estol nos estágios iniciais. Para evitar que se agrave, basta baixar o nariz do avião para que o ar comece a fluir com facilidade sobre as asas. Mas, se o nariz do avião continuar para cima, o estol piora cada vez mais, até que o avião despenca como uma pedra em um poço.

Conforme o voo 447 subia pela atmosfera rarefeita, um apito agudo começou a soar na cabine de comando, com um alerta de voz "Estol! Estol! Estol! Estol!" indicando que o nariz do avião estava alto demais.

"O que é isso?", perguntou o copiloto.

"Não temos... hum... uma boa indicação de velocidade?", respondeu Bonin. Os tubos de Pitot continuavam entupidos de gelo, de modo que o painel apresentava velocidade zero.

"Preste atenção à sua velocidade", disse o copiloto.

"O.k., o.k., estou descendo", respondeu Bonin.

"Aqui diz que estamos subindo", falou o copiloto, "então, desça."

"O.k.", disse Bonin.[9]

Mas ele não desceu. Se tivesse nivelado o avião, o voo teria seguido em segurança. Mas ele continuou puxando ligeiramente o manche, erguendo o nariz do avião ainda mais.

Hoje em dia, a automação já invadiu praticamente todos os aspectos de nossa vida. A maioria das pessoas dirige carros equipados com computadores que ativam os freios e reduzem a transmissão de força quando detecta chuva ou gelo, e muitas vezes esse processo é tão sutil que a pessoa no volante nem percebe que o veículo se antecipou à tendência de supercorreção. Trabalhamos em escritórios onde os clientes são encaminhados a departamentos mediante sistemas telefônicos computadorizados, e-mails são enviados de forma automática quando estamos fora do escritório, e contas bancárias são protegidas imediatamente contra flutuações cambiais. Para nos comunicar, usamos smartphones que completam nossas palavras. Mesmo sem a ajuda da tecnologia, todos os seres humanos contam com automação cognitiva, conhecida como "heurística", que nos permite fazer mais de uma atividade ao mesmo tempo. É por isso que podemos mandar um e-mail para a babá enquanto batemos papo com nosso cônjuge e tomamos conta das crianças.[10] A automação mental permite que escolhamos, de modo quase inconsciente, o que podemos ignorar e o que deve receber atenção.

As automações aprimoraram a segurança nas fábricas e a eficiência nos escritórios, diminuíram o potencial de acidente dos carros e aumentaram a estabilidade econômica. Em certo sentido, houve mais avanços em produtividade pessoal e profissional nos últimos cinquenta anos do que nos dois séculos anteriores juntos, e a maior parte se deveu à automação.[11]

No entanto, à medida que a automação se torna mais comum, crescem os riscos de que nossa atenção vacile. Estudos das universidades Yale, Harvard e Berkeley, da UCLA, da Nasa, do National Institutes of Health e de outras organizações constataram uma probabilidade particularmente maior de erro quando as pessoas são obrigadas a se alternar entre a automaticidade e o foco,[12] e esses erros representam um perigo especial quando sistemas automáticos se infiltram em aviões, carros e outros ambientes em que equívocos podem ser trágicos.[13] Na era da automação, saber administrar o foco nunca foi tão importante.[14]

Vejamos, por exemplo, o quadro mental de Bonin quando ele foi obrigado a assumir o controle do voo 447. Não se sabe por que ele continuou elevando o avião após concordar com o copiloto quanto à necessidade de descer. Talvez pretendesse passar por cima das nuvens de tempestade no horizonte. Talvez fosse uma reação involuntária ao alarme súbito. Ninguém jamais saberá por que ele não retornou os controles à posição neutra ao ouvir o alerta de estol. Contudo, há indícios consideráveis de que Bonin estava acometido do que se conhece como "restrição cognitiva [*cognitive tunneling*]" — um curto-circuito mental que às vezes acontece quando o cérebro é obrigado a passar abruptamente de um estado relaxado de automação para um ansioso de atenção.[15]

"Pense no poder de atenção do cérebro como um holofote que pode emitir um cone de luz amplo e difuso ou estreito e concentrado", disse David Strayer, psicólogo cognitivo da Universidade de Utah. Nossa atenção é orientada por nossas intenções. Na maioria das situações, decidimos se queremos concentrar o holofote ou deixá-lo relaxado. Mas, quando permitimos que sistemas automatizados, como computadores e pilotos automáticos, prestem atenção *por* nós, o cérebro diminui a força do holofote e o deixa se deslocar para onde quiser. Em parte, isso é um esforço do cérebro para conservar energia. A capacidade de relaxar dessa maneira nos proporciona vantagens imensas: de forma inconsciente, ela nos ajuda a controlar os níveis de estresse e facilita a concepção de ideias, permite que não monitoremos constantemente nosso entorno e nos ajuda na preparação para atividades cognitivas intensas. Nosso cérebro procura, de forma automática, oportunidades para se desligar e descansar.

"Mas aí, *pá!*, acontece alguma emergência — ou você recebe um e-mail inesperado, ou alguém faz uma pergunta importante em uma reunião —, e de repente o holofote na sua cabeça precisa aumentar a potência do nada e, a princípio, não sabe para onde apontar o foco", disse Strayer. "Então o instinto do cérebro é fazê-lo lançar o máximo possível de luz no estímulo mais óbvio, naquilo que estiver bem na sua frente, mesmo se essa não for a melhor opção. É nesse momento que acontece a restrição cognitiva."

A restrição cognitiva pode fazer as pessoas se concentrarem demais naquilo que estiver bem diante de seus olhos ou se distraírem com tarefas imediatas. É o que mantém alguém preso ao celular enquanto as crianças gritam ou os pedestres se desviam na calçada. É o que faz os motoristas pisarem no freio quando veem um sinal vermelho adiante.[16] É possível aprender técnicas para aprimorar a alternância entre relaxamento e concentração, mas elas demandam prática e o desejo de permanecer envolvido. Porém, quando estamos sob a restrição cognitiva, perdemos a capacidade de direcionar nosso foco. Em vez disso, nos prendemos ao estímulo mais fácil e óbvio, muitas vezes em detrimento do bom senso.[17]

Quando os tubos de Pitot se congelaram e os alarmes ressoaram, Bonin entrou em restrição cognitiva. Ao longo das quatro horas anteriores, sua atenção estivera relaxada. Agora, em meio a luzes e apitos, ela procurava um ponto focal. O mais óbvio era o monitor bem diante de seus olhos.

A cabine de comando de um Airbus A330 é uma obra-prima minimalista, um ambiente projetado para ser desprovido de distrações, com apenas algumas telas junto a uma variedade modesta de medidores e controles.[18] Uma das telas mais proeminentes, bem diante da linha de visão de cada piloto, é o mostrador primário de voo. Uma linha larga que atravessa o centro horizontal da tela indica a divisão entre o céu e a terra. Sobre essa linha, flutua um ícone pequeno de avião. Se uma aeronave se inclina para qualquer lado durante o voo, o ícone fica desalinhado e os pilotos percebem que as asas já não estão mais paralelas em relação ao solo.

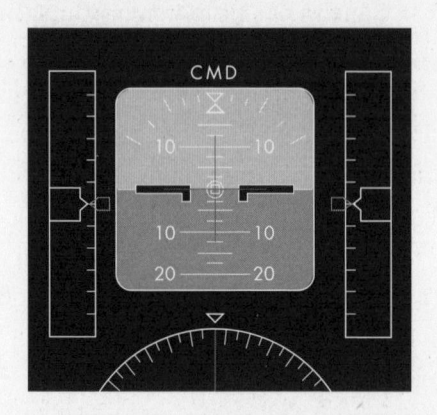

MOSTRADOR PRIMÁRIO DE VOO

Quando Bonin ouviu o alarme e olhou para o painel de instrumentos, viu o mostrador primário de voo. O ícone do avião na tela havia se inclinado ligeiramente para a direita. Em geral, isso não seria motivo de preocupação. Aviões se inclinam em pequenas medidas durante uma viagem, e é fácil corrigir o prumo. Mas, naquele momento, com o piloto automático desativado e a pressão repentina para se concentrar, o holofote dentro da cabeça de Bonin iluminou aquele ícone desalinhado. Os registros de dados indicam que Bonin se concentrou em realinhar as asas daquele ícone com o meio da tela. E assim, talvez por sua fixação em corrigir a inclinação lateral, ele não reparou que continuava puxando o stick, fazendo o nariz do avião subir.

Conforme Bonin puxava o controle, a frente da aeronave subia ainda mais. E então ocorreu outra restrição cognitiva — dessa vez, dentro da cabeça do copiloto de Bonin. O homem no assento à esquerda se chamava David Robert e era oficialmente o "piloto monitorando". Sua função era vigiar Bonin e intervir se o "piloto voando" ficasse perdido. Na pior das hipóteses, Robert poderia assumir o controle do avião. Mas, conforme os alarmes apitavam, ele procedeu da forma mais natural para aquele tipo de situação: concentrou-se no estímulo mais óbvio. Uma tela perto dele exibia texto conforme o computador do avião fornecia informações atualizadas e instruções. Robert tirou os olhos de Bonin e começou a ver as palavras que surgiam, lendo as mensagens em voz alta. "Estabilize", disse Robert. "Volte para baixo."

Como estava focado na tela, Robert não viu que Bonin puxava o stick e não processou que ele estava fazendo o avião subir cada vez mais, mesmo concordando que era preciso descer. Não há indicação de que Robert tenha visto seus medidores. Em vez disso, ele explorou freneticamente uma série de mensagens automáticas geradas pelo computador do avião. Ainda que esses alertas tivessem sido úteis, não há nada que aponte que Bonin, fixado no ícone de avião à sua frente, tenha ouvido o colega.

O avião subiu até mais de 35 mil pés, aproximando-se perigosamente da altitude máxima. O nariz da aeronave estava inclinado a doze graus.

O copiloto enfim tirou os olhos da tela. "Segundo isto aqui, estamos subindo", disse ele a Bonin, referindo-se ao painel de instrumentos. "Volte para baixo!", gritou.

"O.k.", respondeu Bonin.

Ele empurrou o stick para a frente, fazendo o nariz do avião abaixar ligeiramente. Como resultado, a força da gravidade que atuava nos pilotos diminuiu em um terço, passando uma breve sensação de falta de peso. "Com calma!", gritou o colega. E então Bonin, talvez perdido em meio aos alarmes, à falta de peso e à bronca do copiloto, puxou a mão para trás, interrompendo a descida do nariz do avião. A aeronave manteve uma inclinação de seis graus para cima. Outro apito alto de alerta saiu dos alto-falantes da cabine de comando, e alguns segundos depois a aeronave começou a trepidar, uma situação conhecida como *buffeting*, resultado de vento intenso passando pelas asas nas fases iniciais de um estol severo.

"Estamos, aaah, isso, estamos em ascensão, acho?", disse Bonin.

Ao longo de dez segundos, nenhum dos dois falou nada. O avião passou da altitude máxima recomendada de 37 500 pés. Para continuar em voo, a aeronave *precisava* descer. Se Bonin simplesmente abaixasse o nariz, tudo ficaria bem.

Depois, enquanto os pilotos encaravam seus monitores, os cristais de gelo que entupiam os tubos de Pitot se desfizeram e o computador do avião voltou a receber informações precisas sobre a velocidade. A partir daí, todos os sensores da aeronave funcionaram corretamente até o fim.[19] O computador começou a emitir instruções, dizendo aos pilotos o que fazer para reverter o estol. Os painéis de instrumentos mostravam tudo o que eles precisavam saber para aprumar o avião, mas eles não faziam ideia de onde olhar. Mesmo diante de informações úteis, Bonin e Robert não sabiam em que se concentrar.

O alerta de estol apitou de novo. Um barulho agudo e penetrante chamado "grilo", pensado para que fosse impossível de ser ignorado pelos pilotos, começou a soar.

"Droga!", gritou o copiloto. Ele já havia mandado uma mensagem ao comandante. "Cadê ele? [...] O mais importante é que você mexa o mínimo possível nos controles laterais", disse ele a Bonin.

"O.k.", respondeu Bonin. "Estou em TO/GA, certo?"

Os investigadores concluíram que a partir desse momento a vida de todas as 228 pessoas a bordo do voo 447 estava condenada. "TO/GA" é um acrônimo para *take off/go around*, "decolagem/arremetida" em inglês, uma configuração que os aviadores usam para abortar um pouso, ou "arremeter" em cima da pista. TO/GA eleva ao máximo o empuxo ao mesmo tempo em que o piloto ergue o nariz da aeronave. Há uma sequência de movimentos relacionada ao TO/GA, e todo aviador treina essa sequência centenas de vezes, em preparação para certo tipo de emergência. Em altitudes baixas, TO/GA faz muito sentido. O ar é mais denso perto da superfície terrestre, de modo que aumentar o empuxo e elevar o nariz faz o avião ir mais rápido e mais alto, permitindo que o piloto aborte um pouso com segurança.

Mas, a 38 mil pés, o ar é tão rarefeito que TO/GA não funciona. A essa altitude, o avião não consegue atingir empuxo extra, e elevar o nariz apenas piora a gravidade de um estol. Nessas condições, a única opção correta é *baixar* o nariz. Porém, em meio ao pânico, Bonin cometeu um segundo erro, um deslize mental que é parente da restrição cognitiva: ele tentou direcionar o holofote de sua mente para algo familiar. Bonin recorreu a uma reação que havia treinado repetidas vezes, uma sequência de gestos que havia aprendido a associar a emergências. Ele caiu no que psicólogos chamam de "pensamento reativo".[20]

O pensamento reativo se encontra na essência da maneira como investimos nossa atenção e, em muitas situações, é um recurso excelente. Por exemplo, atletas treinam certos movimentos várias vezes para que, durante uma partida, possam pensar de forma reativa e realizar suas jogadas mais rápido do que a capacidade de resposta do adversário. É em razão do pensamento reativo que criamos hábitos, e é também em razão disso que listas de tarefas e alertas de calendário são tão úteis: em vez de precisar decidir os passos seguintes, podemos aproveitar nossos instintos reativos e prosseguir de forma automática. Em certo sentido, o pensamento reativo terceiriza as decisões e o controle que, em outras circunstâncias, geram a motivação.

Mas a desvantagem do pensamento reativo é que os hábitos e as reações se tornam tão automáticos que se sobrepõem ao nosso raciocínio. Quando terceirizamos nossa motivação, simplesmente reagimos. Um estudo conduzido em 2009 por Strayer, o psicólogo,[21] examinou a mudança de comportamento dos motoristas após a implementação de acessórios como piloto automático e sistema de frenagem automática nos veículos, que permitiram que as pessoas prestassem menos atenção às condições da pista.

"Essas tecnologias têm o propósito de aumentar a segurança do ato de dirigir, e, em muitas ocasiões, ela aumenta", disse Strayer. "Mas também facilitam o pensamento reativo, e aí, quando algo inesperado nos surpreende, quando o carro derrapa ou é necessário frear de repente, temos reações treinadas, habituais, como pisar no freio ou girar demais o volante. Em vez de pensar, reagimos, e, se não for a reação correta, as consequências são ruins."

Dentro da cabine de comando, em meio aos alarmes e ao apito do grilo, os pilotos ficaram quietos. Robert, o copiloto, talvez distraído com os próprios pensamentos, não respondeu à pergunta de Bonin — "Estou em TO/GA, certo?" —, mas tentou mais uma vez chamar o comandante, que continuava descansando. Se Bonin tivesse parado para refletir sobre os fatos básicos — eles estavam em ar rarefeito, um alerta de estol apitava, não era seguro o avião subir mais —, teria percebido imediatamente que precisava baixar o nariz da aeronave. Em vez disso, fundamentou-se em atitudes que havia treinado centenas de vezes e puxou o stick. O nariz do avião subiu até uma inclinação apavorante de dezoito graus quando Bonin liberou o controle. O avião subiu mais, atingiu o ápice de um arco e começou a cair, ainda com o nariz para cima e os motores em potência máxima. A cabine de comando começou a sacudir conforme o *buffeting* se intensificou. O avião estava caindo rapidamente.

"Que diabos está acontecendo?", perguntou o copiloto. "Você sabe o que está acontecendo ou não?"

"Não estou mais no controle do avião", berrou Bonin. "Não tenho mais nenhum controle!"

Na cabine, era provável que os passageiros não fizessem muita ideia de que havia algo errado. Nenhum alarme estava soando. O *buffeting* devia parecer uma turbulência normal. Nenhum piloto fez anúncio algum.[22]

O comandante finalmente entrou na cabine de comando.

"Que diabos vocês estão fazendo?", perguntou.

"Não sei o que está acontecendo", disse Robert.

"Estamos perdendo o controle do avião!", gritou Bonin.

"Perdemos o controle do avião e não entendemos nada", disse Robert. "Já tentamos de tudo."

O voo 447 despencava ao ritmo de 10 mil pés por minuto. O comandante, parado atrás dos pilotos e talvez confuso por tudo o que estava vendo, soltou um palavrão e ficou em silêncio por 41 segundos.[23]

"Estou com um problema", disse Bonin, e era possível ouvir o pânico em sua voz. "Não tenho mais nenhuma tela." Isso não era verdade. As telas — os monitores no painel de instrumentos — estavam fornecendo informações precisas e eram perfeitamente visíveis. Mas Bonin estava perdido demais para se concentrar.

"Estou com a impressão de que estamos indo absurdamente rápido", disse Bonin. Na realidade, àquela altura, o avião estava indo devagar demais. "O que você acha?", perguntou Bonin, estendendo a mão na direção da alavanca que abriria os freios aerodinâmicos da asa, o que diminuiria ainda mais a velocidade.

"Não!", berrou o copiloto. "Acima de tudo, não ative os freios!"

"O.k.", disse Bonin.

"O que devemos fazer?", perguntou o copiloto ao comandante mais uma vez. "O que você está vendo?"

"Não sei", respondeu o comandante. "Estamos descendo."

Ao longo dos 35 segundos seguintes, enquanto os pilotos gritavam perguntas, o avião caiu mais 9 mil pés.

"Estou indo para baixo agora?", perguntou Bonin. Os instrumentos à sua frente poderiam ter respondido facilmente.

"Você está indo para baixo, baixo, baixo", disse o copiloto.

"Eu estou com o stick todo para trás há algum tempo", disse Bonin.

"Não, não!", gritou o comandante. O avião agora estava a menos de 10 mil pés do oceano Atlântico. "Não suba!"

"Passe os controles para mim!", disse o copiloto. "Os controles! Para mim!"

"Vá em frente", respondeu Bonin, enfim soltando o stick. "Os controles são seus. Ainda estamos em TO/GA, certo?"

Conforme o copiloto assumia os controles, o avião caiu mais 6 mil pés em direção ao mar.

"Preste atenção, você está cabrando", disse o comandante, referindo-se à inclinação do nariz para cima.

"Estou cabrando?", perguntou o copiloto.

"Está cabrando", respondeu o comandante.

"Bom, nós precisamos!", respondeu Bonin. "Estamos a 4 mil pés!"

Naquela situação, a única maneira de o avião ganhar velocidade suficiente seria baixar o nariz em picada, permitindo que mais ar passasse pelas asas. No entanto, com tão pouca distância entre o avião e a superfície do oceano, não havia espaço de manobra. Um alerta de proximidade do solo começou a soar. "RAZÃO DE DESCIDA ACENTUADA! SUBIR!" Na cabine de comando soavam constantes alarmes.

"Você está cabrando", disse o comandante ao copiloto.

"Vamos!", respondeu Bonin. "Para cima! Para cima! Para cima!"

Os homens ficaram em silêncio por um instante.

"Isto não pode ser verdade", disse Bonin. Era possível ver o mar pelas janelas da cabine de comando. Se os pilotos tivessem esticado o pescoço, poderiam ter enxergado ondas.

"Mas o que está acontecendo?", perguntou Bonin.

Dois segundos depois, o avião mergulhou no mar.

II.

No final da década de 1980, um grupo de psicólogos em uma empresa de consultoria chamada Klein Associates começou a explorar o motivo por que algumas pessoas parecem permanecer calmas e concentradas em ambientes caóticos enquanto outras ficam esgotadas. A Klein Associates trabalhava para ajudar empresas a analisar a forma como decisões eram tomadas. Diversos clientes queriam saber por que alguns funcionários faziam escolhas tão boas em meio a estresse e prazos apertados, enquanto outros ficavam distraídos. Principalmente, eles queriam saber se seria possível aprimorar a capacidade das pessoas de prestar atenção às coisas certas.

A equipe da Klein Associates começou a entrevistar profissionais que trabalhavam em situações extremas, como bombeiros, comandantes militares e equipes de resgate de emergência. Contudo, muitas dessas conversas se mostraram frustrantes. Os bombeiros conseguiam ver uma escada em chamas e sentir se a estrutura suportaria o peso deles, sabiam quais partes de um edifício exigiam atenção constante e como se manter atentos aos sinais de perigo, mas tinham dificuldade para explicar como faziam isso. Os soldados conseguiam dizer em que partes do campo de batalha era mais provável que houvesse inimigos e onde procurar sinais de emboscada. Mas, quando lhes pediam para explicar suas decisões, eles as atribuíam à intuição.

Então os psicólogos passaram para outros cenários. A pesquisadora Beth Crandall visitou UTIs neonatais em Dayton, perto de onde morava.[24] Como todos os ambientes de tratamento intensivo, uma UTI neonatal é uma combinação de caos e banalidade em meio a apitos e alertas constantes de aparelhos. Muitos dos bebês internados nesses lugares estão se recuperando; podem ter nascido prematuros ou sofrido ferimentos leves durante o parto, mas não têm problemas graves. Contudo, outros estão mal e precisam de monitoramento constante. No entanto, o que dificulta bastante a vida dos enfermeiros de uma UTI neonatal é que nem sempre dá para saber de saída quais bebês estão doentes e quais estão bem de saúde. Prematuros aparentemente saudáveis podem ficar mal em um instante; bebês enfermos podem melhorar de repente. Então os enfermeiros vivem tomando decisões quanto a onde concentrar sua atenção: no bebê que está se esgoelando ou no que está quieto? Nos novos resultados dos exames ou nos pais preocupados que dizem que parece haver algo errado? Além do mais, essas decisões acontecem em meio a um fluxo constante de informações dos aparelhos — monitores cardíacos e termômetros digitais, sistemas de pressão arterial e oxímetros de pulso —, que estão prontos para soar alarmes assim que acontecer alguma alteração. Essas inovações aumentaram a segurança dos pacientes e resultaram em uma melhora extraordinária da produtividade de uma UTI neonatal, porque agora são necessários menos enfermeiros para cuidar de uma quantidade maior de crianças. Mas elas também aumentaram a complexidade desse setor. Crandall queria entender como os enfermeiros decidiam quais bebês precisavam de atenção e por que alguns profissionais eram melhores para focar no mais importante.

Ela entrevistou enfermeiros que se portavam com tranquilidade em situações de emergência e outros que pareciam à beira de um colapso. Os mais interessantes eram os enfermeiros que pareciam ter um talento especial para perceber quando um bebê estava com problemas. Eles eram capazes de prever o declínio ou a recuperação de uma criança com base em sinais de alerta pequenos que passavam despercebidos por quase todo mundo. Em muitas ocasiões, os indícios com que esses enfermeiros contavam para identificar problemas eram tão sutis que até eles tinham dificuldade para lembrar, mais tarde, o que os havia feito agir. "Era como se conseguissem ver coisas que mais ninguém via", contou-me Crandall. "Eles pareciam pensar de um jeito diferente."

Uma das primeiras entrevistas de Crandall foi com uma enfermeira talentosa chamada Darlene, que descreveu um turno de alguns anos antes. Darlene estava passando perto de uma incubadora quando por acaso observou a bebê no seu interior. Todos os aparelhos ligados à criança indicavam que os sinais vitais estavam dentro da normalidade. Havia outra enfermeira tomando conta da bebê, e ela a observava com atenção, tranquila quanto ao que via. Mas, para Darlene, parecia haver algo errado. A pele da criança estava um pouco manchada, em vez de apresentar uma tonalidade rosada uniforme. A barriga parecia um pouco distendida. Recentemente picaram seu calcanhar com uma agulha para colher sangue, e o curativo exibia uma mancha escarlate, em vez de um simples pontinho.

Nada disso era especialmente incomum ou preocupante. A enfermeira encarregada da criança disse que ela estava se alimentando e dormindo bem. Os batimentos cardíacos estavam fortes. Mas a combinação de todos aqueles detalhes ao mesmo tempo chamou a atenção de Darlene. Ela abriu a incubadora e examinou a criança. A recém-nascida estava consciente e acordada. Fez uma ligeira careta quando Darlene a tocou, mas não chorou. Ela não conseguia identificar nada específico, mas a bebê simplesmente não tinha o aspecto que Darlene esperava.

Ela foi até o médico de plantão e disse que era preciso administrar antibióticos por via intravenosa na criança. Eles só dispunham da intuição de Darlene, mas o médico, confiando no critério dela, receitou o medicamento e uma série de exames. Quando os resultados voltaram, demonstraram que a bebê estava na fase inicial de uma septicemia, uma inflamação potencialmente fatal no corpo inteiro causada por um quadro infeccioso grave. A situação estava progredindo com tanta rapidez que, se tivessem esperado mais tempo, era provável que a recém-nascida tivesse morrido. Mas acabou se recuperando por completo.

"Achei fascinante o fato de Darlene e a outra enfermeira terem tido acesso aos mesmos sinais de alerta, terem todas as mesmas informações, mas só Darlene detectar o problema", disse Crandall. "Para a outra enfermeira, a pele manchada e o curativo sujo de sangue não passavam de dados pontuais, nada grande o suficiente para ativar algum alarme. Mas Darlene juntou tudo. Ela viu o quadro geral."[25] Quando Crandall pediu para Darlene explicar como soube que o bebê não estava bem, ela disse que tinha sido intuição. No entanto, conforme Crandall fazia mais perguntas, outra explicação veio à tona. Darlene explicou que tinha na cabeça a imagem de como *devia* ser um bebê saudável — e, quando olhou para a menina na incubadora, as imagens não bateram. Então o holofote na mente de Darlene se voltou para a pele da criança, a mancha de sangue no calcanhar e a barriga distendida. Focou nesses detalhes inesperados e ativou a sensação de alarme de Darlene. Por outro lado, a outra enfermeira não tinha uma imagem firme do que esperava ver, então seu holofote estava nos detalhes mais óbvios: a bebê estava comendo. Os batimentos cardíacos estavam normais. Ela não chorava. A outra enfermeira estava distraída pelas informações que eram mais fáceis de assimilar.

Pessoas como Darlene, particularmente boas em gerir a própria atenção, tendem a apresentar algumas características em comum. Uma delas é certa propensão a criar imagens mentais do que esperam ver. Essas pessoas contam a si mesmas histórias sobre os acontecimentos ao mesmo tempo que eles ocorrem. Narram suas experiências dentro da própria cabeça. É mais provável que respondam a perguntas com alguma história do que com fatos simples. Dizem que, quando se perdem em devaneios, muitas vezes ficam imaginando conversas futuras. Visualizam seus dias com mais detalhes do que o resto das pessoas.

Os psicólogos têm uma expressão para esse tipo de previsão habitual: "criação de modelos mentais".[26] Saber como as pessoas constroem modelos mentais se tornou um dos temas mais importantes da psicologia cognitiva. De certa forma, todos recorrem a modelos mentais. Todos contam histórias a si mesmos sobre como o mundo funciona, ainda que sem perceber.

Mas algumas pessoas criam modelos mais robustos que o normal. Visualizam conversas futuras com maior nível de especificidade e imaginam em mais detalhes o que farão nas horas seguintes. Como resultado, são melhores para escolher em que se concentrar e o que ignorar. O segredo de pessoas como Darlene é que elas têm o costume de contar histórias para si mesmas o tempo todo. Estão sempre fazendo previsões. Ficam imaginando o futuro e, quando a vida entra em conflito com a imaginação, a atenção é fisgada. Isso ajuda a explicar por que Darlene percebeu que a criança estava doente. Ela tinha o hábito de imaginar o aspecto que os bebês em sua unidade deviam apresentar. E então, quando viu que o curativo ensanguentado, a barriga distendida e a pele manchada não batiam com a imagem mental, o holofote na cabeça dela se virou para o leito.[27]

A restrição cognitiva e o pensamento reativo ocorrem quando nosso holofote mental passa de fraco a forte em uma fração de segundo. Mas, se ficamos o tempo todo contando histórias para nós mesmos e criando imagens mentais, o facho nunca se apaga de vez. Circula constantemente dentro de nossa cabeça. E, portanto, quando precisa iluminar a vida no mundo real, não ficamos ofuscados por seu brilho.

Quando os investigadores do voo 447 da Air France começaram a analisar as gravações de áudio da cabine de comando, descobriram grandes indícios de que naquela viagem nenhum dos pilotos tinha modelos mentais fortes.

"O que é isso?", perguntou o copiloto quando soou o primeiro alerta de estol.

"Não temos... hum... uma boa indicação de velocidade? [...] Estamos [...] estamos em ascensão?", respondeu Bonin.

Os pilotos ficaram fazendo perguntas um ao outro enquanto a crise no avião se agravava porque não dispunham de modelos mentais que os ajudassem a processar as novas informações que chegavam. Quanto mais dados recebiam, mais confusos ficavam. Isso explica por que Bonin era tão suscetível à restrição cognitiva. O piloto não havia passado o voo contando histórias a si mesmo, de modo que, quando aconteceu o inesperado, não soube em quais detalhes focar. "Estou com a impressão de que estamos indo absurdamente rápido", disse ele quando o avião começou a perder velocidade e cair. "O que você acha?"

E então, quando Bonin finalmente se aferrou a um modelo mental — "Estou em TO/GA, certo?" —, não procurou nenhum fato que contrariasse esse modelo. "Estou em ascensão, o.k., então estamos descendo", disse ele, dois minutos antes de o avião cair, aparentemente alheio à contradição do que havia falado. "O.k., estamos em TO/GA", acrescentou. "Por que continuamos indo direto para baixo?"

"Isto não pode ser verdade", disse ele, segundos antes de o avião colidir com a água. E, em seguida, suas últimas palavras, que fazem todo o sentido do mundo quando se percebe que Bonin continuava procurando um modelo mental útil enquanto o avião se projetava rumo às ondas:

"Mas o que está acontecendo?"

Evidentemente, o problema não é exclusivo dos aviadores do voo 447. Acontece sempre, em escritórios e rodovias, quando estamos trabalhando no celular e realizando mais de uma atividade ao mesmo tempo no sofá de casa. "Essa situação caótica é cem por cento culpa nossa", disse Stephen Casner, um psicólogo pesquisador da Nasa que estudou dezenas de acidentes como o do voo 447 da Air France. "Começamos com um humano criativo, flexível e habilitado a resolver problemas e um computador relativamente burro que é eficiente em tarefas mecânicas repetitivas, como monitoramento. E aí deixamos o computador burro pilotar, e os humanos, capazes de escrever romances, conceber teorias científicas e pilotar aviões, ficam plantados diante do computador esperando alguma luz acender. Sempre foi difícil aprender a ter foco. Agora é mais ainda."[28]

Uma década depois de Beth Crandall entrevistar os enfermeiros das UTIs neonatais, dois economistas e um sociólogo do MIT decidiram estudar como exatamente as pessoas mais produtivas construíam modelos mentais.[29] Para isso, convenceram uma empresa de recrutamento de tamanho médio a lhes permitir acesso à demonstração de lucros e perdas, à agenda de compromissos de seus funcionários e a 125 mil e-mails que os executivos haviam enviado ao longo dos dez meses anteriores.

Quando começaram a vasculhar todos esses dados, a primeira coisa que os pesquisadores perceberam foi que os funcionários mais produtivos da firma, os astros, possuíam algumas características em comum. A primeira era que eles costumavam trabalhar em apenas cinco projetos ao mesmo tempo — uma carga salutar, mas não extraordinária. Havia outros funcionários que lidavam com dez ou doze projetos em paralelo. Mas esses funcionários apresentavam uma taxa de lucro menor que os astros, que escolhiam com mais cuidado a maneira como investiriam o tempo.

Os economistas imaginaram que os astros eram mais criteriosos porque procuravam trabalhos que fossem semelhantes a algo que tivessem feito antes. O senso comum sugere que a produtividade é maior quando as pessoas fazem o mesmo tipo de atividade várias vezes. A repetição nos deixa mais rápidos e eficientes porque não precisamos aprender habilidades diferentes a cada novo projeto. Mas os economistas examinaram com mais atenção e descobriram o contrário: os astros não escolhiam atividades que aproveitassem habilidades existentes.[30] Na verdade, pegavam projetos que os obrigavam a recorrer a novos colegas e que exigiam novas competências. Era por isso que os astros trabalhavam em apenas cinco projetos por vez: conhecer pessoas e aprender habilidades consomem muitas horas a mais.

Outra característica em comum entre os astros era que eles pareciam muito mais atraídos por trabalhos que se encontrassem em fase inicial. Isso era surpreendente, porque entrar em um projeto que acabou de começar é um gesto arriscado. Ideias novas com frequência dão errado, por mais geniais que sejam e por melhor que seja a execução. O mais seguro é entrar em um projeto que já esteja bem avançado.

No entanto, o início de um projeto também é o momento com maior riqueza de informações. Ao participar de iniciativas incipientes, os astros eram copiados em e-mails que não teriam recebido em outras circunstâncias. Eles descobriam quais executivos em posições de menor destaque eram espertos e aproveitavam ideias novas de colegas mais jovens. Eram expostos a mercados emergentes e às lições da economia digital antes de outros executivos. Além disso, os astros depois podiam levar o crédito por uma inovação simplesmente por terem estado na sala quando ela surgiu, em vez de disputar batalhas de paternidade depois que ela fosse considerada um sucesso.[31]

Por fim, os astros tinham ainda um comportamento em comum, quase um tique intelectual e conversacional: eles adoravam gerar teorias — um monte de teorias, sobre qualquer assunto, como por que certas contas davam certo ou errado, ou por que alguns clientes ficavam felizes ou insatisfeitos, ou como diferentes estilos de gestão influenciavam funcionários diversos. Na verdade, eles eram um tanto ou quanto obcecados com tentar explicar o mundo para si mesmos e para seus colegas no dia a dia.

Os astros viviam contando histórias sobre o que tinham visto ou escutado. Em outras palavras, eram muito mais suscetíveis a gerar modelos mentais. Davam mais ideias durante reuniões ou pediam a um colega que os ajudasse a imaginar como alguma conversa futura poderia transcorrer, ou ainda como uma apresentação deveria ser feita. Bolavam conceitos para novos produtos e treinavam a forma de propô-los. Contavam histórias sobre antigas conversas e ficavam sonhando com planos fantasiosos de expansão. Construíam modelos mentais a um ritmo quase constante.

"Muitas dessas pessoas oferecem explicações e mais explicações sobre o que acabaram de ver", disse Marshall van Alstyne, um dos pesquisadores do MIT. "Eles reconstroem uma conversa bem na sua frente e analisam cada detalhe. E depois pedem para você criticar a opinião deles. Estão sempre tentando descobrir como as informações se combinam."

Os pesquisadores do MIT chegaram à conclusão de que estar na cópia daqueles primeiros e-mails cheios de informação e produzir todos aqueles modelos mentais rendia cerca de 10 mil dólares a mais por ano, em média, em bônus. Os astros assumiam apenas cinco projetos de cada vez — mas superavam os colegas porque tinham métodos de raciocínio mais produtivos.

Resultados semelhantes foram observados em dezenas de outros estudos. Pessoas que sabem administrar a própria atenção e que têm o hábito de construir modelos mentais robustos tendem a ganhar mais dinheiro e tirar notas melhores. Além do mais, experimentos demonstram que qualquer um pode aprender a desenvolver o costume de construir modelos mentais. Quando criamos o hábito de contar para nós mesmos histórias sobre o que acontece à nossa volta, aprendemos a aguçar a nossa atenção. Esses momentos de narração podem ser simples, como, a caminho do trabalho, tentar imaginar uma reunião iminente — fazer esforço para imaginar como ela começará, quais questões você levantará se o chefe pedir algum comentário, que objeções seus colegas talvez façam —, ou podem ser complexos, como uma enfermeira que diz a si mesma que aspecto um bebê deve ter enquanto atravessa uma UTI neonatal.

Se você quer aprimorar sua sensibilidade para os detalhes no trabalho, cultive o hábito de imaginar, com o maior grau de especificidade possível, o que espera ver e fazer quando chegar à sua mesa. Assim, você terá mais chances de perceber as formas ligeiras com que a vida real diverge da narrativa dentro de sua cabeça. Se quer aprender a dar mais atenção a seus filhos, conte para si próprio histórias sobre o que eles lhe disseram durante o jantar na noite anterior. Narre sua vida conforme a vive, e assim essas experiências ficarão gravadas mais profundamente em seu cérebro. Se você precisa melhorar a concentração e aprender a evitar distrações, tire um instante para imaginar, com o máximo possível de detalhes, o que está prestes a fazer. É mais fácil saber o que vem adiante quando temos um roteiro bem formulado dentro da cabeça.

Algumas empresas dizem que essas táticas são importantes em diversas situações, inclusive quando você está se candidatando a um emprego ou decidindo quem contratar. Os candidatos que contam histórias são os que toda empresa quer. "Procuramos pessoas que descrevem suas experiências como uma espécie de narrativa", explicou-me Andy Billings, vice-presidente no gigante dos video games Electronic Arts. "É um sinal de que a pessoa tem instinto para ligar os pontos e entender como o mundo funciona de maneira mais profunda. São essas as pessoas que todo mundo tenta encontrar."

III.

Um ano depois do desaparecimento do voo 447 da Air France no oceano, outro Airbus — dessa vez, da Qantas Airways — taxiou por uma pista de Cingapura, solicitou permissão para dar início ao voo de oito horas até Sydney e decolou rumo ao céu claro de uma manhã.[32]

O avião da Qantas que voava naquele dia tinha o mesmo sistema de voo automático da aeronave da Air France que havia caído no mar. Mas os pilotos eram muito diferentes. Antes mesmo de embarcar no voo 32 da Qantas, o comandante Richard Champion de Crespigny já estava instruindo a tripulação quanto aos modelos mentais que esperava que todos usassem.

"Quero que imaginemos a primeira atitude que tomaremos se tivermos algum problema", disse ele aos copilotos quando estavam na van que saiu do hotel Fairmont rumo ao aeroporto Changi de Cingapura. "Imaginem que há uma pane em uma das turbinas. Qual é o primeiro lugar que olhamos?" Os pilotos se alternaram para descrever o ponto para onde dirigiriam os olhos. De Crespigny conduzia a mesma conversa antes de todos os voos. Seus copilotos sabiam que deviam esperá-la. Ele perguntava que telas cada um deveria olhar durante uma emergência, para onde as mãos iriam caso soasse um alarme, se eles virariam a cabeça para a esquerda ou continuariam olhando para a frente. "A realidade dos aviões modernos é que são 250 mil sensores e computadores que às vezes não sabem a diferença entre porcaria e bom senso", disse-me De Crespigny mais tarde. Ele é um australiano rude, uma mistura de Crocodilo Dundee e general Patton. "É por isso que temos pilotos humanos. O nosso trabalho é pensar no que *pode* acontecer, não no que acontece."

Depois da sessão de visualização da equipe, De Crespigny apresentava algumas regras. "Todos têm a responsabilidade de me falar se discordam de minhas decisões ou se acham que estou deixando passar algo."

"Mark", disse ele, indicando um copiloto, "se você vir que todo mundo baixou os olhos, quero que você olhe para cima. Se todo mundo estiver olhando para cima, você olha para baixo. Provavelmente vamos cometer pelo menos um erro durante o voo. Cada um de vocês é responsável por descobrir essas falhas."

Quatrocentos e quarenta passageiros estavam se preparando para embarcar no avião quando os pilotos entraram na cabine de comando. De Crespigny, como todos os aviadores da Qantas, era obrigado a passar por uma avaliação anual de pilotagem, então, naquele dia, havia a presença de dois pilotos adicionais, observadores que compunham os quadros mais experientes da companhia aérea. A avaliação não era pro forma. Se De Crespigny vacilasse, isso podia acabar desencadeando uma aposentadoria prematura.

Na hora de os pilotos ocuparem seus lugares, um dos observadores se sentou próximo ao centro da cabine de comando, onde o protocolo-padrão costumava situar o segundo oficial. De Crespigny franziu o cenho. Ele havia imaginado que o observador ocuparia um assento lateral, fora do caminho. Tinha uma imagem mental de como a cabine de comando devia ser organizada.

De Crespigny encarou o avaliador.

"Onde o senhor pretende se sentar?", perguntou.

"Neste assento entre você e Matt", respondeu o observador.

"Isso é um problema", disse De Crespigny. "Minha tripulação vai se sentir intimidada."

A cabine de comando ficou silenciosa. Esse tipo de confrontação não devia acontecer entre um comandante e os observadores.

"Rich, não tenho como vê-lo se eu ficar no assento de Mark", disse o observador. "Como é que vou avaliá-lo?"

"Isso é problema seu", respondeu De Crespigny. "Quero minha tripulação junta e quero Mark no lugar em que o senhor está."

"Richard, você está exagerando", disse o segundo observador.

"Preciso comandar um voo e quero que minha tripulação possa funcionar de forma adequada", disse De Crespigny.

"Olhe, Richard", respondeu o avaliador, "se for de alguma ajuda, prometo que vou agir como segundo oficial se necessário."

De Crespigny pensou por um momento. Queria mostrar à tripulação que eles podiam questionar suas decisões. Queria lhes mostrar que ele estava prestando atenção ao que todos tinham a dizer e que levava suas opiniões em consideração. Tal como os integrantes das equipes no Google e no *Saturday Night Live* precisam ser capazes de criticar uns aos outros sem medo de retaliação, De Crespigny queria deixar claro para sua tripulação que ele incentivava opiniões divergentes.

"Fantástico", disse ele ao avaliador. ("Quando ele disse que seria o segundo oficial, passou a se encaixar no plano que estava na minha cabeça", explicou-me depois.)[33] Na cabine de comando, De Crespigny se voltou aos controles e começou a afastar o voo 32 da Qantas do portão de embarque.

O avião acelerou pela pista e subiu ao ar. A 2 mil pés, De Crespigny ativou o piloto automático. O céu estava sem nuvens, em condições perfeitas.

A 7400 pés, quando estava prestes a pedir para o primeiro oficial desligar a luz de apertar os cintos na cabine, ele ouviu um estrondo. Achou que provavelmente tinha sido só um rompante de ar em alta pressão passando pela turbina. Depois houve outro estouro, ainda mais alto, seguido pelo que parecia o som de milhares de bolas de gude sendo jogadas na fuselagem.

Um alerta vermelho se acendeu no painel de instrumentos de De Crespigny, e uma sirene rugiu dentro da cabine de comando. Mais tarde, investigadores concluiriam que um incêndio dentro de um dos motores da esquerda havia feito um disco de turbina se soltar do eixo, quebrar em três pedaços e ser expelido, destruindo a turbina. Dois dos fragmentos maiores da explosão fizeram buracos na asa esquerda, e um era tão grande que dava para comportar um homem. Centenas de pedaços menores, explodindo como uma bomba de fragmentação, romperam fios elétricos, mangueiras de combustível, um tanque e bombas hidráulicas. A parte de baixo da asa parecia ter sido metralhada.

Tiras compridas de metal estavam se soltando da asa esquerda e sacudindo no ar. O avião começou a tremer. De Crespigny estendeu a mão para diminuir a velocidade, a resposta-padrão em emergências daquele tipo, mas, quando apertou um botão, o controle automático dos motores não reagiu. A tela de seu computador começou a exibir alarmes. A turbina dois estava em chamas. A três estava danificada. Não havia informação alguma sobre as turbinas um e quatro. As bombas de combustível estavam dando pane. Os sistemas hidráulico, pneumático e elétrico estavam quase incapacitados. O combustível na asa esquerda estava vazando em um leque amplo. Mais tarde, os danos seriam descritos como um dos piores desastres mecânicos em ar na história da aviação moderna.

De Crespigny entrou em contato com o controle de tráfego aéreo de Cingapura. "QF32, turbina dois parece ter parado", disse. "Proa 150, mantendo 7400 pés, continuaremos informando e retomaremos contato em cinco minutos."

Haviam passado menos de dez segundos desde o primeiro estrondo. De Crespigny desligou a energia na asa esquerda e começou os procedimentos contra incêndio. O avião parou de vibrar por um instante. Dentro da cabine de comando, alarmes apitavam. Os pilotos estavam em silêncio.

Na cabine, passageiros em pânico corriam para as janelas e apontavam para as telas embutidas nos assentos, que, infelizmente, exibiam a imagem da asa danificada por meio de uma câmera instalada na cauda do avião.

Os homens na cabine de comando começaram a reagir às notificações dos computadores do avião, falando entre si com frases curtas e eficientes. De Crespigny olhou para sua tela e viu que 21 dos 22 principais sistemas da aeronave estavam danificados ou completamente incapacitados. As turbinas em atividade estavam se deteriorando rápido, e o sistema hidráulico na asa esquerda, que permitia manobrar o avião, estava falhando. Em questão de minutos, a aeronave ficara limitada a ligeiras variações de empuxo e ajustes mínimos de navegação. Ninguém sabia quanto tempo ela duraria no ar.

Um dos copilotos tirou os olhos dos controles. "Acho que precisamos voltar", disse. Fazer meia-volta com o avião para retornar ao aeroporto era arriscado. Mas, na trajetória em que estavam, a cada segundo que passava iam ficando mais e mais longe da pista.

De Crespigny disse à torre de controle que eles voltariam. Começou a virar o avião em um arco aberto e lento. "Solicito permissão para subir até 10 mil pés", disse De Crespigny ao controle de tráfego aéreo.

"Não!", gritaram seus copilotos.

Eles logo explicaram o motivo da preocupação: subir poderia forçar demais as turbinas. A mudança de altitude podia acelerar o vazamento de combustível. Era melhor voar baixo e manter o avião nivelado.

De Crespigny tinha mais de 15 mil horas de voo como piloto e havia treinado situações de desastre como aquela em dezenas de simuladores. Imaginara momentos como aquele centenas de vezes. Tinha uma imagem mental de como reagir, e ela lhe dizia para ganhar altitude de modo a ter mais opções. Todos os seus instintos lhe diziam para subir. Mas todo modelo mental tem falhas. Era trabalho de sua tripulação encontrá-las.

"Qantas 32", disse De Crespigny. "Desconsiderem subida a 10 mil pés. Vamos continuar em 7400 pés."

Ao longo dos vinte minutos seguintes, os homens na cabine de comando lidaram com uma quantidade cada vez maior de alarmes e emergências. O computador do avião exibia soluções detalhadas para cada problema, mas, conforme a situação se agravava, o volume de instruções era tamanho que ninguém sabia dizer o que era prioridade e no que deviam focar. De Crespigny sentiu que estava entrando em um estado de restrição cognitiva. Uma lista automática de medidas emitida pelo computador disse para os pilotos transferirem o combustível de uma asa para a outra a fim de equilibrar o peso da aeronave. "Pare!", gritou De Crespigny quando um copiloto se preparou para obedecer ao comando da tela. "Deveríamos transferir combustível da asa boa para a que está com vazamento?" Dez anos antes, um voo em Toronto quase caíra quando a tripulação descartou o combustível sem perceber, transferindo-o para um motor com vazamento. Os pilotos concordaram com a decisão de ignorar a ordem.

De Crespigny recostou no assento. Estava tentando visualizar os danos, manter o controle de suas opções cada vez mais escassas, conceber uma imagem mental do avião enquanto descobria mais informações sobre o que estava errado. Ao longo da crise, De Crespigny e os outros pilotos ficaram elaborando modelos mentais do Airbus. Porém, para onde quer que olhassem, viam um alerta novo, outro sistema pifando, mais luzes piscando. O comandante respirou fundo, tirou as mãos dos controles e as apoiou no colo.

"Vamos simplificar", disse ele aos copilotos. "Não podemos transferir combustível, não podemos alijá-lo. O combustível do tanque compensador está preso na cauda e os tanques de transferência são inúteis.

"Então esqueçam as bombas, esqueçam os outros oito tanques, esqueçam o medidor de combustível total. Precisamos parar de nos concentrar no que está errado e começar a prestar atenção no que ainda funciona."

Em resposta, um dos copilotos começou a listar sistemas ainda operacionais: duas das oito bombas hidráulicas ainda funcionavam. A asa esquerda estava sem energia elétrica, mas a direita ainda tinha alguma. Os trens de pouso estavam intactos, e os copilotos acreditavam que De Crespigny conseguiria ativar os freios pelo menos uma vez antes de eles pifarem.

O primeiro avião que De Crespigny havia pilotado foi um Cessna, um dos monomotores praticamente 100% analógicos que pilotos amadores adoravam. É claro que, comparado com um Airbus, um Cessna é um brinquedo, mas, em essência, todo avião tem os mesmos componentes: um sistema de combustível, controles de voo, freios, trem de pouso. *E se*, pensou De Crespigny com seus botões, *eu imaginar que este avião é um Cessna? O que eu faria?*

"Esse momento foi o ponto de virada", disse-me Barbara Burian, psicóloga pesquisadora da Nasa que estudou o voo 32 da Qantas. "Quando De Crespigny decidiu assumir o controle do modelo mental que estava aplicando à situação, em vez de reagir ao computador, mudou de quadro mental. Agora ele decidia em que se concentrar, em vez de depender de instruções.

"Na maior parte do tempo, quando acontece uma sobrecarga informacional, não nos damos conta do que está acontecendo — e é por isso que esse tipo de situação é tão perigosa", disse Burian. "Então, pilotos muito bons se obrigam a fazer muitos exercícios 'e se' antes de um evento, encenando várias situações na cabeça. Assim, quando acontece alguma emergência, eles têm modelos que podem ser usados."[34]

Foi essa mudança de quadro mental — *E se eu imaginar que este avião é um Cessna?* — que, tragicamente, não aconteceu na cabine de comando do voo 447 da Air France. Os pilotos franceses não tentaram encontrar um modelo mental novo para explicar o que estava acontecendo. Mas, quando o modelo mental do Airbus dentro da cabeça de De Crespigny começou a se desmontar sob o peso de todas as emergências novas, ele decidiu substituí-lo por algo novo. Começou a imaginar o avião como um Cessna, o que lhe permitiu descobrir em que ele devia se concentrar e o que podia ser ignorado.

De Crespigny pediu para um dos copilotos calcular quanto de pista seria necessário. Dentro da própria cabeça, ele imaginava o pouso de um Cessna gigante. "Pensar desse jeito me ajudou a simplificar as coisas", explicou-me ele. "Eu tinha uma imagem na cabeça que continha o básico, e eu só precisava disso para pousar o avião."[35]

O copiloto disse que, se De Crespigny fizesse tudo certo, o avião precisaria de 3900 metros de asfalto. A maior pista do aeroporto de Changi, em Cingapura, tinha 4 mil metros. Se eles extrapolassem isso, a aeronave se arrebentaria quando os pneus atingissem faixas de grama e dunas de areia.

"Vamos lá", disse De Crespigny.

O avião começou a descer rumo ao aeroporto. A 2 mil pés, De Crespigny tirou os olhos do painel e viu a pista. A mil pés, um alarme na cabine de comando começou a berrar: "VELOCIDADE! VELOCIDADE! VELOCIDADE!". O avião estava correndo o risco de sofrer estol. De Crespigny alternou o olhar entre a pista e os indicadores de velocidade. Conseguia ver as asas do Cessna na cabeça. Deu um empurrão delicado no controle, aumentando ligeiramente a velocidade, e o alarme parou. Empinou um pouquinho o nariz, porque era isso que a imagem em sua mente lhe dizia para fazer.

"Confirmar que a equipe de bombeiros está de prontidão", disse um copiloto à torre de controle.

"Afirmativo, serviços de emergência estão de prontidão", respondeu uma voz.

O avião descia ao ritmo de catorze pés por segundo. A velocidade máxima garantida que os trens de pouso podiam absorver era de apenas doze pés por segundo. Mas agora não havia mais nenhuma opção.

"CINQUENTA", disse uma voz de computador. "QUARENTA." De Crespigny puxou ligeiramente o *stick*. "TRINTA... VINTE." Uma voz metálica rugiu: "ESTOL! ESTOL! ESTOL!". O Cessna na imaginação de De Crespigny continuava navegando rumo à pista, preparado para pousar, tal como ele já havia feito centenas de vezes. Não estava em estol. Ele ignorou o alerta. As rodas traseiras do Airbus tocaram o solo e De Crespigny empurrou o *stick* para a frente, impulsionando as rodas dianteiras no asfalto. Os freios só funcionariam uma vez, então De Crespigny pisou o máximo possível no pedal e não tirou o pé. Os primeiros mil metros da pista passaram em um borrão. Depois de 2 mil metros, De Crespigny achou que a aeronave talvez estivesse reduzindo a velocidade. O final da pista avançava rapidamente para o para-brisa, e a grama e as dunas pareciam cada vez maiores. Conforme o avião se aproximava do fim da pista, o metal começou a ranger. As rodas deixaram extensas marcas no asfalto. E então o avião desacelerou, estremeceu e parou com cem metros de folga.

Mais tarde, os investigadores classificariam o voo 32 da Qantas como o Airbus A380 em pior estado a fazer um pouso seguro. Diversos pilotos tentaram recriar em simuladores a recuperação de De Crespigny, e nenhum conseguiu.[36]

Quando o voo enfim parou, o chefe de equipe dos comissários de bordo ativou o sistema de comunicação da aeronave.

"Senhoras e senhores", disse ele, "bem-vindos a Cingapura. A hora local é cinco para meio-dia de quinta-feira, 4 de novembro, e acredito que todos concordarão que este foi um dos melhores pousos que já tivemos nos últimos tempos." De Crespigny voltou para casa como herói. Hoje, o voo 32 da Qantas é apresentado em escolas de aviação e aulas de psicologia como estudo de caso de como manter o foco durante uma emergência. Ele é citado dentre os melhores exemplos de como modelos mentais podem fazer com que até mesmo as situações mais graves permaneçam sob controle.

Modelos mentais nos ajudam fornecendo uma plataforma para a torrente de informações que nos cercam constantemente. Modelos nos ajudam a escolher para onde concentrar nossa atenção, de modo que possamos tomar decisões em vez de apenas reagir. Os pilotos da Air France não tinham modelos mentais fortes, então, quando aconteceu a tragédia, eles não sabiam para onde direcionar o foco. De Crespigny e seus copilotos, por sua vez, contavam histórias para si mesmos — e as testavam e as revisavam — antes mesmo de entrar no avião, então estavam preparados na hora do desastre.

Podemos não reconhecer em que sentido situações de nossa vida são semelhantes ao que acontece na cabine de comando de um avião. Mas pare um instante e pense nas pressões que você enfrenta todos os dias. Se estiver em uma reunião e o presidente da empresa de repente pedir sua opinião, é provável que sua mente pule de uma condição passiva de ouvinte para uma de envolvimento ativo — e, se você não tomar cuidado, uma restrição cognitiva pode fazer com que diga alguma besteira. Se está fazendo um malabarismo com várias conversas e atividades ao mesmo tempo na hora em que chega um e-mail importante, o pensamento reativo pode fazer você escrever uma resposta antes de ter pensado de fato no que quer dizer.

Então, qual é a solução? Se você quer prestar mais atenção ao que importa de verdade, se não quer ficar sobrecarregado ou distraído pela torrente constante de e-mails, conversas e interrupções que fazem parte do dia a dia, se quer saber em que se concentrar e o que ignorar, crie o hábito de contar histórias a si próprio. Narre sua própria vida conforme ela acontece, e aí, quando seu chefe fizer uma pergunta repentina, ou quando uma mensagem urgente chegar e você só tiver alguns minutos para responder-lhe, o holofote dentro de sua cabeça estará pronto para apontar para o lugar certo.

Para sermos genuinamente produtivos, precisamos assumir o controle de nossa atenção; precisamos construir modelos mentais que nos garantam o comando. Quando você estiver a caminho do trabalho, obrigue-se a visualizar o dia. Quando estiver participando de uma reunião ou almoçando, descreva para si mesmo o que está vendo e o que isso significa. Procure outras pessoas que possam ouvir suas teorias e criticá-las. Estabeleça uma rotina de se obrigar a prever os próximos acontecimentos. Se você tiver filhos, preveja o que as crianças dirão durante o jantar. Assim, perceberá se algo for omitido ou se há algum comentário avulso que deva ser considerado um alerta.

"Não podemos delegar o pensamento", disse-me De Crespigny. "Computadores dão pane, listas de controle falham, tudo pode dar problema. Mas as pessoas não podem. Precisamos tomar decisões, e isso inclui decidir o que merece nossa atenção. O segredo é se obrigar a pensar. Contanto que esteja pensando, já é meio caminho andado."

4. Determinação de metas

METAS SMART, METAS FORÇADAS E A GUERRA DO YOM KIPPUR

Em outubro de 1972, Eli Zeira, um dos generais mais talentosos de Israel, foi promovido, aos 44 anos, a chefe da Diretoria de Inteligência Militar, a agência responsável por alertar os líderes do país em caso de ameaça de ataque inimigo.[1]

A nomeação de Zeira aconteceu meia década depois da Guerra dos Seis Dias de 1967, na qual Israel, em um ataque preemptivo impressionante, capturara a península do Sinai, as colinas do Golan e outros territórios do Egito, da Síria e da Jordânia. Essa guerra havia demonstrado a superioridade militar de Israel, aumentado o território sob controle do país para mais do que o dobro e humilhado os inimigos da nação. Mas também incutiu nos cidadãos israelenses uma ansiedade profunda de que os adversários do país em algum momento se vingariam.

Esse temor era legítimo. Desde o fim da Guerra dos Seis Dias, os generais do Egito e da Síria fizeram diversas ameaças de que recuperariam o território perdido, e líderes árabes pronunciaram discursos inflamados com a promessa de que lançariam o Estado judeu ao mar. À medida que os inimigos de Israel se tornavam mais e mais belicosos, os legisladores do país tentavam acalmar as inquietações populares pedindo que as Forças Armadas fornecessem previsões regulares quanto à probabilidade de um ataque.

No entanto, muitas vezes a Diretoria de Inteligência Militar apresentava avaliações contraditórias e inconclusivas, uma salada de opiniões que previam níveis variados de risco. Analistas enviavam memorandos conflitantes e mudavam de ideia toda semana. Às vezes, os legisladores eram avisados de que precisavam ficar em alerta, e aí nada acontecia. Autoridades eram convocadas para reuniões e informadas de que um risco talvez se materializasse, mas ninguém conseguia dar certeza. Unidades do Exército recebiam ordens de preparar as defesas, e então essas ordens eram canceladas sem nenhuma explicação.

Como resultado, os políticos e o povo de Israel ficaram cada vez mais frustrados. Os reservistas do Exército representavam 80% do efetivo das forças de defesa de Israel. Havia um nervosismo constante em relação à possibilidade de que centenas de milhares de cidadãos fossem obrigados, sem aviso prévio, a abandonar suas famílias e correr para as fronteiras. As pessoas queriam saber se o risco de outra guerra era real e, se fosse, com quanta antecedência elas seriam informadas.

Parte do motivo para a nomeação de Eli Zeira como chefe da Diretoria de Inteligência Militar era atender a essas incertezas. Ele era um ex-paraquedista conhecido pela sofisticação e pelo jogo de cintura político. Havia ascendido rapidamente pelos escalões das Forças Armadas de Israel, chegando inclusive a servir alguns anos como assistente de Moshe Dayan, o herói da Guerra dos Seis Dias. Quando assumiu a Diretoria, Zeira disse ao Parlamento israelense que seu trabalho era simples: fornecer às autoridades a "estimativa mais clara e precisa possível".[2] Sua meta principal, explicou, era garantir que os alarmes soassem apenas quando houvesse um risco real de guerra.

Seu método para obter esse nível de clareza era ordenar que os analistas militares usassem uma fórmula rigorosa para avaliar as intenções dos árabes. Ele havia ajudado a desenvolver esses critérios, que no círculo dos agentes de inteligência ficaram conhecidos como "o conceito". Segundo Zeira, o poderio aéreo superior de Israel, o arsenal de mísseis de longo alcance e a preponderância no campo de batalha durante a Guerra dos Seis Dias tinham constrangido de tal modo os inimigos que nenhum país voltaria a atacá-los sem antes dispor de uma Força Aérea poderosa o bastante para proteger o efetivo no solo contra os jatos israelenses e de mísseis Scud capazes de atingir Tel Aviv. Zeira disse que, sem essas duas condições, as ameaças dos líderes árabes não passavam de palavras.[3]

Seis meses depois de Zeira assumir o cargo, a nação teve uma chance de testar o conceito dele. Na primavera de 1973, uma grande quantidade de soldados egípcios começou a se reunir ao longo do canal de Suez, que era a fronteira entre o Egito e a península do Sinai, sob o controle de Israel. Espiões israelenses alertaram para o fato de que o Egito pretendia invadir em meados de maio.

Em 18 de abril, a premier de Israel, Golda Meir, convocou seus principais conselheiros para uma reunião a portas fechadas. Tanto o chefe de Estado-Maior quanto o diretor do Mossad disseram que um ataque egípcio era uma possibilidade concreta e que a nação precisava se preparar.

Meir pediu a avaliação de Zeira. Ele respondeu que discordava dos colegas. O Egito ainda não possuía uma Força Aérea poderosa, nem mísseis que pudessem alcançar Tel Aviv. Os líderes egípcios estavam apenas sacudindo sabres para impressionar seus cidadãos. A probabilidade de um ataque, concluiu ele, era "muito pequena".

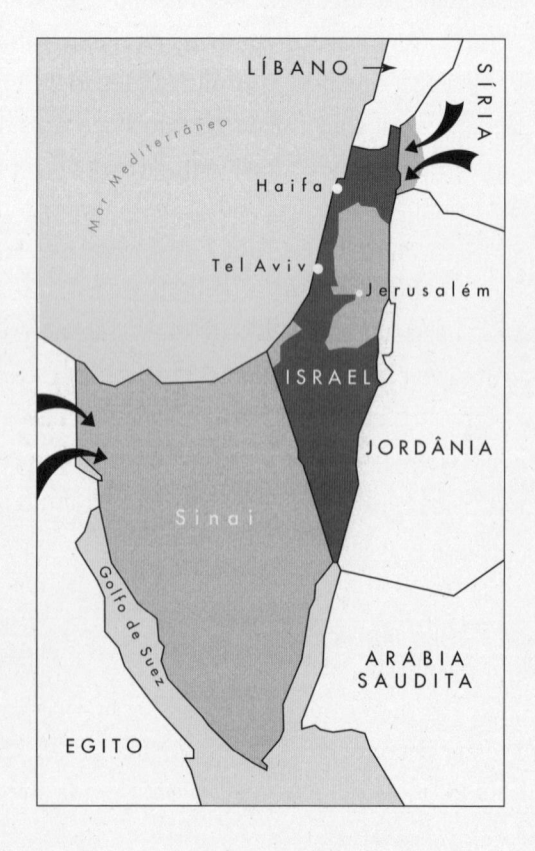

Meir acabou dando preferência ao chefe de Estado-Maior e ao diretor do Mossad. Deu ordem para que as Forças Armadas fizessem preparativos para a defesa, e, ao longo do mês seguinte, o Exército se armou para a guerra. Os soldados instalaram muros, postos avançados e baterias ao longo da margem de mais de 150 quilômetros do canal de Suez. Nas colinas do Golan, que faziam fronteira com a Síria, pelotões dispararam granadas de exercício e blindados ensaiaram formações de batalha. Gastaram-se milhões de dólares, e milhares de soldados foram impedidos de sair de licença. Mas o ataque nunca se concretizou. O governo de Meir, criticado pelo exagero, logo alterou as declarações públicas. Em julho daquele ano, Moshe Dayan, então ministro da Defesa de Israel, disse à revista *Time* que não era provável que houvesse guerra nos dez anos seguintes.[4] Zeira saiu da situação, nas palavras do historiador Abraham Rabinovich, "com uma boa reputação, e bem mais confiante".

"Enquanto os sinos de alarme soavam à sua volta e o destino da nação estava em jogo, ele insistiu durante toda a crise, com serenidade, que a probabilidade de guerra não era apenas pequena, mas 'muito pequena'", escreveu Rabinovich. "Ele dizia que era [seu] trabalho manter a pressão arterial do país sob controle e não ativar alarmes sem necessidade. Caso contrário, os reservistas seriam acionados a cada poucos meses, o que provocaria efeitos devastadores na economia e no moral."

No verão de 1973, Zeira já estava estabelecido como um dos líderes mais influentes de Israel. Ele havia assumido o novo posto com a meta de diminuir a ansiedade desnecessária e demonstrara que um método disciplinado poderia evitar o desgaste de questionamentos. O país queria descanso dos temores constantes de ataque iminente, e Zeira atendera. Sua ascensão a cargos ainda mais altos parecia garantida.

II.

Imagine que lhe tenham pedido para preencher um questionário. Seu trabalho é classificar quanto você concorda ou não com 42 frases, incluindo:

Acredito que ordem e organização são algumas das características mais importantes.
Acho que estabelecer uma rotina firme me permite aproveitar melhor a vida.
Gosto de ter amigos imprevisíveis.
Prefiro interagir com pessoas que tenham opiniões muito diferentes das minhas.
Meu espaço pessoal costuma ser bagunçado e desorganizado.
É irritante ouvir alguém que parece incapaz de se decidir.

Uma equipe de pesquisadores da Universidade de Maryland publicou esse questionário pela primeira vez em 1994, e desde então ele se tornou essencial para testes de personalidade. A princípio, as perguntas parecem concebidas para mensurar a preferência por organização pessoal e quão à vontade alguém se sente em relação a pontos de vista distintos. E, na realidade, pesquisadores chegaram à conclusão de que esse teste ajuda a identificar pessoas mais decididas e confiantes e indicam que esses traços estão associados ao sucesso na vida de maneira geral. Pessoas determinadas e concentradas tendem a trabalhar mais e concluir projetos com maior rapidez. Seus casamentos duram mais, e os contatos e as amizades são mais firmes. Com frequência, recebem salários maiores.

Mas esse questionário não pretende aferir a organização pessoal. Na verdade, a ideia é mensurar um traço de personalidade conhecido como "necessidade de conclusão cognitiva" [*need for cognitive closure*],[5] algo que os psicólogos definem como "o desejo de tomar uma decisão confiante em alguma questão, qualquer decisão confiante, em vez de confusão e ambiguidade".[6] A maioria das pessoas responde a esse teste — chamado "escala de necessidade de conclusão" — demonstrando uma preferência por uma mistura de ordem e caos na vida. Elas dizem que valorizam a organização, mas confessam que deixam a mesa do escritório bagunçada. Dizem que se sentem incomodadas com indecisão, mas têm amigos pouco confiáveis. No entanto, algumas pessoas — cerca de 20% dos avaliados, e muitas das pessoas mais bem-sucedidas que realizaram o teste — exibem uma preferência acima da média por organização pessoal, decisão e previsibilidade. Elas tendem a desprezar amigos voláteis e situações ambíguas. Essas pessoas têm uma necessidade emocional elevada de conclusão cognitiva.

Em muitas circunstâncias, a necessidade de conclusão cognitiva pode ser uma grande força. Quem sente um ímpeto intenso por conclusão tem mais chances de ser disciplinado e de ser encarado como um líder por seus pares. O instinto de tomar uma decisão e se ater a ela dispensa questionamentos desnecessários e debates extensos. Os melhores enxadristas costumam apresentar uma necessidade de conclusão elevada, o que os ajuda a se concentrar em um problema específico durante momentos de estresse em vez de ficarem obcecados por erros cometidos. Em certa medida, todo mundo deseja conclusão, e isso é bom, porque um nível básico de organização pessoal é um pré-requisito para o sucesso. Além disso, tomar uma decisão e seguir para a questão seguinte *parece* produtivo. Parece um progresso.

Mas existem riscos relacionados a uma necessidade de conclusão elevada. Quando as pessoas começam a desejar a satisfação emocional que acompanha a tomada de uma decisão — quando elas precisam se sentir produtivas para continuarem calmas —, é mais provável que as decisões sejam tomadas às pressas e menos provável que uma escolha infeliz seja revista. A "necessidade de conclusão introduz um viés no processo opinativo",[7] indicou uma equipe de pesquisadores em um artigo para a *Political Psychology* em 2003. Uma necessidade de conclusão elevada foi associada a estreiteza de raciocínio, impulsos autoritários e uma preferência por conflitos em vez de cooperação. Indivíduos com necessidade de conclusão elevada "podem apresentar um teor considerável de impaciência ou impulsividade cognitiva: podem 'sacar' conclusões com base em informações insuficientes e exibir rigidez de raciocínio e relutância em considerar opiniões diferentes das que já têm", afirmaram Arie Kruglanski e Donna Webster, os autores da escala de necessidade de conclusão, em 1996.[8]

Para dizer de outra forma, instinto de decisão é ótimo — até não ser mais. Quando as pessoas tomam decisões afobadas só para ter a *sensação* de que estão fazendo algo, é mais provável que haja equívocos.

Os pesquisadores afirmam que há diversos componentes para a necessidade de conclusão. Há a necessidade de "agarrar" uma meta, assim como outro impulso para "se paralisar" em um objetivo quando ele for selecionado.[9] Pessoas decisivas têm um instinto de "agarrar" uma escolha quando ela atinge determinado limite mínimo de aceitabilidade. Esse é um impulso útil, pois nos ajuda a investir em um projeto, em vez de ficarmos presos, questionando-nos ou debatendo dúvidas eternamente.

Entretanto, se nosso impulso de conclusão é forte *demais*, nos "paralisamos" em nossas metas e ficamos ansiosos para obter aquela sensação de produtividade em detrimento do bom senso. "Indivíduos com uma necessidade elevada de conclusão cognitiva podem negar, reinterpretar ou suprimir informações que não condigam com as pré-concepções nas quais eles estão 'paralisados'", afirmaram os pesquisadores na *Political Psychology*. Quando estamos focados demais na sensação de produtividade, ficamos alheios aos detalhes que deveriam nos fazer pensar duas vezes.

O sentimento de conquistar uma conclusão é bom. Porém, às vezes relutamos em abrir mão dessa sensação até mesmo quando é evidente que estamos cometendo um erro.[10]

Em 1º de outubro de 1973, seis meses após Zeira prever que a chance de guerra era "muito pequena" — e cinco dias antes do Yom Kippur, o dia mais sagrado do calendário judaico —, um jovem oficial de inteligência israelense chamado Binyamin Siman-Tov enviou uma advertência a seus comandantes em Tel Aviv: ele vinha recebendo relatos do Sinai de que uma grande quantidade de comboios egípcios estava chegando à noite. Os militares egípcios escavavam campos minados que eles haviam instalado na fronteira, de modo que fosse mais fácil transportar artigos pelo canal. Havia um grande número de barcos e materiais para a construção de pontes no lado egípcio da fronteira. Era o maior acúmulo de equipamentos que os soldados da linha de frente já haviam visto.

Zeira tinha recebido alguns relatórios semelhantes na semana anterior, mas não ficara muito preocupado. Lembrando-se do conceito, ele aconselhou seus subordinados: o Egito ainda não tinha aviões ou mísseis suficientes para derrotar Israel. Além do mais, Zeira tinha outras questões em que se concentrar, em especial a transformação cultural que estava tentando emplacar na Diretoria de Inteligência Militar. Ao mesmo tempo que reformulava a metodologia de análise de ameaças das Forças Armadas, Zeira também tratava de livrar a agência da propensão a debates intermináveis. Ele havia declarado que, dali em diante, os oficiais de inteligência seriam avaliados conforme a clareza de suas recomendações. Nem Zeira nem seu segundo em comando tinham "paciência para conversas longas e abertas e as consideravam uma 'bobagem'", observaram os historiadores Uri Bar-Joseph e Abraham Rabinovich. Zeira "humilhava oficiais que, na opinião dele, iam despreparados para reuniões. Ele falou pelo menos uma vez que oficiais que tivessem previsto a possibilidade de uma guerra na primavera de 1973 não deviam esperar uma promoção".[11] Embora se tolerassem até certo ponto debates internos, "uma vez que se formulasse uma estimativa, todo mundo a abraçava e ninguém tinha permissão de expressar uma estimativa diferente fora da organização".[12]

Zeira declarou que a Diretoria precisava dar o exemplo. Ele havia sido nomeado para oferecer respostas, não estender debates. Quando um dos subordinados de Zeira, preocupado com os relatórios recentes acerca da movimentação de tropas egípcias, pediu para mobilizar um punhado de reservistas a fim de ajudar a entender o que estava acontecendo, o telefone tocou. "Yoel, preste atenção", disse Zeira ao redator do memorando. "É trabalho da inteligência proteger os nervos da nação, não enlouquecer o público." A solicitação foi negada.

Em 2 e 3 de outubro de 1973, as tropas egípcias foram vistas mais vezes. E então chegaram notícias de atividade na fronteira com a Síria. Alarmada, a premier convocou outra reunião. A divisão de Zeira mais uma vez recomendou que não havia motivo para preocupação: a Força Aérea do Egito e a da Síria eram fracas; eles não tinham mísseis capazes de atingir Tel Aviv. Dessa vez, os especialistas militares que haviam discordado de Zeira seis meses antes o corroboraram. "Não vejo nenhum perigo concreto para o futuro próximo", disse um general à premier. Mais tarde, em suas memórias, ela relatou que estava inquieta antes da reunião, mas as previsões da inteligência a acalmaram. Ela havia escolhido os homens certos para dar à nação um respiro muito necessário.

Setenta e duas horas depois de Binyamin Siman-Tov enviar seu relatório, analistas de inteligência de Israel descobriram que a União Soviética havia iniciado uma evacuação de emergência dos conselheiros soviéticos e de suas famílias que se encontravam na Síria e no Egito. Ligações telefônicas interceptadas entre famílias russas revelaram que eles haviam recebido ordem de correr para o aeroporto. Fotografias aéreas exibiram mais blindados, peças de artilharia e canhões de defesa antiaérea se aglomerando ao longo do canal de Suez e nas regiões das colinas do Golan sob o controle da Síria.

Na manhã de sexta-feira 5 de outubro, quatro dias após o relatório de Siman-Tov, um grupo de comandantes militares do alto escalão de Israel, incluindo Zeira, reuniu-se no gabinete do ministro da Defesa, Moshe Dayan. O herói da Guerra dos Seis Dias estava irritado. Os egípcios haviam posicionado 1100 peças de artilharia ao longo do canal, e missões de reconhecimento aéreo revelaram uma quantidade imensa de soldados. "Vocês não levam os árabes a sério o bastante", disse Dayan. O chefe de Estado-Maior das forças de defesa de Israel concordou. Mais cedo, ele havia ordenado o maior nível de alerta do Exército desde 1967.

Mas Zeira tinha outra explicação para o movimento das tropas: os egípcios estavam preparando suas defesas para o caso de Israel lançar uma invasão. Disse que não havia caças novos no Egito. Nenhum míssil Scud. Os líderes árabes sabiam que um ataque contra Israel seria suicídio. "Não imagino que nem os egípcios nem os sírios ataquem", disse Zeira.

Depois, a reunião foi deslocada para o gabinete da premier. Ela pediu para ser posta a par das novidades. O chefe de Estado-Maior, ciente de que mobilizar os reservistas de Israel no feriado judaico mais importante provocaria críticas pesadas, disse: "Ainda acho que eles não vão atacar, mas não temos informações concretas".

E então Zeira falou. A inquietação quanto a um ataque de egípcios e sírios era "completamente despropositada". Ele tinha até mesmo uma justificativa lógica para a evacuação dos conselheiros soviéticos. "Talvez os russos achem que os árabes vão atacar porque não os entendem muito bem", disse, mas os israelenses conheciam melhor os próprios vizinhos. Mais tarde no mesmo dia, quando os generais israelenses se reportaram aos ministros do governo, Zeira reiterou que acreditava haver uma "probabilidade pequena" de guerra. Afirmou que eles estavam diante de preparativos defensivos ou um exercício militar. Os líderes árabes não eram irracionais.

Ao se agarrar a uma resposta — de que o Egito e a Síria sabiam que não podiam vencer e, portanto, não atacariam —, Zeira ficou paralisado, determinado a não reconsiderar a questão. Sua meta de decisão disciplinada havia sido cumprida.

Na manhã seguinte começaria o primeiro dia do Yom Kippur.

Antes do amanhecer, o diretor do Mossad ligou para seus colegas e disse que uma fonte bem situada lhe dissera que o Egito invadiria até o fim do dia. A mensagem foi encaminhada à premier, assim como a Dayan e ao chefe de Estado-Maior. Todos foram correndo para seus gabinetes ao nascer do sol. Acreditavam que a probabilidade de guerra havia acabado de mudar.

Com o começo das preces do Yom Kippur, as ruas de Israel se encontravam vazias. As famílias estavam reunidas em casa e em sinagogas. Pouco depois das dez da manhã, seis dias inteiros depois de as forças inimigas haverem começado a se agrupar ao longo das fronteiras israelenses, as Forças Armadas finalmente anunciaram uma convocatória parcial dos reservistas. Nos templos, os rabinos leram listas entregues às pressas com o nome das pessoas que precisariam se apresentar para o serviço militar. A essa altura, já fazia semanas que o Egito e a Síria vinham distribuindo veículos blindados e peças de artilharia em posição de alcance ofensivo, mas aquele era o primeiro sinal público de que talvez houvesse algum problema iminente. Naquele momento, havia mais de 150 mil soldados inimigos nas fronteiras do país, prontos para atacar em duas frentes, e mais meio milhão de homens esperando para seguir as primeiras levas. O Egito e a Síria tinham passado meses coordenando seus planos de invasão. Décadas mais tarde, quando foram divulgados, documentos confidenciais do período revelaram que o presidente do Egito havia imaginado que Israel soubesse o que ele estava fazendo. Que outra interpretação poderia haver para aquela quantidade de homens e materiais sendo transportados até a fronteira?

Meir convocou uma reunião ministerial de emergência ao meio-dia. "Ela estava pálida e olhava para baixo", relatou o *The Times of Israel* em uma reconstrução daquele dia. "Seu cabelo, que costumava estar penteado com cuidado e preso para trás, estava bagunçado, e ela parecia não ter pregado os olhos a noite inteira. [...] Ela começou com um relatório detalhado dos acontecimentos dos dias anteriores — o desdobramento de tropas árabes nas fronteiras que havia assumido um tom ameaçador de repente, a evacuação apressada das famílias de conselheiros soviéticos do Egito e da Síria, as fotos aéreas, a insistência do serviço de inteligência militar de que não haveria guerra apesar de todos os indícios em contrário." Meir anunciou sua conclusão: era provável que Israel sofresse uma invasão, talvez dentro das seis horas seguintes.

"Os ministros ficaram chocados", relatou o *The Times of Israel*. "Eles não haviam sido avisados do acúmulo de tropas árabes. Além do mais, fazia anos que eles ouviam que, mesmo na pior das hipóteses, a inteligência militar forneceria no mínimo um alerta com 48 horas de antecedência para convocar os reservistas antes que uma guerra fosse deflagrada."[13] E agora estavam sendo informados de que haveria uma guerra em duas frentes dali a menos de seis horas. Somente uma parte dos reservistas fora mobilizada — e, devido ao feriado, não se sabia quanto tempo as tropas levariam para chegar ao front.

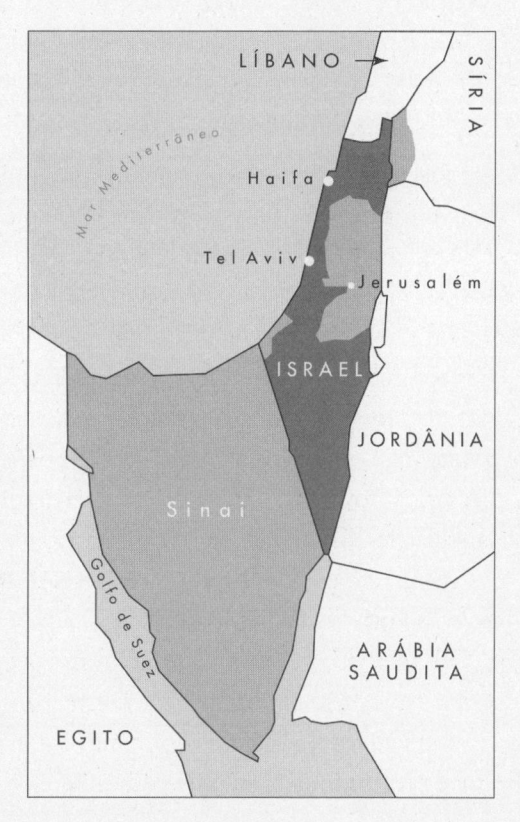

O ataque aconteceu ainda mais cedo do que Meir esperava. Duas horas depois do início da reunião ministerial, as primeiras das 10 mil granadas egípcias começaram a cair no Sinai; às quatro da tarde, 23 mil soldados egípcios cruzaram o Suez na primeira leva do ataque. Ao fim do dia, as forças inimigas já haviam avançado mais de três quilômetros pelo território israelense. Quinhentos soldados israelenses estavam mortos, e elas progrediam rapidamente em direção às cidades de Yamit e Avshalom, e também a uma base da Força Aérea. Enquanto isso, do outro lado do país, a Síria lançou um golpe simultâneo, atacando as colinas do Golan com soldados, aviões e blindados.

Ao longo das 24 horas seguintes, o Egito e a Síria abriram caminho pelo Sinai e pelo Golan enquanto Israel se apressava em reagir. Havia mais de 100 mil soldados inimigos no território israelense. Foram necessários três dias para conter o avanço dos egípcios e dois para organizar um contra-ataque à Síria. Com o tempo, o poderio superior de Israel se fez valer. Os soldados israelenses repeliram o Exército sírio de volta até a fronteira, obrigando as forças em recuada a deixar para trás mil unidades de seus 1500 blindados. Alguns dias depois, as forças de defesa de Israel começaram a bombardear os arredores de Damasco.

O presidente do Egito, Anwar Sadat, na esperança de conquistar mais território no Sinai, lançou uma ofensiva arriscada para capturar dois pontos estratégicos bem dentro da península. A iniciativa fracassou. As forças israelenses repeliram os egípcios. Em 15 de outubro, nove dias após a invasão do Egito, Israel cruzou o canal de Suez e começou a ocupar território egípcio. Uma semana depois, o III Exército do Egito, posicionado na margem do Suez, encontrava-se cercado pelos israelenses, isolado das linhas de abastecimento e dos reforços. O II Exército, ao norte, também estava quase totalmente cercado. Diante da derrota, o presidente Sadat exigiu um cessar-fogo, e os líderes americanos e soviéticos pressionaram para que Israel aceitasse. Os combates cessaram no fim de outubro, e a guerra foi encerrada oficialmente em 18 de janeiro de 1974. Israel havia repelido a invasão, mas a um grande custo. Mais de 10 mil israelenses foram mortos ou feridos.[14] Estimam-se cerca de 30 mil mortes entre os egípcios e os sírios.

"Algo nosso foi destruído no Yom Kippur do ano passado", observou um jornal israelense um ano após a guerra. "O Estado foi preservado, de fato, mas nossa fé se rompeu, nossa confiança foi danificada, nosso coração sofreu um corte profundo, e toda uma geração quase se perdeu."[15]

"Mesmo passado um quarto de século, a Guerra do Yom Kippur continua sendo a fase mais traumática da história de Israel",[16] afirmou o historiador P. R. Kumaraswamy. Até hoje as cicatrizes psicológicas da invasão são profundas.

Zeira havia estabelecido a meta de aliviar a inquietação do público, e o governo o apoiara. Mas, na ânsia de oferecer respostas confiantes, de tomar decisões firmes e evitar ambiguidades, aqueles líderes quase puseram a perder a vida de Israel.

III.

Quinze anos mais tarde e a meio mundo de distância, a General Electric, uma das maiores empresas do planeta, estava pensando em várias metas diferentes quando os executivos entraram em contato com um psicólogo organizacional da Universidade do Sul da Califórnia e pediram a ele que os ajudasse a descobrir por que algumas fábricas tinham perdido o rumo.

Era o final da década de 1980, e a GE era a segunda empresa mais valiosa dos Estados Unidos, logo atrás da Exxon. A GE produzia de tudo, lâmpadas e motores de avião, geladeiras e vagões de trem, e, por intermédio da NBC, sua subsidiária, estava dentro de milhões de lares com programas icônicos como *Cheers*, *The Cosby Show* e *L.A. Law*. A empresa tinha mais de 220 mil funcionários, um número superior à população de muitas cidades americanas. Os executivos da GE se gabavam de que um dos motivos para o sucesso da empresa era que ela era excelente em escolher metas.[17]

Nos anos 1940, a GE havia formalizado um sistema corporativo de determinação de metas que viria a se tornar um modelo no mundo inteiro. Na década de 1960, já se exigia que todos os funcionários relacionassem seus objetivos para o ano em uma carta a seus gerentes. "Em termos simples", descreveram historiadores da Faculdade de Administração de Harvard em 2011, "a carta ao gerente exigia que o funcionário escrevesse uma carta para seu superior indicando quais eram seus objetivos para o período seguinte, como as metas seriam atingidas e quais eram os níveis de qualidade esperados. Quando o superior aceitava essa carta — em geral depois de revisões e conversas —, ela se tornava o 'contrato' de trabalho."[18]

METAS SMART

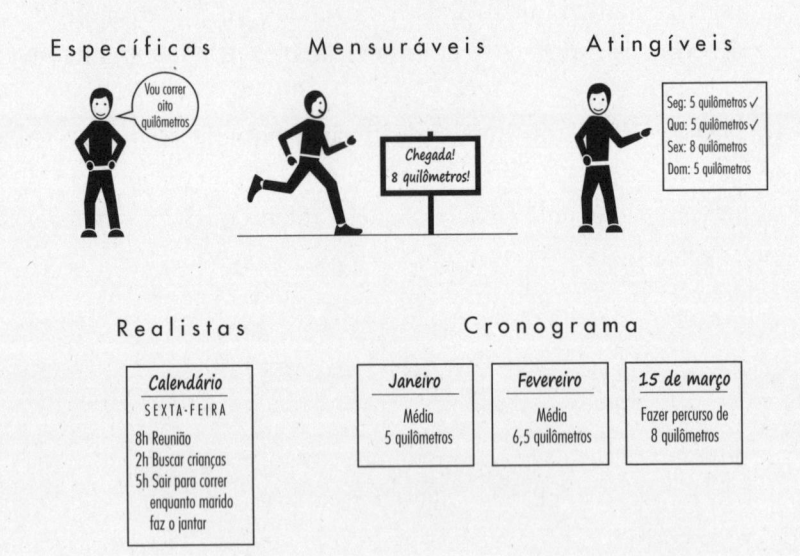

Específicas
— Vou correr oito quilômetros.

Mensuráveis
— Chegada! 8 quilômetros!

Atingíveis
- Seg: 5 quilômetros ✓
- Qua: 5 quilômetros ✓
- Sex: 8 quilômetros
- Dom: 5 quilômetros

Realistas

Calendário
SEXTA-FEIRA
8h Reunião
2h Buscar crianças
5h Sair para correr enquanto marido faz o jantar

Cronograma

Janeiro	Fevereiro	15 de março
Média 5 quilômetros	Média 6,5 quilômetros	Fazer percurso de 8 quilômetros

Nos anos 1980, o sistema tinha evoluído para um de metas SMART que todos os departamentos e gestores deviam descrever a cada trimestre. Esses objetivos precisavam ser específicos, mensuráveis, realistas, atingíveis e baseados em um cronograma. Em outras palavras, devia ser possível comprovar que eram atingíveis, e eles precisavam ser descritos em termos que sugerissem um plano concreto.

Se uma meta não atendesse à metodologia SMART, o gestor precisava detalhar seus objetivos em novos memorandos várias vezes, até ser aprovado pelos níveis superiores da hierarquia. "A ideia era ser concreto", disse William Conaty, que se aposentou como diretor de recursos humanos da GE em 2007. "O gerente vivia dizendo: 'quais são os detalhes específicos? Qual é o cronograma? Prove para mim que isso é realista'. O sistema funcionava porque, quando acabávamos, era possível saber com bastante clareza como tudo ia se desenrolar."

O quadro mental de metas SMART se disseminou pela cultura da GE. Havia tabelas SMART que ajudavam gerentes de nível médio a descrever metas mensais e planilhas SMART para transformar objetivos pessoais em planos de ação. E a crença da empresa de que metas SMART funcionariam estava amparada por fundamentos científicos sólidos.

Nos anos 1970, uma dupla de psicólogos universitários chamados Edwin Locke e Gary Latham havia ajudado a desenvolver a lista SMART de critérios por meio de experimentos que esquadrinhavam a melhor maneira de se estabelecer metas.[19] Em um experimento conduzido por Latham em 1975, os pesquisadores conversaram com 45 dos datilógrafos mais experientes e produtivos de uma grande empresa e mediram a velocidade com que eles produziam textos.[20] Os datilógrafos sabiam que estavam entre os melhores da empresa, mas nunca haviam medido a rapidez com que datilografavam. Os pesquisadores descobriram que, em média, cada funcionário batia 95 linhas de texto por hora.

Em seguida, os psicólogos deram a cada datilógrafo uma meta específica com base no desempenho prévio — como 98 linhas por hora — e apresentaram aos funcionários um sistema para estimar com facilidade o rendimento por hora. Os pesquisadores falaram também com cada um para ter certeza de que as metas eram realistas — e para ajustá-las, se necessário — e conversaram sobre que mudanças precisavam ser feitas para que o objetivo fosse atingível. Eles combinavam um cronograma individual. A conversa não era muito demorada — uns quinze minutos por pessoa —, mas, depois, cada datilógrafo sabia exatamente o que fazer e como estimar o sucesso. Em outras palavras, cada um deles tinha uma meta SMART.

Alguns colegas dos pesquisadores disseram não acreditar que isso traria um impacto para o desempenho dos datilógrafos. Todos os funcionários eram profissionais com anos de experiência. Uma conversa de quinze minutos não devia fazer muita diferença para alguém que passava oito horas por dia, ao longo de duas décadas, diante de uma máquina de escrever.

No entanto, uma semana depois, quando os pesquisadores voltaram a mensurar a velocidade dos datilógrafos, perceberam que os funcionários estavam completando, em média, 103 linhas por hora. Na semana seguinte: 112 linhas. A maioria dos datilógrafos havia superado as metas que tinham estabelecido. Os pesquisadores recearam que os profissionais só estivessem tentando impressioná-los, então voltaram três meses mais tarde e mensuraram discretamente o desempenho de novo. Eles continuavam rápidos, e alguns estavam ainda mais.

"Cerca de quatrocentos estudos de campo e em laboratório [mostram] que metas específicas e altas levam a um nível de desempenho maior do que metas fáceis ou vagas, objetivos abstratos como o chamado para que todos 'façam o melhor possível'", afirmaram Locke e Latham em 2006, em uma resenha de estudos sobre determinação de metas. Sobretudo, objetivos como metas SMART costumam destravar um potencial que as pessoas nem percebem que possuem. Em parte, o motivo é que processos de determinação de metas como a metodologia SMART obrigam as pessoas a converter aspirações vagas em planos concretos. O processo de fazer com que um objetivo seja específico e demonstrar que ele é atingível inclui compreender quais são os passos necessários — ou mudar ligeiramente a meta, se os propósitos iniciais se mostram pouco realistas. Formular um cronograma e um modo de estimar o sucesso impõe ao processo uma disciplina que nenhuma boa intenção supera.

"Empreender o esforço de decompor uma meta em seus componentes com a metodologia SMART representa a diferença entre esperar que algo aconteça e descobrir um jeito de fazer esse algo acontecer",[21] disse-me Latham.

O presidente da GE, Jack Welch, já havia declarado muito tempo antes que sua insistência em metas SMART era um dos motivos para o fato de o valor das ações da empresa ter mais que triplicado em oito anos. Mas obrigar as pessoas a detalhar suas metas com tamanho grau de especificidade não queria dizer que todas as partes da empresa funcionavam de forma fluida. Alguns núcleos, apesar das metas SMART, pareciam nunca prosperar — ou se alternavam entre lucros e prejuízos, ou pareciam crescer para então ruir de repente. No final dos anos 1980, os executivos ficaram particularmente preocupados com dois departamentos — uma produtora de equipamentos nucleares na Carolina do Norte e uma fábrica de motores de avião em Massachusetts — que antes estavam entre os segmentos mais rentáveis da empresa e tinham passado a capengar.

A princípio, os executivos desconfiaram que esses departamentos só precisavam definir melhor seus objetivos, então pediram aos gerentes das fábricas que preparassem um memorando atrás de outro descrevendo metas específicas. As respostas eram detalhadas, precisas e realistas. Atendiam a todos os critérios da metodologia SMART.

E, no entanto, os lucros continuavam caindo.

Então um grupo de consultores internos da GE visitou a fábrica de equipamentos nucleares em Wilmington, na Carolina do Norte. Eles pediram para os funcionários descreverem as metas semanais, mensais e trimestrais. Um executivo da fábrica explicou que sua meta SMART era evitar que manifestantes contra a energia nuclear assediassem os funcionários na entrada da fábrica, porque ele achava que isso prejudicava o moral. Ele havia formulado um plano para instalar uma cerca. A meta era específica e razoável (a cerca teria quinze metros de comprimento e quase três de altura), tinha um cronograma (ficaria pronta até fevereiro) e era tangível (eles estavam com um prestador pronto para começar o trabalho).

Depois, os consultores foram à fábrica de motores de avião em Lynn, Massachusetts, e uma das pessoas que entrevistaram foi uma assistente administrativa que lhes disse que sua meta SMART era encomendar o material de escritório da fábrica. Ela lhes mostrou uma tabela SMART com objetivos específicos ("encomendar grampeadores, canetas e calendários de mesa") que eram estimáveis ("até junho"), assim como realistas, atingíveis e com um cronograma ("Enviar pedido em 1º de fevereiro. Solicitar acompanhamento em 15 de março.").

Muitas das metas SMART que os consultores encontraram nas fábricas eram igualmente detalhadas — e igualmente triviais. Os funcionários passavam horas se esforçando para que seus objetivos atendessem a todas as exigências SMART, mas dedicavam muito menos tempo a garantir que as metas valessem a pena. Os guardas da fábrica de equipamentos nucleares haviam redigido memorandos extensos sobre a meta de prevenção contra roubos e formulado um plano que "basicamente consistia em vistoriar a bolsa de todo mundo que entrava ou saía do edifício, o que gerava atrasos enormes", disse Brian Butler, um dos consultores. "Isso podia evitar roubos, mas também destruía a produtividade, porque todo mundo começou a ir embora mais cedo todos os dias para conseguir chegar em casa a uma hora decente." Os consultores observaram que até mesmo os executivos do alto escalão da fábrica estavam obcecados com metas atingíveis, mas irrelevantes, e se concentravam em objetivos de curto prazo pouco importantes em vez de planos mais ambiciosos.

Quando os consultores perguntaram aos funcionários o que eles achavam da ênfase que a GE dava às metas SMART, esperavam ouvir reclamações sobre a burocracia cansativa. Imaginaram que as pessoas diriam que *queriam* pensar mais alto, mas estavam presas pelas demandas SMART incessantes. No entanto, os funcionários disseram que adoravam o sistema de metas SMART. A assistente administrativa que encomendava material de escritório explicou que cumprir aquelas metas lhe dava uma sensação genuína de realização. Disse que, às vezes, escrevia uma ficha SMART de uma tarefa já concluída e então a colocava na pasta "Feito". Isso lhe dava uma satisfação enorme.

Pesquisadores que estudaram metas SMART e outros métodos estruturados de escolha de objetivos dizem que isso não é incomum. Esses sistemas, ainda que sejam úteis, às vezes podem estimular nossa necessidade de conclusão de forma contraproducente. Objetivos como as metas SMART "podem fazer com que [uma] pessoa tenha uma visão restrita, fique mais concentrada em expandir o esforço para obter resultados imediatos", afirmaram Locke e Latham em 1990.[22] Experimentos demonstraram que pessoas com metas SMART têm maior probabilidade de escolher as tarefas mais fáceis, de ficar obcecadas com a conclusão de projetos e de se paralisar em prioridades após determinar uma meta. "Você entra nesse quadro mental em que riscar itens da sua lista de tarefas passa a ser mais importante do que se perguntar se você está fazendo as coisas certas", disse Latham.[23]

Os executivos da GE não sabiam como ajudar as fábricas de equipamentos nucleares e de motores de avião. Então, em 1989, pediram ajuda a um professor chamado Steve Kerr, o diretor da Faculdade de Administração da Universidade do Sul da Califórnia.[24] Kerr era especializado em psicologia associada à determinação de metas e começou entrevistando funcionários dentro da fábrica de equipamentos nucleares. "Várias daquelas pessoas estavam muito desmoralizadas", disse. "Elas haviam ido trabalhar com energia nuclear porque queriam transformar o mundo. Aí aconteceram Three Mile Island e Chernobyl, e a indústria passou a enfrentar protestos diários e a ser completamente brutalizada na imprensa." Os operários e executivos da fábrica contaram a Kerr que o estabelecimento e a realização de metas de curto prazo eram algumas das poucas partes do trabalho que davam alguma satisfação.

Kerr imaginou que a única maneira de melhorar o desempenho da fábrica de equipamentos nucleares seria arranjar um jeito de movimentar as pessoas e afastá-las do foco em objetivos de curto prazo. Pouco tempo antes, os executivos do alto escalão da GE haviam começado uma série de reuniões chamadas "Exercícios", pensadas para incentivar as pessoas a formular ambições maiores e mais planos de longo prazo.[25] Kerr ajudou a expandir essas reuniões para os quadros inferiores das fábricas.

As regras dos Exercícios eram simples: os funcionários podiam sugerir qualquer meta que achassem que a GE *devia* perseguir. Não havia memorandos nem tabelas SMART. "O conceito era que nada era proibido", explicou-me Kerr. Os gerentes tinham que aprovar ou rejeitar cada sugestão rapidamente, muitas vezes logo de cara, e "queríamos fazer com que fosse fácil dizer sim", contou Kerr. "Achamos que, se conseguíssemos fazer com que as pessoas primeiro identificassem a ambição, e depois montassem o plano, isso estimularia todos a pensar mais alto." Segundo Kerr, se uma ideia parecia impensada, um gerente devia "dizer sim, porque, mesmo que a proposta não fosse melhor do que o que eles estavam fazendo na hora, com a ajuda da energia do grupo o plano ia dar certo".[26] Só depois que uma meta era aprovada todo mundo começava o processo formal de determinar como fazer com que ela fosse realista e atingível e atendesse a todos os outros critérios da metodologia SMART.[27]

No Exercício feito na fábrica de motores de Massachusetts, um funcionário avisou aos chefes que era um erro terceirizar a produção de placas protetoras para os esmeris de bancada. Ele disse que a fábrica poderia fazê-las internamente pela metade do custo. Em seguida, desenrolou um pedaço de papel pardo cheio de desenhos técnicos rabiscados. A proposta do homem não era nada SMART. Não se sabia se ela era realista ou atingível, nem que estimativas usar. Mas, quando o principal executivo da fábrica olhou para o papel pardo, disse: "Bom, vamos tentar".

Quatro meses depois, com o projeto retraçado profissionalmente e o plano transformado em uma série de metas SMART, o primeiro protótipo foi instalado. Custou 16 mil dólares — mais de 80% mais barato do que o orçamento da empresa terceirizada. A fábrica economizou 200 mil dólares naquele ano graças a ideias propostas durante o Exercício. "Todo mundo fica tomado por uma tremenda onda de adrenalina", disse Bill DiMaio, um líder de equipe da unidade. "É incrível como as ideias que surgem são estimulantes. As pessoas ficam frenéticas. Qualquer ideia vale."[28]

Depois, Kerr ajudou a estender o programa Exercício para a empresa inteira. Em 1994, todos os funcionários da GE já haviam participado de pelo menos uma sessão de Exercício. Como os lucros e a produtividade aumentaram, executivos de fora da GE começaram a imitar o sistema Exercício em suas próprias empresas. Em 1995, havia centenas de companhias conduzindo Exercícios. Kerr entrou para o quadro fixo da GE em 1994 e, com o tempo, tornou-se o "diretor de aprendizado" da empresa.

"Os Exercícios davam certo porque equilibravam a influência psicológica das metas imediatas com a liberdade de pensar em questões maiores", disse Kerr. "Isso é fundamental. As pessoas reagem às condições à sua volta. Se lhe disserem o tempo todo para se concentrar em resultados atingíveis, você só vai pensar em metas atingíveis. Não vai sonhar alto."

No entanto, os Exercícios não eram perfeitos. Ocupavam um dia inteiro de todo mundo e, em geral, faziam a empresa diminuir a produção para que todos os funcionários pudessem comparecer aos encontros. Era algo que os departamentos ou as filiais só podiam fazer uma ou duas vezes por ano, no máximo. E, embora os Exercícios deixassem todo mundo animado e ávido por mudanças, muitas vezes os efeitos eram efêmeros. Uma semana depois, todo mundo voltava ao trabalho de sempre e, com frequência, ao raciocínio de sempre.

Kerr e seus colegas queriam fomentar ambições perpétuas. Então se perguntaram: como fazer as pessoas pensarem de forma expansiva o tempo todo?

IV.

Em 1993, doze anos após se tornar o presidente da General Electric, Jack Welch viajou para Tóquio e, durante uma visita a uma fábrica que fazia equipamentos para exames clínicos, ouviu uma história sobre o sistema ferroviário do Japão.[29]

Nos anos 1950, na esteira persistente da devastação da Segunda Guerra Mundial, o Japão estava intensamente concentrado em desenvolver a economia nacional. Uma grande parcela da população do país morava nas cidades de Tóquio e Osaka, ou entre as duas, que eram separadas por pouco mais de quinhentos quilômetros de trilhos. Todos os dias, dezenas de milhares de pessoas viajavam entre os centros urbanos. Aqueles trilhos transportavam vastas quantidades de matéria-prima industrial. Mas a topografia japonesa era tão montanhosa e o sistema ferroviário, tão antiquado, que o trajeto podia levar até vinte horas. Então, em 1955, o diretor do sistema ferroviário japonês anunciou um desafio aos melhores engenheiros do país: inventar um trem mais rápido.[30]

Seis meses depois, uma equipe apresentou o protótipo de uma locomotiva capaz de ir a mais de cem quilômetros por hora — uma velocidade que, na época, faria daquele um dos trens de passageiros mais rápidos do mundo. O diretor do sistema ferroviário disse que aquilo não bastava. Ele queria duzentos quilômetros por hora.[31]

Os engenheiros explicaram que isso não era realista. A essa velocidade, se o trem fizesse uma curva muito fechada, a força centrífuga faria os vagões descarrilarem. Uma velocidade de 110 quilômetros por hora era mais realista — talvez 120. Mais rápido que isso, os trens bateriam.

O diretor ferroviário perguntou: por que os trens precisam fazer curva?

A resposta dos engenheiros: havia muitas montanhas entre as cidades.

Então por que não fazer túneis?

O trabalho necessário para abrir túneis por toda aquela extensão seria equivalente ao custo de reconstruir Tóquio após a Segunda Guerra Mundial.

Três meses mais tarde, os engenheiros apresentaram uma locomotiva capaz de chegar a 120 quilômetros por hora. O diretor ferroviário criticou os projetos. Disse que 120 quilômetros por hora não fariam nada para transformar a nação. Leves aprimoramentos renderiam apenas um leve crescimento econômico. A única maneira de revolucionar o sistema de transporte do país era reconstruir todos os aspectos do funcionamento dos trens.

Ao longo dos dois anos seguintes, os engenheiros experimentaram: projetaram vagões que tinham motores próprios. Reconstruíram engrenagens para que gerassem menos fricção. Descobriram que os vagões novos eram pesados demais para as ferrovias que o país já possuía, então reforçaram os trilhos, o que resultou no benefício adicional do aumento de estabilidade, acrescentando mais um quilômetro por hora à velocidade dos vagões. Foram centenas de inovações, grandes e pequenas, e cada uma fez os trens irem um pouco mais rápido que antes.

Em 1964, o Tōkaidō Shinkansen, o primeiro trem-bala do mundo, saiu de Tóquio por trilhos contínuos que atravessavam túneis abertos nas montanhas japonesas. Ele concluiu a viagem inaugural em três horas e 58 minutos, com uma velocidade média de duzentos quilômetros por hora. Centenas de espectadores haviam passado a noite em claro esperando para ver o trem chegar a Osaka. Em pouco tempo, outros trens-bala passaram a correr até mais cidades japonesas, ajudando a impulsionar uma expansão econômica frenética. De acordo com um estudo de 2014, o desenvolvimento do trem-bala foi crucial para promover o crescimento do Japão até o meio da década de 1980.[32] E, uma década depois dessa inovação, as tecnologias desenvolvidas pelos japoneses haviam gerado projetos de trens de alta velocidade na França, na Alemanha e na Austrália e revolucionado projetos industriais no mundo inteiro.

Para Jack Welch, essa história foi uma revelação. Quando voltou para casa, disse a Kerr que a GE precisava de uma perspectiva semelhante, de um comprometimento institucional com metas audaciosas. Dali em diante, todos os executivos e todos os departamentos, além de apresentar objetivos específicos, atingíveis e pertinentes, deveriam *também* identificar uma meta forçada [*stretch goal*] — um objetivo tão ambicioso que os gerentes não tinham como descrever, pelo menos a princípio, como o cumpririam. Welch disse que todo mundo tinha que se dedicar a um "pensamento trem-bala".[33]

Em uma carta aos acionistas em 1993, o presidente da empresa explicou que "metas forçadas eram um conceito que teriam provocado escárnio, se não gargalhadas, na GE há uns três ou quatro anos, porque na prática elas significam usar sonhos para determinar alvos profissionais — sem nenhuma ideia de fato de como atingi-los. Se você sabe atingi-los... não é uma meta forçada".

Seis meses depois da viagem de Welch ao Japão, todas as divisões da GE tinham uma meta forçada. O departamento que fabricava motores de avião, por exemplo, anunciou que reduziria o número de defeitos em motores concluídos em 25%. Para falar a verdade, os gerentes do departamento achavam que poderiam atingir essa meta com bastante facilidade. Quase todos os defeitos encontrados nos motores eram questões pequenas, cosméticas, como um cabo ligeiramente desalinhado ou arranhões irrelevantes. Qualquer problema mais grave era corrigido antes de o motor ser entregue. Se eles contratassem um número maior de pessoas para cuidar do controle de qualidade, poderiam reduzir os defeitos cosméticos com pouco esforço.

Welch concordou que reduzir os defeitos era uma meta sensata.

E então lhes disse para diminuir os erros em 70%.

Isso é ridículo, responderam os gerentes. A fabricação de motores era tão complicada — cada unidade pesava cinco toneladas e tinha mais de 10 mil peças — que seria impossível alcançar uma redução de 70%.

Eles teriam três anos, disse Welch.

Os gerentes do departamento começaram a entrar em pânico — e então a analisar cada erro que havia sido registrado nos doze meses anteriores. Eles logo perceberam que apenas contratar mais gente para o controle de qualidade não resolveria. A única maneira de reduzir os erros em 70% seria fazer com que cada funcionário fosse, na prática, um inspetor de controle de qualidade. Todo mundo precisaria se encarregar de achar erros. Mas a maioria dos funcionários da fábrica não entendia o bastante de motores para identificar qualquer defeito minúsculo. Os gerentes decidiram que a única solução seria realizar um programa de retreinamento imenso.

Só que isso também não deu certo. Mesmo depois de nove meses de retreinamento, o índice de erros havia caído apenas 50%. Então os gerentes começaram a contratar funcionários com formações mais técnicas, pessoas que saberiam qual deveria ser o aspecto de um motor e, portanto, teria mais facilidade para perceber algum problema. A fábrica da GE que produzia motores CF6 em Durham, na Carolina do Norte, determinou que a melhor maneira de encontrar os candidatos certos seria contratar apenas aqueles que tivessem certificado da Agência Federal de Aviação americana (FAA) em construção de motores. No entanto, essas pessoas eram muito requisitadas por outras empresas. Então, para atraí-las, os gerentes disseram que os funcionários teriam mais autonomia. Eles poderiam montar seus próprios turnos e organizar as equipes do jeito que quisessem. Para isso, a fábrica teria que descartar o cronograma centralizado. As equipes precisariam se organizar por conta própria e resolver seu próprio fluxo de trabalho.[34]

Welch tinha dado ao departamento de construção aeronáutica uma meta forçada de reduzir os erros em 70%, um objetivo tão audacioso que a única maneira de cumpri-lo seria mudar praticamente tudo sobre (a) a maneira como os operários eram treinados, (b) quem era contratado e (c) como a fábrica funcionava. Quando terminaram, os gerentes da unidade de Durham haviam eliminado tabelas organizacionais, reformulado descrições de cargo e reestruturado a forma como entrevistavam candidatos, porque precisavam de gente com maior capacidade de trabalhar em equipe e que tivesse quadros mentais mais flexíveis. Em outras palavras, a meta forçada de Welch deflagrou uma reação em cadeia que recriou a maneira como os motores eram fabricados em aspectos que ninguém havia imaginado. Em 1999, a quantidade de defeitos já havia caído 75% e a empresa tinha passado 38 meses sem atrasar uma única encomenda, um recorde. O custo de produção caíra 10% a cada ano. Nenhuma meta SMART teria realizado isso.[35]

Diversos estudos acadêmicos examinaram o impacto das metas forçadas e concluíram que obrigar as pessoas a se dedicar a objetivos ambiciosos e aparentemente inalcançáveis pode desencadear saltos extraordinários de inovação e produtividade. Por exemplo, um estudo de 1997 da Motorola mostrou que os engenheiros passaram a levar um décimo do tempo necessário para desenvolver um produto novo depois que a empresa começou a estabelecer metas forçadas em todos os departamentos.[36] Um estudo da 3M revelou que metas forçadas ajudaram a inspirar invenções como a fita adesiva Scotch e a malha térmica Thinsulate.[37] Metas forçadas transformaram a Union Pacific, a Texas Instruments e escolas públicas de Washington, D.C., e Los Angeles. Pesquisas com pessoas que perderam muito peso ou se tornaram maratonistas a uma idade mais avançada revelaram que, em muitos casos, as metas forçadas são uma parte essencial do sucesso delas.

Metas forçadas "servem como despertadores que abalam a complacência e promovem novas formas de pensar", observou um grupo de pesquisadores no periódico especializado *Academy of Management Review* em 2011. "Ao impor um aumento considerável nas aspirações coletivas, as metas forçadas podem dirigir a atenção para a possibilidade de novos futuros e talvez incitem um aumento de energia na organização. Assim, elas podem promover um aprendizado exploratório por meio de experimentação, inovação, investigação abrangente ou divertimento."[38]

No entanto, há uma ressalva importante quanto ao poder das metas forçadas. Estudos comprovam que, se uma meta forçada é audaciosa, ela pode promover a inovação. E também pode causar pânico e convencer as pessoas de que o sucesso é impossível porque a meta é grande *demais*. O limite entre uma ambição que ajuda as pessoas a realizar algo fantástico e uma que destrói o moral é muito estreito. Para que uma meta forçada inspire, em geral ela precisa estar associada a algo como a metodologia SMART.

O motivo por que precisamos tanto de metas forçadas quanto de metas SMART é que a audácia, por si só, pode ser apavorante. Muitas vezes, não dá para saber direito por onde começar com uma meta forçada. Então, para que essa meta seja mais do que apenas uma aspiração, precisamos de um quadro mental disciplinado que nos mostre como transformar um propósito remoto em uma série de objetivos realistas de curto prazo. Em muitos casos, pessoas que sabem estabelecer metas SMART se habituaram a culturas em que objetivos grandes podem ser divididos em partes administráveis, então, quando encontram ambições aparentemente exageradas, sabem o que fazer. Metas forçadas, associadas a uma reflexão SMART, podem ajudar a trazer o impossível ao nosso alcance.

Por exemplo, em um experimento conduzido na Universidade Duke, atletas da instituição foram instruídos a correr um percurso e, quando indicado, chegar o mais perto possível de uma linha de chegada a duzentos metros de distância em dez segundos. Todos os corredores do estudo sabiam, só de olhar para a distância que estavam lhes pedindo para cobrir, que a meta era absurda. Ninguém nunca correu nem perto de duzentos metros em dez segundos. Nos tiros, os atletas alcançaram uma média de 59,6 metros.

Alguns dias depois, os mesmos participantes receberam a mesma tarefa, mas dessa vez a linha de chegada ficava a apenas cem metros de distância. A meta ainda era audaciosa — mas estava dentro do campo das possibilidades (Usain Bolt correu cem metros em 9,58 segundos em 2009). Durante esse teste, os corredores alcançaram, em média, 63,1 metros em dez segundos — "uma grande diferença em termos de atletismo", observaram os pesquisadores.

Essa diferença de desempenho foi explicada pelo fato de que a distância mais curta, embora ainda difícil, encaixava-se no tipo de planejamento metódico e nos modelos mentais que atletas experientes estão acostumados a usar. Em outras palavras, a distância mais curta permitiu que os corredores participassem da versão atlética da divisão de uma meta forçada em partes SMART. "Todos os corredores em nossa amostra praticavam exercícios regularmente", observaram os pesquisadores,[39] então, quando foram confrontados com a tarefa de correr cem metros em dez segundos, sabiam como encarar o projeto. Eles o dividiram em partes e o trataram como teriam feito em outras corridas. Começaram com força e mantiveram o ritmo de outros atletas, e nos últimos segundos se esforçaram o máximo possível. Mas, quando foram confrontados com a tarefa de correr duzentos metros em dez segundos, não havia nenhuma abordagem prática. Não existia uma maneira de dividir o problema em partes administráveis. Não havia metodologia SMART que pudesse ser aplicada. Era simplesmente impossível.

Experimentos na Universidade de Waterloo,[40] na Universidade de Melbourne[41] e em outras instituições apresentaram resultados semelhantes: metas forçadas podem suscitar inovações notáveis, mas só quando as pessoas possuem um sistema para transformar essas metas em planos concretos.

Essa lição pode ser estendida até mesmo para os aspectos mais corriqueiros da vida. Vejamos, por exemplo, as listas de tarefas. "Listas de tarefas são ótimas quando as usamos de forma correta", disse-me Timothy Pychyl, psicólogo da Universidade Carleton. "Mas, quando as pessoas dizem coisas como 'às vezes anoto itens fáceis que eu possa riscar logo, porque isso me deixa feliz', esse é justamente o jeito *errado* de criar uma lista de tarefas. Isso indica que você está usando isso para melhorar seu ânimo, não para aumentar sua produtividade."

O problema de muitas listas de tarefas é que, quando relacionamos uma série de objetivos de curto prazo, na prática estamos permitindo que nosso cérebro desfrute a sensação de satisfação que cada tarefa proporcionará. Estamos estimulando nossa necessidade de conclusão e nossa tendência de nos paralisarmos em uma meta sem pensar se esse é o objetivo certo. O resultado é que passamos horas respondendo a e-mails pouco importantes em vez de redigir um documento grande e sério — porque é muito agradável limpar a caixa de entrada.[42]

À primeira vista, parece que a solução é criar listas de tarefas que contenham exclusivamente metas forçadas. Mas todo mundo sabe que só anotar aspirações grandiosas não garante que vamos alcançá-las. Na verdade, estudos comprovam que, se você se vê diante de uma lista apenas com objetivos remotos, é mais provável que acabe desestimulado e se afaste.

Então uma solução é compor listas de tarefas que associem metas forçadas e metas SMART. Pense em uma seleção com suas maiores ambições. Sonhe alto e se force. Descreva as metas que a princípio pareçam impossíveis, como abrir uma empresa ou correr uma maratona.

Depois, escolha um objetivo e comece a dividi-lo em passos concretos de curto prazo. Pergunte-se o seguinte: que progresso realista é possível obter dali a um dia, uma semana, um mês? Quantos quilômetros você vai conseguir correr amanhã e nas próximas três semanas? Quais são os passos específicos de curto prazo no caminho para o sucesso maior? Que cronograma faz sentido? Você vai abrir sua loja daqui a seis meses ou um ano? Como vai estimar seu progresso? Na psicologia, essas ambições menores são conhecidas como "metas próximas", e diversos estudos mostram que dividir uma ambição grande em metas próximas aumenta a probabilidade de que o objetivo maior seja atingido.

O FLUXOGRAMA DO ESTABELECIMENTO DE METAS

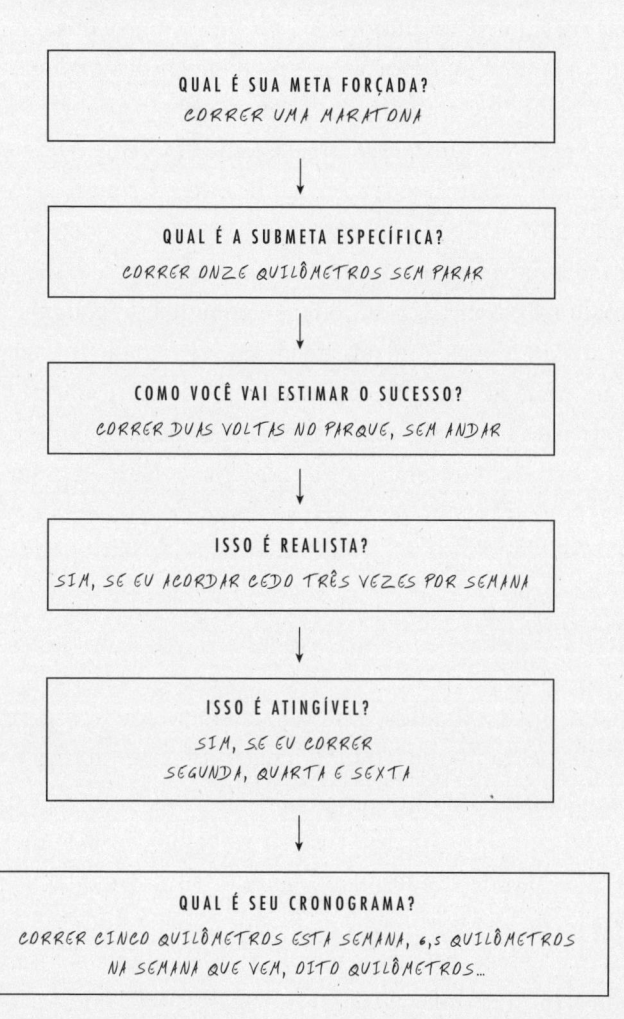

```
┌─────────────────────────────────────────────┐
│          QUAL É SUA META FORÇADA?           │
│           CORRER UMA MARATONA               │
└─────────────────────────────────────────────┘
                      ↓
┌─────────────────────────────────────────────┐
│         QUAL É A SUBMETA ESPECÍFICA?        │
│       CORRER ONZE QUILÔMETROS SEM PARAR     │
└─────────────────────────────────────────────┘
                      ↓
┌─────────────────────────────────────────────┐
│       COMO VOCÊ VAI ESTIMAR O SUCESSO?      │
│     CORRER DUAS VOLTAS NO PARQUE, SEM ANDAR │
└─────────────────────────────────────────────┘
                      ↓
┌─────────────────────────────────────────────┐
│              ISSO É REALISTA?               │
│  SIM, SE EU ACORDAR CEDO TRÊS VEZES POR SEMANA │
└─────────────────────────────────────────────┘
                      ↓
┌─────────────────────────────────────────────┐
│              ISSO É ATINGÍVEL?              │
│              SIM, SE EU CORRER              │
│          SEGUNDA, QUARTA E SEXTA            │
└─────────────────────────────────────────────┘
                      ↓
┌─────────────────────────────────────────────┐
│           QUAL É SEU CRONOGRAMA?            │
│ CORRER CINCO QUILÔMETROS ESTA SEMANA, 6,5 QUILÔMETROS │
│    NA SEMANA QUE VEM, OITO QUILÔMETROS...   │
└─────────────────────────────────────────────┘
```

Por exemplo, quando Pychyl monta uma lista de tarefas, ele começa com uma meta forçada — como "realizar pesquisa que explique a interface entre meta e neurologia" — na primeira linha. Depois vem o fundamental: as atividades pequenas que lhe dizem exatamente o que fazer. "Específico: baixar formulário de solicitação de financiamento. Cronograma: até amanhã."

"Assim, estou sempre dizendo a mim mesmo o que fazer em seguida, mas também fico me lembrando da minha ambição maior para não acabar empacado fazendo as coisas só para ficar contente", disse Pychyl.

Em suma, precisamos de metas forçadas e SMART. Não faz diferença se você usa esses termos. Não importa se suas metas próximas cumprem toda a metodologia SMART. O importante é ter uma ambição grande e um sistema para descobrir como transformá-la em um plano concreto e realista. Aí, conforme você risca os itens pequenos da lista de tarefas, vai chegar cada vez mais perto do que importa de fato. Você fica de olho tanto na parte sensata quanto na SMART.

"Eu não fazia ideia de que o que estávamos fazendo acabaria afetando o resto do mundo", disse-me Kerr. O envolvimento da GE com metas forçadas e SMART já foi analisado em estudos acadêmicos e livros de psicologia; o sistema da empresa foi imitado em inúmeras companhias americanas.[43] "Demonstramos que é possível mudar a maneira de agir das pessoas pedindo a elas para pensarem em metas de um jeito diferente", disse Kerr. "Quando você sabe fazer isso, passa a ser capaz de realizar praticamente qualquer coisa."

V.

Vinte e sete dias após o fim dos conflitos na Guerra do Yom Kippur, o Parlamento israelense formou uma comissão nacional de inquérito para examinar por que o país apresentara um despreparo tão perigoso. As autoridades se reuniram em 140 sessões e ouviram depoimentos de 58 testemunhas, incluindo a premier, Golda Meir, o ministro da Defesa, Moshe Dayan, e o chefe da Diretoria de Inteligência Militar, Eli Zeira.

"Nos dias que precederam a Guerra do Yom Kippur, a Divisão de Pesquisa de Inteligência Militar tinha diversos sinais de advertência", concluíram os investigadores.[44] Não havia justificativa para que Israel tivesse sido pego desprevenido. Zeira e seus colegas haviam ignorado sinais de perigo óbvios. Eles tinham convencido outros líderes a não seguir seu instinto. Os investigadores afirmaram que esses erros não foram cometidos por má-fé, mas porque Zeira e sua equipe haviam ficado tão obcecados com a intenção de evitar pânico desnecessário e tomar decisões firmes que perderam de vista o objetivo mais importante de todos: proteger os israelenses.

A premier Meir renunciou uma semana depois da divulgação do relatório do governo. Moshe Dayan, o antigo herói, foi atacado por seus críticos até morrer, seis anos depois. E Zeira foi exonerado do cargo e obrigado a se aposentar do serviço público.

As falhas de Zeira nos dias que precederam a Guerra do Yom Kippur ilustram uma última lição sobre como as metas funcionam e influenciam nossa psicologia. Na realidade, ele estava usando tanto metas forçadas quanto SMART quando convenceu os líderes da nação a ignorar sinais óbvios de guerra. Tinha uma ambição grande e nítida de encerrar o ciclo de ansiedade que afligia os israelenses; sabia que seu objetivo grande era interromper os debates e questionamentos intermináveis. E seus métodos para dividir esses objetivos maiores em partes menores incluíam arranjar metas próximas que fossem específicas, mensuráveis, realistas, atingíveis e que seguissem de acordo com um cronograma. Ele reformulou sua agência de modo cuidadoso, passo a passo. Fez tudo o que psicólogos como Latham e Locke disseram que devíamos fazer para alcançar metas grandes e pequenas.

No entanto, o anseio de Zeira por conclusão e sua intolerância para rever dúvidas depois que elas eram respondidas estavam entre os principais motivos por que Israel foi incapaz de prever os ataques. Zeira é um exemplo de como metas forçadas e SMART, por si sós, às vezes não bastam. Além de ambições audaciosas e planos detalhados, ainda precisamos, vez ou outra, sair da rotina e refletir se estamos perseguindo alvos que fazem sentido. Ainda precisamos *pensar*.

Em 6 de outubro de 2013, no aniversário de quarenta anos da Guerra do Yom Kippur, Eli Zeira discursou para um público de pesquisadores de segurança nacional em Tel Aviv. Tinha 85 anos e subiu ao palco com passos um pouco instáveis. Falou em um ritmo pausado, lendo anotações escritas à mão. Disse que tinha ido lá para se defender. Erros foram cometidos, mas não só por ele. Todo mundo havia aprendido que era preciso ter mais cuidado e menos certeza. Todos tinham culpa.[45]

Um antigo colega na plateia começou a criticá-lo.

"O que você está dizendo são contos de fadas!", gritou o homem. "É mentira!"[46]

"Isto não é um tribunal militar", respondeu Zeira. Disse que a guerra não era culpa só dele. Ninguém estivera disposto a encarar a possibilidade mais assustadora — uma invasão em larga escala.

Mas então, depois de refletir por um instante, Zeira aceitou que havia cometido um erro. Ele ignorara o aparentemente impossível. Não havia considerado todas as alternativas tão a fundo quanto deveria.

"Eu costumava andar com um papel no bolso", disse ele ao público, "e nesse papel estava escrito: '*e se não?*'." O papel era um amuleto, um lembrete de que o desejo de realizar algo, de ser decisivo, pode também ser uma fraqueza. A anotação pretendia obrigá-lo a fazer perguntas maiores.

Mas, nos dias que antecederam a Guerra do Yom Kippur, "eu não olhei aquele papel", disse Zeira. "O meu erro foi esse."

5. Gestão de pessoas

A SOLUÇÃO DE UM SEQUESTRO COM RACIOCÍNIO ENXUTO E ÁGIL E UMA CULTURA DA CONFIANÇA

Frank Janssen tinha acabado de voltar para casa depois de um passeio de bicicleta quando ouviu alguém bater à porta. Era uma manhã ensolarada de sábado; crianças jogavam bola a algumas quadras de distância. Quando Janssen olhou pela janela, viu uma mulher com uma prancheta e dois homens de calça cáqui e camisa social. Será que estavam fazendo uma pesquisa? Ou eram missionários? Janssen não sabia por que eles estavam à sua porta, mas torceu para que não fosse muito difícil dispensá-los.[1]

No entanto, quando ele abriu a porta, os homens forçaram a entrada. Um deles segurou Janssen, empurrou-o contra a parede e o jogou no chão. Tirou uma arma da cintura e bateu com o cano em seu rosto. O outro pressionou um aparelho de choque no torso de Janssen e apertou o gatilho, paralisando momentaneamente o homem de 63 anos. Em seguida, prenderam as mãos dele com uma abraçadeira de plástico e o tiraram da casa, colocando-o no banco traseiro de um Nissan prata que estava parado na entrada da garagem. Os dois homens se sentaram um de cada lado de Janssen, e a mulher ficou no banco do passageiro, ao lado do motorista. Aos poucos, Janssen começou a recuperar o controle do próprio corpo e tentou empurrar os agressores. Eles o jogaram no piso do carro e lhe deram mais um choque. O carro saiu de ré para a rua e seguiu rumo oeste, passando pelo campo onde as crianças estavam jogando bola. Um dos agressores colocou um cobertor por cima do corpo de Janssen. O veículo entrou em uma via expressa e se misturou ao trânsito que seguia para o sul.*

---

* O FBI recebeu resumos deste capítulo. Por favor, veja as respostas da agência na seção de notas referente a esta parte. A família Janssen não atendeu a diversos pedidos por comentários

A esposa de Janssen chegou aproximadamente uma hora depois e encontrou a casa vazia e a porta entreaberta. A bicicleta de Frank estava apoiada na garagem. Teria ele saído para caminhar? Uma hora mais tarde, sem receber notícia alguma, ela começou a ficar preocupada. Tentou ver se ele havia deixado algum bilhete no hall de entrada. Ao pé da porta, viu algumas gotas de sangue. Em pânico, foi até a entrada da garagem e achou mais sangue. Ligou para a filha, que a mandou chamar a polícia.

Ela explicou aos policiais que seu marido era consultor em uma empresa especializada em segurança nacional. Em pouco tempo, a casa foi cercada de viaturas e um cordão de isolamento. Chegaram veículos utilitários pretos, com uma equipe de agentes do FBI que procuraram impressões digitais e fotografaram marcas no gramado. Ao longo dos dois dias seguintes, os agentes esquadrinharam os registros telefônicos de Janssen e entrevistaram vizinhos e colegas de trabalho, mas não encontraram nada que indicasse o que estava acontecendo.

E então, três dias depois do sequestro, no meio da noite de 7 de abril de 2014, o telefone da mulher dele vibrou. Era uma série de mensagens de texto enviadas por um número desconhecido com código de área da cidade de Nova York.

As mensagens diziam que estavam com o marido dela, e que ele estava no porta-malas de um carro a caminho da Califórnia. Se ela entrasse em contato com a polícia, *a gente vai devolver ele em 6 caixas e sempre que der vamos levar alguém da sua familia pra italia e torturar e matar, vamos passar de carro metralhando qualquer um da sua familia e vamos jogar granadas na sua janela.*

As mensagens também mencionavam a filha de Janssen e um homem chamado Kelvin Melton. De repente, tudo começou a fazer um pouco mais de sentido. Colleen, a filha de Janssen, era assistente da promotoria em Wake

feitos por telefone ou carta registrada. Detalhes sobre este caso foram obtidos de autos do tribunal, entrevistas e outras fontes indicadas na seção de notas. Enquanto este livro estava sendo escrito, as alegações de atividade criminosa contidas neste capítulo não haviam sido julgadas pelo Judiciário, de modo que preservam a condição de alegações, não de fatos comprovados. Por favor, veja na seção de notas mais detalhes e as respostas dos advogados que representam as partes associadas ao suposto crime.

Forest, uma cidade perto dali, e havia processado Melton, um figurão da gangue Bloods, alguns anos antes. Colleen tinha conseguido sentenciá-lo à prisão perpétua sob a acusação de ataque com arma letal. Uma teoria começou a se formar: os investigadores do governo desconfiavam que a gangue havia sequestrado Frank Janssen para punir a filha dele. Era uma vingança por ter mandado um dos líderes do bando para a cadeia.

Em questão de horas, a polícia obteve os registros telefônicos do aparelho que tinha mandado as mensagens para procurar alguma relação com membros conhecidos da gangue. Conseguiram identificar que as mensagens foram enviadas da Geórgia, mas o celular era um aparelho descartável, sem registro e pago com dinheiro em um supermercado. Não havia nada nos registros do celular ou nas notas fiscais da compra que indicasse aos investigadores quem era o dono do telefone ou onde ele estava naquele momento.

Dois dias depois, chegou outra mensagem de um número diferente, dessa vez com código de Atlanta. *Aqui 2 fotos do seu marido*, dizia, incluindo fotos de Janssen amarrado a uma cadeira. *Se voce nao falar onde tao minhas coisas ate amanha vou comecar a queimar pai de colleen.* Nenhum dos investigadores fazia a menor ideia de que "coisas" os sequestradores queriam. As mensagens também exigiam que alguém entregasse a Melton, o chefe da gangue que estava preso, um maço de cigarros, além de outras ordens. *Jefe quer as coisas dele e precisa arrumar outro telefone logo pra gente poder acabar o assunto e se nao tivermos noticia dele muito muito rapido vai dar problema com o pessoal dele.* A polícia não sabia se "Jefe" se referia a Melton ou outra pessoa, nem por que Melton queria que lhe entregassem cigarros quando ele podia comprá-los dentro do Instituto Correcional de Polk. Chegaram mais mensagens fazendo referência a pessoas desconhecidas. *Agora ele sabe que to de esquema*, dizia uma. *Fala pra ele que a gente tá com franno, fala que eh melhor ele dar um jeito de me falar cade minhas coisas e me da meu dinheiro senao a gente mata essas pessoas em 2 dias.* Os investigadores ficaram confusos com essas referências a "Jefe" e "Franno" e com as ameaças de morte a mais de uma pessoa, embora as autoridades só estivessem cientes de uma vítima de sequestro. Se aquilo era um plano de vingança, por que os sequestradores estavam mandando tantas mensagens ambíguas? Por que não exigiram nenhum resgate? Um agente federal acreditou que estavam agindo como se também não soubessem o que estava acontecendo, como se não tivessem um plano.

O FBI pediu para o Google levantar as buscas feitas na época do sequestro que incluíssem o endereço de Janssen. O gigante de informática informou que alguém com uma linha pré-paga da operadora T-Mobile havia procurado "endereço Colleen Janssen", mas a busca tinha resultado na casa dos pais, o endereço antigo dela. Apareceu uma nova teoria: os sequestradores *pretendiam* sequestrar Colleen por vingança pela condenação de Kelvin Melton, mas pegaram o pai dela por acidente.

Os investigadores concluíram que o telefone com código de área da Geórgia que enviara as mensagens mais recentes também era um aparelho descartável, mas dessa vez, quando os agentes entraram em contato com as empresas de telefonia, os registros renderam mais frutos. As mensagens haviam sido enviadas de Atlanta. Além do mais, o telefone tinha recebido uma ligação recente de outro número, que trocara mensagens com um terceiro telefone cuja localização a polícia descobriu ser o interior do próprio Instituto Correcional de Polk. Esse telefone tinha ligado quase cem vezes para as filhas de Melton.[2]

Os investigadores chegaram à conclusão de que o sequestro estava sendo comandado pelo próprio Melton.[3]

O FBI ligou para a prisão e disse para o diretor revistar a cela de Melton. Quando viu os guardas se aproximando, ele bloqueou a porta e arrebentou o telefone. Levaria dias para recuperar os dados do aparelho.

O FBI não podia fazer nada para obrigar Melton a cooperar com a investigação. Ele já estava condenado à prisão perpétua. Registros telefônicos não renderiam nenhuma informação nova. Os agentes examinaram os vídeos de segurança das lojas onde os celulares descartáveis tinham sido comprados, e também analisaram as imagens das câmeras nas estradas perto da casa de Janssen. Nada ajudou. O FBI tinha centenas de fragmentos de informação. Havia inúmeros pontos, mas nada para ligá-los.

Alguns agentes tinham esperança de que o novo sistema informatizado do FBI, um software complexo chamado Sentinel, ajudasse a revelar associações que eles haviam deixado passar. Outros eram mais céticos. Mais de uma década antes, a agência tinha começado a desenvolver tecnologias que, segundo as autoridades, serviriam como novas ferramentas poderosas para a solução de crimes. No entanto, a maioria dessas iniciativas fracassou. Uma, por exemplo, foi abandonada em 2005 após 170 milhões de dólares serem gastos para criar uma ferramenta de busca que travava o tempo todo. Outra tentativa foi suspensa em 2010, depois que auditores concluíram que custaria milhões de dólares a mais só para descobrir por que o sistema não estava funcionando. Alguns anos antes do sequestro de Janssen, os bancos de dados da agência ainda eram tão antiquados que a maioria dos agentes nem se dava ao trabalho de inserir o grosso das informações reunidas durante as investigações. Em vez disso, usavam arquivos físicos e fichas de papel, tal como seus antecessores de décadas passadas.[4]

E então, em 2012, a agência implementou o Sentinel.[5] Em termos simples, era um sistema que organizava e administrava provas, pistas, depoimentos e outras dezenas de milhares de informações que os agentes obtinham a cada dia. O Sentinel estava ligado a ferramentas de análise e bancos de dados que o FBI e outras agências de investigação haviam desenvolvido para procurar padrões. A criação do software tinha sido coordenada por um jovem de Wall Street que convencera o FBI a contratá-lo com o argumento de que a instituição precisava aprender com empresas como a Toyota e adotar métodos como "produção enxuta" e "programação ágil".[6] Ele havia prometido deixar o Sentinel pronto para funcionar em menos de dois anos com um punhado de técnicos em desenvolvimento de softwares — e cumprira a promessa.

Agora o Sentinel estava em atividade. Ninguém envolvido no caso de Janssen tinha certeza de que o programa ajudaria, mas estavam todos desesperados. Um dos agentes começou a inserir cada informação coletada até então e esperou para ver se o Sentinel apresentaria algo de útil.

II.

Quando Rick Madrid chegou para uma entrevista de emprego na antiga fábrica da General Motors, estava de óculos escuros espelhados, camiseta do Iron Maiden e calça jeans cortada que ele havia descrito certa vez como "o maior afrodisíaco do norte da Califórnia".[7] Era 1984. Como sinal de consideração pelos entrevistadores — e porque queria a vaga —, Madrid havia penteado a barba e passado desodorante. No entanto, cobrir as tatuagens com uma camisa de manga comprida já era demais.[8]

Madrid conhecia a fábrica em Fremont, na Califórnia, porque havia trabalhado ali até dois anos antes, quando a GM a fechara. A unidade de Fremont era conhecida, tanto na região como no resto do país, como a pior montadora do mundo. Durante 27 anos, Madrid havia passado oito horas por dia marretando aros, pregando sobre as maravilhas do sindicato United Auto Workers e distribuindo rodadas de "screwdrivers mágicos", uma mistura de alta octanagem de vodca e suco de laranja que ele servia em copos de plástico enfiados nos chassis para que os colegas pudessem aproveitar conforme os veículos avançavam pela linha de montagem. As esteiras da fábrica de Fremont sempre tinham um movimento estável, então a bebida quase nunca entornava. Muitas vezes os sacos de gelo que ele colocava no porta-malas dos veículos entortavam o revestimento, mas isso seria problema de quem comprasse o carro. "O trabalho era uma interrupção do meu momento de lazer", disse Madrid mais tarde. "Eu estava lá para ganhar dinheiro. Não me importava muito com a qualidade do trabalho, e a GM também não ligava. Eles só queriam produzir a maior quantidade possível de carros."

No entanto, quando Madrid chegou para a entrevista, desconfiou que a história talvez fosse diferente dessa vez. A GM estava formando uma parceria com a fabricante japonesa Toyota para reabrir a unidade de Fremont.[9] Para a Toyota, aquela era uma chance de produzir carros nos Estados Unidos e expandir as vendas da empresa no país. Para a General Motors, era uma oportunidade de aprender sobre o famoso "Sistema Toyota de Produção", que fabricava carros de excelente qualidade a custos muito baixos no Japão.[10] Um problema da parceria era que o acordo da GM com o sindicato determinava que pelo menos 80% do quadro da unidade devia ser composto de funcionários que haviam sido desligados dois anos antes. Assim, Madrid e seus amigos estavam indo lá, um a um, para uma entrevista com a New United Motor Manufacturing, Inc., ou NUMMI.

Madrid imaginou que era um bom candidato porque a bebedeira durante o expediente, verdade seja dita, era moderada em comparação com a postura de seus antigos colegas. Sim, ele tinha ficado bêbado e transado no depósito onde eram armazenados os bancos da Chevy, mas, ao contrário de muitos outros funcionários, não cheirara cocaína quando estava prendendo pastilhas de freio, nem fumara maconha com cachimbos feitos de peças de silenciadores. Madrid também não frequentava o ponto do estacionamento onde prostitutas ofereciam seus serviços em perfeita sincronia com os períodos de intervalo estipulados pelo sindicato. E tampouco sabotara veículos de propósito colocando garrafas vazias de uísque ou parafusos soltos atrás de revestimentos de portas para que ficassem batendo depois que o carro fosse vendido.

Os sabotadores eram um exemplo extremo da guerra atroz que havia consumido a unidade de Fremont nos tempos da GM. Os trabalhadores não se abstinham de usar táticas desonestas se achassem que elas podiam aumentar a influência do sindicato. Eles sabiam que, desde que a linha de montagem continuasse em movimento, eram poucas as probabilidades de alguém ser penalizado por mau comportamento, por mais absurdo que fosse. Na GM, a única coisa que importava mesmo era manter o ritmo de produção. Às vezes os funcionários descobriam erros em carros ao longo da esteira, mas, em vez de parar e consertar o problema, marcavam o veículo com um giz de cera ou um *post-it* e o deixavam seguir. Mais tarde, depois de finalizados, os carros marcados seriam levados para os fundos e desmontados para que o erro fosse consertado. Uma vez, um operário sofreu um ataque cardíaco e caiu na linha de montagem, embaixo do carro que estava passando; todo mundo esperou o veículo seguir seu caminho para só então tirar o homem dali. Todo mundo sabia a lei fundamental da fábrica: a linha não para.

A primeira entrevista de Madrid foi em uma sala de reuniões pequena. Do outro lado da mesa estavam um representante do sindicato, dois executivos japoneses da Toyota e um gerente da GM. Todos trocaram gentilezas. Eles perguntaram a Madrid sobre sua experiência e lhe apresentaram alguns problemas básicos de matemática e de montagem para avaliar seu conhecimento sobre a produção de automóveis. Perguntaram se ele pretendia beber durante o serviço. Ele respondeu que não, já não fazia mais isso. Foi uma conversa relativamente breve. E então, quando Madrid estava para sair da sala, um dos homens do Japão lhe perguntou do que ele *não gostava* na fábrica na época em que trabalhava lá.

Rick Madrid nunca tivera medo de falar o que pensava. Disse que não gostava de trabalhar em carros que ele sabia que tinham problemas, porque o que quer que ele estivesse fazendo precisaria ser desfeito para consertar o erro. Não gostava do fato de suas sugestões serem sempre ignoradas pelos superiores. Disse que, uma vez, quando estavam instalando uma nova montadora de pneus, ele tinha dado a ideia de colocar os controles em outro lugar para agilizar o trabalho. Chegou a falar com um técnico para mostrar um diagrama do conceito. Mas, quando voltou do almoço, a máquina nova estava pronta, com os controles na posição original. "Eu trabalhava do lado esquerdo da montadora de pneus, e todos os controles estavam do lado direito", disse ele aos entrevistadores. "Ainda bem que aquele engenheiro não construía pontes."

Quando a fábrica era gerida pela GM, os funcionários eram meros dentes em uma engrenagem, explicou Madrid. "Você só estava lá para fazer o que mandassem", disse. Ninguém lhe pedia opiniões nem se importava com o que ele achava.

Madrid expressou todas essas frustrações aos entrevistadores e depois ficou se culpando no longo caminho de volta para casa. Ele precisava muito daquele emprego. Devia ter ficado de boca fechada.

Alguns dias mais tarde, o telefone dele tocou. Os japoneses tinham gostado da sua honestidade e queriam contratá-lo. Mas, antes, ele precisaria passar duas semanas no Japão para aprender sobre o Sistema Toyota de Produção. Dezesseis dias depois, a NUMMI levou Madrid e mais cerca de vinte operários para a montadora de Takaoka, nos arredores da cidade de Toyota, no Japão, a primeira de uma série de viagens que praticamente todos os funcionários da NUMMI fariam. Quando Madrid entrou na fábrica japonesa, viu as familiares linhas de montagem e ouviu os sons familiares de ferramentas pneumáticas chiando e zumbindo. Por que eles haviam se dado ao trabalho de levá-lo até o outro lado do mundo para ser treinado em uma fábrica que era idêntica à de casa? Depois de um tour básico e de uma reunião de orientação, ele entrou no piso da fábrica e ficou vendo um homem prender parafusos em estruturas de portas, várias vezes, com uma pistola pneumática. Madrid sabia que, quando o carro tivesse terminado de percorrer a linha de montagem, aqueles parafusos estariam enterrados sob várias camas de metal e plástico. Era igual à Califórnia, exceto pelo fato de que as placas estavam em japonês e os banheiros eram muito mais limpos.

E então o funcionário com a pistola pneumática firmou um parafuso no lugar, ativou a ferramenta, e saiu um rangido desagradável. O parafuso tinha entrado torto — um erro comum —, e metade dele ficara para fora na estrutura da porta. Madrid esperava que o homem apontasse o defeito com uma marcação na porta, da mesma forma como eles faziam na GM, para que o carro pudesse ser levado depois para os fundos e consertado. Mas o problema desse sistema era que, para substituir o parafuso, seria necessário desmontar a porta, consertar o erro e refazer tudo. Depois, o acabamento do chassi ficaria menos firme. O futuro dono do carro não perceberia quando comprasse, mas, depois de alguns anos, a porta começaria a tremer. Seria um veículo de qualidade inferior.

No entanto, na fábrica japonesa, quando a parafusadeira rangeu, aconteceu algo inesperado. O funcionário que cometeu o erro levantou a mão e puxou um cabo que acendeu um sinalizador rotativo amarelo. Em seguida, ele inverteu o sentido da pistola e puxou o parafuso da porta, pegou outra ferramenta e a usou para alisar a rosca do buraco. A essa altura, um supervisor se aproximou, ficou atrás do funcionário e começou a fazer perguntas. O homem ignorou o chefe, limitando-se a dar algumas ordens e pegar outra ferramenta para rosquear o buraco de novo. A esteira ainda se mexia, mas o operário não havia terminado o conserto. Quando a porta chegou ao final da estação dele, a linha de montagem toda parou. Madrid não fazia ideia do que estava acontecendo.

Outro homem, claramente um superior, se aproximou. Em vez de gritar, ele colocou um parafuso novo e equipamentos em uma bandeja, como se fosse uma enfermeira em uma sala de cirurgia. O funcionário continuou dando ordens a seus superiores. Em Fremont, o sujeito teria sido esculachado. Mas, ali, não houve gritos irritados nem cochichos inquietos. Os outros homens na linha aguardavam tranquilamente ou conferiam as peças que haviam acabado de instalar. Ninguém parecia surpreso com o que estava acontecendo. E então o operário terminou de rosquear de novo o buraco, prendeu um parafuso na porta e puxou mais uma vez o cabo. A linha de montagem começou a avançar na velocidade normal. Todo mundo voltou ao trabalho.

"Era inacreditável", disse Madrid. "Nos Estados Unidos, eu vi um cara cair em cima da esteira e a linha não parar. Passei muitos anos ouvindo que a linha não podia parar por nada." Ele havia sido avisado de que parar uma linha de montagem custava 15 mil dólares por minuto. "Mas, para a Toyota, a qualidade vinha antes da receita."

"Foi aí que me toquei de que nós poderíamos concorrer com aqueles caras se aprendêssemos o que eles faziam", disse Madrid. "Um parafuso, um parafuso mudou minha postura. Eu tinha a sensação de que finalmente, finalmente, poderia ter orgulho do meu trabalho."

Durante o treinamento no Japão, Madrid teve outras surpresas. Um dia, estava acompanhando um operário que, no meio do turno, disse a um supervisor que tinha uma ideia para uma ferramenta nova que o ajudaria a instalar hastes de amortecedores. O supervisor foi até a oficina de usinagem e voltou quinze minutos depois com um protótipo. O operário e o supervisor refinaram o projeto ao longo do dia. Na manhã seguinte, todos estavam com uma versão da ferramenta à espera em suas respectivas estações de trabalho.

Os treinadores de Madrid explicaram que o Sistema Toyota de Produção — que no Ocidente viria a ficar conhecido como "produção enxuta" — baseava-se em estender a tomada de decisão até o nível mais baixo possível. Os funcionários na linha de montagem eram os primeiros a ver os problemas. Estavam mais perto do que ninguém dos defeitos que eram inevitáveis em qualquer processo de fabricação. Então fazia todo o sentido lhes dar o máximo possível de autoridade para descobrir soluções.

"Cada pessoa em uma organização tem o direito de ser o maior especialista da empresa em algo", disse-me John Shook, que treinou Madrid como um dos primeiros funcionários da Toyota no Ocidente. "Se instalo silenciadores ou trabalho como recepcionista ou faxineiro, eu entendo mais do que ninguém de escapamentos ou de recepção de pessoas ou de limpeza de escritórios, e é um desperdício imenso a empresa não aproveitar esse conhecimento. A Toyota odeia desperdício. O sistema foi desenvolvido para explorar a competência de todo mundo."

Quando a Toyota propôs essa filosofia de gestão para a General Motors pela primeira vez, os americanos literalmente riram da ingenuidade deles. Disseram que talvez a estratégia funcionasse no Japão, mas daria errado na Califórnia. Os operários da unidade de Fremont não estavam interessados em contribuir com seus conhecimentos. O que eles queriam era trabalhar o mínimo possível.

"Mas a única maneira de aceitarmos a parceria era se a GM prometesse tentar", disse Shook. "Nossa filosofia básica era que ninguém ia para o trabalho com vontade de ser ruim. Se você dá às pessoas a chance de progredir, elas vão progredir."

"O que nós não dissemos foi que, se não déssemos um jeito de exportar o Sistema Toyota de Produção, estávamos ferrados", disse Shook. "O sucesso da Toyota se deve à *cultura*, não a cabos pendurados ou protótipos de ferramentas. Se não conseguíssemos exportar uma cultura de confiança, não tínhamos mais nenhuma ideia. Então mandamos todo mundo para os Estados Unidos e rezamos para dar certo."

Em 1994, dois professores da Faculdade de Administração de Stanford começaram a estudar como exatamente se cria uma atmosfera de confiança em uma empresa. Os professores — James Baron e Michael Hannan — haviam passado anos ensinando aos alunos que a cultura de uma empresa era tão importante quanto a estratégia. Eles diziam que a forma como os funcionários são tratados era crucial para o sucesso da empresa. E defendiam em especial a ideia de que, na maioria das empresas — por melhor que fosse o produto ou por maior que fosse a lealdade dos consumidores —, tudo acabaria desmoronando se os trabalhadores não confiassem uns nos outros.

E então, todo ano, alguns alunos pediam exemplos que corroborassem essas alegações.

A verdade era que Baron e Hannan *acreditavam* em suas afirmações, mas não tinham muitos dados para sustentá-las. Os dois eram sociólogos e podiam indicar estudos que mostrassem a importância da cultura para a felicidade dos funcionários, para a contratação de novas pessoas e para o estímulo de um equilíbrio saudável entre vida profissional e pessoal. Mas não havia muitos artigos que demonstrassem o impacto que a cultura das empresas exerce nos lucros. Então, em 1994, eles embarcaram em um projeto de vários anos para ver se conseguiriam comprovar suas afirmações.[11]

Em primeiro lugar, seria preciso descobrir uma indústria com muitas empresas novas que pudessem ser acompanhadas ao longo do tempo. Eles pensaram que a onda de start-ups de tecnologia que vinham surgindo no Vale do Silício talvez proporcionasse a amostra perfeita. Na época, a internet estava dando seus primeiros passos. A maioria dos americanos achava que @ era algo a ser ignorado no teclado. Google ainda era apenas um número cuja grafia era "googol".

"Não tínhamos nenhum interesse inerente em tecnologia e não fazíamos ideia de que as empresas que estávamos estudando viriam a ser importantes", disse Baron, que hoje leciona em Yale. "Só precisávamos de start-ups para o estudo, e havia empresas de tecnologia sendo fundadas na nossa região, então, todo dia de manhã, comprávamos o *San Jose Mercury News* e líamos todas as páginas, e, sempre que alguma empresa nova era mencionada, pedíamos para nossa equipe tentar descobrir um telefone ou um endereço, então mandávamos alguém para ver se o presidente aceitaria responder a um questionário."[12] Com o tempo, conforme descreveram em um estudo escrito mais tarde, "sem nos darmos conta quando começamos o estudo, entre 1994 e 1995, formamos o banco de dados mais completo até hoje sobre histórias, estruturas e práticas de RH das empresas de tecnologia do Vale do Silício bem na época em que a região estava prestes a passar por um boom econômico e tecnológico de dimensões históricas". O projeto acabou levando quinze anos e analisando quase duzentas empresas.[13]

As pesquisas avaliaram quase todas as variáveis que podiam influenciar a cultura de uma start-up, incluindo a forma como os funcionários eram recrutados, como os candidatos eram entrevistados, os salários e quais funcionários os executivos decidiam promover ou demitir. Eles viram pessoas que largaram a faculdade se tornarem bilionárias e, em outros casos, executivos laureados irem para o buraco.

Com o tempo, reuniram uma quantidade suficiente de dados[14] para concluir que a maioria das empresas tinha culturas que se enquadravam entre cinco categorias.[15] Uma era a cultura que eles descreviam como o modelo "astro". Nessas empresas, os executivos contratavam pessoas vindas de universidades de elite ou outras empresas de sucesso e davam aos funcionários muita autonomia. Os escritórios tinham lanchonetes sofisticadas e benefícios vistosos. Capitalistas de risco adoravam empresas do modelo astro porque o senso comum determinava que dar dinheiro à equipe titular era a aposta mais garantida.

A segunda categoria era o modelo "engenharia". Em empresas com culturas de engenharia, não havia muitos astros individuais, mas os engenheiros, como um grupo, tinham mais peso. Um quadro mental de engenharia sobressaía na solução de problemas ou na tomada de decisão quanto a contratações. "Esse é o estereótipo da start-up do Vale do Silício, com um bando de programadores anônimos bebendo refrigerante na frente do computador", disse Baron. "Eles são jovens, ávidos e talvez sejam a próxima geração de astros depois de mostrarem seu valor, mas, por enquanto, estão concentrados em resolver problemas técnicos." Culturas voltadas para a engenharia são poderosas porque permitem que as empresas cresçam rapidamente. "Pense na velocidade com que o Facebook se expandiu", disse Baron. "Quan-

CULTURA DE ASTRO

do todo mundo vem de um universo semelhante, com quadros mentais parecidos, dá para contar com normas sociais em comum para manter todos no mesmo caminho."¹⁶

CULTURA DE ENGENHARIA

A terceira e a quarta categorias de empresas incluíam as que eram estruturadas em torno de "burocracias" e as concebidas como "autocracias". No modelo burocrático, as culturas emergiam a partir de quadros densos de gerentes intermediários. Executivos compunham enormes descrições de cargo, organogramas e manuais do funcionário. Tudo era especificado, e havia rituais, como reuniões de equipe semanais, para comunicar regularmente aos trabalhadores os valores da empresa. Uma cultura autocrática é semelhante, exceto pelo fato de que todas as regras, as descrições de cargo e os organogramas refletem, em última instância, os desejos e objetivos de uma só pessoa, em geral o fundador ou presidente. "Um presidente autocrático nos disse que o modelo cultural dele era 'Você trabalha. Você faz o que eu mando. Você recebe o salário'", disse Baron.¹⁷

CULTURA BUROCRÁTICA

CULTURA AUTOCRÁTICA

A última categoria era conhecida como o modelo "dedicação" e representava um retorno a uma época em que as pessoas ficavam satisfeitas de trabalhar para uma mesma empresa a vida inteira. "Presidentes de dedicação dizem coisas como 'quero criar o tipo de empresa de onde as pessoas só saem quando se aposentam ou morrem'", explicou Baron. "Isso não significa necessariamente que a empresa seja enrijecida, mas sugere um conjunto de valores que talvez dê prioridade a um crescimento lento e constante." Alguns executivos do Vale do Silício disseram a Baron que consideravam empresas de dedicação algo antiquado, um resquício do paternalismo corporativo que havia comprometido indústrias como a americana. Empresas de dedicação eram mais hesitantes quanto a demitir pessoas. Com frequência, contratavam profissionais de RH enquanto outras start-ups estavam usando esses dólares preciosos para recrutar engenheiros ou vendedores. "Presidentes de dedicação acreditam que acertar a cultura é mais importante no começo do que desenvolver o melhor produto", disse Baron.

CULTURA DE DEDICAÇÃO

Ao longo da década seguinte, Baron e Hannan acompanharam atentamente quais start-ups prosperavam e quais caíam. Cerca de metade dos empreendimentos analisados manteve as portas abertas por pelo menos uma década; alguns se tornaram as empresas mais bem-sucedidas do mundo.[18] A meta de Baron e Hannan era ver se determinadas culturas corporativas tinham mais chance de apresentar correlação com o sucesso. No entanto, eles não estavam preparados para o tamanho do impacto que a cultura provou exercer.[19] "Até mesmo no mundo acelerado dos empreendimentos em alta tecnologia no Vale do Silício, os modelos de contratação dos fundadores produzem efeitos potentes e duradouros na evolução e no desempenho das empresas", observaram os pesquisadores em 2002 no periódico *California Management Review*.[20] O impacto imenso de decisões culturais "é evidente mesmo quando se levam em conta diversos outros fatores que seria de esperar que talvez afetassem o sucesso ou o fracasso de iniciativas jovens na área da tecnologia, como idade e tamanho da empresa, acesso a capital de risco, mudanças no alto escalão da liderança e ambiente econômico".

Como Baron e Hannan haviam desconfiado, o modelo astro proporcionou alguns dos maiores vencedores do estudo. Eles constataram que colocar as pessoas mais espertas em uma mesma sala podia render uma quantidade extraordinária de influência e riqueza. Porém, ao contrário do que se imaginava, as empresas do modelo astro também registraram uma quantidade recorde de fracassos. Como um grupo, era a categoria com menor probabilidade de crescer até o ponto de fazer uma oferta pública inicial, e muitas vezes as empresas eram tomadas por rivalidades internas. Como qualquer um que tenha trabalhado em uma empresa dessas sabe, brigas internas costumam ser mais ferrenhas em empreendimentos com foco em astros, porque todo mundo quer ser o astro.

Na realidade, quando Baron e Hannan examinaram os dados, perceberam que a única cultura que apresentava um nível regular de sucesso era a das empresas de dedicação. A cultura de dedicação superava de longe todos os outros estilos de gestão em praticamente todos os aspectos relevantes. "Nenhuma das empresas de dedicação que estudamos deu errado", disse Baron. "*Nenhuma*, o que por si só já é incrível. Mas elas eram as primeiras empresas a abrir o capital, tinham o maior índice de rentabilidade e tendiam a ser mais enxutas, com menos gerentes intermediários, porque, quando os funcionários são selecionados com calma, é possível achar pessoas com ótimo senso de direção pessoal." Os funcionários de empresas de dedicação perdiam menos tempo com rivalidades internas porque todo mundo estava dedicado à empresa, não a interesses pessoais. Empresas desse modelo tendiam a conhecer seus clientes melhor do que outros tipos de empreendimentos e, como resultado, conseguiam detectar mais cedo mudanças no mercado. "Apesar de ter tido a morte decretada no Vale do Silício em meados da década de 1990, o modelo Dedicação se sai muito bem em nossa amostra", escreveram os pesquisadores.

"Capitalistas de risco adoram firmas de astro porque, quando você investe em um portfólio de empresas, tudo de que precisa são alguns sucessos enormes", disse-me Baron. "Mas, se você é um empreendedor e está apostando em uma só empresa, os dados indicam que vai ser muito melhor adotar uma cultura centrada na dedicação."

Aparentemente, um dos motivos por que culturas de dedicação deram certo foi o surgimento de uma sensação de confiança nos funcionários, gerentes e clientes que levou todos a se esforçarem mais e permanecerem unidos para superar os contratempos inevitáveis de qualquer mercado. A maioria das empresas de dedicação evitava cortes de pessoal até que não houvesse mais alternativa. Elas investiam muito em treinamento. Havia mais trabalho em equipe e segurança psicológica. Empresas de dedicação podiam não ter lanchonetes vistosas, mas ofereciam condições generosas de licença-maternidade, programas de creche e opções de *home office*. De início, essas iniciativas não eram eficientes em termos de custo, mas empresas de dedicação davam mais valor à felicidade dos funcionários do que ao lucro rápido — e, como resultado, os profissionais tendiam a recusar empregos com salários maiores na concorrência. E os clientes eram leais porque mantinham relacionamentos que duravam anos. Empresas de dedicação evitavam um dos maiores custos ocultos do mundo dos negócios: os lucros perdidos quando um funcionário leva clientes ou ideias para a concorrência.

"Bons funcionários sempre são o recurso mais difícil de encontrar", disse Baron. "Quando todo mundo quer ficar, essa é uma vantagem muito forte."[21]

A primeira coisa que Rick Madrid fez ao voltar para a Califórnia foi dizer para todo mundo o que ele tinha visto no Japão. Falou dos cabos pendurados, chamados de "*andons*", e dos supervisores que recebiam ordens dos funcionários, e não o contrário. Descreveu as linhas de montagem que paravam quando algum mecânico decidia que precisava de mais tempo para prender um parafuso em uma porta. Contou que tudo estava prestes a mudar na fábrica de Fremont agora que a NUMMI estava no comando.

Seus amigos não puseram muita fé. Eles já tinham escutado aquela história antes. A GM falara muitas vezes que a empresa valorizava a contribuição dos funcionários — até o momento em que os funcionários começassem a recomendar mudanças que a gerência não queria escutar. Nas semanas anteriores à reabertura da unidade NUMMI, os operários da fábrica fizeram questão de renovar suas filiações ao sindicato e marcaram assembleias para tratar de táticas caso precisassem confrontar a diretoria. Eles votaram a criação de um "fundo de paralisação do trabalho na NUMMI" para arcar com as despesas dos trabalhadores em caso de greve. Exigiram — e a NUMMI imediatamente aceitou providenciar — um sistema formal de registro de reclamações.

E, então, a diretoria da NUMMI anunciou a política de demissões da empresa. "A New United Motor Manufacturing, Inc., reconhece que a segurança no emprego é essencial para o bem-estar dos funcionários", dizia o acordo com o sindicato. "A Empresa se compromete a não reduzir pessoal a não ser que seja obrigada por condições econômicas severas que ameacem a viabilidade de longo prazo da Empresa."[22] A NUMMI prometia reduzir o salário dos executivos antes de demitir operários, e prometia treinar pessoas para varrer chão, consertar maquinário ou servir refeições na lanchonete a fim de preservar os empregos.[23] Toda reclamação ou sugestão de funcionários, por mais irreal ou custosa, seria implementada, ou então uma resposta seria afixada explicando o motivo pelo qual não fora aceita. Todas as equipes receberam autoridade para mudar o layout de suas estações e o fluxo de trabalho. Qualquer um, a qualquer momento, podia parar a linha de montagem se visse algum problema. Nenhuma fabricante de carros americana fizera antes uma promessa tão pública de evitar demissões em massa e responder a reclamações de funcionários.

Trabalhadores descrentes disseram que era fácil fazer esse tipo de compromisso quando a unidade ainda não estava nem funcionando, mas, com relutância, aceitaram ver no que daria. A fábrica começou a produzir Chevy Novas em 10 de dezembro de 1984.

Rick Madrid foi designado para uma equipe que moldava capôs e portas a partir de chapas de aço imensas. Ele imediatamente sentiu a diferença. As pessoas que antes marcavam encontros amorosos no depósito estavam se contendo. Não se via ninguém bebendo em serviço. O ponto de prostituição não tinha voltado ao estacionamento. Estavam todos apreensivos. Ninguém queria se arriscar. No entanto, essa hesitação também tinha consequências menos úteis. Ninguém estava puxando os *andons* nem fazendo sugestões porque ninguém estava disposto a fazer a empresa perder 15 mil dólares por minuto. Os trabalhadores não sabiam se isso lhes custaria o emprego.

Um mês depois da reinauguração da unidade de Fremont, Tetsuro Toyoda — o presidente da NUMMI e neto do homem que fundara a Toyota em 1933 — entrou na fábrica. Ele viu um funcionário se esforçando para instalar uma lanterna traseira que estava enfiada em uma estrutura em um ângulo estranho. Toyoda se aproximou do funcionário e, após ler o nome bordado no uniforme, disse: "Joe, por favor, puxe o cabo".

"Eu consigo consertar, senhor", respondeu Joe.

"Joe, por favor, puxe o cabo."

Joe nunca havia puxado um *andon*. Ninguém naquela área tinha feito isso. Desde a inauguração da unidade, o cabo só havia sido puxado algumas vezes, e uma fora sem querer.

"Senhor, eu consigo consertar", disse Joe, tentando furiosamente encaixar a lanterna traseira.

O líder de equipe de Joe estava parado por perto. O supervisor dele vinha acompanhando Toyoda na visita pela fábrica, então também estava ali. Quando Joe olhou para cima, viu meia dúzia dos executivos mais importantes da unidade olhando para ele.

"Joe, por favor", disse Toyoda. E então ele se aproximou, pegou a mão de Joe e a levou até o *andon*, e os dois puxaram juntos. Uma luz forte começou a girar. Quando o chassi alcançou o fim da estação de Joe sem a lanterna traseira encaixada da forma devida, a linha parou de se mexer. Joe tremia tanto que precisou segurar o pé de cabra com as duas mãos. Finalmente conseguiu prender a lanterna e, lançando um olhar apavorado para os chefes, levantou a mão e puxou o *andon*, reativando a linha.

Toyoda se virou para Joe e fez uma reverência. E começou a falar em japonês.

"Joe, por favor, me perdoe", traduziu um assistente. "Não instruí seus supervisores da maneira correta quanto à importância de ajudá-lo a puxar o cabo sempre que houver algum problema. Você é a parte mais importante desta fábrica. Só você pode fazer com que todos os carros sejam ótimos. Prometo fazer tudo o que puder para jamais falhar com você de novo."

Até o horário do almoço, todo mundo na unidade já havia ouvido a história. No dia seguinte, os *andons* foram puxados mais de dez vezes. Na semana seguinte, mais de vinte. Um mês depois, a fábrica registrava em média cem puxadas por dia.

Os *andons*, as sugestões dos funcionários e o pedido de desculpas de Toyoda eram importantes porque demonstravam que o destino da empresa estava nas mãos dos trabalhadores. "Havia uma devoção genuína para convencer os funcionários de que eles faziam parte de uma família", disse Joel Smith, o representante sindical na NUMMI. "Ela precisava ser reafirmada o tempo inteiro, mas era real. Podíamos discutir e ter opiniões diferentes, mas, no fim das contas, todos estavam dedicados ao sucesso um do outro."

"Se as pessoas começassem a puxar *andons* à toa, a fábrica teria sido arruinada", disse Smith. Todo mundo sabia que ainda custava milhares de dólares para cada minuto que a linha ficasse parada, "e qualquer um podia parar a linha, a qualquer momento, sem punição. Então os funcionários podiam levar o lugar à falência se quisessem.

"Quando você recebe esse nível de autoridade, não tem como não sentir um grau de responsabilidade", disse Smith. "Os operários do patamar mais baixo não queriam que a NUMMI falisse, e a diretoria não queria isso, e assim, de repente, todo mundo estava do mesmo lado." Quando os trabalhadores receberam o poder de tomar mais decisões, a motivação foi às alturas. Como Mauricio Delgado e o Corpo de Fuzileiros Navais dos Estados Unidos descobriram em outra situação, quando trabalhadores têm uma sensação de controle maior, a disposição aumenta.

Histórias sobre o experimento da NUMMI se espalharam rapidamente. Quando professores da Faculdade de Administração de Harvard visitaram a fábrica, alguns anos depois da reinauguração, viram que funcionários antigos da GM que antes passavam apenas 45 segundos por minuto trabalhando agora cumpriam em média 57 segundos por minuto. Em 1986, "a produtividade da NUMMI era maior do que a de todas as outras unidades da GM e mais do que o dobro da unidade anterior, a GM-Fremont", escreveram eles. O absentismo havia caído de 25% nos tempos da GM para 3% sob o comando da NUMMI. Não havia índices perceptíveis de consumo de drogas, prostituição ou sabotagem. O sistema formal de reclamações mal era usado. A produtividade da NUMMI era tão alta quanto nas fábricas do Japão, "embora os trabalhadores fossem, em média, dez anos mais velhos e muito menos acostumados com o sistema Toyota de produção", observaram os pesquisadores de Harvard.[24] Em 1985, a revista *Car and Driver* lançou uma edição com a chamada de capa "As galinhas criaram dentes", anunciando as realizações da NUMMI. A pior montadora da face da Terra tinha se tornado uma das fábricas mais produtivas do mundo, usando os mesmos trabalhadores de antes.

E então, quatro anos depois da inauguração da NUMMI, a indústria automobilística foi atingida pela recessão. A bolsa de valores quebrou. O desemprego estava subindo. As vendas de carros despencaram. Os diretores da NUMMI calcularam que precisariam reduzir a produção em 40%. "Todo mundo dizia que ia ter corte de pessoal", disse Smith, o representante sindical. Mas, em vez disso, os 65 principais executivos da fábrica tiveram redução de salário. Em vez de serem demitidos, os trabalhadores da linha de montagem receberam tarefas de faxina ou jardinagem, ou então de limpeza dos dutos de ventilação na área de pintura. A empresa provou que estava dedicada.

"Depois disso, os funcionários estavam dispostos a fazer qualquer coisa pela empresa", disse Smith. "Quatro circunstâncias de quedas em vendas ao longo de trinta anos, e a NUMMI não fez demissões em massa nem uma vez sequer. E, em cada ocasião, quando os negócios enfim voltavam ao normal, todo mundo trabalhava mais do que nunca."

Rick Madrid se aposentou na NUMMI em 1992, depois de quase quatro décadas produzindo carros. Três anos mais tarde, o Smithsonian montou uma exposição no Museu Nacional de História Americana que incluía o crachá e o chapéu de Madrid em uma apresentação intitulada *A Palace of Progress* [Um palácio do progresso]. A NUMMI, os curadores escreveram, era icônica, uma fábrica que havia demonstrado ser possível unir operários e diretores em torno de uma causa comum por meio de dedicação mútua e poder compartilhado.[25]

Até hoje a NUMMI é citada em faculdades de administração e por caciques executivos como exemplo do que empresas são capazes de realizar em uma cultura de dedicação. Desde a fundação da NUMMI, os princípios de "produção enxuta" se infiltraram em praticamente todos os cantos do mundo corporativo americano, seja no Vale do Silício, em Hollywood ou na área da saúde. "Eu estou muito feliz de ter me aposentado como operário na NUMMI", disse Madrid. "Antes passei de uma pessoa deprimida e entediada, que ninguém nem sabia que existia, a alguém que viu a NUMMI ser apontada pela J. D. Power como uma fábrica de alta qualidade."

Os trabalhadores da NUMMI deram uma festa após o anúncio da J. D. Power. "E, quando eu discursei, disse que éramos os melhores trabalhadores da indústria automobilística mundial", comentou Madrid. "Não só os operários. Não só os diretores. Todos, juntos, éramos os melhores, porque éramos dedicados uns aos outros."[26]

III.

Seis anos antes do sequestro de Frank Janssen, o FBI havia procurado um executivo de Wall Street de 34 anos para saber se ele estaria interessado em dirigir o desenvolvimento dos sistemas de tecnologia da agência. Chad Fulgham nunca havia trabalhado com a polícia antes. Ele era especialista no desenvolvimento de grandes redes de computadores para bancos de investimento como o Lehman Brothers e o JPMorgan Chase. Então, ficou surpreso quando alguém ligou para ele em 2008 e explicou que o FBI queria entrevistá-lo.

Fazia muito tempo que aprimorar a tecnologia do FBI era uma prioridade para os agentes federais. Já em 1997, os principais líderes da agência haviam prometido ao Congresso que apresentariam um sistema reformulado que unisse as dezenas de bancos de dados internos e ferramentas de análise mantidas pela agência. Eles diziam que essa rede daria aos agentes novos instrumentos poderosos para ligar os pontos em casos não relacionados entre si. No entanto, quando o FBI entrou em contato com Fulgham, onze anos mais tarde, os esforços nesse sistema, Sentinel, já haviam consumido 305 milhões de dólares e não tinham previsão de acabar.[27] A agência consultara um grupo de fora para descobrir por que o Sentinel estava demorando tanto. Os especialistas disseram que a agência estava tão amarrada por burocracia e interesses conflitantes que custaria dezenas de milhões de dólares só para pôr o programa de volta nos trilhos.

A agência ligou para Fulgham para ver se ele conseguiria descobrir um jeito mais barato de fazer com que as coisas voltassem a andar. "No fundo, eu sempre quis trabalhar para o FBI ou a CIA", contou-me Fulgham. "Então, quando eles me ligaram, especialmente com um problema enorme e complicado, foi como se me oferecessem o emprego dos sonhos."

Mas antes Fulgham precisava convencer o FBI de que a visão dele era a melhor. Ele explicou que seu estilo de gestão se inspirava em exemplos como a NUMMI. Nas duas décadas anteriores, o sucesso da NUMMI ficara cada vez mais notório, e executivos de outros setores haviam começado a adaptar a filosofia do Sistema Toyota de Produção para outros tipos de empreendimento.[28] Em 2001, um grupo de programadores havia se reunido em uma estação de esqui em Utah para compor um conjunto de princípios, chamado "Manifesto para o Desenvolvimento Ágil de Softwares", que adaptava os métodos e a produção enxuta da Toyota para a criação de softwares.[29] A metodologia Ágil, como veio a se tornar conhecida, enfatizava colaboração, testes frequentes e iteração rápida e transferia a tomada de decisão para quem estivesse mais perto do problema. Ela logo revolucionou o desenvolvimento de softwares e hoje é a metodologia-padrão de muitas empresas de tecnologia.[30]

Em meio aos cineastas, o "método Pixar" foi formulado especificamente com base nas técnicas de gestão da Toyota e ficou famoso por dar autoridade para que animadores do baixo escalão pudessem fazer escolhas cruciais. Quando a liderança da Pixar foi encarregada de assumir a divisão Disney Animation em 2008, os executivos se apresentaram com o que ficou conhecido como "o discurso Toyota", "no qual eu descrevi a dedicação da fabricante de carros a dar autoridade a seus funcionários e permitir que os trabalhadores na linha de montagem tomassem decisões quando encontrassem problemas", escreveu mais tarde Ed Catmull, um dos fundadores da Pixar. "Eu insisti que ninguém da Disney precisava pedir permissão para trazer alguma solução. Perguntamos: de que adianta contratar pessoas inteligentes se não lhes dermos autoridade para consertar algo que estiver com problema?"[31]

Em hospitais, a distribuição de autoridade para enfermeiros e outros funcionários que não os médicos é chamada de "sistema de saúde enxuto". É uma filosofia de gestão e uma "cultura em que qualquer um pode, e de fato deve, 'parar a linha', ou interromper o processo do tratamento se achar que algo está errado", observou o diretor do Virginia Mason Medical Center, um hospital enxuto, em 2005.[32]

Essas posturas surgiram em diversos mercados, mas elas e outras adaptações da produção enxuta compartilham atributos fundamentais. Todas estavam comprometidas a delegar a tomada de decisão para a pessoa mais próxima do problema. Todas incentivavam a colaboração permitindo que as equipes se autogerissem e se organizassem por conta própria. Todas insistiam bastante em uma cultura de dedicação e confiança.

Fulgham defendeu a tese de que os esforços de tecnologia do FBI só dariam certo se a agência adotasse uma postura semelhante. As autoridades do FBI precisariam se comprometer a transferir poderes de decisão importantes às pessoas na base, como desenvolvedores de software de baixo escalão ou agentes de campo novatos. Essa postura era uma mudança significativa porque, antes, os executivos da agência — que desconfiavam uns dos outros e estavam consumidos por disputas de poder internas — haviam concebido novos sistemas de tecnologia relacionando milhares de especificações a que cada software precisaria atender. Comissões enchiam centenas de páginas com regras de como os bancos de dados deveriam funcionar. Qualquer mudança importante exigia a aprovação de diversas autoridades. O sistema era tão disfuncional que as equipes de desenvolvimento de software às vezes passavam meses elaborando um programa para, assim que terminassem, serem informadas de que o projeto havia sido cancelado. E com frequência os resultados também eram disfuncionais. Por exemplo, quando Fulgham pediu para ver uma demonstração do trabalho feito no Sentinel até então, um técnico o levou até um computador e lhe pediu para inserir algumas palavras-chave, como o nome de um criminoso e um endereço associado a um crime.

"Daqui a quinze minutos, teremos um relatório com os casos anteriores relacionados a esse endereço e a esse nome", disse o técnico.

"As pessoas para quem eu vou responder andam armadas, e você quer que eu lhes diga que o computador vai levar quinze minutos para ajudar?", perguntou Fulgham.

Um relatório da inspetoria-geral em 2010 informara que levaria mais seis anos e 396 milhões de dólares para fazer o Sentinel funcionar.[33] Fulgham disse ao diretor do FBI que, se lhe dessem autoridade para distribuir o controle, ele reduziria a quantidade de funcionários necessários para apenas trinta, em vez de mais de quatrocentos, e terminaria o Sentinel por 20 milhões de dólares em pouco mais de um ano. Logo depois, Fulgham e uma equipe de desenvolvedores de software e agentes do FBI se entocaram no porão da sede da agência em Washington, D.C. Fulgham lhes disse que as únicas regras eram que todo mundo tinha que dar sugestões, qualquer um podia pedir um intervalo se achasse que um projeto estava avançando na direção errada, e a pessoa mais próxima de um problema era a principal responsável por tentar resolvê-lo.

Fulgham acreditava que o principal problema do Sentinel era que a agência — assim como muitas organizações grandes — havia tentado planejar tudo com antecedência.[34] Mas a criação de softwares complexos exige flexibilidade. Os problemas aparecem de forma inesperada, e os avanços são imprevisíveis. A verdade era que ninguém sabia exatamente como os agentes do FBI usariam o Sentinel quando ele estivesse funcionando, nem o que seria preciso mudar conforme as técnicas de combate ao crime evoluíssem. Então, em vez de preconceber de forma meticulosa cada interface e sistema — em vez de tentar controlar a partir de cima —, eles precisavam fazer com que o Sentinel fosse uma ferramenta capaz de se adaptar às necessidades dos agentes. E Fulgham estava convencido de que a única maneira de fazer isso era se os próprios programadores tivessem liberdade de ação.[35]

A equipe de Fulgham começou pensando em mais de mil situações em que o Sentinel poderia ser útil, fosse para registrar o depoimento de uma vítima ou para acompanhar provas, ou ainda para interagir com bancos de dados do FBI que procuravam padrões em meio a pistas. Depois, eles começaram a trabalhar de trás para a frente a fim de entender que tipo de software deveria atender a cada necessidade. Todo dia de manhã, a equipe fazia um "stand-up" — reuniões em que todo mundo ficava de pé para incentivar a concisão — e descrevia o trabalho do dia anterior e o que pretendia realizar nas 24 horas seguintes. Quem estivesse mais perto de um problema ou uma linha de programação em particular era considerado o especialista naquele assunto, mas qualquer programador ou agente, não importava o cargo, podia fazer sugestões. Em um caso, um desenvolvedor e um agente de campo, depois de trocarem ideias, sugeriram que parte do Sentinel fosse feita nos moldes do TurboTax, um software de declaração de renda que reduzia milhares de páginas de leis tributárias complexas a uma série de perguntas simples. "A ideia era basicamente 'Investigação e Justiça para Leigos'", disse Fulgham. "Era absolutamente brilhante."

Pelo sistema antigo, a aprovação para essa proposta teria levado mais de seis meses e exigiria dezenas de memorandos, cada um cuidadosamente desprovido de qualquer referência ao TurboTax ou qualquer indicação de que os programadores pretendiam simplificar processos federais. Ninguém ia querer que algum advogado ou jornalista ousado pusesse as mãos em algo que usasse uma linguagem simples para explicar como o sistema funcionava. No entanto, com Fulgham, não havia nada dessa burocracia. O desenvolvedor e o agente deram a ideia em uma segunda-feira, apresentaram um protótipo na quarta e, até sexta, todo mundo concordou em avançar com o projeto. "Parecia que o governo estava turbinado", disse Fulgham.

A cada duas semanas, a equipe apresentava o trabalho para um público vasto de autoridades do alto escalão, que lhe dava seus pareceres. O diretor da agência havia proibido todo mundo de fazer exigências ou controlar o funcionamento do grupo. No máximo, os chefes de divisão podiam oferecer sugestões, e cada uma era catalogada e avaliada por quem quer que estivesse mais perto daquela parte do código. Aos poucos, a equipe do Sentinel foi ficando mais ousada e ambiciosa, sem se limitar a criar sistemas para preservar registros, mas também ligando o Sentinel a ferramentas que identificavam tendências e ameaças e traçavam comparações entre casos. Quando o trabalho foi concluído, o Sentinel estava no centro de um sistema tão poderoso que era capaz de examinar milhões de investigações ao mesmo tempo e detectar padrões que os agentes tivessem deixado passar. O programa foi implementado dezesseis meses depois de Fulgham assumir o comando. "A ativação do sistema Sentinel em julho de 2012 representou um momento crucial para o FBI", registrou a agência mais tarde. Só no primeiro mês, o Sentinel foi usado por mais de 30 mil agentes. Desde então, ele foi responsável por ajudar a resolver milhares de crimes.[36]

Na NUMMI, a descentralização da tomada de decisão ajudou a inspirar a força de trabalho. No FBI, teve um papel diferente. Gestão enxuta e métodos ágeis contribuíram para estimular a ambição e a inovação de programadores de baixo escalão que antes eram soterrados pela burocracia. Eles passaram a ser incentivados a criar soluções que ninguém havia considerado antes. As pessoas eram convencidas a chutar alto porque sabiam que não seriam penalizadas se errassem a bola de vez em quando.

"O efeito do Sentinel no FBI foi drástico", observou Jeff Sutherland, um dos autores do Manifesto Ágil, em um estudo sobre o desenvolvimento do Sentinel publicado em 2014. "A habilidade de comunicar e compartilhar informações transformou de forma fundamental a capacidade do FBI."[37]

Acima de tudo, a *maneira* como o Sentinel deu certo serviu de inspiração para o FBI e seus líderes. "A experiência com o Sentinel nos ensinou muito sobre o potencial que pode ser alcançado quando se dá mais autoridade às pessoas", disse-me Jeff Johnson, o atual chefe de tecnologia do FBI. "Nós vimos que as pessoas podem ficar muito mais entusiasmadas. Quando olhamos para alguns de nossos casos recentes, como o sequestro na Carolina do Norte, situações de resgate de reféns, investigações de terrorismo e circunstâncias assim, descobrimos que é fundamental que os agentes se sintam capazes de tomar decisões independentes."

"Mas dar autoridade para as pessoas em uma agência desse tamanho é muito difícil", disse Johnson. "Esse era um dos problemas antes do Onze de Setembro: o pessoal não se sentia recompensado por pensar de forma independente. Aí você vê algo como o desenvolvimento do Sentinel e percebe quanta coisa é possível."

IV.

Depois de os agentes responsáveis pelo caso do sequestro de Frank Janssen inserirem no Sentinel os dados que haviam coletado, o programa e os bancos de dados ligados a ele começaram a procurar padrões e pistas. Os agentes haviam inserido os números de celular que o FBI encontrara, os endereços que os investigadores tinham visitado e os nomes que os sequestradores haviam usado nas ligações interceptadas. Outros inseriram o nome das pessoas que haviam visitado Melton na cadeia, placas de carros vistos por câmeras perto da casa de Janssen e transações com cartão de crédito nas lojas onde os celulares descartáveis foram comprados. Cada detalhe foi inserido no Sentinel na esperança de que surgisse uma conexão.

Com o tempo, os bancos de dados da agência descobriram uma coincidência: o telefone que enviara as fotos de Frank Janssen para a esposa dele também tinha ligado para Austell, na Geórgia, uma cidadezinha perto de Atlanta. Os computadores do FBI haviam vasculhado milhões de arquivos de outros casos e encontrado uma relação com Austell em outro caso.

Em março de 2013, um ano antes, um informante confidencial entregara ao FBI o endereço de um apartamento em Austell que, segundo ele, era usado como abrigo por criminosos. O mesmo informante, em outra conversa, também mencionara um líder de gangue preso que tinha "encomendado a morte da promotora que o havia processado", uma referência que o FBI acreditava ser a Kelvin Melton, o homem que teria planejado o sequestro de Janssen.

Na época dessas conversas, ninguém no FBI sabia do que o informante estava falando. Janssen só seria sequestrado um ano depois. E, desde então, ninguém tinha parado para pensar na conversa. Os agentes que haviam entrevistado o informante nem faziam parte da equipe que procurava Janssen.

Mas, nesse momento, os computadores conectados ao Sentinel encontraram uma ligação: um informante confidencial havia mencionado alguém que batia com a descrição de Kelvin Melton, o suposto mentor do sequestro. O informante também mencionara um apartamento em Austell — um endereço que, segundo o Sentinel acabara de revelar, talvez tivesse recebido um telefonema de um dos celulares dos sequestradores.

Alguém precisava fazer uma visita àquele apartamento.

O problema era que aquela era só uma dentre dezenas de pistas que os investigadores estavam avaliando. Era preciso encontrar antigos conhecidos de Melton, analisar visitas na cadeia, ex-namoradas que podiam estar envolvidas. Na verdade, eram pistas demais para os agentes perseguirem. O FBI precisava priorizar, e não estava claro que investigar uma conversa ocorrida um ano antes era a melhor maneira de usar o tempo que tinham.

Contudo, nos anos anteriores, conforme o sucesso do Sentinel ganhava destaque dentro do FBI, as autoridades vinham se dedicando cada vez mais a usar técnicas enxutas e ágeis na agência. Comandantes e agentes de campo haviam adotado a filosofia de que a pessoa mais próxima da pergunta deveria ter o poder de respondê-la. Robert Mueller, o diretor do FBI, lançara uma série de iniciativas — o Sistema de Gestão de Estratégias, o Programa de Desenvolvimento de Liderança, equipes de Execução Estratégica —, que foram concebidas para gerar, de acordo com o que ele declarou ao Congresso em 2013, "uma mudança de paradigma no quadro mental cultural do FBI".[38] Um objetivo em particular era incentivar agentes de nível mais baixo a tomar decisões independentes quanto a que pistas perseguir, em vez de esperar ordens de seus superiores. Qualquer agente podia investigar uma pista se achasse que algo estava sendo ignorado. Era uma versão policial do *andon*. "É uma mudança crucial", disse Johnson, o chefe de tecnologia do FBI. "As pessoas mais próximas da investigação *precisam* ter o poder de escolher como investir o tempo." O Sentinel não foi a única influência por trás dessa mudança, mas acelerou a adoção de uma filosofia ágil pela agência. "O quadro mental básico do FBI agora é ágil", disse-me Fulgham. "O sucesso do Sentinel solidificou isso."

Os investigadores do caso Janssen podiam escolher dentre dezenas de pistas. Mas os agentes de nível inferior eram incentivados a tomar decisões por conta própria. Assim, dois jovens investigadores decidiram visitar o apartamento que o informante confidencial havia mencionado um ano antes.

Quando chegaram, descobriram que ele estava ocupado por uma mulher chamada Tianna Brooks. Ela não estava em casa, mas seus dois filhos pequenos estavam, sozinhos. Os agentes ligaram para o serviço de proteção à criança e, depois que as crianças foram recolhidas pelos assistentes sociais, começaram a interrogar os vizinhos, perguntando aonde Brooks havia ido. Ninguém sabia, mas uma pessoa disse que Brooks recebera a visita de dois homens que estavam hospedados ali perto. Os agentes encontraram esses homens e os interrogaram. Eles disseram que não sabiam nada de Brooks nem de nenhum sequestro.

Às 23h33, chegou uma ligação em um dos vários telefones que o FBI havia associado aos sequestradores e, portanto, estavam sendo monitorados.

"Eles pegaram meus filhos!", disse uma voz feminina.

Os agentes em Austell foram informados da ligação e começaram a interrogar os suspeitos com mais veemência. Eles destacaram que os dois suspeitos haviam visitado Tianna Brooks recentemente. E agora o FBI interceptara uma ligação feita por uma mulher em pânico — talvez a própria Brooks — dizendo que o FBI tinha pegado os filhos dela.

Em outras palavras, os dois suspeitos haviam feito uma visita recente a alguém que talvez estivesse associada a um sequestro.

Será que eles teriam algo a acrescentar?

Um deles mencionou um apartamento em Atlanta.

Os agentes comunicaram aos colegas no centro de comando de sequestros e, alguns minutos antes de meia-noite, veículos blindados da SWAT chegaram ao conjunto residencial que os suspeitos tinham mencionado. Os policiais saltaram dos veículos e passaram correndo pelos prédios arruinados. Pararam em frente a um apartamento e arrombaram uma porta de ferro batido. Do lado de dentro, havia dois homens sentados em cadeiras, armas a seu lado, pegos completamente de surpresa. No cômodo havia também cordas, uma pá e garrafas de alvejante. Os homens haviam acabado de usar seus celulares para mandar mensagens de texto sobre como desovar um cadáver. Alguém tinha dado a ordem: "Arranjem alvejante e joguem nas paredes. Talvez seja bom fazer no armário".

Um policial com equipamento tático entrou correndo em um quarto e escancarou todas as portas. Dentro do armário, encontrou Frank Janssen amarrado a uma cadeira, inconsciente, ainda com sangue no rosto por causa do golpe que os agressores tinham dado com a pistola. Fazia seis dias desde seu desaparecimento, e ele estava muito desidratado. A polícia o desamarrou e o tirou do apartamento, passando pelos agressores de Janssen, que estavam no chão, com as mãos algemadas atrás das costas. Janssen foi levado às pressas para o hospital em uma ambulância. Quando sua mulher o viu, começou a chorar. Ao longo de quase uma semana, ninguém soube se ele estava vivo ou morto. E ali estava ele, sem nenhum ferimento grave, só alguns hematomas e arranhões. Recebeu alta dois dias depois com a saúde perfeita.

A solução do caso de Janssen não aconteceu simplesmente porque os sistemas de informática do FBI ligaram os pontos entre o sequestro e uma antiga entrevista com um informante confidencial sem relação aparente com a história. Na verdade, Janssen foi resgatado porque centenas de pessoas dedicadas trabalharam sem parar em dezenas de pistas, e porque uma cultura ágil permitiu que agentes de nível mais baixo tomassem decisões de forma independente e seguissem os indícios que *eles* achavam fazer sentido.

"Os agentes aprendem a investigar dando atenção aos próprios instintos e descobrindo que podem mudar de direção quando aparece algum indício novo", explicou-me Fulgham. "Mas, para liberar esses instintos, a gestão precisa dar autoridade a eles. Precisa haver um sistema que faça você acreditar que pode escolher a solução que achar melhor e que seus chefes se comprometem a apoiá-lo se você tentar algo que talvez não dê em nada. É por isso que a agência adotou a agilidade. Tem tudo a ver com ela."

Em última instância, esta é uma das lições mais importantes que lugares como a NUMMI e as filosofias enxutas e ágeis transmitem: os funcionários trabalham melhor e de forma mais inteligente quando acreditam que têm mais autoridade para tomar decisões *e* quando creem que seus colegas estão dedicados ao sucesso deles. Uma sensação de controle pode impulsionar a motivação, mas, para esse sentimento produzir ideias e inovações, as pessoas precisam saber que suas sugestões não serão ignoradas, que seus erros não serão motivo de retaliação. E elas precisam saber que todo mundo vai apoiá-las.

A descentralização do processo decisório pode transformar qualquer um em especialista — mas, se não houver confiança, se os funcionários da NUMMI não acreditarem que a diretoria está dedicada a eles, se os programadores do FBI não tiverem autoridade para resolver problemas, se os agentes não forem incentivados a seguir um palpite sem medo de represálias, as organizações perderão acesso ao vasto conhecimento que todos temos dentro da cabeça. Quando têm permissão para segurar a linha de produção, redirecionar um projeto de software imenso ou seguir um instinto, as pessoas assumem a responsabilidade de garantir que uma iniciativa dê certo.

Uma cultura de dedicação e confiança não é uma pílula mágica. Ela não garante que um produto vai vender ou que uma ideia vai gerar frutos. Mas é a melhor forma de garantir que as condições certas estejam presentes quando uma grande ideia surgir.

Dito isso, existem bons motivos para que empresas não descentralizem a autoridade. Há uma lógica poderosa por trás da decisão de conferir poder apenas a algumas pessoas. Na NUMMI, um grupo pequeno de funcionários insatisfeitos poderia ter levado a empresa à falência se ficasse puxando o *andon* à toa. No FBI, um programador mal orientado poderia ter desenvolvido o sistema errado. Um agente poderia ter seguido o palpite errado. Mas, no fim das contas, as recompensas das culturas de autonomia e dedicação superam os custos. O maior engano é quando não existe oportunidade alguma para que um funcionário cometa um erro.

Algumas semanas depois de ser resgatado, Frank Janssen enviou uma carta de agradecimento para os agentes que o salvaram. "Nunca senti tanta alegria, tanto alívio, tanta liberdade quanto naquele momento milagroso em que ouvi a voz firme de um soldado americano dizendo 'sr. Janssen, estamos aqui para levá-lo para casa'", escreveu ele. "Apesar do pesadelo que vivi, o fato de estar escrevendo esta carta do conforto da minha casa é prova das muitas ações maravilhosas realizadas por muitas pessoas maravilhosas." Janssen disse que seu sequestro foi uma calamidade, e seu resgate, uma comprovação da dedicação do FBI.

6. Tomada de decisão

PREVENDO O FUTURO (E VENCENDO NO PÔQUER) COM PSICOLOGIA BAYESIANA

O crupiê olha para Annie Duke e espera que ela diga algo. Há um amontoado de fichas no valor de 450 mil dólares[1] no centro da mesa, e nove dos melhores jogadores de pôquer do mundo — todos homens, exceto Annie — aguardam com impaciência a aposta dela. É o Tournament of Champions de 2004, um torneio transmitido pela televisão em que o vencedor ganha 2 milhões de dólares. O segundo lugar não leva nada.[2]

O crupiê ainda não virou as cartas comunitárias, e Annie tem um par de dez. Sua mão é boa — boa o bastante para ela já ter posto a maioria de suas fichas no pote. Agora ela precisa decidir se quer apostar tudo. Todos os outros jogadores já desistiram, exceto um: Greg Raymer, também conhecido como "FossilMan", apelido que significa Homem-Fóssil, um homem roliço de Connecticut que guarda cascas de árvore petrificadas nos bolsos e usa óculos escuros com hologramas de olhos reptilianos.

Annie não sabe quais são as cartas do FossilMan. Alguns segundos atrás, com base no desenrolar dos acontecimentos, ela imaginava que levaria essa mão.[3] Mas então FossilMan colocou tudo no pote e atrapalhou os planos de Annie. Será que ele a estava enganando durante o jogo todo? Fazendo-a apostar mais e mais, esperando para dar o bote? Ou será que está tentando assustá-la com uma aposta tão alta para que ela se espante e desista?

Todos os olhos estão virados para Annie. Ela não tem a menor ideia do que fazer.

Pode desistir. Mas isso significaria abrir mão das dezenas de milhares de dólares que gastou para entrar na mesa, de todo o progresso das últimas nove horas, de tudo o que batalhou muito para conseguir.

Ou pode igualar a aposta dele e ir com tudo. Se perder, vai sair do torneio. Mas, se der certo e ela ganhar a mão, na mesma hora vai se tornar a líder do campeonato e estar a um passo a mais de pagar a escola dos filhos e quitar a hipoteca, sem falar no divórcio complicado e em todas as incertezas que lhe causam dor de estômago à noite.

Annie olha de novo para a montanha de fichas na mesa e sente uma pressão subindo pela garganta. Sofre com crises de pânico há anos, ataques tão severos a ponto de se trancar em casa e se recusar a sair. Vinte anos atrás, no segundo ano na Universidade Columbia, ela ficou tão ansiosa que entrou em um hospital, implorou para ser internada e só saiu duas semanas depois.

Passam-se 45 segundos e Annie ainda está decidindo o que fazer. "Sinto muito", diz. "Eu sei que estou demorando demais. Só que é uma decisão muito difícil."

Annie se concentra em seu par de dez. Pensa no que sabe e no que não sabe. O que ela admira no pôquer são as certezas. O segredo do jogo é fazer previsões, imaginar futuros alternativos e então calcular quais têm mais probabilidade de se concretizar. Estatísticas dão a Annie uma sensação de controle. Ela pode não saber exatamente o que vem pela frente, mas sabe quais são as chances exatas de ela ter razão ou não. A mesa de pôquer passa uma sensação de serenidade.

E agora FossilMan jogou essa sensação de paz pelo ralo ao fazer uma aposta que não bate com nenhum dos cenários na cabeça de Annie. Ela não faz ideia de como avaliar o que é mais provável que aconteça. Está paralisada.

"Sinto muito mesmo", diz ela. "Só preciso de mais um segundo."

Quando Annie era criança, sua mãe passava muitas tardes na mesa da cozinha com um maço de cigarros, um copo de uísque e um baralho, jogando várias partidas de paciência até o álcool acabar e o cinzeiro ficar cheio. Depois, ela cambaleava até o sofá e dormia.

O pai de Annie era professor de inglês na escola St. Paul, em New Hampshire, um colégio interno para os rebentos de senadores e executivos de alto escalão. A família morava em uma casa ligada a um dos alojamentos estudantis, então, sempre que seus pais brigavam por causa da bebedeira de uma ou a falta de dinheiro do outro — o que ocorria com frequência —, Annie tinha certeza de que seus colegas de turma conseguiam ouvir. Muitas vezes, ela se sentia excluída na escola, pobre demais para viajar nas férias com os alunos ricos, inteligente demais para fazer amizade com as meninas populares, ansiosa demais para se sentir à vontade com os hippies, interessada demais em matemática e ciências para participar do grêmio estudantil. Para Annie, o segredo da sobrevivência em meio aos inconstantes movimentos tectônicos da popularidade adolescente era aprender a fazer previsões. Se pudesse prever quais alunos estavam com o capital social em ascensão ou queda, seria mais fácil evitar picuinhas. Se ela conseguisse prever as brigas dos pais ou as bebedeiras da mãe, saberia quando as condições eram boas para levar colegas à sua casa.

"Quando um dos seus pais é alcoólatra, você passa muito tempo pensando no que vem pela frente", disse-me Annie. "Você nunca tem certeza de que vai ter o que jantar ou que alguém vai lhe dizer que está na hora de ir para a cama. Você fica o tempo todo na expectativa de que tudo vai desabar."

Depois do ensino médio, Annie foi fazer faculdade na Columbia e logo descobriu o departamento de psicologia. Ali, enfim, estava o que vinha procurando. Havia disciplinas que resumiam o comportamento humano em regras compreensíveis e fórmulas sociais, professores que davam aulas sobre categorias variadas de personalidade e o motivo pelo qual a ansiedade vem à tona, estudos sobre o impacto causado por um pai ou uma mãe alcoólatra. Ela sentia que estava começando a entender por que às vezes sofria crises de pânico, por que em alguns dias parecia impossível sair da cama, por que vivia acompanhada desse receio de que algo ruim aconteceria a qualquer momento.

Naquela época, a psicologia estava sendo transformada por descobertas das ciências cognitivas que conferiam um rigor científico à compreensão de comportamentos que por muito tempo pareceram imunes a análises metódicas. Psicólogos e economistas trabalhavam juntos para entender os códigos que explicavam por que as pessoas fazem o que fazem. Uma das pesquisas mais empolgantes — trabalho que viria a receber um prêmio Nobel[4] — era dedicada a estudar como as pessoas tomam decisões. Os pesquisadores se perguntavam por que algumas pessoas decidem ter filhos quando os custos, em termos de dinheiro e trabalho, são tão óbvios e os benefícios, como amor e satisfação, tão difíceis de calcular? Como as pessoas decidem mandar os filhos para escolas particulares caras em vez de matriculá-los nas públicas, gratuitas? Por que alguém decide se casar depois de anos desfrutando a solteirice?

Muitas de nossas decisões mais importantes são, na verdade, tentativas de prever o futuro. Quando mandamos um filho para uma escola particular, trata-se, em parte, de apostar que o dinheiro gasto hoje com educação produzirá felicidade e oportunidades no futuro. Quando decidimos ter um filho, prevemos que a alegria de ser pai ou mãe vai superar o custo das noites em claro. Quando escolhemos nos casar — por menos romântico que pareça —, calculamos, de alguma forma, que os benefícios de uma vida mais estável suplantam a chance de esperar para ver quem mais aparece pelo caminho. A capacidade de tomar boas decisões é atrelada a uma habilidade básica de antever o que acontece *depois*.

O que fascinava os psicólogos e os economistas era a frequência com que as pessoas conseguiam, no dia a dia, escolher entre diversos futuros sem se deixar paralisar pelas complexidades de cada escolha. Além do mais, parecia que alguns indivíduos tinham mais habilidade do que outros para antever desdobramentos diversos e escolher os mais vantajosos. Por que algumas pessoas eram capazes de tomar decisões melhores?

Quando se formou na faculdade, Annie inscreveu-se no programa de doutorado em psicologia cognitiva da Universidade da Pensilvânia e começou a colecionar financiamentos e publicações. Depois de cinco anos de muito trabalho e uma sequência bem-sucedida de artigos e prêmios, quando faltavam apenas alguns meses para começar o doutorado, ela foi convidada para apresentar uma série de "aulas-teste" em algumas universidades. Se ela se saísse bem, praticamente garantiria um prestigioso cargo de professora.

Na noite anterior à primeira aula na Universidade de Nova York, ela pegou o trem para Manhattan. Tinha passado a semana inteira ansiosa. No jantar, começou a vomitar. Esperou uma hora, bebeu um copo d'água e vomitou de novo. Não conseguia desligar a ansiedade. Não conseguia parar de pensar que estava cometendo um erro, que não queria ser professora, que só estava fazendo aquilo porque parecia a opção mais segura, mais previsível. Telefonou para a universidade para adiar a aula. Seu noivo pegou um avião até Manhattan e a levou de volta para a Filadélfia, onde ela deu entrada em um hospital. Recebeu alta semanas depois, mas ainda assim a ansiedade parecia uma pedra quente dentro do estômago. Annie saiu do hospital direto para uma sala na Universidade da Pensilvânia, onde tinha que dar uma aula, e deu um jeito de chegar até o fim, sentindo-se tão enjoada e agitada que quase desmaiou. Decidiu que não daria outra aula. Não faria mais aulas-teste. Não podia virar professora.

Annie enfiou seu projeto de pesquisa no porta-malas do carro, mandou uma carta aos professores dizendo que ficaria incomunicável por um tempo e dirigiu para o oeste. Seu noivo havia encontrado uma casa de 11 mil dólares nos arredores de Billings, Montana. Quando chegou ao lugar, ela concluiu que, mesmo por esse preço, eles tinham pagado demais pelo imóvel. Mas, àquela altura, estava exausta demais para tomar qualquer providência. Guardou todo o material da tese no armário e se acomodou no sofá. Sua única meta era pensar o mínimo possível.

Algumas semanas depois, seu irmão, Howard Lederer, ligou para chamá-la para umas férias em Las Vegas. Howard era jogador profissional de pôquer e, na primavera nos últimos anos, sempre convidava Annie para ficar na piscina do hotel Golden Nugget enquanto ele participava de um torneio. Se ficasse entediada, podia assistir ao campeonato ou até jogar algumas rodadas. Mas esse ano, quando ele telefonou, Annie disse que não estava se sentindo bem para viajar.

Howard ficou preocupado. Ela adorava Las Vegas. Nunca recusava uma viagem.

"E se você procurar uma mesa de pôquer por aí?", perguntou ele. "Pode ajudá-la a sair de casa."

Nessa época, ela já estava casada, então pediu para o marido dar uma sondada. Eles descobriram um bar em Billings chamado Crystal Lounge, em cujo porão fazendeiros aposentados, pedreiros e corretores de seguros jogavam pôquer todas as tardes. Era uma masmorra cheia de fumaça e desprovida de alegria. Annie foi uma vez e adorou. Voltou alguns dias depois e saiu cinquenta dólares mais rica. "Jogar pôquer ali era uma mistura de matemática, que eu adorava, e todo aquele negócio de ciência cognitiva que tinha estudado na faculdade", explicou. "Víamos as pessoas tentando blefar, disfarçando o entusiasmo quando tiravam cartas boas, e vários outros comportamentos que eram assunto de horas de discussão nas aulas. Toda noite, eu ligava para meu irmão e falava das mãos que tinha jogado naquele dia, e ele explicava meus erros ou dizia como alguém tinha descoberto meu jogo e começado a usar isso contra mim ou sugeria o que eu devia fazer de diferente no futuro." No início, ela não era muito boa. Mas ganhava o bastante para continuar jogando. Percebeu que nunca sentia dor de estômago à mesa de pôquer.

Não demorou muito para que Annie passasse a ir ao Crystal Lounge todo dia útil, como se fosse um emprego, chegando às três da tarde e saindo à meia-noite, tomando notas e testando estratégias. O irmão lhe enviou um cheque de 2400 dólares com o acordo de que ele ficaria com metade do que ela ganhasse. No primeiro mês, ela ficou com 2650 dólares depois de tirar a parte de Howard. Na primavera do ano seguinte, quando ele a convidou para Las Vegas, Annie dirigiu por catorze horas, pagou a inscrição para um torneio e, no fim do primeiro dia, estava com 30 mil dólares em fichas.

Trinta mil dólares era mais do que Annie havia recebido em um ano inteiro como aluna de pós-graduação. Ela entendia o pôquer — entendia melhor do que muitas das pessoas com quem estava jogando. Sabia que mão ruim não significava necessariamente derrota. Na verdade, era um experimento. "Àquela altura, eu tinha aprendido a distinguir entre os jogadores de nível intermediário e os de elite", disse-me ela. "No nível intermediário, a pessoa quer saber o máximo possível das regras. Jogadores intermediários anseiam por certeza. Mas os jogadores de elite sabem tirar vantagem desses anseios, porque isso faz com que os intermediários sejam mais previsíveis.

"Para ser de elite, você precisa começar a pensar nas apostas como formas de fazer perguntas aos outros jogadores. Eles estão dispostos a desistir agora? Querem aumentar a aposta? Quanta pressão dá para fazer até começarem a agir de forma impulsiva? E, quando você obtém uma resposta, dá para prever o futuro com um pouco mais de precisão do que o adversário. O segredo do pôquer é usar as fichas para reunir informações mais rápido do que todo mundo."

No final do segundo dia do torneio, Annie tinha 95 mil dólares em fichas. Ela terminou em 26º lugar, na frente de centenas de profissionais, alguns dos quais tinham décadas de experiência. Três meses depois, mudou-se com o marido para Las Vegas. A certa altura, ligou para os professores da Universidade da Pensilvânia e disse que não voltaria.

Passou um minuto. Annie ainda está com um par de dez. Se FossilMan tiver um par maior — digamos, duas damas — e ela for em frente, é quase certo que seja eliminada do Tournament of Champions. Mas, se ganhar essa mão, ela vai ser a jogadora com mais fichas da mesa.

Todas as estatísticas, todos os diagramas de probabilidade que giram na cabeça de Annie lhe dizem para fazer uma coisa: igualar a aposta de FossilMan. Mas, ao longo do torneio, sempre que ela fez uma pergunta a FossilMan na forma de uma aposta, recebeu uma resposta altamente racional. Ele nunca arriscou tudo sem ter um bom motivo. Agora, nessa mão, ele empurrou todas as fichas para o pote, mesmo depois de Annie aumentar mais de uma vez a aposta.

Ela está ciente de que FossilMan sabe da dificuldade dela para recuar a essa altura. Ele sabe que, ao contrário de algumas das outras pessoas na mesa, ela não está no Hall da Fama do Pôquer. Esta é sua primeira vez na frente de milhões de telespectadores.[5] Ele talvez até saiba que Annie receia não fazer parte deste mundo, que suspeita só ter sido convidada porque os produtores do canal queriam uma mulher na mesa.

De repente, ela se dá conta de que estava pensando na jogada pelo viés errado. FossilMan está apostando como se a mão dele fosse boa porque, na verdade, a mão que ele tem é boa. Annie está pensando demais — ou pelo menos acha que está pensando demais. Não tem certeza.[6]

Ela olha para o par de dez, olha para os 450 mil dólares na mesa e desiste. FossilMan leva o dinheiro. Annie não faz ideia se a decisão foi boa ou ruim, porque ele não precisa mostrar as cartas para ninguém. Outro jogador se inclina e sussurra: "Você se enganou completamente. Se tivesse ficado no jogo, teria ganhado".

Algumas mãos depois, Annie já estava fora do jogo quando FossilMan, com um dez e um nove, aposta todas as fichas de novo. É uma jogada inteligente, o gesto certo, mas, quando as outras cartas são dispostas na mesa, não o favorecem. Até mesmo o jogador mais esperto pode sofrer pela falta de sorte. As probabilidades ajudam a prever o que pode acontecer, mas não garantem o futuro. De uma hora para a outra, FossilMan está fora do torneio. Depois de se levantar para sair, ele se inclina para Annie.

"Eu sei que aquela mão mais cedo foi muito difícil para você", diz ele. "Queria que você soubesse que eu tinha dois reis e que você tomou uma boa decisão ao desistir."

Com essa informação, a sensação de pânico se desfaz. Annie ficou distraída desde aquela jogada. Começou a duvidar de todas as escolhas, a remoer aquela mão, a tentar descobrir se tinha feito a escolha certa ou a errada. Agora está concentrada de novo.

É claro que é normal querer saber como tudo vai se desdobrar. É assustador quando nos damos conta de que muita coisa depende de escolhas nas quais não podemos prever o futuro. Meu filho vai nascer saudável ou com algum problema de saúde? Minha noiva e eu vamos continuar apaixonados daqui a dez anos? Será que minha filha precisa ir para uma escola particular ou uma pública vai ensiná-la com a mesma qualidade? Tomar boas decisões depende da previsão do futuro, mas essa previsão é uma ciência imprecisa e muitas vezes amedrontadora, porque nos obriga a encarar tudo o que não sabemos. Paradoxalmente, para aprender a tomar decisões melhores, é preciso se sentir à vontade com as dúvidas.

No entanto, há maneiras de aprender a lidar com a incerteza. Para fazer com que um futuro vago seja mais previsível, existem métodos de calcular, com alguma precisão, o que sabemos e o que não sabemos.

Annie ainda está no Tournament of Champions. Tem uma quantidade suficiente de fichas para continuar no jogo. O crupiê distribui as próximas cartas para cada jogador, e começa mais uma rodada.

II.

Em 2011, o escritório do diretor de Inteligência Nacional dos Estados Unidos entrou em contato com algumas universidades e ofereceu subsídios para que elas participassem de um projeto com o objetivo de "aumentar drasticamente o grau de acerto, precisão e pertinência de previsões de inteligência".[7] A ideia era que cada instituição recrutasse uma equipe de especialistas em assuntos internacionais e lhes pedisse para prever alguns aspectos do futuro. Os pesquisadores analisariam quem fizera as previsões mais corretas e, acima de tudo, como elas haviam sido feitas. O governo esperava que esses dados ajudassem os analistas da CIA a se aprimorarem.

A maioria das universidades que participaram do programa adotou uma postura-padrão. Elas recorreram a professores, pós-graduandos, pesquisadores de política internacional e outros especialistas. E então lhes fizeram perguntas cujas respostas ninguém sabia ainda — a Coreia do Norte vai retomar as negociações sobre armamento até o fim do ano? O partido Plataforma Cívica vai conseguir o maior número de vagas nas eleições parlamentares da Polônia? — e observaram a forma como eles respondiam. Todo mundo imaginava que, ao estudar diversas condutas, seria possível apresentar algumas ideias novas à CIA.[8]

Contudo, duas das universidades seguiram um caminho diferente. Um grupo de psicólogos, estatísticos e cientistas políticos da Universidade da Pensilvânia e da Universidade da Califórnia em Berkeley[9] decidiram, em conjunto, usar o dinheiro do governo como uma oportunidade de tentar treinar pessoas comuns a fazer previsões melhores. Esse grupo se autointitulou "Good Judgement Project" [Projeto Bom Raciocínio]. Em vez de recrutar especialistas, o GJP entrou em contato com milhares de pessoas — advogados, donas de casa, alunos de mestrado, leitores vorazes de jornal — e as inscreveu em cursos on-line de previsão que lhes ensinaram formas diferentes de *pensar* sobre o futuro. Depois do treinamento, esses participantes receberam as mesmas perguntas sobre assuntos internacionais às quais os especialistas responderam.[10]

Durante dois anos, o GJP conduziu sessões de treinamento, viu as pessoas fazerem previsões e reuniu dados. A equipe observou quem melhorava e como o desempenho mudava conforme os indivíduos eram expostos a diferentes tipos de tutoriais. Por fim, o grupo publicou suas conclusões: até mesmo sessões curtas de treinamento em técnicas de pesquisa e estatística — em formas diferentes de pensar no futuro — ampliaram o nível de acerto dos participantes. E o mais surpreendente foi que um tipo de aula em particular — como pensar de forma probabilística — aumentou consideravelmente a habilidade de prever o futuro.[11]

As aulas de raciocínio probabilístico oferecidas pelo GJP haviam orientado os participantes a pensar no futuro não como aquilo que *vai* acontecer, mas sim como uma série de possibilidades que *talvez* ocorram. Isso os ensinou a conceber o amanhã como uma sequência de resultados possíveis, cada um com mais ou menos chance de se concretizar. "A maioria dos indivíduos pensa no futuro de um jeito desleixado", disse Lyle Ungar, um professor de ciências da computação na Universidade da Pensilvânia que ajudou a coordenar o GJP. "Eles dizem coisas como 'Nós provavelmente vamos passar as férias no Havaí este ano'. Bom, isso quer dizer que têm 51% de certeza? Ou 90%? Porque isso faz muita diferença se forem comprar passagens que não dão direito a reembolso." O objetivo do treinamento probabilístico do GJP era mostrar às pessoas como transformar a intuição em estimativas estatísticas.

Por exemplo, um exercício pedia aos participantes que analisassem se o presidente francês Nicolas Sarkozy venceria na eleição seguinte.

O treinamento indicava que seria preciso considerar, no mínimo, três variáveis ao prever as chances de reeleição dele. A primeira era a titularidade. Os dados de eleições anteriores na França indicavam que uma autoridade em exercício, como Sarkozy, recebe, em média, 67% dos votos. Com base nisso, seria possível prever que ele tinha 67% de chances de manter o cargo.

Mas era preciso levar em conta outras variáveis. O presidente havia perdido popularidade junto aos eleitores franceses, e as pesquisas eleitorais estimavam que, com base nos baixos índices de aprovação, ele na verdade tinha 25% de chance de se reeleger. Por essa lógica, havia três chances em quatro de que perdesse. Também era bom considerar que a economia francesa ia mal das pernas, e os economistas estimavam que, com base em desempenho econômico, Sarkozy receberia apenas 45% dos votos.

3 FUTUROS POSSÍVEIS...

Sarkozy vence! | Sarkozy perde! | Disputado demais para ter certeza!

Será que eu trabalho amanhã?

...COMBINADOS EM UMA PREVISÃO

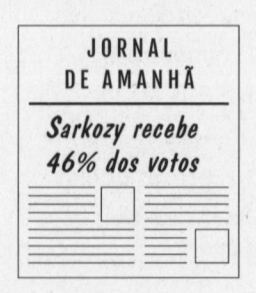

JORNAL DE AMANHÃ

Sarkozy recebe 46% dos votos

Então eram três os futuros em potencial que precisavam ser considerados: Sarkozy podia receber 67%, 25% ou 45% dos votos. Em um cenário, ele venceria com facilidade, em outro, perderia por uma ampla diferença, e no terceiro a disputa seria relativamente apertada. Como combinar esses resultados contraditórios em uma previsão? "É só tirar a média das estimativas baseando-se em titularidade, índice de aprovação e taxa de crescimento econômico", explicava o treinamento. "Se você não tem base para tratar uma variável como sendo mais importante que outra, use pesos iguais. Dessa forma, você prevê [(67% + 25% + 45%)/3] = aproximadamente 46% de chance de reeleição."

Nove meses depois, Sarkozy recebeu 48,4% dos votos e foi substituído por François Hollande.

Esse é o tipo mais elementar de raciocínio probabilístico, um exemplo simplista que ensina uma ideia subjacente: futuros contraditórios podem ser combinados em uma única previsão. À medida que essa lógica fica mais sofisticada, os especialistas geralmente começam a falar de resultados diversos como curvas de probabilidade — gráficos que exibem a distribuição de futuros em potencial. Por exemplo, se alguém perguntasse quantas vagas o partido de Sarkozy conseguiria no Parlamento francês, um especialista poderia descrever os resultados possíveis como uma curva que mostra como a probabilidade de se conseguir vagas no Parlamento se relaciona com a chance de Sarkozy continuar presidente:

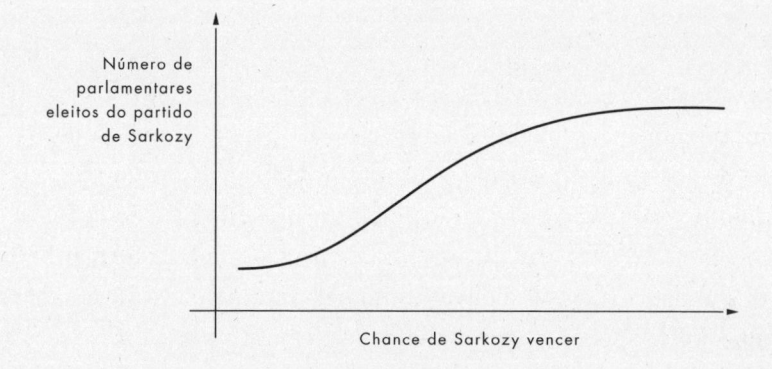

Número de parlamentares eleitos do partido de Sarkozy

Chance de Sarkozy vencer

De fato, quando Sarkozy perdeu a eleição, seu partido, o Union pour un Mouvement Populaire, ou UMP, também sofreu nas urnas, conquistando apenas 194 vagas, uma queda considerável.

Os módulos de treinamento do GJP instruíam os participantes em diversos modos de combinar probabilidades e comparar desdobramentos. Ao longo de todo o processo, repetiu-se uma ideia central várias vezes. O futuro não é único. Na verdade, é uma multiplicidade de acontecimentos possíveis que, muitas vezes, contradizem uns aos outros até que um deles se concretize. E esses futuros podem ser combinados para que alguém preveja qual tem mais chances de acontecer.

Isso é raciocínio probabilístico. É a habilidade de considerar diversos resultados conflitantes e estimar a probabilidade relativa de cada um. "Não estamos acostumados a pensar em diversos futuros", disse Barbara Mellers, outra líder do GJP. "Só existimos em uma realidade, então, quando nos obrigamos a pensar no futuro como muitas possibilidades, pode ser perturbador para algumas pessoas, porque com isso precisamos considerar coisas que esperamos que não aconteçam."

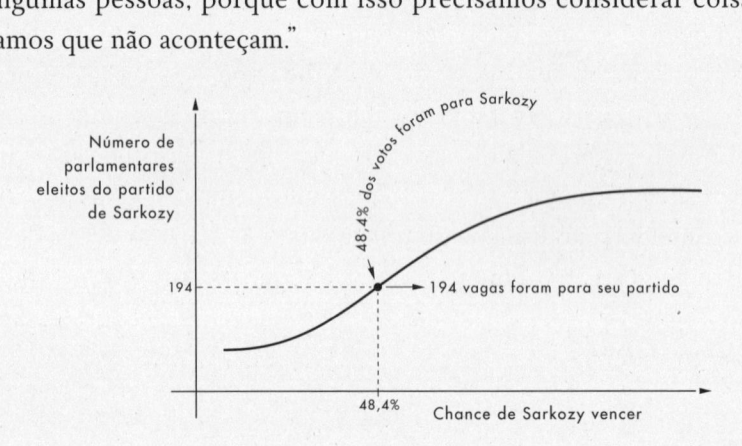

Gráfico: eixo vertical "Número de parlamentares eleitos do partido de Sarkozy"; eixo horizontal "Chance de Sarkozy vencer". Curva em S indicando 48,4% dos votos foram para Sarkozy → 194 vagas foram para seu partido.

Os pesquisadores do GJP relataram que o simples contato dos participantes com treinamento probabilístico foi associado a um aumento de até 50% no nível de acerto das previsões. "Grupos com um treinamento que incluía raciocínio probabilístico tiveram os melhores resultados", apontou um observador externo. "Os participantes foram ensinados a transformar intuições em probabilidades. Depois, conversavam pela internet com outros membros da equipe sobre ajustes nas probabilidades, chegando a fazer esses debates todo dia. [...] Possuir teorias grandiosas sobre, digamos, a natureza da China moderna não era útil. Saber encarar uma questão limitada a partir de muitas perspectivas e reajustar as probabilidades com rapidez era extremamente útil."[12]

Para aprendermos a pensar de forma probabilística, precisamos questionar nossas suposições e viver com a incerteza. Para fazermos previsões melhores para o futuro — para tomarmos decisões melhores —, é preciso saber a diferença entre o que esperamos que aconteça e o que tem chances maiores ou menores de ocorrer.

"É ótimo ter 100% de certeza de que você ama sua namorada agora, mas, se está pensando em pedi-la em casamento, não prefere saber a chance de que o relacionamento vá durar pelas próximas três décadas?", disse Don Moore, professor da Faculdade de Administração Haas da Universidade da Califórnia em Berkeley que ajudou no GJP. "Eu não tenho como dizer exatamente se a atração entre vocês vai durar trinta anos. Mas *posso* gerar algumas probabilidades a respeito das chances de vocês continuarem atraídos um pelo outro e das possibilidades de que as metas dos dois coincidam, e estatísticas de como filhos poderão mudar o relacionamento, e aí você pode ajustar essas probabilidades com base em suas experiências e no que você acha que tem mais ou menos chance de acontecer, e esses dados vão ajudá-lo a fazer uma previsão um pouco melhor.

"A longo prazo, isso é bastante valioso, porque, ainda que você tenha 100% de certeza de que a ama agora, pensar no futuro de forma probabilística pode obrigá-lo a refletir sobre questões que hoje talvez não estejam muito claras, mas que são muito importantes conforme o tempo vai passando. Assim, você se obriga a não mentir para si mesmo, ainda que parte dessa sinceridade resida em admitir que há aspectos sobre os quais não tem certeza."[13]

Quando Annie começou a jogar pôquer a sério, foi seu irmão que se sentou com ela e explicou o que separava os vencedores de todos os demais. Howard disse que os perdedores estão sempre procurando certezas na mesa. Os vencedores não se incomodam em admitir o que *não* sabem. Na verdade, ter consciência do que não se sabe é uma vantagem enorme — algo que pode ser usado contra outros jogadores. Quando Annie ligava para Howard e reclamava que havia perdido, que tivera azar, que as cartas tinham sido ruins, ele a mandava parar de resmungar.

"Já parou para pensar que talvez *você* seja a idiota da mesa procurando certezas?", perguntou ele.

No Texas Hold'Em, a modalidade de pôquer que Annie jogava, cada participante recebia duas cartas pessoais, e depois cinco cartas comunitárias eram viradas para cima, no meio da mesa, para que todos usassem. O vencedor era quem tivesse a melhor combinação de cartas pessoais e comunitárias.

Howard disse que, quando estava aprendendo a jogar, frequentava uma mesa noturna com operadores de Wall Street, campeões mundiais de bridge e outras variedades de gente fissurada em matemática. Dezenas de milhares de dólares mudavam de dono conforme o jogo se estendia até o amanhecer, e em seguida todo mundo tomava café junto e desconstruía as partidas. Depois de um tempo, Howard percebeu que a parte difícil do pôquer não era a matemática. Com a prática, qualquer um se torna hábil em memorizar probabilidades ou em estimar a chance de levar um pote. Não, a parte difícil era aprender a fazer escolhas com base em probabilidades.

Por exemplo, digamos que você está jogando Texas Hold'Em e recebeu uma dama e um nove de copas como suas cartas pessoais, e o crupiê já colocou quatro cartas comunitárias na mesa.

Cartas comunitárias

Falta aparecer mais uma carta comunitária. Se ela for de copas, você terá um *flush* ou cinco cartas de copas, o que é uma boa mão. Um cálculo mental rápido lhe diz que, considerando que há 52 cartas no baralho, e que já saíram quatro de copas, só restam nove cartas desse naipe para aparecer na mesa, assim como 37 cartas de naipe diferente. Ou seja, há nove cartas que vão lhe dar um *flush* e 37 que não vão. Portanto, você tem nove chances de obter um *flush*, contra 37 de não obtê-lo, ou aproximadamente 20%.[14*]

Em outras palavras, você tem 80% de probabilidade de *não* conseguir um *flush* e talvez perder o seu dinheiro. Um jogador inexperiente, com base nesse cálculo, provavelmente vai desistir e sair da rodada. Isso se deve ao fato de que ele está concentrado em certezas: a chance de ele fazer um *flush* é relativamente pequena. Em vez de jogar dinheiro fora em um resultado improvável, ele desiste.[15]

Mas um especialista encara a mão de outra forma. "Um bom jogador de pôquer não se importa com a certeza", explicou Howard para Annie. "Ele só quer ter ciência do que sabe e do que não sabe."

Por exemplo, se uma especialista está com uma dama e um nove de copas e torce para conseguir um *flush*, e vê o adversário apostar dez dólares, levando o valor total do pote a cem dólares, começa o cálculo de um segundo conjunto de probabilidades. Para continuar no jogo — e ver se a última carta é de copas —, ela só precisa igualar a última aposta, dez dólares. Se a especialista apostar dez dólares e fizer o *flush*, vai ganhar cem dólares. A "probabilidade do pote" é de 10 para 1, porque, se ganhar, ela vai obter dez dólares para cada dólar apostado nesse instante.

Agora a especialista pode comparar essa probabilidade imaginando a mão em questão se repetindo cem vezes. Ela não sabe se vai ganhar ou perder *essa*, mas sabe que, se jogasse a mesmíssima mão cem vezes, ganharia, em média, vinte vezes, recebendo cem dólares em cada vitória e acumulando um total de 2 mil dólares.

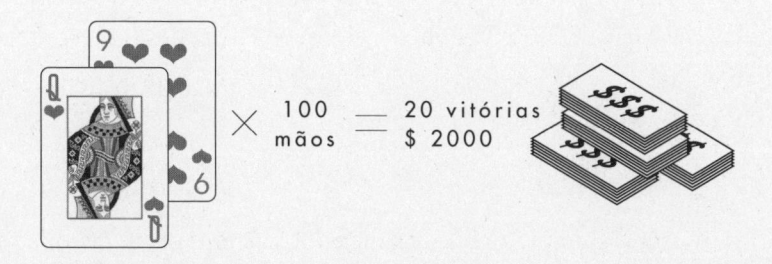

× 100 mãos — 20 vitórias $ 2000

---

* O pôquer é um jogo de probabilidades em cima de probabilidades. Embora esse exemplo proporcione uma explicação para o raciocínio probabilístico (e o conceito de "probabilidade do pote"), vale observar que uma análise completa dessa mão é ligeiramente mais complexa (e levaria em conta, por exemplo, os outros jogadores na mesa). Para uma análise mais elaborada, por favor, confira as notas do capítulo 6.

E ela sabe que jogar cem vezes só custaria mil dólares (porque precisa apostar apenas dez dólares por vez). Assim, mesmo se perdesse oitenta vezes e ganhasse vinte, ela ainda sairia com um lucro de mil dólares (que é o faturamento de 2 mil dólares menos os mil dólares necessários para jogar).

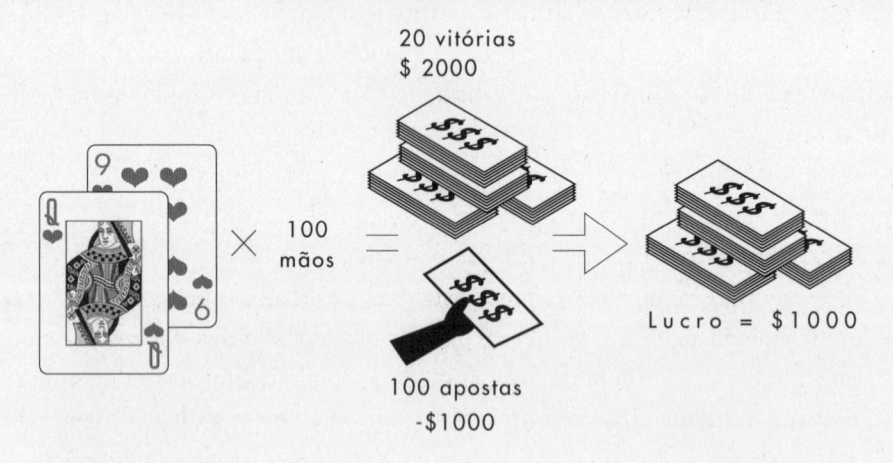

```
           20 vitórias
           $ 2000

  Q♥ 9♥
  (carta)  ×  100 mãos  =              →   Lucro = $1000
             
           100 apostas
           -$1000
```

Entendeu? Tudo bem se não tiver entendido, porque a questão aqui é que o raciocínio probabilístico diz à especialista como deve agir: ela sabe que pode prever muito pouco. Mas, se jogasse essa mesma mão cem vezes, provavelmente acabaria mil dólares mais rica. Então lança a aposta e continua no jogo. Ela sabe, em termos probabilísticos, que a ação com o tempo vai ser compensada. Não importa que *essa* mão seja incerta. O que importa é aceitar probabilidades que se compensem a longo prazo.

"A maioria dos jogadores fica obcecada com procurar certezas na mesa, e isso influencia suas decisões", explicou Howard à irmã. "Ser um jogador ótimo significa aceitar a incerteza. Se você estiver de bem com a incerteza, pode fazer com que as probabilidades a ajudem."[16]

Howard está disputando o Tournament of Champions bem ao lado dela quando FossilMan é eliminado.[17] Ao longo das últimas duas décadas, Howard se firmou como um dos melhores jogadores do mundo. Tem duas pulseiras do World Series of Poker e já ganhou milhões de dólares. No começo do torneio, Annie e Howard tiveram sorte e não precisaram disputar muitos potes grandes um diretamente contra o outro. No entanto, agora, já se passaram sete horas.

Primeiro, FossilMan foi eliminado por aquele golpe de azar. Outro competidor, Doyle Brunson, um homem de 71 anos e nove vezes campeão, saiu depois de uma tentativa arriscada de duplicar a quantidade de fichas que tinha. Phil Ivey, que venceu o World Series of Poker pela primeira vez aos 24 anos, foi eliminado por Annie quando ela tirou um ás e uma dama enquanto ele tinha um ás e um oito. Com o tempo, os jogadores na mesa foram saindo até restarem apenas três: Annie, Howard e um homem chamado Phil Hellmuth. É inevitável que Annie e Howard acabem tendo que se enfrentar. Os adversários passam noventa minutos disputando fichas e mãos. E então Annie recebe um par de seis.

Ela começa a relacionar tudo o que sabe e o que não sabe. Ela sabe que tem cartas boas. Sabe, em termos probabilísticos, que, se jogasse essa mão cem vezes, ficaria bem. "Às vezes, quando ensino pôquer, falo para as pessoas que existem situações em que elas nem deviam olhar para as cartas na mão antes de apostar", disse-me Annie. "Porque, se a probabilidade do pote é favorável, elas sempre devem apostar. É só seguir em frente."

Howard, seu irmão, parece estar gostando da mão dele também, porque empurra todas as fichas, 310 mil dólares, para o centro da mesa. Phil Hellmuth desiste. É a vez de Annie apostar.

"Eu pago", diz ela.

Os dois viram as cartas. Annie revela seu par de seis.

Howard revela um par de setes.

Cartas de Annie   Cartas de Howard

"Boa mão, Bub", diz Annie para Howard. Ele tem 82% de chance de levar essa rodada, ganhar fichas no valor de mais de meio milhão de dólares e se tornar o líder dominante da mesa.[18] A partir de uma perspectiva probabilística, os dois agiram do jeito certo nessa mão. "Annie tomou a decisão certa", comentou Howard mais tarde. "Ela seguiu em frente com as probabilidades."

O crupiê vira as três primeiras cartas comunitárias.

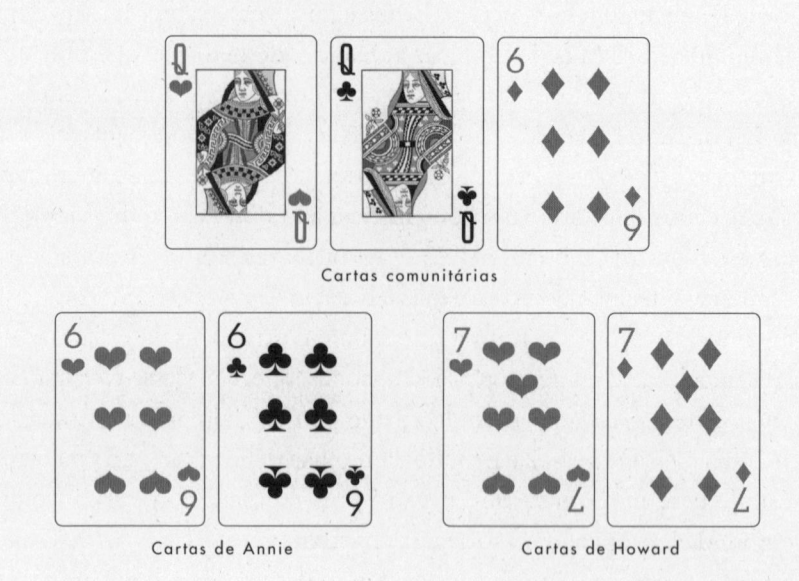

Cartas comunitárias

Cartas de Annie   Cartas de Howard

"Ai, meu Deus", diz Annie, cobrindo o rosto. "Ai, meu Deus."

O seis e as duas damas na mesa dão a ela um *full house*. Se Annie e Howard jogassem essa mão cem vezes, Howard provavelmente ganharia 82 das disputas. Mas não esta. O crupiê vira as duas últimas cartas na mesa.[19]

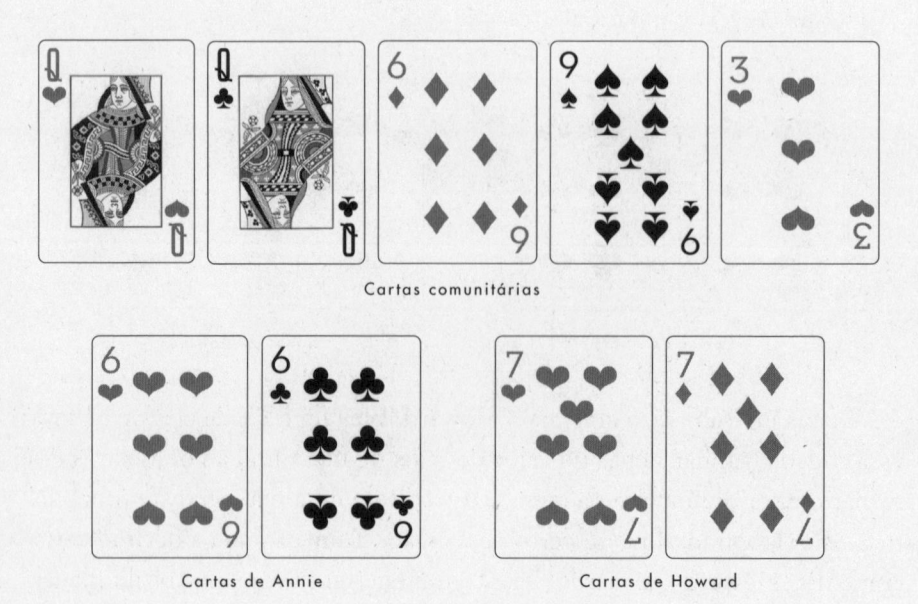

Cartas comunitárias

Cartas de Annie   Cartas de Howard

Howard foi eliminado.

Annie pula da cadeira e abraça o irmão. "Sinto muito, Howard", sussurra. E então sai correndo do estúdio. Antes de chegar à porta ela já está chorando.

"Tudo bem", diz Howard ao encontrá-la no corredor. "Agora é só vencer o Phil."

"É preciso aprender a aceitar isso", disse-me Howard mais tarde. "Eu acabei de passar pelo mesmo tipo de situação com meu filho. Ele estava se inscrevendo para o processo seletivo de algumas faculdades e estava nervoso, então montamos uma lista de doze universidades — quatro de garantia, quatro em que ele tinha 50% de chance de entrar e quatro que eram difíceis — e começamos a calcular as probabilidades."

Ao olhar as estatísticas que aquelas faculdades tinham publicado na internet, Howard e o filho calcularam as chances de o rapaz passar em cada uma. Em seguida, somaram todas as probabilidades. Era uma conta razoavelmente simples, do tipo que até pessoas da área de humanas conseguem fazer com um pouquinho de pesquisa na internet. Eles chegaram à conclusão de que o jovem tinha 99,5% de chance de entrar em pelo menos uma instituição, e mais de 50% de chance de entrar em uma boa. Mas não era nada certo que ele fosse conseguir uma das difíceis, pelas quais ficara encantado. "Foi decepcionante, mas, ao colocar tudo na ponta do lápis, ele ficou menos ansioso", disse Howard. "Aquilo o preparou para a possibilidade de ele não passar na primeira opção, mas de certamente passar em alguma."

"As probabilidades são o que há de mais parecido com clarividência", afirmou. "Mas você precisa ter força para aceitar o que elas disserem que pode acontecer."[20]

III.

No final dos anos 1990, um professor de ciência cognitiva do MIT chamado Joshua Tenenbaum começou um estudo de larga escala sobre as formas casuais como as pessoas fazem previsões no dia a dia. Cotidianamente, encaramos dezenas de perguntas, as quais só podem ser respondidas com alguma dose de previsão. Quando estimamos a duração de uma reunião, por exemplo, ou quando imaginamos duas rotas e tentamos adivinhar qual vai ter menos trânsito, ou quando presumimos se nossa família vai se divertir mais na praia ou na Disney, estamos fazendo previsões que estabelecem graus de probabilidade para resultados diversos. Podemos não perceber, mas estamos raciocinando de forma probabilística. Tenenbaum queria saber o seguinte: como nosso cérebro faz isso?

A especialidade dele era cognição computacional — em especial as semelhanças entre as maneiras como computadores e seres humanos processam informação.[21] Computadores são máquinas inerentemente determinísticas. Só podem prever se sua família vai preferir a praia ou a Disney se você lhes der uma fórmula específica para comparar os méritos do lazer no litoral contra os dos parques de diversão. Os seres humanos, por sua vez, podem tomar essas decisões mesmo nunca tendo ido ao litoral ou ao Magic Kingdom. Nosso cérebro pode inferir a partir de experiências anteriores que, uma vez que nossos filhos sempre reclamam quando vamos acampar e adoram ver desenhos, é provável que se divirtam mais com o Mickey e o Pateta.

"Como nossa mente consegue fazer tanto com tão pouco?", perguntou Tenenbaum em um artigo publicado na revista *Science* em 2011. "Todo pai sabe, e cientistas já confirmaram, que uma criança de dois anos é capaz de aprender a usar uma palavra nova, como 'cavalo' ou 'escova', só de ver alguns exemplos."[22] Para uma criança dessa idade, cavalos e escovas têm muito em comum. As palavras têm um som parecido. Em desenhos, ambos têm um corpo comprido e uma série de linhas retas — em um, são as patas; no outro, cerdas — apontando para fora. Eles existem em várias cores. E, no entanto, mesmo que talvez tenha visto apenas uma foto de um cavalo ou usado só uma escova, a criança consegue assimilar rapidamente a diferença entre as duas palavras.

Por outro lado, um computador precisa de instruções explícitas para aprender quando usar "cavalo" ou "escova". Ele precisa de um programa que especifique que quatro patas aumentam as chances de ser cavalo, enquanto cem cerdas aumentam a probabilidade de ser uma escova. Uma criança pode fazer esses cálculos antes mesmo de saber formar frases completas. "Em termos de computação a partir de dados sensoriais recebidos, é um feito extraordinário", escreveu Tenenbaum. "Como é que uma criança assimila os limites desses subconjuntos depois de ver apenas alguns exemplos de cada?"[23]

Em outras palavras, por que conseguimos prever tão bem certos tipos de questão — e, portanto, tomar decisões — quando temos tão pouco acesso a todas as possibilidades?

A fim de tentar responder a essa pergunta, Tenenbaum e um colega, Thomas Griffiths, elaboraram um experimento. Eles vasculharam a internet em busca de dados sobre espécies variadas de circunstâncias previsíveis, como o tamanho da receita de bilheteria de um filme ou quantos anos uma pessoa vive em média ou o tempo que leva para fazer um bolo. Ambos estavam interessados nessas circunstâncias porque, se fosse montado um gráfico com vários exemplos de cada uma, seria possível identificar um padrão. Os valores de bilheterias, por exemplo, costumam seguir uma regra básica: todo ano, existem alguns campeões que rendem uma quantidade imensa de dinheiro e muitos outros que nunca se pagam.

Na matemática, isso é conhecido como "distribuição da lei de potência", e, quando a receita de todos os filmes lançados em determinado ano é disposta em um mesmo gráfico, o resultado é algo assim:

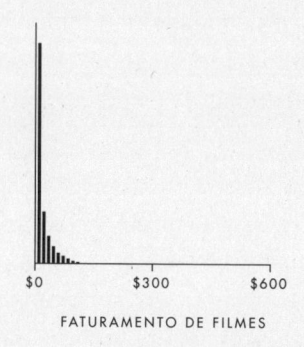

FATURAMENTO DE FILMES

Gráficos de outros tipos de circunstâncias resultam em padrões diferentes. Vejamos tempo de vida. A probabilidade de uma pessoa morrer em um ano específico tem um ligeiro pico no nascimento — pois alguns bebês falecem pouco depois de chegar —, mas se a criança sobrevive aos primeiros anos, provavelmente viverá por décadas. Depois, a partir dos quarenta anos, a possibilidade de morrer começa a acelerar. Aos cinquenta, a probabilidade de morte começa a subir, até chegar a um pico aproximadamente aos 82 anos.

Tempos de vida seguem uma curva de distribuição normal ou de Gauss. Esse padrão é mais ou menos assim:

                    0   40   80   120
                          TEMPO DE VIDA

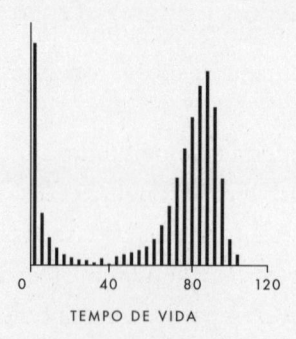

A maioria das pessoas entende de forma intuitiva que é preciso aplicar raciocínios diferentes para prever circunstâncias diferentes. Nós sabemos que bilheterias e tempo de vida exigem tipos de estimativa diferentes, mesmo se não soubermos nada sobre estatísticas médicas ou tendências da indústria do entretenimento. Tenenbaum e Griffiths estavam curiosos para descobrir como as pessoas aprendem intuitivamente a fazer essas estimativas. Então listaram circunstâncias com padrões distintos, desde faturamentos de bilheteria até anos de vida, além da extensão média de poemas, a carreira de parlamentares (que segue uma distribuição de Erlang) e o tempo que leva para um bolo ser feito (que não segue nenhum padrão rigoroso).[24]

Depois, pediram para centenas de estudantes preverem o futuro com base em apenas um dado:

Você lê sobre um filme que rendeu 60 milhões de dólares até o momento. Qual vai ser o faturamento total?[25]
Você conhece alguém de 39 anos. Quantos anos a pessoa vai viver?
Um bolo está assando há catorze minutos. Quanto mais tempo no forno ele precisa ficar?
Você conhece um parlamentar americano que está no cargo há quinze anos. Quanto tempo ele vai ficar no total?

Os estudantes não receberam mais nenhuma informação. Ninguém lhes disse nada sobre distribuições de lei de potência nem curvas de Erlang. Só pediram a eles que fizessem uma previsão com base em um dado e nenhuma orientação quanto a que probabilidades aplicar.

Apesar dessas limitações, os palpites dos estudantes tiveram um grau de acerto surpreendente. Eles sabiam que um filme que tivesse faturado

60 milhões de dólares era um sucesso e provavelmente renderia mais 30 milhões nas bilheterias. Intuíram que, se conhecemos alguém de trinta e poucos anos, é provável que essa pessoa viva mais cinquenta. Imaginaram que, se conhecessem um parlamentar com quinze anos de mandato, ele provavelmente serviria por mais uns sete anos, porque a titularidade traz vantagens, mas até mesmo legisladores poderosos podem ser prejudicados por tendências políticas.

Quando questionados, poucos participantes conseguiram descrever a lógica mental que usaram para suas previsões. Só as fizeram com base na *sensação* de que estavam certas. Em média, muitas vezes as apostas estavam a uma margem de 10% do que os dados indicavam que seria a resposta correta. De fato, quando Tenenbaum e Griffiths fizeram um gráfico com todas as previsões dos estudantes em cada pergunta, as curvas de distribuição batiam quase perfeitamente com os padrões *verdadeiros* que os professores haviam identificado a partir de informações coletadas na internet.

Um aspecto igualmente importante foi o fato de que todos os estudantes entenderam, de forma intuitiva, que diferentes tipos de previsão exigiam diferente tipos de raciocínio. Eles compreendiam, sem necessariamente saber o motivo, que o tempo de vida se encaixa em uma curva de distribuição normal, enquanto faturamentos de bilheteria tendem a seguir uma lei de potência.

Alguns pesquisadores chamam essa capacidade de intuir padrões de "cognição bayesiana" ou "psicologia bayesiana", porque, para fazer esse tipo de previsão, um computador precisa usar uma variação do teorema de Bayes, uma fórmula matemática que em geral exige a execução simultânea de milhares de modelos e a comparação de milhões de resultados.[26*] Há um princípio no cerne do teorema de Bayes: mesmo que tenhamos muito poucos dados,

---

* O teorema de Bayes, postulado pelo reverendo Bayes em um manuscrito publicado postumamente em 1763, pode ser tão complexo em termos computacionais que a maioria dos estatísticos praticamente ignorou a obra durante séculos porque não dispunha das ferramentas necessárias para realizar os cálculos que ela exigia. No entanto, a partir dos anos 1950, conforme os computadores ficavam mais potentes, os cientistas descobriram que podiam adotar métodos bayesianos para prever acontecimentos que antes eram considerados imprevisíveis, como a probabilidade de uma guerra ou se um medicamento terá ampla eficácia mesmo que só tenha sido testado em algumas pessoas. No entanto, mesmo hoje os cálculos de uma curva de probabilidade bayesiana podem deixar um computador ocupado por horas.

ainda é possível prever o futuro a partir de suposições, adaptando-as com base no que observamos do mundo. Por exemplo, digamos que seu irmão tenha contado que vai jantar com uma pessoa. Você talvez preveja que há 60% de chance de que ele vá se encontrar com uma mulher, pois ele usou um termo vago. Agora, digamos que seu irmão tenha mencionado que iria jantar com uma pessoa da empresa em que trabalha. Você talvez queira mudar a previsão, já que sabe que os colegas dele são, em sua maioria, homens. O teorema de Bayes pode calcular a probabilidade exata de que o acompanhante de seu irmão para o jantar seja homem ou mulher a partir de apenas um ou dois dados e suas suposições.[27] Conforme surgem mais informações — o apelido da pessoa é Duda, ele ou ela adora filmes de aventura e revistas de moda —, o teorema de Bayes vai refinar ainda mais as probabilidades.

Os seres humanos podem fazer esses cálculos sem precisar pensar muito, e tendemos a acertar com uma frequência surpreendente. A maioria das pessoas nunca estudou tábuas atuariais de expectativas de vida, mas sabemos, a partir de um conhecimento de mundo, que é relativamente incomum que crianças pequenas morram e mais usual que nonagenários faleçam. Quase ninguém presta atenção em estatísticas de bilheteria. Mas sabemos que todo ano há alguns filmes que *todo mundo* vê e um monte de outros que somem do cinema depois de uma ou duas semanas. Então fazemos suposições sobre tempo de vida e faturamento de bilheterias com base em nossas experiências, e nossos instintos ficam cada vez mais apurados sempre que vamos a mais um funeral ou ao cinema. Os humanos são previsores bayesianos extraordinários, mesmo sem se dar conta.

No entanto, às vezes cometemos erros. Por exemplo, quando Tenenbaum e Griffiths pediram para os estudantes preverem quanto tempo um faraó do Egito reinaria se já estivesse no poder por onze anos, a maior parte dos participantes imaginou que os faraós fossem tal qual outros membros da realeza, como os reis europeus. A maioria das pessoas sabe, a partir de livros de história e de programas de televisão, que alguns integrantes da realeza morrem cedo. Mas, em geral, se um rei ou uma rainha sobrevive até a meia-idade, costuma continuar no trono até ficar de cabelo branco. Então, para os participantes de Tenenbaum, parecia lógico que com os faraós fosse semelhante. Eles apresentaram uma série de estimativas de, em média, aproximadamente 23 anos a mais no poder:

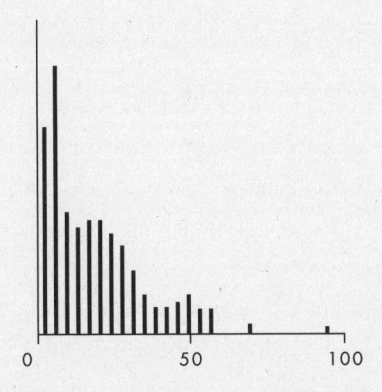

ESTIMATIVAS PARA O REINADO DO FARAÓ

Isso seria uma previsão ótima para um rei da Inglaterra. Mas não é boa para um faraó egípcio, pois, há 4 mil anos, as pessoas viviam muito menos tempo. A maioria dos faraós era considerada idosa se chegasse aos 35 anos. Então a resposta certa é que, no caso de um faraó há onze anos no trono, espera-se que ele governe por apenas mais doze anos, e então morra de doença ou alguma outra causa comum de mortalidade no Egito Antigo:

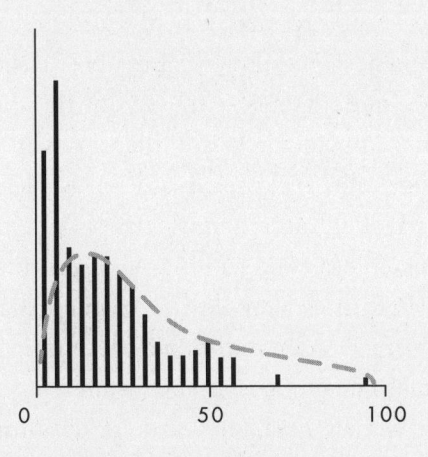

REINADO DE FATO DO FARAÓ

Os estudantes acertaram o raciocínio. Intuíram corretamente que o cálculo para o reinado de um faraó segue uma distribuição de Erlang. Mas a suposição deles — o que os bayesianos chamam de "probabilidade a priori" ou "taxa base" — estava errada. E, como partiram de uma suposição errada quanto ao tempo de vida das pessoas no Egito Antigo, as previsões posteriores também estavam equivocadas.[28]

"É incrível que sejamos tão bons para fazer previsões com muito pouca informação e ajustá-las conforme vamos absorvendo dados da vida", disse-me Tenenbaum. "Mas só funciona se começarmos com as suposições certas."

Então como fazer as suposições certas? Tratando de ter acesso a uma gama completa de experiências. Nossas suposições se baseiam no que já vimos da vida, mas nossas experiências costumam ser determinadas por amostras tendenciosas. É muito mais provável que prestemos atenção ou nos lembremos de sucessos e esqueçamos os fracassos. Por exemplo, muitas pessoas aprendem sobre o mundo dos negócios lendo jornais e revistas. Frequentamos restaurantes movimentados e vamos ao cinema para ver os filmes mais comentados. O problema é que essas experiências nos expõem a um volume desproporcional de sucessos. Jornais e revistas tendem a fazer uma cobertura maior de start-ups que foram adquiridas por 1 bilhão de dólares, dando menos espaço para notícias sobre as centenas de empresas semelhantes que faliram. Quase não reparamos nos restaurantes vazios no caminho quando estamos indo para nossa pizzaria lotada preferida. Em outras palavras, somos treinados para perceber o sucesso e, portanto, prevemos resultados bem-sucedidos com muita frequência porque nos fundamentamos em experiências e suposições que são tendenciosas para todos os sucessos que já vimos — em vez dos fracassos que ignoramos.[29]

Por contraste, muitas pessoas bem-sucedidas passam um tempo enorme à procura de informações sobre fracassos. Elas leem as páginas internas da seção de negócios dos jornais em busca de matérias sobre empresas que faliram. Marcam almoços com colegas que não foram promovidos e perguntam qual foi o problema. Pedem críticas além de elogios em avaliações anuais. Esquadrinham o extrato do cartão de crédito para descobrir por que exatamente não economizaram tanto quanto gostariam. Ficam repensando os deslizes do dia a dia quando chegam em casa, em vez de se permitirem esquecer todos os errinhos. Perguntam a si mesmas por que determinado telefonema não foi tão bem quanto haviam imaginado ou se teriam sido capazes de falar de forma mais sucinta em uma reunião. Todo mundo tem uma inclinação natural para o otimismo, para ignorar os próprios erros. Mas boas previsões dependem de suposições realistas, que se baseiam em nossas experiências. Se dermos atenção apenas a notícias boas, acabamos nos limitando.

"Os melhores empreendedores conhecem muito bem os riscos de se falar apenas com pessoas bem-sucedidas", disse Don Moore, o professor de Berkeley que participou do GJP e que também estuda a psicologia do empreendedorismo. "São obcecados em passar tempo com quem reclama dos próprios fracassos, o tipo de gente que a maioria das pessoas costuma tentar evitar."

Em última instância, esse é um dos segredos mais importantes para quem quer aprender a tomar decisões melhores. Para fazer boas escolhas, é preciso estimar o futuro. Previsões corretas demandam uma exposição à maior quantidade possível de sucessos e decepções. Precisamos ir a sessões lotadas e vazias para saber como os filmes vão se sair; precisamos passar tempo perto de bebês e idosos para aferir corretamente tempos de vida; e precisamos conversar com colegas prósperos e falidos para desenvolver bons instintos para os negócios.

Isso é difícil, porque é mais fácil encarar o sucesso. Tendemos a evitar fazer perguntas grosseiras a amigos que tenham acabado de ser demitidos; hesitamos em interrogar colegas divorciados quanto ao que exatamente aconteceu de errado. Mas, para calibrar a taxa base, é preciso aprender tanto com o vitorioso quanto com o rebaixado.

Então, da próxima vez que um amigo perder a chance de ser promovido, pergunte-lhe o motivo. Da próxima vez que uma negociação malograr, ligue para o outro lado e descubra o que você fez de errado. Da próxima vez que tiver um dia ruim e descontar no cônjuge, *não* se convença simplesmente de que tudo vai ser melhor no futuro. Obrigue-se a descobrir o que aconteceu.

E então use essas conclusões para prever mais futuros em potencial, para imaginar mais possibilidades do que pode ocorrer. Você nunca saberá com 100% de certeza como tudo vai transcorrer. Porém, quanto mais se obrigar a conceber desdobramentos possíveis, mais aprenderá quais suposições são certeiras ou fracas, e melhores serão as chances de tomar uma ótima decisão na vez seguinte.

Annie aprendeu muito sobre raciocínio bayesiano na faculdade, e ela usa isso no pôquer. "Quando jogo com alguém que não conheço, a primeira coisa que faço é começar a pensar em termos de taxa base", explicou-me. "Para alguém que nunca estudou o teorema de Bayes, pode parecer que eu sou uma jogadora preconceituosa, porque, se estou sentada na frente de um empresário de quarenta anos, vou supor que ele só quer saber de falar para os amigos que jogou com profissionais e não se importa tanto em ganhar, então vai correr muitos riscos. Ou, se estou diante de um garoto de 22 anos com camiseta de pôquer, vou supor que ele aprendeu a jogar na internet, então tem um estilo restrito, limitado.

"Mas a diferença entre o preconceito e o raciocínio bayesiano é que eu tento *melhorar* minhas suposições ao longo da partida. Então, quando começamos a jogar, se vejo que o cara de quarenta anos sabe blefar muito bem, isso talvez queira dizer que ele é um profissional que está torcendo para que todo mundo o subestime. Ou se o garoto de 22 anos tenta blefar em todas as mãos, provavelmente quer dizer que ele é só um riquinho que não sabe o que está fazendo. Passo muito tempo atualizando minhas suposições porque, se elas estiverem equivocadas, minha taxa base está errada."

Agora que o Howard está fora do torneio, restam apenas dois jogadores na mesa do Tournament of Champions: Annie e Phil Hellmuth. Hellmuth é uma lenda do carteado, uma celebridade da TV, cujo apelido é "The Poker Brat",[30] algo como "Pirralho do Pôquer". "Eu sou o Mozart do pôquer", disse-me ele. "Consigo ler os outros na mesa provavelmente melhor do que qualquer outro jogador, talvez melhor que qualquer pessoa do mundo. É magia, instinto."

Annie está de um lado da mesa e Hellmuth, do outro. "Àquela altura, eu já fazia uma boa ideia do que Phil achava de mim", contou Annie mais tarde. "Ele já me disse que não me considera muito criativa, que acha que eu tenho mais sorte do que inteligência, que tenho medo demais de blefar quando necessário."[31]

Isso é um problema para Annie, porque ela *quer* que Phil ache que ela está blefando. A única maneira de atraí-lo para um pote grande é convencê-lo de que ela está blefando quando, na verdade, não está. Para vencer o torneio, Annie precisa obrigar Phil a mudar sua suposição sobre ela.

No entanto, o adversário tem outros planos. Ele acredita que é o melhor jogador. Acredita que consegue ler Annie. "Eu consigo aprender muito, muito rápido", disse-me ele. "Quando sei o que as pessoas estão fazendo, posso controlar a mesa." Isso não é bravata vazia. Hellmuth já venceu catorze campeonatos de pôquer.

Annie e Phil têm mais ou menos a mesma quantidade de fichas. Ao longo da hora seguinte, eles disputam mão a mão, e nenhum dos dois conquista qualquer vantagem clara. Phil continua tentando sutilmente desequilibrar Annie, deixá-la irritada ou ansiosa.

"Eu preferia estar jogando com seu irmão", provoca ele.

"Tudo bem", responde Annie. "Eu só estou feliz de estar na final."

Annie blefa quatro vezes para Phil. "Eu queria que ele chegasse a ponto de falar 'Dane-se, ela está blefando o tempo todo e eu preciso reagir'", disse Annie. Mas Phil não parece abalado. Ele não reage de forma exagerada.

Por fim, Annie recebe a mão que estava esperando. O crupiê lhe dá um rei e um nove. Phil recebe um rei e um sete. No meio da mesa, o crupiê vira um rei, um seis, um nove e um valete comunitários.

Cartas comunitárias

Cartas de Annie   Cartas de Phil

Phil sabe que tem um par de reis. Mas o que ele não sabe é que Annie tem *dois* pares: reis e noves. Nenhum dos jogadores vê a mão um do outro.

É a vez de Annie apostar, e ela aumenta 120 mil dólares. Phil, achando que o par de reis dele provavelmente é a mão mais forte da mesa, iguala a aposta. E então Annie aposta tudo, levando o pote a 970 mil dólares.

Agora é a vez de Phil.

Ele começa a resmungar sozinho. "Inacreditável", comenta em voz alta. "É realmente inacreditável. Ela talvez nem saiba como eu estou bem. Não sei se ela sequer entende o valor da mão."

Ele se levanta.

"Não sei", diz ele, andando de um lado para o outro. "Não sei, estou com um pressentimento ruim nesta mão." Ele desiste.[32]

Phil vira seu rei, mostrando a Annie que tinha um par. E então Annie ataca: casualmente, ela vira uma de suas cartas — mas não as duas — e mostra a Phil o par de noves, porém sem revelar que tinha também um par de reis.

"Eu queria obrigá-lo a mudar sua suposição sobre mim", explicou Annie mais tarde. "Eu queria que ele achasse que eu estava blefando com um par de noves."

"Uau, você foi mesmo com tudo com um nove?", diz Phil a Annie. "É um descuido enorme, especialmente contra alguém como eu. Talvez eu tenha me precipitado."

Os jogadores estão prontos para a próxima mão. Annie está com 1,46 milhão de dólares em fichas; Phil tem 540 mil dólares. O crupiê distribui as cartas. Annie tem um rei e um dez; Phil, um dez e um oito. As primeiras cartas comunitárias são um dois, um dez e um sete.

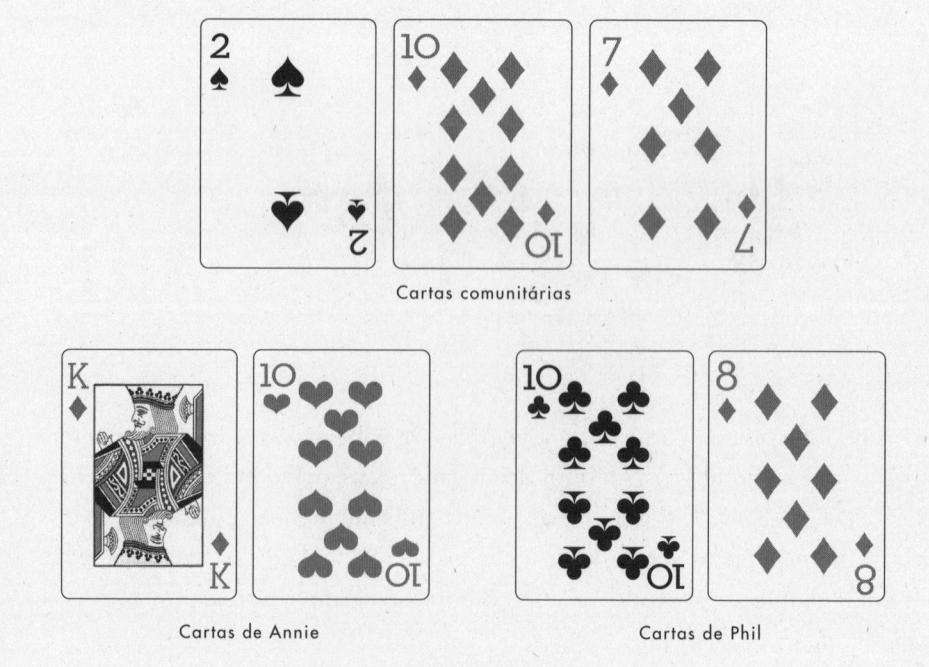

Cartas comunitárias

Cartas de Annie

Cartas de Phil

Phil está com um par de dez e um oito de apoio. É uma boa mão. Annie também tem um par de dez, com um rei, ligeiramente melhor.

Phil bota 45 mil dólares no pote. Annie aumenta 200 mil. É um gesto agressivo. Mas Phil está começando a acreditar que ela está jogando de forma temerária. Ele acha que vê um padrão que não esperava nela: Annie está blefando, blefando e blefando. A taxa base de Phil está mudando de forma gradual.

Ele olha para o monte de fichas na mesa. Será que sua suposição de que Annie tem medo demais de blefar em momentos cruciais está equivocada? Será que ela está blefando agora? Será que finalmente deu um passo maior que as pernas?

"Vou com tudo", diz Phil, empurrando suas fichas para o centro da mesa.[33]

"Eu pago", diz Annie.

Os dois jogadores viram suas cartas.

"Merda", diz Phil, vendo que os dois têm um par de dez e que Annie está com a carta mais alta, um rei contra o oito dele.

O crupiê vira um sete na mesa, o que não beneficia nenhum dos jogadores.

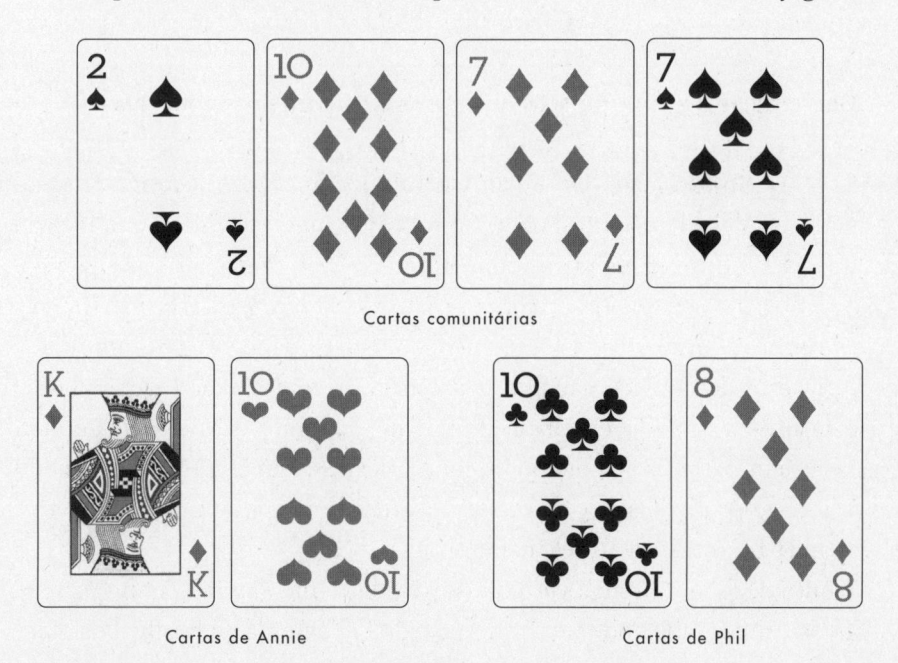

Cartas comunitárias

Cartas de Annie   Cartas de Phil

Annie agora está de pé, com as mãos no rosto. Phil também se levantou, respirando tenso. "Um oito, por favor", diz ele. É a única carta que vai mantê-lo no jogo. O crupiê vira a última carta comunitária. É um três.

Cartas comunitárias

Cartas de Annie   Cartas de Phil

Annie ganha os 2 milhões de dólares. Phil está fora.³⁴ O jogo acabou. Annie é a campeã.

Mais tarde, ela dirá às pessoas que a vitória no torneio mudou sua vida. Na prática, ela se tornou a jogadora de pôquer mais famosa do mundo. Em 2010, venceu o National Heads-Up Poker Championship. Hoje, detém o recorde de lucros no World Series of Poker. Ao todo, já ganhou mais de 4 milhões de dólares. Não se preocupa mais com a hipoteca. Não tem ataques de pânico. Em 2009, ela apareceu em uma temporada do programa *Celebrity Apprentice*, a versão americana de *O Aprendiz* com celebridades. Estava um pouco nervosa antes do começo das filmagens, mas não muito. Não teve nenhuma crise de ansiedade. Hoje em dia, não participa de muitos torneios de pôquer. Gasta a maior parte do seu tempo fazendo palestras para empresários, falando de raciocínio probabilístico, de aceitar incertezas, de adotar uma perspectiva bayesiana para tomar decisões melhores na vida.

"Muito do pôquer tem a ver com sorte", disse-me Annie. "Assim como a vida. Você nunca sabe onde vai parar. Quando dei entrada no hospital psiquiátrico no segundo ano da faculdade, nem me passava pela cabeça que acabaria me tornando uma jogadora profissional de pôquer. Mas você precisa se acostumar com o fato de que não sabe onde exatamente a vida vai dar. Foi assim que aprendi a controlar a ansiedade. O máximo que dá para fazer é aprender a tomar as melhores decisões que aparecem diante de nós e acreditar que, com o tempo, as probabilidades serão favoráveis."

Como aprendemos a tomar decisões melhores? Em parte, treinando para pensar de forma probabilística. Para isso, precisamos nos obrigar a imaginar futuros diversos — considerar cenários contraditórios ao mesmo tempo — e ter contato com uma gama variada de sucessos e fracassos para desenvolver uma intuição quanto a que previsões são mais ou menos prováveis de se concretizar.

É possível desenvolver essa intuição se estudarmos estatística, experimentarmos jogos como o pôquer, pensarmos nos tropeços e nos sucessos em potencial da vida, ou se ajudarmos nossos filhos a superar suas ansiedades listando-as em um papel e calculando pacientemente as probabilidades. Existem diversas formas de desenvolver um instinto bayesiano. Algumas são simples, como examinar escolhas do passado e se perguntar: Por que eu tinha tanta certeza de que ia acontecer de tal jeito? Por que eu me enganei?

Quaisquer que sejam os métodos, os objetivos são sempre os mesmos: encarar o futuro como múltiplas possibilidades, em vez de um resultado predeterminado; identificar o que você sabe e o que não sabe; perguntar-se qual escolha possui a melhor probabilidade. Clarividência não existe. Ninguém é capaz de prever o amanhã com certeza absoluta. Mas o erro que algumas pessoas cometem é tentar evitar qualquer previsão porque o anseio por certeza é muito intenso e o medo da dúvida, forte demais.

Se Annie tivesse continuado no mundo acadêmico, será que isso teria tido importância? "Com certeza", diz ela. "Não importa se você está tentando decidir que emprego aceitar, se tem dinheiro para sair de férias, ou quanto precisa economizar para a aposentadoria, é tudo previsão." Valem as mesmas regras básicas. As pessoas que fazem as melhores escolhas são as que mais se esforçam para imaginar futuros diversos, para listá-los e analisar cada um, e depois para se perguntar quais são os mais prováveis e por quê.

Qualquer um pode aprender a tomar decisões melhores. Podemos nos treinar para identificar as pequenas previsões que fazemos todo dia. Ninguém acerta sempre. Mas, com a prática, é possível aprender a influenciar a probabilidade de que nossa clarividência se realize.

7. Inovação

COMO MEDIADORES DE IDEIAS E DESESPERO CRIATIVO SALVARAM *FROZEN*, DA DISNEY

As pessoas começam a fazer fila uma hora antes de as portas da sala se abrirem. São diretores e animadores, produtores e roteiristas, todos funcionários da Disney, todos ansiosos para assistir a uma versão prévia do filme que hoje está na boca de todo mundo.[1]

Eles se acomodam nos assentos e as luzes se apagam, e duas irmãs aparecem na tela diante de uma paisagem gelada. Anna, a personagem mais nova, logo se mostra mandona e nervosa, obcecada por seu casamento iminente com o belo príncipe Hans e sua coroação como rainha. Elsa, a irmã mais velha, é ciumenta, maligna — e amaldiçoada. Tudo o que toca se transforma em gelo. Ela foi desconsiderada para o trono em razão desse poder e agora, ao fugir da família para um palácio de cristal no meio das montanhas, nutre um rancor intenso. Ela quer vingança.

Conforme o dia do casamento de Anna se aproxima, Elsa trama com um boneco de neve sarcástico chamado Olaf para se apossar do trono. Eles tentam sequestrar Anna, mas o plano é frustrado pelo charmoso e viril príncipe Hans. Elsa, amargurada e enfurecida, envia um exército de monstros de neve para atacar e destruir a cidade. Os habitantes rechaçam os invasores, mas, quando a fumaça se dissipa, descobrem-se baixas: o coração da princesa Anna foi congelado parcialmente pela irmã maligna — e o príncipe Hans desapareceu.

A segunda metade do filme acompanha Anna em sua busca pelo príncipe, com a esperança angustiada de que o beijo dele cure seu coração danificado. Enquanto isso, Elsa se prepara para um novo ataque — e, dessa vez, avança sobre a cidade com terríveis criaturas de neve. No entanto, os monstros logo fogem do controle dela. Começam a ameaçar todo mundo, incluindo a própria Elsa. Anna e Elsa percebem que a única maneira de sobreviverem é unindo forças. Em cooperação, as irmãs derrotam as criaturas e aprendem que é melhor trabalhar juntas do que brigar uma com a outra. Elas ficam amigas. O coração de Anna degela. A paz volta a reinar. Todo mundo vive feliz para sempre.

O nome do filme é *Frozen*, e o lançamento está marcado para dali a apenas dezoito meses.

Normalmente, exibições-teste na Disney terminam com aplausos. Com frequência as pessoas gritam ou assoviam. Costuma haver caixas de lenços de papel dentro da sala de exibição porque, na Disney, choradeira é sinal de um filme bem-sucedido.

Dessa vez, ninguém está chorando. Ninguém assovia. Os lenços de papel são ignorados. Conforme os espectadores saem, o silêncio é muito, muito grande.

Após a exibição-teste do filme, o diretor Chris Buck e cerca de uma dezena de outros cineastas da Disney se reuniram em uma das salas de jantar da empresa para conversar sobre o que haviam acabado de ver. Era uma reunião do "consórcio de roteiro" do estúdio, um grupo responsável por apresentar pareceres sobre os filmes durante a produção. Enquanto o consórcio de roteiro se preparava para falar da última versão de *Frozen*, os presentes se serviram em um bufê de almôndegas suecas. Buck não pegou nada. "Eu não conseguia nem pensar em comer", disse-me ele.

John Lasseter, o diretor de criação da Disney, começou a conversa. "Tem umas cenas muito boas aqui", comentou, mencionando alguns dos elementos que havia apreciado em especial: as batalhas eram emocionantes. O diálogo das irmãs era inteligente. Os monstros de neve eram assustadores. O ritmo era bom, acelerado. "É um filme empolgante, e a animação vai ser sensacional."

E, em seguida, ele começou a listar os defeitos do filme. A lista era longa.

"Vocês não se aprofundaram muito", disse, após detalhar uma dúzia de problemas. "Não tem elementos suficientes para o público se identificar porque não dá para torcer por nenhuma personagem. Anna é nervosa demais e Elsa é maligna demais. Eu passei quase o filme inteiro sem gostar de ninguém na história."

Quando Lasseter parou de falar, o restante do consórcio de roteiro contribuiu, destacando outros problemas: a trama tinha furos de lógica — por exemplo, por que Anna resolve ficar com o príncipe Hans se ele não parece um partido tão bom? Além disso, havia personagens demais para acompanhar. As reviravoltas eram excessivamente previsíveis. Não parecia verossímil que Elsa sequestrasse a irmã e depois atacasse a cidade sem antes tentar algo menos dramático. Anna parecia reclamona demais para alguém que mora em um castelo, vai se casar com um príncipe e em breve será rainha. Uma pessoa do consórcio de roteiro — uma roteirista chamada Jennifer Lee — tinha uma antipatia especial pelo parceiro cínico de Elsa. "Eu odeio a p. do Olaf", ela rabiscara nas anotações. "Matar o boneco de neve."[2]

Para falar a verdade, Buck não ficou nem um pouco surpreso com as críticas. Fazia meses que sua equipe pressentia que o filme não estava indo bem. A roteirista havia reestruturado o texto várias vezes, primeiro com Anna e Elsa como desconhecidas, em vez de irmãs, e depois com Elsa, a irmã amaldiçoada, subindo ao trono e Anna chateada por ser "fuleira, não herdeira". Os compositores da trilha sonora — uma dupla formada por marido e mulher, responsável por sucessos da Broadway como *Avenida Q* e *The Book of Mormon*[3] — estavam exaustos de tanto criar e descartar uma canção atrás da outra. Disseram que não conseguiam pensar em um jeito de apresentar ciúme e vingança com temas alegres.

Houve versões do filme em que as irmãs eram plebeias normais, em vez de princesas, e outras em que se reconciliavam graças ao amor em comum por renas. Em um dos roteiros, elas cresciam separadas. Em outro, Anna era abandonada no altar. Buck havia incluído personagens para explicar as origens da maldição de Elsa, e tentara criar outro par romântico. Nada funcionava. Cada vez que ele resolvia uma questão — deixando Anna mais agradável, por exemplo, ou tornando Elsa menos amargurada —, dezenas de outros problemas apareciam.[4]

"Todo filme é péssimo no começo", disse Bobby Lopez, um dos compositores de *Frozen*. "Mas aquele parecia um quebra-cabeça em que, sempre que colocávamos uma peça, prejudicávamos o encaixe de todas as outras. E sabíamos que o tempo estava se esgotando."

Embora a maioria dos projetos de animação receba quatro a cinco anos para amadurecer, esse tinha um cronograma apertado. *Frozen* estava em produção plena havia menos de um ano, mas, como outro filme recente da Disney não tinha ido para a frente, os executivos tinham antecipado o lançamento para novembro de 2013, dali a apenas um ano e meio. "Precisávamos encontrar respostas rápido", disse o produtor Peter Del Vecho. "Mas o filme não podia parecer clichê nem um bando de histórias remendadas uma na outra. Tinha que funcionar em termos emocionais. Foi um período bem estressante."

É claro que esse enigma de como estimular inovação dentro de um prazo apertado — ou, em outras palavras, como deixar o processo criativo mais produtivo — não é exclusivo da indústria cinematográfica. Todo dia, milhões de pessoas — estudantes, executivos, artistas, políticos — veem-se diante de problemas que precisam de respostas inventivas o mais rápido possível. Com as transformações econômicas, nossa capacidade de pensamento criativo é mais importante do que nunca, e a necessidade de originalidade expressa é ainda mais urgente.

Na realidade, descobrir um jeito de acelerar a inovação é um dos trabalhos mais importantes de muitas pessoas. "Somos obcecados pela produtividade do processo criativo", disse Ed Catmull, presidente da Walt Disney Animation Studios e cofundador da Pixar. "Nós achamos que é algo que pode ser bem ou mal administrado, e, se acertarmos o processo criativo, as inovações vêm mais rápido. Mas, se não lidarmos com ele da forma correta, boas ideias são sufocadas."[5]

No consórcio de roteiro, a conversa sobre *Frozen* estava minguando.[6] "Tenho a impressão de que há algumas ideias diferentes disputando lugar no filme", disse Lasseter a Buck, o diretor. "Temos a história de Elsa, temos a história de Anna e temos o príncipe Hans e o boneco de neve Olaf. Cada uma dessas histórias tem elementos ótimos. Tem bastante material muito bom aqui, mas você precisa transformar isso em uma narrativa que faça o público se identificar. É preciso encontrar o coração do filme."

Lasseter se levantou. "Leve o tempo que for necessário para achar as respostas", disse ele. "Mas seria ótimo se você conseguisse logo."

II.

Em 1949, um coreógrafo chamado Jerome Robbins entrou em contato com os amigos Leonard Bernstein e Arthur Laurents para apresentar uma ideia audaciosa. Propôs que colaborassem em um tipo novo de musical, nos moldes de *Romeu e Julieta*, mas ambientado na Nova York dos tempos atuais. Eles poderiam integrar balé clássico, ópera e teatro experimental, e talvez incluir também jazz contemporâneo e teatro modernista. O objetivo, disse Robbins, seria estabelecer a vanguarda na Broadway.[7]

Robbins já era famoso por sua dramaturgia — e também por sua vida — que forçava os limites. Era bissexual em uma época em que a homossexualidade era ilegal. Havia mudado o nome de Jerome Rabinowitz para Jerome Robbins para evitar o antissemitismo que temia que pudesse condenar sua carreira. Indicara amigos como comunistas diante da House Un-American Activities Committee [Comissão da Câmara para Atividades Antiamericanas], apavorado pela possibilidade de que sua sexualidade fosse revelada ao público e ele passasse a ser malvisto. Era agressivo e perfeccionista, e os dançarinos o detestavam tanto que às vezes se recusavam a falar com ele fora do palco. Mas poucos recusavam seus convites para atuar. Era reconhecido — até reverenciado — por muitos como um dos artistas mais criativos da época.

A ideia de *Romeu e Julieta* de Robbins era particularmente ousada porque, naqueles tempos, os grandes musicais da Broadway tendiam a seguir esquemas um bocado previsíveis. As histórias eram estruturadas em torno de um casal de protagonistas que conduziam a trama com diálogo falado, não cantado. Havia coros e dançarinos, assim como cenários elaborados e alguns duetos mais ou menos no meio de cada peça. Contudo, os elementos de enredo, música e dança não eram entrelaçados como, por exemplo, no balé, em que a história e a coreografia eram uma mesma unidade, ou na ópera, em que o diálogo é cantado e a música é tão responsável pela dramaturgia quanto qualquer ator no palco.[8]

Para esse novo espetáculo, Robbins queria tentar algo diferente. "Por que não podíamos pensar em unir nossos maiores talentos?", disse Robbins mais tarde. "Por que Lenny precisava criar uma ópera, Arthur, uma peça, e eu, um balé?"[9] Os três queriam compor algo que parecesse moderno, mas também atemporal. Quando Bernstein e Laurents leram uma reportagem sobre conflitos raciais, sugeriram fazer o musical sobre dois apaixonados — uma porto-riquenha e um branco — cujas famílias eram associadas a gangues rivais. Eles decidiram que o nome do espetáculo seria *Amor, sublime amor*.[10]

Ao longo dos anos seguintes, os homens trocaram entre si roteiros, trilhas sonoras e ideias de coreografia. Enviavam uns aos outros, pelo correio, esboços nos longos meses em que passavam afastados. Mas, depois de meia década de trabalho, Robbins ficou sem paciência. Escreveu para Bernstein e Laurents que aquele musical era *importante*. Desbravaria novos territórios. Eles precisavam terminar o roteiro. Para acelerar, sugeriu que os três parassem de tentar fazer algo novo o tempo todo. Deveriam se ater às convenções que, por tentativa e erro, já sabiam que haviam funcionado em outros espetáculos. Mas deveriam combinar essas convenções de forma inovadora.

Por exemplo, estavam com dificuldade no momento do primeiro encontro de Tony e Maria, os protagonistas do musical.[11] Robbins sugeriu que eles copiassem Shakespeare e fizessem o casal se ver em uma pista de dança. Mas a cena devia ser contemporânea, em um lugar "tomado por um mambo agitado e a garotada improvisando danças fortes, aceleradas".[12]

Para a batalha em que Tony mata o inimigo, Robbins disse que a coreografia deveria imitar as batalhas encenadas no cinema. "A cena da briga deve ser provocada imediatamente", escreveu Robbins, "ou vamos deixar a plateia entediada."[13] Durante um encontro dramático de Tony e Maria, eles precisavam de algo que lembrasse a cena clássica do casamento de *Romeu e Julieta*, mas que também incorporasse a teatralidade da ópera e um pouco do romantismo sentimental que o público da Broadway adorava.

Entretanto, o maior desafio era saber quais convenções teatrais eram de fato poderosas e quais tinham se tornado clichês. Por exemplo, Laurents escrevera um roteiro que se dividia nos tradicionais três atos, mas Robbins observou que é "um erro grave permitir que a plateia escape de nossas mãos em dois intervalos".[14] O cinema havia demonstrado que é possível manter o público sentado se a ação estiver sempre progredindo. Além do mais, conforme Robbins escreveu para Laurents, "eu gosto mais das partes em que você seguiu seu próprio caminho, usando seu estilo nos personagens que você criou e sua imaginação. Não são tão boas aquelas em que sinto a intimidação de Shakespeare atrás de você".[15] E, ainda, papéis previsíveis demais deviam ser evitados a qualquer custo. "A personagem Anita está completamente errada", escreveu Robbins aos colegas. "Ela é a típica personagem secundária, discreta e que só serve de apoio. [...] Esqueça Anita."[16]

Em 1957 — oito anos depois do começo do projeto —, eles enfim terminaram. Tinham combinado tipos diferentes de teatro para criar algo novo: um musical em que dança, música e diálogo se integravam em uma história de racismo e injustiça tão contemporânea quanto os jornais vendidos do lado de fora da casa de espetáculos. Só faltava encontrar alguém para financiar.

Praticamente todos os produtores que eles procuraram recusavam a proposta. Os homens do dinheiro diziam que o espetáculo era diferente demais da expectativa do público. Por fim, Robbins encontrou financiadores dispostos a bancar uma apresentação em Washington, D.C. — cidade que todos esperavam que fosse longe o bastante da Broadway para a notícia não chegar a Nova York caso o espetáculo fracassasse.

O método que Robbins sugeriu para dar a partida ao processo criativo — adotar ideias comprovadas e convencionais de outras circunstâncias e combiná-las de formas novas — é incrivelmente eficaz. É uma tática que muita gente já usou para incitar sucessos criativos. Em 2011, dois professores da faculdade de administração da Universidade Northwestern começaram a examinar como essas combinações acontecem em pesquisas científicas. "A combinação de materiais já existentes é central às teorias de criatividade, seja nas artes, na ciência ou em inovações comerciais", escreveram eles na revista *Science* em 2013.[17] E a maioria das ideias originais surge a partir de conceitos antigos, e "muitas vezes os tijolos das ideias novas são fundamentados em conhecimento prévio". Os pesquisadores se perguntaram: por que algumas pessoas são muito melhores para pegar esses tijolos antigos e empilhá-los de outras formas?

Os professores — Brian Uzzi e Ben Jones[18] — decidiram se concentrar em uma atividade que conheciam muito bem: a redação e a publicação de artigos acadêmicos. Eles tinham acesso a um banco de dados de 17,9 milhões de textos científicos publicados em mais de 12 mil periódicos. Sabiam que não havia nenhuma maneira objetiva de mensurar a criatividade de cada texto, mas podiam *estimar* a originalidade de um estudo analisando as fontes que os autores haviam citado nas notas de fim. "Um artigo que combina trabalhos de Newton e Einstein é convencional. Essa combinação já aconteceu milhares de vezes", disse-me Uzzi. "Mas um texto acadêmico que combina Einstein e Wang Chong, filósofo chinês, tem muito mais chance de ser criativo, porque é uma associação incomum." Além do mais, ao se concentrar sobretudo nos artigos mais populares do banco de dados — os que haviam sido citados por outros pesquisadores milhares de vezes —, eles poderiam estimar o fator criativo de cada artigo. "Para fazer parte dos 5% de estudos mais citados, é preciso dizer algo bem novo", falou Uzzi.

Uzzi e Jones — junto com os colegas Satyam Mukherjee e Mike Stringer — criaram um algoritmo para avaliar os 17,9 milhões de artigos. Ao examinar quantas ideias diferentes cada estudo continha, se essas ideias haviam sido mencionadas em conjunto antes e se os artigos eram populares ou ignorados, o programa podia avaliar o índice de novidade de cada um. Depois, eles poderiam analisar se os textos mais criativos tinham alguma característica em comum.

A análise revelou que alguns artigos criativos eram curtos; outros eram extensos. Alguns eram escritos por indivíduos; a maioria, por equipes. Alguns eram desenvolvidos por pesquisadores em começo de carreira; outros vinham de autores mais experientes.

Em outras palavras, havia muitas formas diferentes de escrever um estudo criativo.

Mas quase todos os artigos criativos tinham pelo menos um fator em comum: em geral, continham ideias já conhecidas misturadas de forma nova. Na realidade, em média, 90% do conteúdo dos textos mais "criativos" já havia sido publicado em outros textos — e já tinha sido visto por milhares de outros cientistas. No entanto, nos estudos criativos, esses conceitos convencionais eram aplicados a questionamentos de maneiras que ninguém havia imaginado antes. "Nossa análise dos 17,9 milhões de artigos em todas as áreas da ciência sugere que a ciência segue um padrão praticamente universal", escreveram Uzzi e Jones. "Os estudos de maior impacto baseiam-se sobretudo em combinações excepcionalmente convencionais de trabalhos anteriores e, ao mesmo tempo, exibem a inserção de combinações incomuns." Era essa combinação de ideias, e não as ideias propriamente ditas, que costumavam fazer com que um artigo fosse tão criativo e importante.[19]

Se considerarmos algumas das maiores inovações intelectuais dos últimos cinquenta anos, é possível ver essa dinâmica em andamento. A área de economia comportamental, que reformulou o funcionamento de empresas e governos, emergiu nos anos 1970 e 1980, quando economistas começaram a aplicar princípios antigos da psicologia à economia e a se perguntar, por exemplo, por que pessoas perfeitamente sensatas jogavam na loteria.[20] Ou, para falar de outras justaposições de ideias conhecidas em forma nova, as atuais empresas de redes sociais da internet cresceram quando programadores de software adotaram modelos de saúde pública, desenvolvidos originalmente para explicar a disseminação de vírus e os aplicaram à forma como amigos compartilhavam novidades. Hoje, os físicos podem mapear sequências genéticas complicadas em pouco tempo porque pesquisadores transportaram a matemática do teorema de Bayes para os laboratórios que examinavam a evolução dos genes.[21]

Estimular a criatividade mediante a justaposição de antigas ideias em formas originais não é novidade. Historiadores indicaram que a maioria das invenções de Thomas Edison foi resultado da importação de ideias de uma área da ciência para outra. De acordo com o que dois professores de Stanford publicaram em 1997, Edison e seus colegas "usaram o conhecimento da energia eletromagnética da indústria dos telégrafos, na qual eles haviam trabalhado antes, para transferir ideias antigas [para as indústrias de] iluminação, telefonia, fonografia, ferrovias e mineração".[22] Diversos pesquisadores perceberam que laboratórios e empresas incentivam essas combinações para estimular a criatividade. Um estudo de 1997 da IDEO, uma empresa de design de produtos, revelou que a maioria dos principais sucessos da empresa teve início como "combinações de conhecimento já existente de indústrias diferentes". Por exemplo, uma garrafa d'água que era sucesso de vendas foi criada pelos designers da IDEO a partir da mistura de um jarro reto comum com o bocal à prova de vazamentos de um pote de xampu.

O poder da combinação de ideias antigas de forma nova também se estende ao mundo das finanças, em que o preço de derivativos na Bolsa de Valores é calculado pela combinação de técnicas de aposta com fórmulas desenvolvidas para descrever o movimento de partículas de poeira.[23] Os modernos capacetes de ciclista existem porque um designer se perguntou se seria possível pegar um casco de barco, capaz de resistir a praticamente qualquer colisão, e redesenhá-lo na forma de um chapéu.[24] O conceito inclui até mesmo a criação de filhos: um dos livros mais vendidos sobre bebês — *Meu filho, meu tesouro: como criar seus filhos com bom senso e carinho*, de Benjamin Spock, cuja primeira edição americana data de 1946 — combinou psicoterapia freudiana e técnicas tradicionais de criação infantil.[25]

"Muitas das pessoas que achamos que têm uma criatividade excepcional são, na prática, intermediários intelectuais", disse Uzzi. "Elas aprenderam a transferir conhecimento entre diferentes ramos ou grupos. Já viram muita gente encarar os mesmos problemas em circunstâncias diferentes, então sabem quais ideias têm mais chance de dar certo."

Sociólogos costumam se referir a esses intermediários como mediadores de ideias ou inovações. Em um estudo publicado em 2004, um sociólogo chamado Ronald Burt observou 673 gerentes de uma grande empresa de produtos eletrônicos e descobriu que as ideias que costumavam ser mais classificadas como "criativas" vinham de pessoas que tinham um talento especial para pegar conceitos de um setor da empresa e explicá-los para funcionários de outros departamentos. "As pessoas ligadas a grupos diferentes estão mais familiarizadas com formas alternativas de raciocínio e comportamento", escreveu Burt. "Os mediadores de grupos distintos são mais inclinados a expressar ideias, menos inclinados a ignorá-las e mais propensos a ter ideias que sejam consideradas valiosas."[26] Burt disse que eles davam sugestões mais críveis porque sabiam quais propostas já haviam funcionado em outros lugares.[27]

"Isso não é criatividade como característica de um gênio", escreveu Burt. "É a criatividade como um trabalho de importação e exportação."

No entanto, o mais interessante é que não existe nenhuma personalidade específica associada à condição de mediador de inovações. Estudos indicam que quase qualquer um pode ser um mediador — desde que tenha o incentivo certo.[28]

Antes do começo dos ensaios de *Amor, sublime amor*, Robbins disse aos colegas que não estava satisfeito com a primeira cena do musical. Pelo que havia sido imaginado no início, o espetáculo tinha uma abertura tradicional, em que os personagens se apresentavam por meio de falas que ilustravam a tensão central da trama:[29]

ATO 1

CENA 1

*A-rab, um adolescente vestido com o uniforme de sua gangue (*OS JETS*), entra no palco. De repente, dois* RAPAZES DE PELE MORENA *caem de uma parede, jogando A-rab no chão e atacando-o. Os agressores fogem correndo e em seguida vários meninos — vestidos como A-rab — aparecem correndo do outro lado.*

DIESEL

É o A-rab!

BABY JOHN

Pegaram ele *feio*.

ACTION

E bem na nossa área!

Riff, o líder dos JETS, *entra*

RIFF

Apenas factualidades, A-rab. Quem foi?

ACTION

Aqueles porto-riquenhos malditos!

DIESEL

A gente é que devia mandar por aqui...

MOUTHPIECE

Os PR tão enchendo *a gente* que nem a porcaria da família deles tá enchendo a nossa!

A-RAB

Vamos pra cima, Riff.

ACTION

Vamos pegar os PR!

BABY JOHN

Briga!

RIFF

Epa, camaradas! E o que é que os bebezões aqui entendem de briga? A condição da ignorância de vocês é espantosa. Como é que vocês acham que um general vai para uma guerra?

BABY JOHN

Quebra-quebra!

RIFF

Primeiro, ele envia mensageiros até o líder inimigo para marcar um conselho de guerra. Depois...

ACTION

Depois ele vai!

RIFF

Precisamos chamar o Tony para fazermos uma votação.

ACTION

Ele sempre faz o que você diz mesmo. Poxa!

Nessa versão da cena inicial, o público é informado dos elementos básicos da trama assim que as cortinas se abrem. Ele sabe que existem duas gangues, divididas por etnias. Sabe que essas gangues estão envolvidas em uma batalha. Que cada gangue tem uma hierarquia — Riff claramente é o líder dos Jets —, e também que há certa formalidade: uma briga não pode acontecer sem uma reunião do conselho de guerra. Os espectadores sentem a energia e a tensão (*Quebra-quebra!*) e ouvem falar de outro personagem, Tony, que parece importante. De modo geral, uma abertura eficaz.

Robbins a descartou. Disse que era previsível demais. Preguiçosa e clichê. As gangues não só brigam, elas *comandam* território, da mesma forma como um dançarino *comanda* um palco. A cena de abertura de um musical sobre imigrantes e a energia de Nova York devia parecer ambiciosa e perigosa — precisava fazer o público sentir o mesmo que Robbins, Bernstein e Laurents haviam sentido quando tiveram aquela ideia. Robbins disse que eles próprios, os dramaturgos, eram batalhadores. Eram judeus e forasteiros, e aquele musical era uma oportunidade para se inspirarem em suas próprias experiências de exclusão e ambição e transferir suas emoções ao palco.

"Robbins podia ser brutal", disse Amanda Vaill, que escreveu a biografia dele. "Conseguia farejar complacência criativa e obrigar as pessoas a pensar em algo mais novo e melhor do que aquilo com que todo mundo se contentava." Robbins era um mediador de inovações e obrigava todos à sua volta a se tornarem mediadores também.

Foi isso que apareceu no palco — e, mais tarde, na tela do cinema —, no que mais tarde ficou conhecido como "O prólogo de *Amor, sublime amor*". É uma das produções teatrais mais influentes dos últimos sessenta anos:

A abertura é musical: em parte dança, em parte pantomima. É principalmente uma condensação da rivalidade crescente entre duas gangues de adolescentes, os JETS e os SHARKS, cada uma com seu uniforme orgulhoso. Os JETS — costeletas e cabelo comprido — são enérgicos, agitados, sardônicos; os SHARKS são porto-riquenhos.

O palco abre com os JETS em uma quadra de concreto, estalando os dedos conforme a orquestra toca. Uma bola bate na cerca e a música para. Um dos garotos, RIFF, faz um gesto com a cabeça para que a bola seja devolvida ao dono assustado. O subordinado de RIFF obedece, e a música recomeça.

Os JETS desfilam pela quadra e, quando a música se intensifica, fazem uma pirueta. Gritam "é!" e começam uma série de *ronds de jambe en l'air*. Eles comandam a quadra. São pobres e ignorados pela sociedade, mas, naquele instante, comandam aquele espaço.

Um ADOLESCENTE, o líder dos SHARKS, aparece. Os JETS param de se mexer. Aparecem outros SHARKS, que começam a estalar os dedos e a girar também em uma série de piruetas. Os SHARKS declaram seu *próprio* domínio do palco.

As duas gangues se enfrentam, disputando território e dominação, fazendo pantomimas de ameaças e pedidos de desculpas, competindo, mas sem brigar de fato, dezenas de SHARKS e JETS correndo pelo palco, quase, mas nunca de fato, encostando um no outro em meio a provocações e desafios. E então um SHARK passa a perna em um JET. O JET empurra o agressor. O címbalo começa a soar, e de repente todos caem uns em cima dos outros, aos socos e pontapés, até que um apito da polícia faz as gangues pararem e se unirem, fingindo ser todos amigos diante do GUARDA KRUPKE.

Ao longo de nove minutos, não há nenhum diálogo. Tudo é comunicado pela dança.[30]

Na primeira vez em que *Amor, sublime amor* foi apresentado, em 1957, o público não sabia o que era aquilo. Os atores usavam roupas normais, mas seus movimentos eram de balé clássico. As danças eram tão formalizadas como em *O lago dos cisnes*, porém descreviam brigas de rua, uma tentativa de estupro e conflitos com a polícia. A música ecoava os trítonos de Wagner, mas também os ritmos do jazz latino. Ao longo do musical, os atores se alternavam indistintamente entre canção e diálogo.

"As regras básicas que regem *Amor, sublime amor* são apresentadas no número de abertura", escreveu mais tarde o historiador de teatro Larry Stempel. "Antes que qualquer frase compreensível pudesse ser enunciada, ou antes que sequer um verso fosse cantado, a dança já transmitiu as informações dramáticas essenciais."[31]

Quando as cortinas desceram na noite de estreia, só havia silêncio. O público acabara de ver um musical sobre brigas e assassinato, canções que descreviam intolerância e preconceito, danças em que arruaceiros se moviam como bailarinos e atores cantavam gírias com a intensidade de astros da ópera.

Conforme o elenco se preparava para a cortina se abrir, "corremos para nossos lugares e encaramos a plateia de mãos dadas. A cortina subiu e olhamos para o público, e eles olharam para nós, e nós olhamos para eles, e pensei 'Ai, meu Deus, foi um fracasso!'", disse Carol Lawrence, que interpretou Maria na produção original.[32] "E então, como se fosse uma coreografia de Jerry, todo mundo se levantou de repente. Eu nunca tinha ouvido o público batendo os pés e gritando, e, àquela altura, Lenny havia vindo até os bastidores, apareceu na última abertura das cortinas e foi até mim, me abraçou, e nós choramos."

Amor, sublime amor veio a se tornar um dos musicais mais famosos e influentes de todos os tempos. Conseguiu misturar originalidade e convenção para criar algo novo. Aproveitou ideias antigas e as apresentou em contextos novos com tanta elegância que as pessoas nunca se deram conta de que estavam vendo o conhecido se tornar único. Robbins obrigou os colegas a ser mediadores, a colocar suas próprias experiências de vida no palco. "Aquilo foi uma grande realização", disse ele mais tarde.

III.

O espaço reservado para a equipe de *Frozen* realizar suas reuniões diárias era amplo, arejado e confortável. As paredes eram cobertas de desenhos de castelos e cavernas de gelo, renas amigáveis, um monstro de neve chamado Marshmallow e dezenas de esboços de *trolls*. Todo dia, às nove da manhã, o diretor Chris Buck e o grupo central de roteiristas e artistas se reuniam com copos de café e listas de tarefas.[33] Os compositores Bobby Lopez e Kristen Anderson-Lopez participavam por videoconferência de sua casa no Brooklyn. E então todo mundo começava a entrar em pânico porque faltava pouquíssimo tempo.

O nível de ansiedade estava particularmente alto na manhã depois da exibição-teste desastrosa e da reunião com o consórcio de roteiro. A equipe de *Frozen* sabia desde o início que a história não podia ser uma simples releitura de um conto de fadas antigo. Eles queriam fazer um filme que dissesse algo novo. "Não podia ser apenas uma trama em que, no final, o príncipe beijasse alguém e essa fosse a definição de amor verdadeiro", explicou-me Buck. Queriam que o filme tivesse uma mensagem maior, sobre meninas não precisarem ser salvas pelo Príncipe Encantado, sobre irmãs poderem se salvar *por conta própria*. A equipe de *Frozen* queria revolucionar a fórmula-padrão das princesas. Mas era por isso que a situação se tornara tão complicada.

"Era uma ambição muito grande", disse Jennifer Lee, que entrou para a equipe de *Frozen* como roteirista depois de ter trabalhado em outro filme da Disney, *Detona Ralph*. "E era particularmente difícil, porque todo filme precisa de tensão, mas, se a tensão em *Frozen* acontece entre as irmãs, como fazer com que as pessoas gostem das duas? Tentamos uma trama de ciúmes, mas parecia mesquinho. Tentamos uma história de vingança, mas Bobby dizia o tempo todo que precisávamos de uma heroína otimista, não de desavenças. O consórcio de roteiro tinha razão: o filme precisava estabelecer um vínculo *emocional*. Porém não sabíamos como fazer isso sem recorrer a clichês."

Todos na sala sabiam muito bem que tinham apenas dezoito meses para terminar o filme. Peter Del Vecho, o produtor, pediu que todos fechassem os olhos.

"Testamos muitas opções diferentes", disse ele. "Tudo bem ainda não termos conseguido nenhuma resposta. Todo filme passa por isso, e cada passo errado nos aproxima daquilo que funciona.

"Agora, em vez de focarem em tudo o que não está funcionando, quero que vocês pensem no que pode dar *certo*. Quero que vocês imaginem sua maior esperança. Se pudéssemos fazer qualquer coisa, o que vocês gostariam de ver na tela?"[34]

O grupo permaneceu em silêncio por alguns minutos. E então as pessoas abriram os olhos e começaram a descrever o que as empolgara em relação ao projeto. Algumas tinham gostado de *Frozen* porque era uma chance de virar do avesso a maneira como meninas eram representadas no cinema. Outras disseram se sentir inspiradas pela ideia de um filme em que duas irmãs se unem.

"Minha irmã e eu brigávamos muito quando éramos crianças", disse Lee para o grupo. Seus pais haviam se divorciado quando ela era pequena. Anos depois, ela se mudou para Manhattan, e sua irmã virou professora do ensino médio no interior do estado de Nova York.[35] Depois, quando Lee tinha vinte e poucos anos, seu namorado morreu afogado em um acidente de barco. A irmã compreendera a situação dela naquele momento, dera-lhe apoio quando ela precisara. "Tem uma hora em que você passa a ver sua irmã como uma pessoa, não como um reflexo de si mesma", disse Lee. "Acho que é isso que mais tem me incomodado nesse roteiro. Se temos duas irmãs e uma é a vilã e a outra, a heroína, não parece verdade. Isso não acontece na vida real. Irmãos não se distanciam porque um é bom e o outro é mau. Eles se distanciam porque os dois são indivíduos com problemas, e depois se unem quando percebem que precisam um do outro. É *isso* que eu quero mostrar."

Ao longo do mês seguinte, a equipe de *Frozen* se concentrou no relacionamento de Anna e Elsa, as irmãs do filme. Os cineastas tiraram proveito das próprias experiências para entender como as protagonistas se relacionavam. "Sempre é possível encontrar a história certa quando começamos a nos perguntar o que parece verdadeiro", disse-me Del Vecho. "O que atrapalha é quando nos esquecemos de usar nossa própria vida, aquilo que está dentro da cabeça, como matéria-prima. É por isto que o método da Disney é tão poderoso: porque ele nos força a ir cada vez mais fundo, até nos colocarmos na tela."

Jerry Robbins forçou seus colaboradores em *Amor, sublime amor* a tirar proveito de suas próprias experiências de vida para se transformarem em mediadores criativos. O Sistema Toyota de Produção, dando mais controle aos funcionários, libertou a capacidade deles de sugerir inovações. O sistema da Disney faz algo diferente. Ele obriga as pessoas a usar as próprias emoções na criação de diálogos para personagens de desenho animado, infundindo sentimentos verdadeiros em situações que, por definição, são irreais e fantásticas. Esse método é digno de estudo porque sugere uma forma para que qualquer um se torne um mediador de ideias: usando a própria vida como fonte de criatividade. Todos temos um instinto natural de ignorar nossas emoções como material criativo. Mas uma parte essencial do processo de aprender a mediar ideias de um contexto para outro, a separar o real do clichê, é prestar mais atenção aos nossos sentimentos diante das situações. "A criatividade é apenas conectar coisas", disse Steve Jobs, cofundador da Apple, em 1996. "Quando você pergunta para pessoas criativas como fizeram algo, elas se sentem um pouco culpadas, porque na verdade não fizeram nada, só viram algo. Depois de um tempo, pareceu óbvio para elas. Isso acontece porque elas foram capazes de associar experiências que haviam vivenciado e sintetizar algo novo. E conseguiram isso porque tiveram mais experiências ou *pensaram* mais em suas experiências de vida do que outras pessoas."[36] Em outras palavras, alguém se torna um mediador criativo quando aprende a prestar atenção aos próprios sentimentos e reações diante das circunstâncias.

"A maioria das pessoas tem uma visão muito restrita sobre a criatividade", disse-me Ed Catmull, presidente da Disney Animation. "Então passamos uma quantidade absurda de tempo insistindo para elas irem mais a fundo, procurarem mais em si mesmas, encontrarem algo que seja real e possa ser mágico quando sair da boca de um personagem na tela. Todos temos o processo criativo dentro de nós; só precisamos ser levados a usá-lo de vez em quando."[37]

Essa lição não se limita a filmes ou à Broadway. Por exemplo, os *post-its* foram inventados por um engenheiro químico que, frustrado porque os marcadores de página viviam caindo de seu hinário da igreja, decidiu usar um adesivo novo para fixá-los.[38] O celofane foi concebido por um químico irritado que procurava uma forma de evitar que toalhas de mesa ficassem manchadas de vinho.[39] A fórmula infantil foi criada, em parte, por um pai exausto que suspendeu nutrientes vegetais em pó para que pudesse alimentar o filho chorão no meio da noite.[40] Esses inventores extraíram da própria vida a matéria-prima de suas inovações. O notável é que, nesses casos, muitas vezes eles estavam em um estado emotivo. É mais provável que reconheçamos descobertas ocultas em nossas experiências quando somos instigados pela necessidade, quando o pânico ou as frustrações nos levam a aplicar ideias antigas em situações novas. Os psicólogos chamam isso de "desesperança criativa". É claro que nem toda criatividade depende do pânico. Mas estudos do psicólogo cognitivo Gary Klein indicam que cerca de 20% das descobertas criativas são precedidas por uma ansiedade análoga ao estresse que acompanhou o desenvolvimento de Frozen, ou às pressões que Robbins impôs a seus colaboradores em Amor, sublime amor.[41] Mediadores eficazes não têm frieza e compostura. Muitas vezes têm preocupação e medo.

Alguns meses depois da reunião do consórcio de roteiro, os compositores Bobby Lopez e Kristen Anderson-Lopez caminhavam pelo Prospect Park, no Brooklyn, preocupados com a quantidade de músicas que precisavam compor, quando Kristen perguntou: "Qual seria a sua sensação se *você* fosse Elsa?". Conforme passavam por balanços e pessoas correndo, Kristen e Bobby começaram a conversar sobre o que fariam se tivessem uma maldição e fossem desprezados por algo que não podiam controlar. "E se você passasse a vida inteira tentando ser uma pessoa boa e isso não fizesse diferença, porque todo mundo sempre o julgava?", perguntou ela.

Kristen sabia o que era isso. Ela sentira os olhares de outros pais quando deixou suas filhas comerem sorvete em vez de lanches saudáveis. Notara os olhares quando ela e Bobby deixavam as meninas brincando com o iPad no restaurante porque eles queriam um momento de paz. Kristen podia não sofrer a maldição de um poder mortífero, mas sabia o que era ser julgada. Não parecia justo. Não era culpa dela querer ter uma carreira. Não era culpa dela querer ser uma boa mãe *e* uma boa esposa *e* uma compositora de sucesso, de modo que era inevitável que coisas como lanches preparados em casa, conversas animadas durante o jantar — sem falar em mensagens de agradecimento, exercícios físicos e respostas a e-mails — às vezes ficassem para escanteio. Ela não queria se desculpar por não ser perfeita. Achava que não era preciso. E pensava que Elsa também não deveria ter que pedir desculpas por seus defeitos.

"Elsa passou a vida inteira tentando fazer tudo certo", disse Kristen a Bobby. "E agora está sendo castigada por ser ela mesma, e a única escapatória é não se importar mais, é se libertar de tudo."

Enquanto caminhavam, eles começaram a improvisar, cantando fragmentos de versos. Bobby sugeriu: e se eles fizessem uma música que começasse com uma abertura de conto de fadas, como as histórias que eles liam para as meninas à noite? Kristen disse que aí Elsa poderia falar das pressões para ser uma menina boazinha. Ela pulou em uma mesa de piquenique. "Elsa podia se transformar em mulher", disse ela. "Crescer é isto: se libertar das coisas que não deviam ter importância."

Ela começou a cantar para uma plateia de árvores e lixeiras, experimentando versos para que Elsa demonstrasse que já está cansada de ser a menina boazinha, que não se importa mais com o que as pessoas pensam. Bobby gravava a sessão de improviso com o iPhone.

Kristen abriu os braços.

Let it go, let it go.
That perfect girl is gone.*

"Acho que você acabou de descobrir o refrão", disse Bobby.

De volta ao apartamento, eles gravaram uma versão inicial da canção no estúdio improvisado. No fundo, dava para ouvir o tinido dos pratos no restaurante grego do térreo. No dia seguinte, mandaram a gravação por e-mail para Buck, Lee e o restante da equipe de *Frozen*. Era parte balada de rock, parte ária clássica, mas estava infundida com as frustrações de Kristen e Bobby e o sentimento de emancipação que tiveram quando se libertaram das expectativas das pessoas.[42]

Quando a equipe de *Frozen* se reuniu na sede da Disney no dia seguinte, puseram "Let It Go" para tocar. Chris Montan, o diretor de música da Disney, bateu com a mão na mesa.

"É isso", disse ele. "Essa é a música. É disso que o filme fala!"

"Preciso reescrever o começo do roteiro", disse Lee.

"Eu fiquei tão feliz", contou-me ela mais tarde. "Tão aliviada. Tínhamos passado muito tempo batendo a cabeça, e aí ouvimos 'Let It Go' e, finalmente, pareceu que tínhamos avançado. Dava para ver o filme. Estávamos com pedaços na cabeça, mas precisávamos que alguém nos mostrasse partes de nós mesmos nos personagens para que eles se tornassem familiares. 'Let It Go' fez com que Elsa parecesse uma de nós."[43]

* Na versão brasileira: "Livre estou, livre estou. É tempo de mudar". (N. T.)

IV.

Sete meses depois, a equipe de *Frozen* estava com os primeiros dois terços do filme resolvido. Eles sabiam o que fazer para que o público ao mesmo tempo gostasse de Anna e Elsa e se distanciasse o bastante para criar a tensão que a trama precisava ter. Sabiam apresentar as irmãs como personagens cheias de esperança, mas também preocupadas. Até Olaf — a p. do boneco de neve — havia sido transformado em um parceiro adorável. Tudo estava se encaixando.

Só que não faziam ideia de como o filme devia acabar.

"Era um quebra-cabeça enorme", disse Andrew Millstein, executivo da Walt Disney Animation Studios. "Tentamos de tudo. Sabíamos que a ideia era Anna se sacrificar para salvar Elsa. Sabíamos que o amor verdadeiro do filme era o que existia entre as irmãs. Mas precisávamos conquistar esse final. Ele precisava parecer real."[44]

Na Disney, quando os cineastas empacam, a situação é chamada de rodopio [*spinning*]. "O rodopio acontece porque a pessoa está viciada e não consegue mais ver o projeto por perspectivas diferentes", disse Ed Catmull. Grande parte do processo criativo depende de distanciamento, de não se apegar demais à própria criação. Mas a equipe de *Frozen* tinha ficado tão à vontade com a imagem das irmãs, tão aliviada depois de descobrir os fundamentos do filme, tão grata por se livrar um pouco da desesperança criativa, que havia perdido a capacidade de ver outros caminhos.

Qualquer um que tenha trabalhado em algum projeto criativo de longo prazo conhece o problema. Quando mediadores de inovações aproximam perspectivas diferentes, costumam liberar uma energia criativa que é intensificada por uma pequena quantidade de tensão — como a pressão do prazo,[45] os conflitos que acontecem quando pessoas de formação distinta combinam ideias ou o estresse de colaboradores que insistem para que façamos mais. E essas "tensões podem resultar em maior criatividade, porque todas essas diferenças ativam um pensamento divergente, a capacidade de ver algo novo quando somos obrigados a olhar para uma ideia pelo ponto de vista de outra pessoa", disse Francesca Gino, que estuda a psicologia da criatividade na Faculdade de Administração de Harvard. "Mas, quando essa tensão desaparece, quando o grande problema é resolvido e todo mundo começa a ver as coisas do mesmo jeito, as pessoas às vezes passam a pensar parecido e se esquecem de todas as opções que existem."

A equipe de *Frozen* havia resolvido quase todos os problemas. Ninguém queria perder todo o progresso conquistado. Mas eles não conseguiam descobrir como o filme deveria acabar. "Você começa a rodopiar quando a flexibilidade despenca", explicou Catmull. "Você fica extremamente dedicado ao que já criou. Mas precisa estar disposto a matar aquilo de que tanto gosta para seguir em frente. Se não conseguir se libertar das coisas pelas quais se esforçou, elas acabam prendendo você."

Então os executivos da Disney fizeram uma mudança.

"Precisávamos de uma chacoalhada", disse Catmull. "Tínhamos que sacudir todo mundo. Então transformamos Jenn Lee em segunda diretora do filme."[46]

Em certo sentido, essa mudança não deveria ter feito muita diferença. Lee já era a roteirista do filme. Promovê-la a segunda diretora, com o mesmo nível de autoridade de Chris Buck, não alterava o grupo que já participava das conversas do dia a dia. Não acrescentava novas vozes às reuniões. E a própria Lee era a primeira a admitir que estava tão empacada quanto todos os demais.

Mas os executivos da Disney tinham a esperança de que uma ligeira perturbação na dinâmica da equipe talvez fosse o suficiente para fazer todo mundo parar de rodopiar.[47]

Nos anos 1950, um biólogo chamado Joseph Connell começou a viajar entre sua casa, na Califórnia, e as florestas tropicais e os recifes da Austrália a fim de entender por que algumas partes do mundo abrigavam uma diversidade biológica tão incrível, enquanto outras eram ecologicamente neutras.[48]

Connell escolhera a Austrália por dois motivos. Em primeiro lugar, ele detestava aprender novos idiomas. Em segundo, as florestas e os mares do país ofereciam exemplos perfeitos de diversidade e homogeneidade biológica próximos uns dos outros. Havia trechos extensos do litoral australiano onde centenas de tipos distintos de corais, peixes e vegetação marinha viviam muito concentrados. A menos de quinhentos metros de distância, em outra parte do mar que parecia essencialmente igual, a diversidade despencava e só se viam uma ou duas espécies de corais e algas. Da mesma forma, algumas áreas das florestas tropicais da Austrália continham dezenas de espécies diferentes de árvores, líquen, cogumelos e lianas crescendo lado a lado. Mas, a menos de cem metros de distância, encontrava-se apenas uma de cada. Connell queria entender por que a diversidade da natureza — a capacidade de origem criativa — se distribuía de forma tão desigual.[49]

A jornada começou nas florestas tropicais do Queensland: 32,6 quilômetros quadrados que continham desde densas coberturas de copas de árvores a bosques de eucalipto, assim como a floresta tropical Daintree, onde coníferas e pteridófitas crescem à beira do mar, e o Parque Nacional Eungella, onde a vegetação é tão densa que, no chão, pode-se ficar completamente no escuro no meio do dia. Conforme passava os dias andando sob copas verdes e abrindo caminho pela mata cerrada, Connell encontrava bolsões de biodiversidade que pareciam brotar do nada. E aí, alguns minutos depois, essa variação minguava até restar apenas uma ou duas espécies. O que explicava essa diversidade e homogeneidade?

Com o tempo, Connell começou a perceber algo semelhante no centro de cada bolsão de biodiversidade: muitas vezes, havia indícios de que alguma árvore grande tinha caído. Às vezes, ele encontrava um tronco em decomposição ou uma cavidade profunda no solo. Em outros bolsões verdejantes, viu restos carbonizados sob a camada superficial do solo, sugerindo que um incêndio — talvez causado por raios — havia se espalhado por um momento breve, porém intenso, até que a umidade da floresta extinguisse as chamas.

Connell começou a acreditar que essas árvores caídas e esses incêndios haviam desempenhado algum papel fundamental para permitir que as espécies surgissem. Por quê? Porque, a certa altura, havia "uma lacuna na floresta onde as árvores haviam caído ou queimado, e essa lacuna era grande o bastante para permitir que a luz do sol passasse e que outras espécies competissem", explicou-me Connell. Hoje ele está aposentado e mora em Santa Barbara, nos Estados Unidos, mas ainda lembra os detalhes daquelas viagens. "Algumas áreas eu encontrava anos depois do incêndio ou da queda da árvore, então árvores novas tinham crescido e novamente bloqueavam o sol", disse. "Mas tinha havido um momento em que passava uma quantidade suficiente de luz para que outras espécies pudessem ganhar espaço. Tinha acontecido algum distúrbio que dera às plantas uma chance para competir."

Nas regiões onde não havia acontecido nem uma queda de árvore, nem um incêndio, uma espécie tinha se tornado dominante e expulsado toda a concorrência. Dito de outro modo, depois que resolvia o problema da sobrevivência, uma espécie afastava outras alternativas. Contudo, se algo mudasse o ecossistema só um pouco, a biodiversidade explodia.

"Mas só até certo ponto", disse Connell. "Se a lacuna na floresta fosse grande *demais*, o efeito era o contrário." Nas áreas em que lenhadores tivessem desmatado segmentos inteiros, uma tempestade imensa tivesse eliminado porções extensas da vegetação ou um incêndio tivesse se espalhado demais, a diversidade era muito menor, mesmo depois de décadas. Se o trauma na paisagem fosse excessivo, só as árvores ou lianas mais resistentes sobreviviam.

Em seguida, Connell estudou os recifes ao longo do litoral australiano. Também ali encontrou um padrão semelhante. Em alguns lugares, havia uma variedade espantosa de corais e algas em uma área restrita, enquanto, depois de percorrer alguns minutos de barco, ele encontrava apenas uma espécie de coral de crescimento acelerado dominando cada centímetro do recife. Connell percebeu que a diferença era a frequência e a intensidade das ondas e tempestades. Nas áreas com maior biodiversidade, ondas de tamanho médio e tempestades moderadas aconteciam de vez em quando. Já nos lugares sem ondas ou tempestades, só um punhado de espécies dominava. Ou, quando as ondas eram fortes demais ou as tempestades eram muito frequentes, tudo o que vivia no recife era destruído.

Parecia que a capacidade criativa da natureza dependia de algum distúrbio periódico – como a queda de uma árvore ou uma tempestade ocasional – que abalava temporariamente o ambiente natural. Mas não podia ser pequeno nem grande demais. Tinha que ser do tamanho certo. "Distúrbios intermediários são cruciais", disse-me Connell.

Na biologia, isso ficou conhecido como hipótese do distúrbio intermediário,[50] segundo a qual "a diversidade local de espécies é maximizada quando distúrbios ecológicos não são nem raros nem frequentes demais".[51] Existem teorias que oferecem outras explicações para a diversificação, mas a hipótese do distúrbio intermediário se tornou um fundamento da biologia.[52]

"A ideia é de que todo hábitat é colonizado por uma variedade de espécies, mas que, ao longo do tempo, uma ou algumas tendem a dominar", disse Steve Palumbi, o diretor da estação marítima de Stanford em Monterey, na Califórnia. Isso é chamado de "exclusão competitiva". Se o ambiente não sofre nenhum distúrbio, as espécies mais fortes ficam tão enraizadas que nada é capaz de competir. Da mesma forma, se há distúrbios severos e constantes, só as espécies mais resistentes se recuperam. Mas se há distúrbios intermediários, inúmeras espécies prosperam, e a capacidade criativa da natureza floresce.

Evidentemente, a criatividade humana não é igual à diversidade biológica. Comparar a queda de uma árvore na floresta tropical australiana a uma mudança de gestão na Disney é uma analogia imprecisa. Mas consideremos essa comparação por um momento, porque ela oferece uma lição preciosa: quando ideias fortes se fixam, é possível que expulsem a concorrência de tal modo que nenhuma alternativa consegue prosperar. Então, às vezes, a melhor maneira de estimular a criatividade é causar um distúrbio suficiente para permitir que entre um pouco de luz.

"O que eu percebi quando virei diretora foi que a mudança era sutil, mas, ao mesmo tempo, muito real", disse-me Jennifer Lee. "Quando você é roteirista, tem certas coisas que sabe que são necessárias para o filme, mas você é só uma voz. Não quer parecer na defensiva nem presunçosa porque as outras pessoas também têm sugestões, e seu trabalho é integrar as ideias de todo mundo.

"Mas, na direção, a pessoa está no *comando*. Então, quando virei diretora, senti que precisava prestar ainda mais atenção ao que todo mundo estava dizendo, porque agora esse era o meu trabalho. E, quando passei a escutar, comecei a perceber algumas coisas que não tinha reparado antes."

Por exemplo, alguns animadores estavam insistindo em usar a nevasca do final do filme como metáfora do conflito interno das personagens. Outros achavam que deviam evitar qualquer pista ao longo da trama, para fazer com que o final fosse uma surpresa. Na condição de roteirista, Lee via essas sugestões como recursos. Mas agora entendia que as pessoas estavam sentindo falta de clareza, queriam uma direção conforme a qual cada escolha refletisse uma ideia central — desde as decisões climáticas de uma cena até o que era revelado e o que era mantido oculto.

Alguns meses depois da promoção de Lee, Kristen Anderson-Lopez, a compositora, enviou um e-mail para ela. Àquela altura, as duas vinham conversando praticamente todos os dias ao longo de um ano. Elas se falavam à noite e trocavam mensagens de texto durante o dia. A amizade não acabou quando Lee se tornou diretora. Mas mudou um pouco.

Kristen estava em um ônibus escolar, acompanhando a filha pequena em um passeio da escola para o Museu Americano de História Natural em Nova York, quando pegou o celular no bolso e digitou uma mensagem para Lee.

"Ontem fui à terapia", escreveu. Ela e a terapeuta haviam conversado sobre as divergências de opinião entre os membros da equipe de *Frozen* quanto ao fim que o filme devia ter. Haviam abordado a ascensão de Lee à posição de diretora. "Eu estava falando de dinâmica e política e poder e essa palhaçada toda e a quem a gente dá atenção e por onde [a gente] começa", escreveu. "Aí ela me perguntou: 'Por que você faz isso?'.

"E, depois de descartar a parte do dinheiro e do ego, no fim das contas a questão é que preciso compartilhar algumas coisas sobre a experiência humana", escreveu Anderson-Lopez. "Quero pegar o que já aprendi ou senti ou vivenciei e compartilhar para ajudar as pessoas."

"O que você, Bobby e eu PRECISAMOS dizer em relação a essa história de aventura congelante?", perguntou Kristen. "Para mim, tem a ver com não ficar congelada em papéis determinados por circunstâncias além do nosso controle."

A própria Lee era o exemplo perfeito disso. Ela havia entrado na Disney como uma recém-formada da faculdade de cinema com pouco além de uma filha pequena, um divórcio recente e uma dívida com financiamento estudantil, e em pouco tempo se tornara roteirista em um dos maiores estúdios do planeta. E naquele momento era a primeira mulher diretora da história da Disney. Kristen e Bobby também serviam de exemplo como pessoas que escaparam das circunstâncias da vida. Eles haviam passado anos batalhando para construir a carreira que desejavam, mesmo quando todo mundo dizia que era ridículo achar que seria possível se sustentar escrevendo canções. E lá estavam eles, com sucessos na Broadway e a vida que sempre desejaram.

Kristen disse que, para conquistarem o final de *Frozen*, eles precisavam dar um jeito de compartilhar com o público essa noção de possibilidade.

"O que isso significa para você?", escreveu Kristen.

Lee respondeu 23 minutos depois. Eram sete da manhã em Los Angeles.

"Eu amo sua terapeuta", disse, "e você." Todos os integrantes da equipe de *Frozen* tinham suas próprias ideias para o filme. Todo mundo no consórcio de roteiro tinha ficado preso em seu próprio conceito de como o filme devia acabar. Mas Lee achava que nenhum se encaixava perfeitamente.

No entanto, *Frozen* só podia ter um final. Alguém precisaria decidir. E, para Lee, a decisão certa é que "o medo destrói, o amor cura. A jornada de Anna devia ser aprender o que significa o amor; simples assim". No final da história, "quando Anna vê a irmã no fiorde, ela completa seu arco com o ato definitivo do amor verdadeiro: sacrifica as próprias necessidades em nome de outra pessoa. O AMOR é uma força maior que o MEDO. Vamos com o amor".

Como diretora, Lee foi obrigada a ver as coisas por outro ângulo — e esse ligeiro solavanco bastou para ajudá-la a descobrir o que era necessário para o filme e para convencer todo mundo a concordar com ela.

Alguns dias depois, ela se reuniu com John Lasseter.[53]

"Precisamos de clareza", disse Lee. "O cerne desse filme não trata do bem e do mal, porque isso não acontece na vida real. E essa história não é sobre o amor contra o ódio. Não é por isso que irmãs se distanciam.

"Esse filme é sobre amor e medo. Anna tem tudo a ver com amor, e Elsa, tudo a ver com medo. Anna foi abandonada, então ela se joga nos braços do Príncipe Encantado porque não sabe qual é a diferença entre amor genuíno e paixão passageira. Ela precisa aprender que amor é sacrifício. E Elsa precisa aprender que não podemos ter medo de sermos quem somos, não podemos fugir dos nossos poderes. É preciso aceitar a própria força.

"É isso que precisamos fazer com o final, mostrar que o amor é mais forte que o medo."

"Diga de novo", pediu Lasseter.

Lee voltou a descrever a teoria do amor contra o medo, explicando como Olaf, o boneco de neve, representa o amor inocente, enquanto o príncipe Hans mostra que, sem sacrifício, o amor na verdade não tem nada de amor, é narcisismo.

"Diga de novo", repetiu Lasseter.

Lee falou de novo.

"Agora, vá contar para a equipe", disse Lasseter.[54]

Em junho de 2013, alguns meses antes da estreia marcada do filme, a equipe de *Frozen* foi a um cinema no Arizona para uma exibição-teste. O que apareceu na tela era completamente diferente do que tinha sido apresentado na sessão na Disney quinze meses antes. Anna, a irmã mais nova, agora era saltitante, otimista e solitária. Elsa era amorosa, mas tinha medo dos próprios poderes e se torturava por ter machucado a irmã de forma acidental quando as duas eram pequenas. Elsa foge para um castelo de gelo com a intenção de viver longe da humanidade — mas, sem perceber, lança o reino em um inverno interminável e congela parcialmente o coração de Anna.

Anna começa a procurar um príncipe com a esperança de que o beijo do amor verdadeiro derreta o gelo em seu peito. Mas o homem que ela encontra — príncipe Hans — na verdade pretende tomar o trono. Com a intenção de matar as duas irmãs e se apossar da coroa, ele prende Elsa e abandona Anna, que pouco a pouco está congelando.

Elsa escapa da cela e, quase no fim do filme, corre pelo fiorde congelado, fugindo do príncipe corrupto. Anna fica cada vez mais fraca à medida que o gelo em seu peito consome o coração. Uma nevasca cerca as irmãs e Hans quando os três se encontram no mar congelado. Anna está quase morta. Hans ergue a espada, prestes a abater Elsa e se aproximar do trono. No entanto, quando a lâmina de Hans desce, Anna entra na frente do golpe. Ela se transforma em gelo assim que a espada cai, atingindo o corpo congelado em vez da irmã. Ao se sacrificar, Anna salvou Elsa — e esse ato de devoção, essa demonstração genuína de amor verdadeiro, enfim derrete o peito de Anna. Ela volta à vida, e Elsa, livre do medo de machucar quem ama, consegue direcionar seus poderes para derrotar o maligno Hans. Ela agora sabe como acabar com o inverno do reino. As irmãs, unidas, têm o poder necessário para vencer os inimigos e as próprias dúvidas. Hans é expulso, a primavera volta e o amor derrota o medo.

Todos os elementos de uma história tradicional da Disney foram incluídos. Existem princesas e vestidos de gala, um belo príncipe, um aliado engraçadinho e uma sequência de canções otimistas. Mas, ao longo do filme, esses elementos foram abalados só o bastante para permitir que algo novo e diferente surgisse. O príncipe Hans não era encantado — era o vilão. As princesas não eram indefesas; na verdade, salvaram uma à outra. O amor verdadeiro não chegou para o resgate — em vez disso, surgiu quando as irmãs aprenderam a aceitar a própria força.

"Quando é que esse filme ficou tão bom?", sussurrou Kristen Anderson-Lopez para Peter Del Vecho quando a sessão terminou. Frozen viria a ganhar o Oscar de Melhor Longa de Animação de 2014. "Let It Go" ganhou o Oscar de Melhor Canção Original. O filme acabaria sendo a animação mais rentável de todos os tempos.

* * *

A criatividade não pode ser reduzida a uma fórmula. No fundo, precisa de novidade, surpresa e outros elementos que não podem ser planejados com antecedência para parecer novos. Não existe nenhuma lista de etapas que possa ser preenchida para gerar inovação sob demanda.

Mas o *processo criativo* é diferente. É possível criar condições que ajudem a impulsionar a criatividade. Por exemplo, sabemos que a inovação é mais provável quando ideias antigas são combinadas de forma nova. Sabemos que a chance de sucesso aumenta quando mediadores — pessoas com perspectivas atuais, diferentes, que já viram ideias em contextos diversos — tiram proveito da diversidade em sua cabeça. Sabemos que, às vezes, uma ligeira perturbação pode ajudar a nos arrancar dos vícios a que até os indivíduos mais criativos estão sujeitos, desde que esses solavancos sejam do tamanho certo.

Se você quer fazer essa mediação e aumentar a produtividade de seu processo criativo, há três elementos que podem ajudar: em primeiro lugar, não ignore suas próprias experiências. Preste atenção a seus sentimentos e pensamentos diante das circunstâncias. É assim que separamos clichês de lampejos criativos de verdade. Nas palavras de Steve Jobs, os melhores designers são os que "pensaram mais em suas experiências de vida do que outras pessoas". Da mesma forma, o processo da Disney pede para os cineastas olharem para dentro, pensarem no que sentem e no que vivem, até encontrarem as respostas que deem vida a personagens imaginários. Jerry Robbins obrigou seus colaboradores em *Amor, sublime amor* a lançar as próprias aspirações e emoções no palco. Encare sua própria vida como fonte de criatividade e seja o mediador de suas experiências para o resto do mundo.

Em segundo lugar, reconheça que o pânico e o estresse que você sente quando tenta criar não são sinais de que está tudo arruinado. Na verdade, eles são a condição que nos ajuda a sermos flexíveis o bastante para capturar algo novo. A desesperança criativa pode ser fundamental; muitas vezes, é a ansiedade que nos obriga a ver ideias antigas de forma inovadora. O caminho para escapar desse conflito é olhar para o que você já conhece, reexaminar convenções que já viu que dão certo e tentar aplicá-las a problemas novos. A dor criativa deve ser acolhida.

Por fim, lembre-se de que o alívio que acompanha uma descoberta criativa pode ser agradável, mas também nos deixa cegos para alternativas. É essencial manter alguma distância de nossas criações. Sem autocrítica, sem tensão, é possível que uma ideia em pouco tempo acabe expulsando a concorrência. Mas podemos recuperar esse distanciamento crítico se nos obrigarmos a avaliar o que já fizemos, se tratarmos de olhar para a questão a partir de uma perspectiva completamente nova, se mudarmos a dinâmica de poder no ambiente ou conferirmos nova autoridade a alguém. Distúrbios são fundamentais, e preservamos um olhar esclarecido ao aceitar a destruição e o tumulto, desde que tomemos o cuidado de fazer com que esse distúrbio seja do tamanho certo.

Essas três lições partilham de uma mesma ideia: o processo criativo é, de fato, um processo, algo que pode ser analisado e explicado. Isso é importante, porque quer dizer que qualquer um pode ser mais criativo; todos somos capazes de nos tornarmos mediadores de inovações. Todos temos experiências e instrumentos, distúrbios e tensões que podem nos transformar em mediadores — isto é, se estivermos dispostos a aceitar aquela desesperança e aquele tumulto e tentar ver nossos pensamentos antigos sob novos ângulos.

"Criatividade é apenas a solução de problemas", disse-me Ed Catmull. "Quando as pessoas passam a encará-la como a solução de problemas, ela deixa de parecer magia, porque não é. Os mediadores são apenas pessoas que prestam mais atenção ao aspecto dos problemas e ao modo como eles foram resolvidos antes. As pessoas mais criativas são as que entenderam que ter medo é um bom sinal. Só precisamos aprender a ter confiança o bastante em nós mesmos para permitir que a criatividade surja."

8. Absorção de dados

TRANSFORMANDO INFORMAÇÃO EM CONHECIMENTO NAS ESCOLAS PÚBLICAS DE CINCINNATI

Os alunos estavam se acomodando em seus assentos quando o alto-falante ganhou vida na South Avondale Elementary School.

"Aqui quem fala é a diretora Macon", disse uma voz. "Vamos fazer o Exercício de Lápis Quente. Por favor, preparem-se, preparem suas folhas de exercícios, e começaremos em cinco, quatro, três, dois..."

Dois minutos e 33 segundos depois, Dante Williams, de oito anos, bateu o lápis na mesa, jogou a mão para o alto e ficou se mexendo inquieto enquanto o professor anotava o tempo dele no alto da folha do teste de multiplicação.[1] Depois, Dante se levantou da cadeira e saiu correndo porta afora da sala da terceira série, agitando os braços conforme andava às pressas pelo corredor, segurando com força a folha de exercícios meio amassada.

Três anos antes, em 2007, quando Dante entrou para o jardim de infância, a South Avondale havia sido classificada como uma das piores escolas de Cincinnati — o que, visto que a cidade tinha alguns dos resultados mais baixos do estado, significava que a escola estava entre as piores de Ohio. Naquele ano, os alunos da South Avondale tinham se saído tão mal nas provas de avaliação que as autoridades declararam que a escola era uma "emergência acadêmica". Algumas semanas antes de Dante entrar na instituição, um adolescente fora assassinado — uma bala na cabeça, uma nas costas — bem perto da South Avondale durante um campeonato de futebol americano intitulado "Taça da Paz".[2] Esse crime, combinado às disfunções graves da escola, aos resultados acadêmicos ruins e a uma noção geral de que os problemas da South Avondale eram grandes demais para ser resolvidos, fizera as autoridades municipais se perguntarem se a subsecretaria do distrito deveria fechar a unidade de vez. No entanto, o problema era: para onde mandar Dante e seus colegas? O resultado das escolas próximas nas provas de avaliação só havia sido um pouco melhor, e se as turmas fossem obrigadas a absorver mais alunos, provavelmente também se arruinariam.

A comunidade que cercava a South Avondale era pobre fazia décadas. Havia conflitos raciais nos anos 1960, e, quando as fábricas da cidade começaram a fechar, nos anos 1970, o desemprego na região foi às alturas. A equipe que administrava a South Avondale via os alunos chegarem subnutridos e com sinais de agressão. Nos anos 1980, o tráfico de drogas no entorno da escola explodiu e nunca diminuiu de fato. Às vezes, a violência era tão intensa que a polícia ficava patrulhando os arredores durante as aulas. "O lugar às vezes era bem assustador", disse Yzvetta Macon, que foi diretora entre 2009 e 2013. "Os alunos só iam para a South Avondale quando não tinham mais para onde ir."

No entanto, recursos não eram problema. O governo municipal de Cincinnati havia despejado milhões de dólares na South Avondale. Empresas locais, como a Procter & Gamble, montaram laboratórios de informática e custearam aulas de reforço e programas esportivos. Em um esforço para enfrentar as dificuldades da escola, o município gastava quase três vezes mais por aluno da South Avondale do que o valor gasto por estudante em comunidades mais abastadas, como a escola pública Montessori do outro lado da cidade. A South Avondale tinha professores com energia, bibliotecários e conselheiros tutelares dedicados, especialistas em leitura e orientadores educacionais treinados em educação infantil e preparados para ajudar pais a se inscreverem em programas estaduais e federais de assistência.

A escola também usava um software sofisticado para acompanhar o desempenho dos alunos. O governo havia investido em coleta de dados, e a subsecretaria Cincinnati Public Schools [Escolas Públicas de Cincinnati] criara um site individual para cada estudante da South Avondale — um painel de informações que detalhava frequência, resultado de provas, dever de casa e participação em aula — acessível para pais e professores de modo a permitir acompanhar quem estava progredindo e quem estava com dificuldades. O corpo docente recebia um fluxo constante de relatórios e planilhas que mostravam como cada aluno tinha se saído na semana, no mês no ano anteriores. Na realidade, a South Avondale fez parte da vanguarda do Big Data aplicado à educação. "As escolas do sistema de ensino precisam ter uma estratégia clara para o desenvolvimento de uma cultura orientada para dados", dizia um relatório do Departamento de Educação dos Estados Unidos que ajudou a direcionar os esforços de Cincinnati.[3] Os educadores acreditavam que, ao analisar atentamente as estatísticas de cada aluno, seria possível proporcionar o tipo de assistência específica mais necessária para cada criança.

"Qualquer ideia, qualquer programa novo, a gente tentava", disse Elizabeth Holtzapple, diretora de pesquisa e avaliação na Cincinnati Public Schools. "Tínhamos visto como a análise de dados havia transformado outros distritos e topamos."[4]

No entanto, a transformação da South Avondale não aconteceu. Seis anos depois da introdução dos painéis virtuais, mais de 90% dos professores da escola admitiram que mal olhavam para eles — nem usavam os dados enviados pela subsecretaria nem liam os memorandos que chegavam toda semana. Em 2008, 63% dos alunos da terceira série da South Avondale não alcançaram os critérios educacionais básicos do estado.[5]

Então, nesse ano, Cincinnati decidiu tentar algo diferente. As principais autoridades do distrito se concentraram na South Avondale e em outras quinze unidades de desempenho fraco para realizar o que ficou conhecido como "Elementary Initiative" [Iniciativa Fundamental], ou EI.[6] O mais notável do esforço talvez fosse o que ele não oferecia: as escolas não receberam nenhuma verba adicional nem mais professores; não foram criados novos programas extracurriculares nem sessões de reforço; os corpos docente e discente de cada unidade continuaram praticamente inalterados.

A EI, na verdade, trataria de mudar a maneira como os professores tomavam decisões dentro da sala de aula. As reformas foram concebidas a partir da ideia de que os dados podem exercer um efeito transformador, mas apenas se as pessoas souberem como *usá-los*.[7] Para mudar a vida dos alunos, os educadores precisavam saber como transformar todas as planilhas, as estatísticas e os painéis virtuais em ideias e planos. Eles precisavam ser obrigados a interagir com os dados até isso influenciar seu comportamento.

Quando Dante entrou na terceira série, dois anos depois do início da EI, o programa já era um sucesso tão grande que a Casa Branca o considerava um modelo de reforma em centros urbanos.[8] As notas dos alunos da South

Avondale subiram tanto que a escola recebeu a classificação de "excelente" de autoridades estaduais. Ao fim da terceira série de Dante, a capacidade de leitura de 80% dos colegas dele era adequada à série, e 84% das crianças passaram na prova estadual de matemática.[9] A escola havia quadruplicado a quantidade de alunos, cumprindo as diretrizes do estado. "A South Avondale melhorou drasticamente o desempenho acadêmico dos alunos no ano letivo de 2010-11 e mudou a cultura da escola", dizia um relatório da subsecretaria.[10] A transformação da unidade foi tão impressionante que pesquisadores do país inteiro começaram a ir para Cincinnati com a intenção de descobrir o que a Elementary Initiative estava fazendo de certo.

Quando esses pesquisadores visitaram a South Avondale, os professores disseram que os ingredientes mais importantes da renovação da escola foram os dados — na verdade, os mesmos que a subsecretaria coletava havia anos. Os professores disseram que uma "cultura orientada para dados" tinha realmente transformado a maneira como as decisões eram tomadas em sala de aula.

No entanto, quando lhes perguntavam de maneira mais incisiva, esses professores também diziam que raramente olhavam os painéis virtuais, os memorandos e as planilhas que a subsecretaria distribuía. Na verdade, a EI estava funcionando porque os professores haviam recebido a ordem de ignorar essas ferramentas sofisticadas — eles deveriam começar a manipular informações de forma manual.

Cada escola, seguindo ordens da subsecretaria, havia estabelecido uma "sala de dados" — em alguns casos, uma sala de reuniões vazia; em outros, um armário grande que antes abrigava produtos de limpeza —, onde os professores tinham que transcrever notas de provas em fichas de papel. Eles precisavam traçar gráficos em folhas de papel pardo coladas nas paredes. Faziam experimentos improvisados — as notas melhoram se as crianças formarem grupos de leitura menores? O que acontece quando os professores trocam de turma? — e anotavam os resultados em lousas brancas. Em vez de apenas receber informações, eram obrigados a *se envolver* com elas. A EI havia funcionado porque, em vez de absorver dados de forma passiva, os professores faziam com que o processo fosse "disfluente" — informações mais difíceis de assimilar no começo, mas que duravam mais depois de ser de fato compreendidas. Ao anotar estatísticas e premissas de experimentos, os professores haviam descoberto como usar todas as informações que estavam recebendo. A Elementary Initiative fizera com que fosse mais difícil absorver dados — mas, curiosamente, tornara esses dados mais úteis.[11] E, graças às fichas de papel e aos gráficos traçados à mão, formaram-se turmas melhores.

"Acontecia algo especial dentro daquelas salas de dados", disse Macon, a diretora. A South Avondale melhorou não porque os professores tinham mais informações, mas porque eles aprenderam a entendê-las. "Com o Google, a internet e todo o conhecimento que temos hoje, podemos achar resposta para quase qualquer coisa em questão de segundos", disse Macon. "Mas a South Avondale mostra que encontrar respostas não é o mesmo que entender o que elas significam."

II.

Nas últimas duas décadas, a quantidade de informações inseridas em nosso cotidiano explodiu. Existem smartphones que contam quantos passos damos, sites que acompanham nossos gastos, mapas digitais que traçam nossas rotas, programas que monitoram os sites que acessamos, aplicativos que administram nosso calendário. É possível medir com precisão quantas calorias ingerimos por dia, como nossa taxa de colesterol melhora a cada mês, quanto gastamos em restaurantes e quantos minutos são dedicados à academia. Essas informações podem ser incrivelmente poderosas. Se forem compilados da forma correta, os dados podem fazer com que nossos dias sejam mais produtivos, nossa alimentação, mais saudável, nossas escolas, mais eficazes, e nossa vida, menos estressante.[12]

No entanto, infelizmente, nossa capacidade de aprender a partir de informações não acompanhou o ritmo com que elas se proliferaram. Ainda que possamos observar nossas despesas e nosso colesterol, continuamos comendo e gastando de um jeito que sabemos que devíamos evitar. Nem mesmo formas simples de uso de informações — como a escolha de um restaurante ou um novo cartão de crédito — ficaram mais simples. Para achar um bom restaurante chinês, é melhor consultar o Google, perguntar no Facebook, ligar para um amigo ou vasculhar o histórico da internet para ver de onde você pediu para entregarem da última vez? Para decidir que cartão de crédito contratar, é melhor consultar um guia virtual? Telefonar para o banco? Abrir aquela pilha de envelopes na mesa de jantar?

Em tese, a atual explosão de informações deveria fazer com que as respostas certas fossem mais óbvias. Porém, na prática, é mais difícil decidir quando estamos cercados por dados.[13]

Essa incapacidade de tirar proveito dos dados cada vez mais abundantes se chama "cegueira informacional". Assim como a cegueira temporária, que pode acontecer quando somos expostos a uma quantidade excessiva de raios ultravioleta, a cegueira informacional pode acontecer quando nossa mente está exposta a uma quantidade excessiva de informações e para de absorvê-las.

Um estudo sobre cegueira informacional foi publicado em 2004, quando um grupo de pesquisadores da Universidade Columbia tentou averiguar por que algumas pessoas contratavam planos de previdência privada do tipo 401(k)* e outras não. Eles analisaram quase 800 mil pessoas, em centenas de empresas, que tiveram oportunidade de contratar planos de previdência privada.[14] Para muitos trabalhadores, a decisão de contratar planos de aposentadoria devia ser fácil: a modalidade 401(k) oferecia uma grande economia de impostos e muitas das empresas que fizeram parte do estudo prometiam ajudar a custear a contribuição de seus funcionários — na prática, dando-lhes dinheiro de graça. E, nos estabelecimentos em que os funcionários podiam escolher entre duas opções de 401(k), 75% das pessoas contratavam o plano. Os funcionários dessas firmas disseram aos pesquisadores que a decisão parecia óbvia. Eles analisaram dois folders, escolheram o plano que parecia mais sensato e viram a conta da previdência privada ficar mais gorda com o passar do tempo.

Em outras empresas, mesmo quando havia mais opções de pacotes, o índice de planos contratados também era alto. Quando se viam diante de 25 opções, 72% dos funcionários escolhiam alguma.

Mas, quando as pessoas recebiam dados sobre mais de trinta planos, algo parecia mudar.[15] A quantidade de informações que obtinham era tão extraordinária que os funcionários paravam de fazer escolhas boas — ou, às vezes, não faziam escolha alguma. Diante de 39 opções, apenas 65% dos trabalhadores contratavam um plano 401(k). Diante de sessenta opções, a participação caía para 53%. "Cada acréscimo de dez planos estava associado a uma queda de participação de 1,5% a 2%", observaram os pesquisadores no estudo de 2004.

---

* Plano de previdência privada que algumas empresas americanas oferecem aos funcionários como parte do pacote de benefícios. (N. T.)

Contratar um 401(k) ainda era a escolha certa. Mas, quando as informações ficavam abundantes demais, as pessoas enfiavam os folders em uma gaveta e nunca os olhavam de novo.

"Percebemos isso em dezenas de situações diferentes", disse Martin Eppler, professor da Universidade de St. Gallen, na Suíça, que estuda sobrecarga informacional.[16] "A qualidade das decisões dos indivíduos geralmente melhora conforme eles recebem mais informações relevantes. Mas o cérebro atinge um ponto de ruptura em que os dados ficam excessivos. Eles começam a ignorar opções ou a fazer escolhas ruins ou param de vez de interagir com as informações."

A cegueira informacional acontece devido ao modo como a capacidade de aprendizado de nosso cérebro evoluiu. Os seres humanos são excepcionais para absorver informação — desde que possamos dividir os dados em uma série de pedaços menores. Esse processo é conhecido como "peneira" ou "plataforma".[17] Plataformas mentais são como estantes de arquivo cheias de pastas que nos ajudam a armazenar e acessar informações sempre que necessário. Por exemplo, se alguém recebe uma carta de vinhos enorme em um restaurante, em geral não vai ser difícil escolher porque o cérebro colocará automaticamente tudo o que a pessoa sabe sobre vinhos em uma plataforma de categorias que podem ser usadas para decisões binárias (*Quero vinho branco ou tinto? Branco!*), e depois em subcategorias mais específicas (*Caro ou barato? Barato!*), até ela se ver diante de uma última comparação (*O Chardonnay de seis dólares ou o Sauvignon Blanc de sete?*) que remete ao que a pessoa já aprendeu sobre si mesma (*Eu gosto de Chardonnay!*). Na maioria das vezes, fazemos isso tão rápido que mal nos damos conta do que está acontecendo.[18]

"Nosso cérebro deseja reduzir tudo a duas ou três opções", disse Eric Johnson, psicólogo cognitivo da Universidade Columbia que estuda o processo decisório. "Então, quando nos vemos diante de muita informação, automaticamente começamos a organizá-la em pastas, subpastas e subsubpastas mentais."

Essa capacidade de digerir grandes volumes de dados dividindo-os em partes menores é a forma como nosso cérebro transforma informação em conhecimento. Aprendemos quais fatos ou lições aplicar em determinada situação aprendendo a consultar as pastas certas. Parte do que separa especialistas de novatos é a quantidade de pastas que conseguem manter na cabeça. Um enófilo vai olhar para uma carta de vinhos e na mesma hora recorrer a um sistema vasto de pastas — como safra e região — que não ocorre a novatos. O enófilo aprendeu a organizar informações (*Escolha o ano primeiro e depois o preço*) de modo a tornar o processo menos desgastante. Assim, enquanto o novato folheia as páginas, o especialista já vai ignorando partes inteiras da carta de vinhos.

Então, quando nos vemos diante de dados sobre sessenta planos diferentes de previdência privada e nenhuma forma óbvia de começar a analisá-los, nosso cérebro se desloca para uma decisão mais binária: *Será que eu tento entender esse monte de informação ou enfio tudo na gaveta e ignoro?*

Uma forma de superar a cegueira informacional é nos obrigarmos a encarar os dados à nossa frente, a manipular as informações transformando-as em uma série de perguntas ou escolhas. Isso às vezes é chamado de "criar disfluência", porque se fundamenta em ter um pouco de trabalho: em vez de apenas pedir o vinho da casa, você precisa se fazer uma série de perguntas (*Branco ou tinto? Caro ou barato?*). Em vez de enfiar todos os folders de planos de previdência na gaveta, você precisa contrastar os diferentes benefícios e escolher.[19] Talvez pareça um pequeno esforço na hora, mas essas porções mínimas de trabalho são essenciais para evitar a cegueira informacional. O processo de criação de disfluência pode ser ligeiro, como se obrigar a comparar algumas páginas de uma carta de vinhos, ou complexo, como montar uma planilha para calcular rendimentos dos planos de previdência. Mas, qualquer que seja a intensidade do esforço, a atividade cognitiva subjacente é a mesma: estamos submetendo um volume de informações a um procedimento que facilite sua digestão.[20]

"Aparentemente, o importante é realizar alguma operação", disse Adam Alter, professor da NYU que estudou a disfluência. "Se você obrigar uma pessoa a usar determinada palavra nova em uma frase, ela vai se lembrar dessa palavra por mais tempo. Se você obrigá-la a escrever uma frase com essa palavra, ela vai começar a usá-la em conversas."[21] Em seus experimentos, Alter às vezes passa para os participantes as instruções escritas com uma fonte de difícil leitura porque, ao se esforçar, eles leem o texto com mais atenção. "A dificuldade inicial para processar o texto nos leva a pensar mais no que estamos lendo, então investimos mais tempo e energia tratando de entendê-lo", disse ele. Quando nos fazemos perguntas sobre vinhos ou comparamos as taxas de vários planos de previdência, os dados deixam de ser monolíticos e parecem mais uma série de decisões. Quando as informações ficam disfluentes, aprendemos mais.

Em 1997, os executivos responsáveis pelo departamento de cobranças do Chase Manhattan Bank começaram a se perguntar por que um grupo de funcionários de Tampa, na Flórida, era muito melhor que outros em convencer as pessoas a pagar as faturas de cartão de crédito.[22] Na época, o Chase era uma das maiores empresas de cartão de crédito dos Estados Unidos. Consequentemente, era também uma das maiores cobradoras de dívidas. Contava com mil funcionários, em escritórios no país inteiro, que passavam o dia todo dentro de baias, ligando para um devedor atrás de outro e perturbando-os a respeito de faturas atrasadas.

A partir de pesquisas internas, o Chase sabia que os cobradores não gostavam muito do emprego, e os executivos haviam se acostumado a desempenhos pouco inspirados. A empresa tinha tentado facilitar o trabalho fornecendo aos cobradores instrumentos que pudessem ajudá-los a convencer os devedores a pagar. Por exemplo, em cada telefonema, o computador diante do funcionário apresentava informações que o auxiliariam a ajustar seus argumentos: a idade do cliente, a frequência com que ele pagava as faturas, quantos cartões de crédito possuía, que táticas de conversa haviam funcionado antes. Os funcionários passavam por sessões de treinamento e recebiam memorandos diários com diagramas e gráficos que mostravam o sucesso de diversas táticas de cobrança.

Mas a empresa percebeu que quase nenhum dos funcionários prestava muita atenção às informações recebidas. Por mais aulas ou memorandos que o Chase fornecesse, o índice de pagamentos nunca melhorava muito. Então os executivos tiveram uma surpresa agradável quando uma equipe de Tampa começou a receber pagamentos acima do índice normal.

Esse grupo era comandado por uma gerente chamada Charlotte Fludd, uma pastora evangélica em treinamento que adorava saias longas e asinhas de frango empanadas. Ela havia começado como cobradora e avançara pela hierarquia até ficar encarregada de um grupo responsável por algumas das contas mais difíceis, devedores com 120 a 150 dias de atraso. Os clientes com esse nível de inadimplência quase nunca quitavam as faturas. No entanto, o grupo de Fludd vinha recebendo 1 milhão de dólares por mês a mais do que todas as outras equipes de cobradores, mesmo tratando com alguns dos devedores mais hesitantes. Além disso, o grupo de Fludd apresentava um dos maiores índices de satisfação entre os funcionários do Chase. Até mesmo os clientes devedores de quem eles cobravam diziam, em consultas de acompanhamento, que haviam gostado da forma como tinham sido tratados.

Os executivos do Chase queriam que Fludd compartilhasse suas táticas com outros gerentes, então pediram a ela que falasse na reunião regional da empresa no Innisbrook Resort, perto de Tampa. O título da palestra era: "Otimização do sistema de discagem automática Mosaix/Voicelink". O salão estava lotado.

"Você pode nos dizer como organiza a sua discagem automática?", perguntou um gerente.

"Com cuidado", disse Fludd. Ela explicou que, entre 9h15 e 11h50, os cobradores ligavam para o telefone residencial das pessoas porque era mais provável que conseguissem falar com uma esposa que estivesse tomando conta dos filhos. Fludd disse que as mulheres eram mais passíveis de enviar um cheque.

"Depois, entre meio-dia e 13h30, ligamos para o trabalho dos clientes", explicou, "e falamos com muito mais homens, mas dá para começar a conversa com 'Ah, que bom que consegui pegar sua hora de almoço', como se ele fosse muito importante e tivesse uma agenda corrida, porque, assim, ele vai querer corresponder às nossas expectativas e vai prometer pagar.

"Depois, no horário do jantar, ligamos para as pessoas que achamos que são solteiras, porque é provável que estejam solitárias e queiram conversar, e depois do jantar ligamos para as pessoas cujas dívidas oscilam, porque, depois que elas tomaram uma taça de vinho e já relaxaram, podemos lembrá-las da sensação boa de começar a quitar as dívidas."

Fludd tinha dezenas de dicas como essas. Ela deu sugestões quanto ao momento ideal para o cobrador usar um tom tranquilizador (se der para ouvir o som de uma novela ao fundo), para revelar detalhes pessoais (se o cliente falar nos filhos) e para adotar uma abordagem séria (caso alguém invoque religião).

Os outros gerentes não sabiam o que pensar dessas sugestões. Todas pareciam perfeitamente lógicas — mas eles duvidavam que seus funcionários conseguissem aplicar qualquer uma. Em geral, os cobradores tinham concluído apenas o ensino médio. Para muitos, aquele era o primeiro emprego de horário integral. Os gerentes passavam o tempo todo lembrando aos funcionários que eles deviam evitar um tom muito mecânico ao telefone. Os cobradores não conseguiriam prestar atenção a que programa estava passando na televisão ao fundo nem reparar em referências religiosas. Ninguém tinha competência para analisar o histórico dos devedores a ponto de saber se devia entrar em contato com uma dona de casa ou com o marido. Eles só falavam com quem quer que atendesse o telefone. O Chase podia mandar memorandos aos cobradores todo dia de manhã, podia encher a tela deles com informações, podia lhes dar aulas — mas os gerentes sabiam que quase ninguém de fato *lia* os memorandos, olhava para a tela ou usava o que havia sido ensinado nas aulas. O mero ato de conversar pelo telefone com um desconhecido sobre uma questão delicada como uma fatura atrasada já era intenso. Em geral, os cobradores não eram capazes de processar informações adicionais durante uma ligação.

Mas, quando perguntaram a Fludd por que seus funcionários conseguiam processar mais dados do que os cobradores em geral, ela não tinha nenhuma resposta ótima. Não sabia explicar por que sua equipe parecia absorver muito mais. Então, depois da reunião, o Chase contratou a consultoria Mitchell Madison Group para examinar os métodos de Fludd.

"Como você chegou à conclusão de que era melhor ligar para as mulheres de manhã?", perguntou uma consultora chamada Traci Entel quando Fludd voltou ao escritório.

"Quer que eu mostre meu calendário?", foi a resposta. Os consultores não entenderam por que ela precisaria de um calendário para explicar seus métodos, mas tudo bem, disseram, vamos ver o calendário. Eles esperavam que Fludd puxasse uma agenda ou um diário. Mas ela colocou um fichário na mesa. E então empurrou um carrinho com vários outros fichários idênticos.

"Certo", disse Fludd, folheando páginas cheias de números e anotações rabiscadas. Ela achou a página que estava procurando. "Um dia me ocorreu que seria mais fácil cobrar de pessoas jovens, porque imaginei que elas seriam mais dispostas a manter uma boa classificação de crédito", disse.

Ela explicou que sugerir esse tipo de teoria era algo comum com sua equipe. Os funcionários se reuniam durante o almoço ou depois do expediente para trocar ideias. Normalmente, essas ideias não faziam muito sentido — pelo menos a princípio. Na verdade, muitas vezes eram um tanto quanto absurdas, como a sugestão de que um jovem irresponsável já com dívidas atrasadas de repente começaria a se importar, por algum motivo, em melhorar sua classificação de crédito. Mas isso não tinha problema. O importante não era dar *boas* sugestões. Era surgir com uma ideia, qualquer que fosse, e então testá-la.

Fludd olhou para o calendário. "Aí, no dia seguinte, começamos a ligar para pessoas que tivessem entre 21 e 37 anos." No final do turno, os funcionários relataram que não havia diferença perceptível nos valores que haviam convencido as pessoas a pagar. Então, na manhã seguinte, Fludd mudou uma variável: disse para os funcionários ligarem para pessoas de 26 a 31 anos. O índice de pagamentos melhorou ligeiramente. No dia seguinte, eles ligaram para um subconjunto desse grupo, clientes de 26 a 31 anos com dívidas entre 3 mil e 6 mil dólares. O índice de pagamentos caiu. No outro dia: clientes com saldos entre 5 mil e 8 mil dólares. O índice de pagamentos foi o maior da semana. À noite, antes que todo mundo fosse embora, os gerentes se reuniam para analisar os resultados do dia e especular quanto aos motivos do sucesso ou do fracasso de certos esforços. Eles imprimiam históricos de ligação e circulavam as chamadas que tinham sido particularmente boas. Este era o "calendário" de Fludd: as folhas impressas de cada dia com comentários dos cobradores e anotações, além de observações sugerindo por que determinadas táticas tinham dado tão certo.

Realizando mais testes, Fludd concluiu que a teoria original sobre jovens era falsa. Isso não era surpreendente por si só. A maioria das teorias é falsa, a princípio. Os cobradores pensavam em diversos palpites que não se sustentavam quando eram testados. Mas, ao longo de cada experimento, os funcionários ficavam cada vez mais atentos a padrões que não haviam percebido antes. Eles escutavam com mais atenção. Acompanhavam as reações dos devedores a vários tipos de pergunta. E, com o tempo, surgia uma conclusão valiosa — como, por exemplo, que é melhor ligar para a casa das pessoas entre 9h15 e 11h50 porque a esposa vai atender, e as mulheres são mais passíveis de pagar as dívidas da família. Às vezes, os cobradores desenvolviam instintos que não conseguiam expressar propriamente, mas que aprendiam a levar em consideração mesmo assim.

E então alguém postulava mais uma teoria ou experiência e o processo começava de novo. "Quando você registra todas as chamadas, faz anotações e conversa com seu vizinho de baia, começa a prestar atenção de outro jeito", disse-me Fludd. "Você começa a perceber coisas."[23]

Para os consultores, isso era um exemplo de método científico sendo usado para isolar e testar variáveis. "Os colegas de Charlotte costumavam mudar várias coisas ao mesmo tempo", escreveu Niko Cantor, um dos consultores, em um relatório sobre suas observações. "Charlotte só mudava um item por vez. Assim, entendia melhor a causalidade."

Mas também havia algo mais. Não era só o fato de que Fludd estava isolando variáveis. Na verdade, ao formular hipóteses e testá-las, os funcionários da unidade de Tampa estavam incrementando a própria sensibilidade às informações que passavam por eles. Em certo sentido, estavam acrescentando um elemento de disfluência ao trabalho, realizando operações nos "dados" gerados durante cada conversa até que a absorção das lições ficasse mais fácil. As planilhas e os memorandos recebidos todo dia de manhã, os dados que apareciam nas telas, o barulho que era possível ouvir no fundo da ligação — tudo isso se tornava material para gerar teorias novas e realizar experimentos diversos.[24] Cada chamada continha inúmeras informações que a maioria dos cobradores nunca registrava. Mas os funcionários de Fludd percebiam, porque estavam procurando pistas que comprovassem ou refutassem teorias. Eles interagiam com os dados embutidos em cada conversa, transformando tudo em algo que pudesse ser usado.

É assim que funciona o aprendizado. As informações são absorvidas de forma quase imperceptível porque estamos muito concentrados nelas. Fludd pegava a torrente de dados que chegava a cada dia e apresentava à equipe um método para organizá-los em pastas que fizessem com que fosse mais fácil compreendê-los. Ela ajudava os funcionários a *fazer* algo com todos aqueles memorandos e telefonemas — e, como resultado, eles aprendiam com mais facilidade.

III.

Nancy Johnson virou professora em Cincinnati porque não sabia mais o que fazer da vida. Levou sete anos para terminar a faculdade e, depois de se formar, foi trabalhar como comissária de bordo, casou-se com um piloto e, por fim, decidiu levar uma vida mais sossegada. Em 1996, começou a trabalhar como professora substituta em escolas públicas de Cincinnati, na esperança de que um dia fosse efetivada. Ela ia de turma em turma, dando aulas de várias disciplinas, até que finalmente recebeu a proposta para ser professora fixa de quarta série. No primeiro dia, o diretor a viu e disse: "Então *você* é a sra. Johnson".[25] Mais tarde, ele admitiu que havia recebido vários currículos com o mesmo sobrenome e não sabia muito bem quem tinha sido contratada.

Alguns anos depois, em resposta à lei federal No Child Left Behind [Nenhuma criança deixada para trás], Cincinnati começou a monitorar o desempenho dos alunos em leitura e matemática por intermédio de provas padronizadas. Johnson logo se viu soterrada por relatórios. Toda semana, recebia memorandos sobre a frequência dos alunos e a evolução deles quanto a vocabulário, proficiência em matemática, leitura, escrita, interpretação e algo chamado "manipulação cognitiva", assim como análises da proficiência da turma dela, sua aptidão para lecionar e os índices gerais da escola. Era tanta informação que o município havia contratado uma equipe de especialistas em visualização de dados para projetar relatórios semanais que a secretaria enviaria pelos painéis virtuais. A equipe de designers era talentosa. Os diagramas que Johnson recebia eram de fácil leitura, e os sites continham resumos compreensíveis e gráficos de linhas coloridos.

Mas, naqueles primeiros anos, Johnson mal olhava para tudo isso. Ela devia usar todas as informações para preparar as aulas, porém aquilo lhe causava dor de cabeça. "Eram muitos memorandos e dados estatísticos, e eu sabia que devia incorporá-los às minhas aulas, mas aquilo tudo meio que passou direto por mim", disse ela. "A sensação era que havia um abismo entre aqueles números todos e o que eu precisava saber para melhorar como professora."

A maioria de seus alunos de quarta série era pobre, e muitos só tinham um dos pais. Ela era uma boa professora, mas sua turma ainda se saía mal em avaliações. Em 2007, um ano antes do início da Elementary Initiative em Cincinnati, seus alunos acertaram em média 38% da prova de leitura do estado.

E então, em 2008, foi lançada a Elementary Initiative. Como parte dessa reforma, a diretora de Johnson determinou que todos os professores precisavam passar pelo menos duas tardes por mês na nova sala de dados da escola. À mesa de reuniões, os professores eram obrigados a participar de exercícios que faziam com que a coleta de dados e a tabulação estatística levassem ainda *mais* tempo. No começo do semestre, Johnson e seus colegas foram informados de que, como parte da EI, eles precisavam criar uma ficha para cada aluno da turma. Assim, a cada duas semanas, Johnson passava uma tarde de quarta-feira na sala de dados transcrevendo as notas da quinzena na ficha de cada aluno e, depois, agrupando as fichas em cores — vermelho, amarelo ou verde —, de acordo com os resultados dos estudantes: se apresentavam resultados insuficientes, atendiam às expectativas ou superavam os colegas. Ao longo do semestre, ela também começou a separar os grupos de fichas com base nos alunos que com o tempo estavam melhorando ou ficando aquém do esperado.

Era extremamente tedioso. E, para falar a verdade, parecia desnecessário, porque todas aquelas informações já estavam disponíveis no painel on-line dos alunos. Além do mais, muitos dos que estavam naquela sala tinham décadas de experiência. Eles não achavam que precisassem de fichas para saber o que estava acontecendo com suas turmas. Mas ordens eram ordens, então eles iam para a sala de dados de duas em duas semanas. "A regra era que todos tinham que manusear as fichas, mexer fisicamente com elas", disse Johnson. "Todo mundo odiava, pelo menos no começo."

Então, certo dia, um professor de terceira série teve uma ideia. Já que precisava passar tanto tempo transcrevendo notas de provas, decidiu também anotar em cada ficha quais questões específicas o aluno havia errado na prova daquela semana. Ele convenceu outro professor de terceira série a fazer o mesmo. Depois, os dois combinaram as fichas e agruparam os estudantes que haviam cometido erros semelhantes. Quando terminaram, os bolos de fichas indicaram um padrão: um grande número de alunos em uma das turmas tinha se saído bem em colocação pronominal, mas tivera problemas com frações; na outra turma, havia acontecido o inverso também com um grande número de alunos. Os professores trocaram seus planos de aula. As notas das duas turmas subiram.

Na semana seguinte, outra pessoa sugeriu que as fichas de várias turmas fossem divididas de acordo com a região onde os alunos moravam. Os professores começaram a passar exercícios de leitura semelhantes para quem morava em um mesmo bairro. As notas aumentaram um pouco. Os estudantes estavam fazendo o dever de casa juntos no ônibus.

Johnson começou a dividir os alunos para trabalhos em grupo com base nos bolos de fichas que estava fazendo na sala de dados. Ela percebeu que o manuseio das fichas lhe dava uma percepção mais detalhada dos pontos fortes e das deficiências de cada criança. Passou a ir algumas vezes por semana para a sala de dados e dividir as fichas de aluno em pilhas cada vez menores, experimentando distribuições diferentes. Antes, ela imaginara que conhecia bastante sua turma. Mas esse novo nível de compreensão era muito maior. "Quando são 25 alunos e só uma professora, é fácil parar de vê-los como indivíduos", disse Johnson. "Eu sempre os encarei como uma *turma*. A sala de dados me fez prestar atenção em crianças específicas. Ela me obrigou a olhar para cada uma delas e me perguntar: do que *essa* criança precisa?"

No meio do ano, alguns colegas de Johnson perceberam que um grupo pequeno de estudantes em cada turma estava tendo dificuldade com questões de matemática. Não era uma tendência forte o bastante para que algum dos professores percebesse sozinho, mas, na sala de dados, o padrão ficou nítido. Foi assim que o Exercício de Lápis Quente começou na escola inteira. Em pouco tempo, crianças como Dante, de oito anos, passavam as manhãs preenchendo tabuadas o mais rápido possível e depois indo às pressas até a secretaria para que o nome do aluno mais rápido fosse lido no alto-falante.[26] Em doze semanas, as notas de matemática na escola subiram 9%.

Oito meses após a implementação da Elementary Initiative, a turma de Johnson fez a prova anual de avaliação. Àquela altura, ela frequentava a sala de dados o tempo todo. Os professores haviam criado dezenas de montinhos de fichas. Diversos planos de aula foram testados, e eles acompanhavam os resultados em tiras compridas de papel coladas nas paredes. A sala estava repleta de colunas de números e observações anotadas à mão.

Os resultados da prova chegaram seis semanas depois. Os alunos de Johnson haviam tirado em média 72%, quase duas vezes mais do que no ano anterior. As notas da escola como um todo haviam mais que dobrado. Em 2009, Johnson se tornou coordenadora pedagógica e ia a outras escolas de Cincinnati para ajudar professores a aprender a usar a sala de dados. Em 2010, foi escolhida por seus pares como Educadora do Ano de Cincinnati.

IV.

Delia Morris[27] estava no primeiro ano do ensino médio quando Cincinnati implementou a Elementary Initiative, então era velha demais para desfrutar das reformas que aconteciam em lugares como a South Avondale. E quando o governo municipal começou a expandir o programa, já parecia tarde demais para ela em outros sentidos. Naquele ano, o pai de Delia foi demitido do emprego de segurança em um supermercado local. Depois ele brigou com o senhorio do apartamento. Pouco depois, Delia voltou para casa e viu um adesivo laranja e um cadeado na porta, e todas as posses dela e de seus sete irmãos estavam enfiadas em sacos de lixo preto empilhados no corredor. A família ficou hospedada por um tempo na casa de pessoas da igreja e depois se espremeu na casa de amigos, mas, a partir daí, passou a se mudar em intervalos de poucos meses.

Delia era uma menina boa e batalhadora. Seus professores haviam percebido que ela era mais inteligente do que o normal — eles achavam que era brilhante o bastante para sair dos bairros ruins de Cincinnati e ir para a faculdade. Mas isso não era nenhuma garantia. Todo ano, havia sempre um punhado de alunos que pareciam destinados a uma vida melhor, mas a pobreza os tragava de volta. Os professores de Delia tinham esperança, porém não eram ingênuos. Sabiam que, mesmo para alunos brilhantes, às vezes uma vida melhor era inalcançável. Delia também sabia. Tinha medo de que a menor sugestão de que ela não tinha casa mudasse a maneira como seus professores a viam, então não falou para ninguém o que estava acontecendo. "Ir para a escola era a melhor parte do meu dia", disse-me ela. "Eu não queria estragar isso."

Quando Delia começou o segundo ano na Western Hills High, em 2009, o município havia começado a expandir as reformas educacionais para as escolas de ensino médio. No entanto, alguns resultados iniciais com alunos mais velhos foram decepcionantes. Os professores reclamavam que inovações como as salas de dados eram um começo, mas não uma resposta. Disseram que os estudantes mais velhos já estavam engessados; para eles, a janela de intervenção era pequena demais. Para mudar a vida deles, as escolas precisariam ajudar os alunos a aprender a tomar decisões que ofereciam poucas oportunidades de experimentação. Precisariam ajudar os adolescentes a escolher entre ir para a faculdade ou arrumar um emprego; entre fazer um aborto ou se casar; que parente ajudar quando todo mundo está em um aperto.

Então a subsecretaria do distrito mudou o enfoque em relação aos alunos de ensino médio. Em paralelo à Elementary Initiative, começou a criar aulas de engenharia na Western Hills High e em outras unidades em parceria com universidades locais e a Fundação Nacional para a Ciência. O objetivo era "uma abordagem educacional multidisciplinar que incentiva os alunos a aplicar a tecnologia que usam no dia a dia para resolver problemas do mundo real", dizia um resumo do programa. Dos jovens da Western Hills, 90% se encontravam abaixo da linha de pobreza. Nas salas de aula, o piso de linóleo descascava e os quadros-negros estavam rachados. "Aplicar tecnologia" não era uma questão importante para a maioria dos alunos. Delia se matriculou em um curso de engenharia oferecido por Deon Edwards, cuja apresentação introdutória refletia a realidade de todos ali.

"Vamos aprender a pensar como cientistas", disse ele à turma. "Vamos deixar seus pais e amigos para trás e aprender a tomar decisões com uma visão clara, sem a carga que todo mundo quer depositar em vocês. E, se não comeram nada hoje cedo, tenho algumas barras de cereal na minha mesa e vocês podem se servir. Não tem problema nenhum em dizer que está com fome."

O ponto central da aula do sr. Edwards era um sistema decisório conhecido como "processo de projeto de engenharia",[28] que obrigava os alunos a definir seus dilemas, coletar dados, formular soluções, debater opções de método e conduzir experimentos iterativos. "O processo de projeto de engenharia é uma série de passos que os engenheiros seguem quando tentam resolver uma questão e formular uma solução para algo; é uma forma metódica de resolver problemas", explicava um manual do professor.[29] O processo era estruturado em torno da ideia de que muitos problemas que a princípio parecem imensos podem ser divididos em partes menores e as soluções podem ser testadas repetidamente até aparecer uma conclusão. Ele exigia que os alunos definissem de forma precisa o dilema que queriam resolver, realizassem pesquisas e pensassem em diversas soluções, para então conduzir testes, medir resultados e repetir as etapas até encontrar uma resposta. Ele pedia para os alunos fazerem com que os problemas fossem mais administráveis até caber em plataformas e pastas mentais que fossem mais fáceis de transportar.

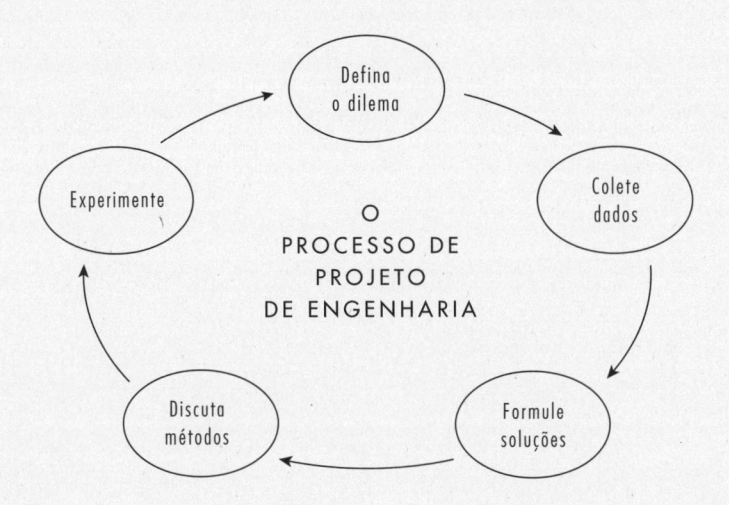

```
        Defina
       o dilema
                         Colete
Experimente                dados
         O
    PROCESSO DE
      PROJETO
   DE ENGENHARIA

  Discuta          Formule
  métodos         soluções
```

A primeira grande tarefa da turma foi projetar um carro elétrico. Os alunos do sr. Edwards passaram semanas se organizando em equipes e acompanhando fluxogramas que detalhavam cada etapa do processo de projeto de engenharia. A turma não tinha muitos materiais com que trabalhar. Mas isso não era um problema, porque a ideia do exercício era aprender a extrair informações do ambiente, qualquer que fosse ele. Não demorou muito e os estudantes passaram a visitar concessionárias e oficinas e a pegar latas de alumínio de lixeiras de material reciclável para construir equipamentos de teste de baterias a partir de instruções que haviam achado na internet. "Meu primeiro trabalho é ensiná-los a ir um pouco mais devagar", explicou-me Deon Edwards. "Esses jovens precisam resolver problemas o dia todo. Eles lidam com pais ausentes, namorados violentos e colegas que usam drogas. Tudo o que vivem lhes diz que precisam fazer escolhas rápidas. Eu só quero mostrar que, com um sistema para tomada de decisão, é possível desacelerar e pensar."

No meio do semestre, depois de a turma completar os projetos dos carros e começar a montar máquinas que separavam bolas de gude, a irmã de Delia teve um filho, aos 21 anos. O pai da criança sumiu, e a irmã de Delia, exausta, implorou para que ela cuidasse do bebê todas as tardes. Para Delia, parecia um pedido impossível de recusar. O pai dela disse que a decisão certa era óbvia. Era *família*.

Então, um dia, na aula do sr. Edwards, Delia tirou o fluxograma de engenharia do fichário e, junto com seu grupo, passou o dilema pelo passo a passo do processo de projeto. Se cuidasse do bebê, o que aconteceria? Uma das primeiras etapas do projeto de engenharia é coletar dados, então ela começou a fazer uma lista de experiências que pareciam relevantes. Delia disse ao grupo que outra irmã havia começado a trabalhar depois da escola alguns anos antes e logo a família tinha passado a depender do dinheiro que a jovem recebia, e ela nunca pôde pedir demissão e precisou deixar para depois o plano de cursar uma faculdade. Delia desconfiava que, se começasse a cuidar do bebê, algo parecido aconteceria. Esse era o dado número um.

Depois ela começou a esboçar como seria sua agenda se fosse responsável por uma criança toda tarde. Escola de 8h30 a 15h30. Babá de 15h30 a 19h30. Dever de casa de 19h30 a 22h. Ela ficaria tão cansada depois de tomar conta do sobrinho que provavelmente acabaria vendo televisão em vez de fazer os exercícios de matemática ou estudar para as provas. Ficaria ressentida e tomaria decisões ruins nos fins de semana. Dado número dois.

Conforme o grupo repassava o fluxograma, o dilema foi dividido em pedaços menores, soluções foram propostas e conversas foram ensaiadas, enquanto o restante da turma discutia como separar as bolas de gude coloridas das transparentes. Passado um tempo, apareceu uma resposta: virar babá parecia um sacrifício pequeno, mas os sinais indicavam que não era bem assim. Delia preparou um relatório para o pai com todos os passos que ela havia analisado. Disse que não poderia cuidar do sobrinho.

Psicólogos afirmam que é importante aprender a tomar decisões desse jeito, especialmente para jovens, porque assim é mais fácil aprender a partir das próprias experiências e ver as decisões por perspectivas diferentes. Essa é uma forma de disfluência que nos permite avaliar nossa vida de maneira mais objetiva, compensar emoções e preconceitos que poderiam nos impedir de identificar as lições embutidas em nosso passado. Quando os animadores responsáveis por *Frozen* estavam tentando resolver o filme, o sistema da Disney os obrigou a encarar a própria vida como fonte de criatividade. Porém material criativo não é o único produto que podemos extrair de nossas vivências — podemos encontrar também dados em nosso passado. Todo mundo tem uma tendência natural para ignorar as informações contidas em nossas decisões anteriores, esquecer que já realizamos milhares de experimentos cada vez que fizemos alguma escolha. Muitas vezes, estamos perto demais de nossas próprias experiências para ver como dividir esses dados em conjuntos menores.

No entanto, sistemas como o processo de projeto de engenharia — que nos obriga a procurar informações e a formular possíveis soluções, a buscar conclusões diferentes e testar ideias diversas — nos ajudam a obter disfluência ao colocar nosso passado sob um novo referencial. Eles subvertem o desejo de nosso cérebro por escolhas binárias — *Devo ajudar minha irmã ou decepcionar minha família?* —, ensinando-o a reformular nossas decisões a partir de um referencial novo.

Um estudo importante sobre o poder desses referenciais para a tomada de decisão foi publicado em 1984, depois que um pesquisador da Universidade Northwestern pediu para um grupo de participantes listar os motivos por que eles deveriam comprar um videocassete com base em suas próprias experiências.[30] Os voluntários apresentaram dezenas de justificativas para a compra. Alguns disseram achar que um videocassete ofereceria entretenimento. Outros o consideravam um investimento em sua educação ou uma forma de as famílias passarem tempo juntas. E então o pesquisador pediu para os mesmos voluntários apresentarem motivos para *não* comprar um videocassete. Eles tiveram dificuldade para pensar em argumentos contra o gasto. A imensa maioria disse que era provável que em pouco tempo comprassem o aparelho.

Depois, o pesquisador pediu para um novo grupo de voluntários pensar em uma lista de motivos para *não* comprar um videocassete. Sem problema, disseram eles. Alguns afirmaram que ver televisão os fazia não dar muita atenção à família. Outros, que os filmes eram estúpidos e que eles não precisavam dessa tentação. Quando foi pedido que essas mesmas pessoas relacionassem motivos *a favor* da compra, elas não conseguiram pensar em motivos convincentes para a aquisição e disseram que provavelmente nunca comprariam um aparelho.

O que o pesquisador achou interessante foi a dificuldade que cada grupo teve para adotar um ponto de vista contrário depois de estabelecer um referencial para tomar uma decisão. Os dois grupos pertenciam a demografias semelhantes. O interesse de ambos pela compra de um videocassete devia ser o mesmo. No mínimo, eles deviam ter apresentado a mesma quantidade de motivos para comprar ou desprezar os aparelhos. Mas, depois que os participantes se aferravam a um referencial para se decidir — *É um investimento para a minha educação* contra *Vai me impedir de dar atenção à família* —, era difícil conceber a escolha de outra forma. Dependendo da maneira como a pergunta era formulada, um videocassete era um instrumento de aprendizado ou uma distração e perda de tempo.³¹ Dezenas de outros estudos em que as pessoas se viam diante de decisões que iam de cruciais, como preferências para seus últimos momentos de vida, a custosas, como a compra de um carro, apresentaram resultados similares. Quando se estabelecia um referencial, era difícil desfazer o contexto.³²

No entanto, referenciais podem ser removidos se nos obrigarmos a buscar perspectivas diferentes. Quando submeteu o dilema de cuidar ou não do sobrinho aos fluxogramas do sr. Edwards, Delia introduziu a quantidade necessária de disfluência para desmontar o referencial que ela havia imaginado que teria de usar. Quando voltou para casa e explicou o raciocínio para o pai, ele também mudou de referencial. Delia disse que não podia tomar conta do bebê porque o Clube de Robótica do sr. Edwards exigia que ela ficasse na escola até as seis da tarde às terças e quintas, e esse clube era o caminho para a faculdade. Além do mais, nos outros dias da semana ela precisava fazer os deveres de casa na biblioteca antes de voltar para casa porque, caso contrário, não conseguiria terminá-los no meio do caos e do barulho da família. Ela mudou o referencial da decisão, formulando-a como uma escolha entre ajudar a família naquele momento ou se sair bem na escola e ajudá-la depois de maneira mais importante. O pai concordou. Eles arrumariam outra babá. Delia precisava ficar na escola.

"Nosso cérebro quer encontrar um referencial simples e se ater a ele, da mesma forma como ele quer tomar decisões binárias", disse-me Eric Johnson, o psicólogo de Columbia. "É por isso que adolescentes ficam pensando no término de um namoro em termos de 'Será que eu o amo ou não?', em vez de 'Eu quero um relacionamento ou a possibilidade de entrar para uma faculdade longe de casa?'. Ou também por que, quando vamos comprar um carro, começamos a pensar 'Eu quero vidro elétrico ou GPS?', e não 'Será que posso mesmo pagar esse carro?'.

"Mas, quando ensinamos às pessoas um processo de mudar o referencial das escolhas, quando lhes oferecemos uma série de passos que façam com que uma decisão pareça ligeiramente diferente do que antes, isso as ajuda a assumir o controle do que acontece dentro da cabeça delas", disse Johnson.³³

"Uma das melhores formas de ajudar os indivíduos a encarar suas experiências sob uma nova luz é fornecer um sistema formal para tomada de decisão — como um fluxograma, uma sequência preestabelecida de perguntas ou o processo do projeto de engenharia — que impeça nosso cérebro de escolher as opções fáceis que desejamos. "Sistemas nos ensinam a obrigar nós mesmos a fazer com que as perguntas pareçam desconhecidas", afirmou. "É uma forma de ver alternativas."

Quando Delia passou para o último ano do ensino médio na Western Hills, sua vida foi ficando cada vez mais caótica. A irmã estava lá, criando o bebê. Outra irmã tinha abandonado os estudos. A família encontrava um lugar para morar e aí acontecia alguma coisa — outro emprego perdido, ou um vizinho que reclamava da quantidade de gente que morava em um apartamento de um quarto —, e todos tinham que se mudar de novo. No último ano de escola de Delia, a família finalmente conseguiu um aluguel de longo prazo, mas o apartamento não tinha sistema de aquecimento e, às vezes, quando o dinheiro não sobrava para a conta de luz, a energia era cortada.

A essa altura, os professores de Delia haviam percebido o que estava acontecendo e sabiam o quanto a jovem estava se esforçando. Ela só tirava nota máxima. Eles se comprometeram a ajudá-la no que fosse possível. Quando Delia precisava lavar roupa, a srta. Thole, a professora de inglês, convidava-a para passar uma tarde em sua casa. Quando a adolescente parecia exausta, o sr. Edwards a deixava ficar até mais tarde na sala para deitar a cabeça na carteira e cochilar enquanto ele corrigia provas. Os professores enxergavam o potencial dela. Tinham esperança de que, com um pouco de ajuda, ela conseguiria ir para a faculdade.

O sr. Edwards, em especial, era uma constante na vida de Delia. Ele a apresentou ao orientador educacional da escola e a ajudou a se inscrever em programas de bolsas. Editou os formulários de inscrição para a faculdade dela e ajudou a enviá-los dentro do prazo. Quando Delia tinha algum problema com os amigos, quando brigava com um namorado ou discutia com o pai, quando parecia que havia muitos deveres de casa e pouco tempo — sempre que a vida parecia soterrá-la —, ela pegava o fluxograma do sr. Edwards e submetia seus problemas ao processo de projeto de engenharia. Aquilo a acalmava. Ajudava a pensar em soluções.

Na primavera do último ano de escola, ela começou a receber cartas de comissões de bolsas. Ganhou a Bolsa Nordstrom de 10 mil dólares, um prêmio do Rotary e a bolsa do programa de minorias da Universidade de Cincinnati.

Os envelopes não paravam de chegar. Dezessete bolsas ao todo. Delia foi a oradora da turma e eleita a aluna com mais chances de sucesso. Na noite anterior à cerimônia de formatura, ela dormiu na casa da srta. Thole para que pudesse tomar banho quente e modelar os cachos. No outono, matriculou-se na Universidade de Cincinnati.

"A faculdade é muito mais difícil do que eu esperava", disse-me Delia. Ela agora está no segundo ano, cursando tecnologia da informação. Geralmente, é a única garota da turma e a única aluna negra. A universidade tentou ajudar estudantes como Delia, universitários de primeira geração, com um programa chamado "Gen-1", que proporciona mentores, aulas de reforço, sessões de estudo obrigatórias e orientação educacional.[34] Os participantes do Gen-1 ficam todos no mesmo alojamento durante o primeiro ano e assinam um contrato de sete páginas no qual se comprometem a cumprir um toque de recolher, respeitar as horas de silêncio à noite e participar de sessões de estudo. A ideia é ajudá-los a se afastar um pouco das circunstâncias em que cresceram, a fazê--los se ver em um contexto diferente.

"Ainda tem problemas em casa", comentou Delia. Mas, quando a vida parece demais, ela pensa nas aulas do sr. Edwards. Qualquer problema pode ser resolvido, passo a passo. "Se eu pegar algo que me incomoda e dividir em pedaços menores, fica parecendo algo em que dá para pensar sem ficar nervosa", disse.

"Já passei por muita coisa. Mas acho que, desde que eu tenha um sistema para pensar fora da minha cabeça, posso aprender com essas vivências. Tudo o que já aconteceu comigo pode ser uma lição, se eu pensar do jeito certo."

As pessoas que melhor conseguem aprender — as que são capazes de digerir os dados à sua volta, que têm ideias com base em suas experiências de vida e tiram proveito das informações que as cercam — são as que sabem aproveitar a disfluência. Elas transformam aquilo que a vida lhes oferece, em vez de apenas aceitar tudo do jeito que é. Sabem que as melhores lições são as que nos obrigam a *fazer* algo e a manipular informações. Pegam os dados e os transformam em experimentos sempre que possível. Seja pelo processo de projeto de engenharia, ou testando uma ideia no trabalho, ou apenas discutindo um conceito com um amigo, quando deixamos uma informação mais disfluente, curiosamente, fica mais fácil compreendê-la.

Em um estudo publicado em 2014, pesquisadores de Princeton e da UCLA examinaram a relação entre aprendizado e disfluência ao analisar a diferença entre alunos que faziam anotações à mão durante uma aula e os que usavam laptops.[35] Registrar os comentários de um palestrante com papel e caneta é mais difícil e menos eficiente do que digitar em um teclado. Sentimos câimbra nos dedos. Escrever à mão é mais devagar do que digitar, então não dá para anotar tantas palavras. Por sua vez, estudantes que usam laptops passam menos tempo se esforçando durante uma aula e, mesmo assim, fazem cerca de duas vezes mais anotações do que os colegas que usam caneta. Em outras palavras, escrever é mais disfluente que digitar, porque exige mais trabalho e captura menos expressões literais.[36]

No entanto, quando os pesquisadores observaram as notas desses dois grupos, perceberam que o índice de retenção do que o palestrante havia falado era duas vezes maior entre os que escreviam à mão do que entre os que usavam computador. A princípio, os cientistas encararam os resultados com ceticismo. Será que as pessoas que escreviam à mão passavam mais tempo estudando depois da aula? Foi realizado um segundo experimento, mas dessa vez eles puseram os adeptos de papel e caneta e os digitadores na mesma sala e depois recolheram todas as anotações deles assim que a aula acabou, para que os alunos não pudessem estudar com o material. Uma semana depois, trouxeram todo mundo de volta. Mais uma vez, os que escreveram à mão tiraram notas melhores em uma prova sobre o conteúdo da aula.[37] Quaisquer que fossem as limitações impostas aos grupos, os alunos que se obrigavam a adotar um método mais trabalhoso — que impunham disfluência à forma de processar informações — aprendiam mais.

Na vida, vale a mesma lição: quando nos vemos diante de alguma informação nova e queremos aprender com ela, devemos nos obrigar a fazer *algo* com os dados. Não adianta a balança em seu banheiro enviar atualizações diárias para um aplicativo no seu celular. Se você quer perder peso, obrigue-se a registrar as medições em papel milimetrado, e assim será mais provável você preferir almoçar uma salada a um hambúrguer. Se você ler um livro cheio de ideias novas, obrigue-se a anotá-las e explicar os conceitos para quem estiver por perto, e assim terá mais chances de aplicá-las na vida. Quando encontrar alguma informação nova, obrigue-se a manuseá-la, use-a em um experimento ou descreva-a para um amigo — dessa forma, você começará a criar as pastas mentais que constituem o cerne do aprendizado.

Cada escolha que fazemos na vida é um experimento. Todos os dias proporcionam oportunidades novas para encontrarmos referenciais melhores para nossas decisões. Vivemos uma época em que os dados são mais abundantes do que nunca, e é mais barato analisá-los e transformá-los em ações. Smartphones, sites, bancos de dados digitais e aplicativos trazem as informações para a ponta de nossos dedos. Mas elas só são úteis se soubermos compreendê-las.

Em 2013, Dante Williams terminou a quinta série em South Avondale. No último dia na escola, ele foi a uma festa no mesmo parquinho onde o adolescente havia sido assassinado durante a Taça da Paz seis anos antes. Havia bolas e um castelo pula-pula, uma máquina de algodão-doce e um DJ. A South Avondale ainda ficava em uma das regiões mais pobres de Cincinnati. Ainda havia traficantes e casas abandonadas perto da unidade. Mas 86% dos alunos superaram a média de educação do estado naquele ano. No ano anterior, 91% dos estudantes haviam tirado notas superiores à média estadual. Havia uma lista de espera de crianças de outro distrito que queriam estudar lá.

É claro que nenhuma escola muda por causa de um único programa, assim como nenhum aluno progride por causa de uma aula ou um professor. Dante e Delia, assim como a South Avondale e a Western Hills, mudaram porque diversas forças se uniram ao mesmo tempo. Havia professores dedicados, e os gestores tinham uma noção de propósito renovada. Havia diretores atentos e o apoio dos pais para as reformas. Mas a dedicação e o propósito só funcionam quando sabemos direcioná-los. As salas de dados que transformaram informações em conhecimento genuíno, os professores que aprenderam a ver os alunos como indivíduos com necessidades e forças distintas: foi assim que as escolas públicas de Cincinnati mudaram.

Na cerimônia de formatura, quando Dante atravessou o palco improvisado, sua família comemorou. Como todos os diplomas entregues naquele dia, o dele tinha uma lacuna em branco. A diretora lhe disse que ainda faltava uma coisa. Ninguém podia terminar o primeiro ciclo do ensino fundamental sem realizar uma pequena tarefa final. Dante precisava transformar aquele diploma e fazer com que fosse dele. Ela entregou uma caneta ao menino. Ele preencheu a lacuna com o próprio nome.

Apêndice

GUIA DO LEITOR PARA USAR ESSAS IDEIAS

Alguns meses depois que entrei em contato com Atul Gawande — o escritor e médico da introdução que ajudou a atiçar meu interesse pela ciência da produtividade —, comecei a preparar este livro. Durante quase dois anos, entrevistei especialistas, li inúmeros artigos científicos e fui atrás de estudos de caso. A certa altura, comecei a imaginar que também tinha me transformado em um especialista em produtividade. Pensei que, quando chegasse a hora de começar a escrever, passar todas aquelas ideias para o papel seria relativamente fácil. As palavras sairiam voando dos meus dedos.

Não foi o que aconteceu.

Tinha dias em que eu ficava sentado diante da minha mesa e passava horas indo de site em site, procurando novos estudos, e depois organizando minhas anotações. Em aviões, com a bagagem de mão cheia de artigos científicos que pretendia ler, eu passava o voo inteiro respondendo a e-mails, preparando listas de tarefas e ignorando as atividades grandes e importantes que precisavam ser concluídas.

Eu tinha uma meta: queria escrever um livro sobre como é possível aplicar na vida aquelas descobertas sobre a produtividade. Mas essa meta me parecia tão remota, tão colossal, que eu insistia em me concentrar em objetivos mais fáceis de cumprir. Passados alguns meses, a única coisa que eu tinha feito era uma série de esboços, mas nenhum capítulo.

"Estou me sentindo um fracasso", escrevi para meu editor em um momento especialmente desanimador. "Não sei o que estou fazendo de errado."

Quando ele me respondeu, chamou a atenção para o óbvio: talvez fosse preciso pegar tudo o que eu estava aprendendo dos especialistas e aplicar à minha própria vida. Eu tinha que seguir os princípios descritos neste livro.

MOTIVAÇÃO

Um dos maiores desafios para mim tinha a ver com minha motivação, que parecia vacilar justamente nas horas erradas. Enquanto eu trabalhava neste livro, atuava também como repórter para o *New York Times*. Além do mais, estava promovendo meu livro anterior e tentando ser um bom pai e marido. Em outras palavras, estava exausto. Depois de um dia longo no *Times*, eu voltava para casa e começava a digitar anotações, esboçar um capítulo ou ajudar a colocar meus filhos para dormir ou lavar a louça ou responder a e-mails — e percebia que a motivação estava em falta. Os e-mails, especificamente, eram uma pequena forma de tortura diária. Minha caixa de entrada vivia entupida de perguntas de colegas, pedidos de outros escritores, mensagens de pesquisadores que eu pretendia entrevistar e outros questionamentos variados que exigiam uma resposta atenta.

No entanto, eu só queria saber de ver televisão.

Em meus esforços de cada noite para encontrar a disposição necessária para responder aos e-mails, comecei a pensar no conceito-chave do Capítulo 1 e nas ideias que o general Charles Krulak usou para reformular o programa básico de treinamento do Corpo de Fuzileiros Navais, reforçando o lócus de controle interno dos recrutas:

— A motivação fica mais fácil quando transformamos uma tarefa em escolha. Isso nos dá uma sensação de controle.

Por exemplo, em um dia comum, eu tinha — digamos — pelo menos cinquenta e-mails que precisavam ser respondidos. Toda noite, eu resolvia me sentar diante do computador e encará-los assim que terminava de jantar. E, toda noite, eu arranjava formas de procrastinar — lia mais uma história para as crianças, limpava a sala de estar, checava o Facebook — para evitar o fastio de digitar respostas e mais respostas. Ou então eu passava pela caixa de entrada, apertava o botão de resposta várias vezes e depois, diante de uma tela cheia de janelas esperando minhas palavras, ficava me sentindo perdido.

Algo que o general Krulak me disse ficou na minha cabeça: "A maioria dos recrutas não sabe se obrigar a começar algo difícil. Mas, se pudermos treiná-los para fazer com que o primeiro passo seja realizar algo que lhes dê a sensação que estão no comando, é mais fácil continuar".

Percebi que a ideia de Krulak podia ajudar a me motivar. Assim, certa noite, depois de colocar as crianças para dormir, abri o laptop e apertei o botão de resposta, abrindo uma série de janelas. E aí, o mais rápido possível, escrevi uma frase em cada e-mail — qualquer frase — para dar a partida. Por exemplo, um colega me mandava uma mensagem para perguntar se eu poderia participar de uma reunião com ele. Eu havia adiado a resposta porque não queria participar. Sabia que a reunião seria longa e tediosa. Mas não podia ignorá-lo completamente. Então escrevi uma frase em minha resposta:

Posso ir, mas vou ter que sair depois de vinte minutos.

Passei por duas dúzias de respostas assim, escrevendo uma frase curta em cada mensagem, quase sem pensar. E, depois, voltei e completei cada e-mail:

Oi, Jim,
    Claro, posso ir, sim, mas vou ter que sair depois de vinte minutos.
    Tudo bem?

                      Obrigado,
                      Charles

Percebi duas coisas: uma, era muito mais fácil responder a um e-mail quando já havia pelo menos uma frase na tela. Duas, e mais importante, era mais fácil eu me sentir motivado quando essa primeira frase era algo que me dava a sensação de controle. Quando falei para Jim que só poderia ficar por vinte minutos, isso me lembrou de que não precisava me dedicar ao projeto dele se não quisesse. Quando eu esboçava uma resposta para alguém que queria me convidar para falar em uma conferência, o começo era:

Eu gostaria de ir na terça-feira e estar de volta a Nova York quinta-feira à noite.

Isso reforçava o fato de que eu estava no comando, mesmo se não fosse à conferência.

Em outras palavras, conforme eu digitava uma série de respostas curtas, cada uma me lembrava que eu controlava as decisões que me eram apresentadas (como um psicólogo talvez dissesse, eu usei aquelas frases para amplificar meu lócus de controle interno). Limpei minha caixa de entrada em 35 minutos.

Mas e outras formas de procrastinação? E quando precisamos encarar uma atividade maior e mais complexa, como redigir um memorando extenso ou ter uma conversa séria com um colega? E se não houver nenhum jeito fácil de provar a nós mesmos que estamos no controle? Para esses casos, eu me lembro de outra lição essencial do capítulo sobre motivação:

— A automotivação fica mais fácil quando encaramos nossas escolhas como afirmações de nossos valores e objetivos mais importantes.

É por isso que os recrutas do Corpo de Fuzileiros Navais se perguntam "por quê": "Por que você está escalando esta montanha?", "Por que você não foi ao aniversário de sua filha?", "Por que você está limpando o refeitório, fazendo flexões ou correndo para o campo de batalha em vez de levar uma vida mais segura e mais fácil?". Quando nos obrigamos a explicar *por que* fazemos algo, isso nos ajuda a lembrar que essa tarefa é um passo que faz parte de um caminho maior e que, quando escolhemos fazer essa jornada, chegamos mais perto de objetivos mais importantes.

Por exemplo, para me motivar a ler estudos durante os voos, comecei a escrever em cada texto *por que* era importante que eu terminasse aquela tarefa. Então, quando eu tirava um estudo da pasta, ficava um pouco mais fácil entrar nele. Uma medida simples, como anotar algumas razões *por que* estou fazendo algo, facilita muito o começo.*

---

* Texto na imagem ao lado: "ELOGIOS À INTELIGÊNCIA PODEM PREJUDICAR A MOTIVAÇÃO E O DESEMPENHO DAS CRIANÇAS. Por que ler este artigo? — Vai me ajudar a achar o personagem certo para o cap. 1. — Vai me ajudar a acabar o livro. — Vai me ajudar a descobrir como a produtividade funciona". (N. T.)

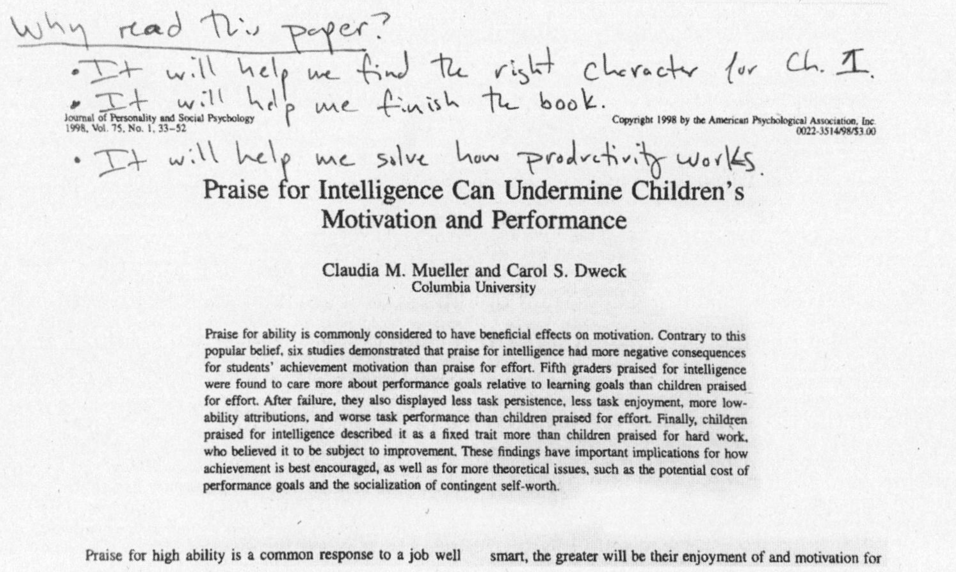
Why read this paper?
• It will help me find the right character for Ch. I.
• It will help me finish the book.

Journal of Personality and Social Psychology
1998, Vol. 75, No. 1, 33–52

Copyright 1998 by the American Psychological Association, Inc.
0022-3514/98/$3.00

• It will help me solve how productivity works.

Praise for Intelligence Can Undermine Children's Motivation and Performance

Claudia M. Mueller and Carol S. Dweck
Columbia University

Praise for ability is commonly considered to have beneficial effects on motivation. Contrary to this popular belief, six studies demonstrated that praise for intelligence had more negative consequences for students' achievement motivation than praise for effort. Fifth graders praised for intelligence were found to care more about performance goals relative to learning goals than children praised for effort. After failure, they also displayed less task persistence, less task enjoyment, more low-ability attributions, and worse task performance than children praised for effort. Finally, children praised for intelligence described it as a fixed trait more than children praised for hard work, who believed it to be subject to improvement. These findings have important implications for how achievement is best encouraged, as well as for more theoretical issues, such as the potential cost of performance goals and the socialization of contingent self-worth.

Praise for high ability is a common response to a job well

smart, the greater will be their enjoyment of and motivation for

A motivação é ativada quando fazemos escolhas que demonstram (para nós mesmos) que estamos no controle — e que estamos avançando rumo a metas importantes. É essa sensação de determinação pessoal que nos empurra para a frente.

PARA GERAR MOTIVAÇÃO

- Faça uma escolha que deixe você no controle. Se precisar responder a e-mails, escreva uma frase inicial que expresse sua opinião ou decisão. Se precisar ter uma conversa séria, decida de antemão onde ela vai acontecer. Para inspirar motivação, o lugar específico é menos importante do que a reafirmação de controle.
- Descubra como essa tarefa se relaciona com algo importante para você. Explique para si mesmo por que essa tarefa vai ajudá-lo a se aproximar de uma meta relevante. Explique *por que* é importante — assim, será mais fácil começar.

DETERMINAÇÃO DE METAS

Contudo, descobrir como me motivar nem sempre bastava. Escrever um livro é uma meta grande — em muitos aspectos, grande demais para se compreender a dimensão toda logo de início. Quando eu estava tentando resolver como tratar do objetivo, contei com a imensa ajuda de minhas pesquisas relacionadas à determinação de metas. A grande conclusão foi que eu precisava de dois objetivos:

— Precisava de uma meta forçada, algo que pudesse inspirar ambições grandes.
— E precisava de uma meta SMART, para me ajudar a formar um plano concreto.

Os especialistas me disseram que uma das maneiras mais eficazes de formular esses dois objetivos era a partir de um tipo específico de lista de tarefas. Eu precisava redigir minhas metas — mas de uma forma que me obrigasse a identificar meus objetivos forçados e minhas metas SMART. Então comecei a escrever listas de tarefas e, no alto de cada uma, anotava minha ambição maior, o propósito pelo qual eu estava trabalhando a longo prazo. (Isso me ajudou a evitar a necessidade de conclusão cognitiva que pode nos deixar obcecados por metas fáceis de curto prazo.) E aí, embaixo, eu descrevia uma submeta e todos os componentes SMART, o que me obrigou a bolar um plano — o que, por sua vez, fez com que todas as minhas metas tivessem mais chance de ser alcançadas.

Por exemplo, uma de minhas metas forçadas durante a pesquisa para este livro era encontrar uma história que ilustrasse o funcionamento de modelos mentais. Eu sabia que especialistas em aviação acreditavam que modelos mentais desempenhavam um papel importante na maneira como pilotos reagiam em casos de emergência; então, no topo da minha lista de tarefas para esse capítulo, escrevi:

> Ch 3 To-do
>
> Stretch: Find aviation story (narrowly averted crash?) that demonstrates mental models

Depois, embaixo dessa meta forçada, anotei minhas metas SMART relacionadas a essa ambição grande:

Caso esteja difícil de ler, eis o que escrevi:

Forçada: Encontrar uma história de aviação (um acidente evitado por pouco?) que demonstre modelos mentais.

Específica: Encontrar um especialista em aviação a partir de artigos no Google Acadêmico.

Mensurável: Telefonar para quatro especialistas todo dia de manhã até encontrar a pessoa/história certa.

Atingível: Reservar as manhãs para me concentrar nessa tarefa e deixar o e-mail fechado de 9h a 11h30.

Realista: Na segunda-feira, passar uma hora procurando especialistas em aviação e criando uma lista de telefones; formar ordem de prioridades e, às 10h15, começar as quatro ligações do dia. Depois de cada conversa, pedir para eles recomendarem outros especialistas.

Cronograma: Se eu fizer quatro ligações por dia, terei feito pelo menos dezesseis ligações até quinta-feira. Se não tiver encontrado a história perfeita até quinta, vou pensar em outro plano. Se *encontrar* a história certa, mandarei uma sinopse para meu editor na sexta.

Levei apenas alguns minutos para anotar essa meta forçada e as SMART — mas naquela semana isso fez uma diferença enorme no rendimento do meu trabalho. Agora faço listas semelhantes para qualquer tarefa grande — e, assim, sei exatamente o que fazer quando me sento diante da minha mesa todo dia de manhã. Em vez de precisar tomar decisões — e correr o risco de me distrair —, tenho uma ideia clara de como agir.

Além disso, como sempre me lembro da meta forçada, não me perco facilmente em tangentes, nem na necessidade de apenas riscar itens da lista. Como diriam os cientistas, anulei meu desejo de conclusão cognitiva. Assim, não paro de trabalhar só porque tive uma entrevista boa ou porque achei um estudo útil ou encontrei uma narrativa interessante que *talvez* entre para o livro. Eu sempre me lembro de que estou perseguindo metas SMART por um motivo maior: para encontrar a história perfeita ou terminar um capítulo ou escrever um livro. Na verdade, tenho uma série de metas forçadas para me lembrar de minhas ambições mais grandiosas:*

---

* Texto na imagem ao lado: "Cap 3. Forçada: Explicar modelos mentais. Forçada: Começar com AF 447 — explicar por que caiu. Forçada: Explicar restrição cognitiva. Forçada: Achar um acidente de avião que foi evitado. Forçada: Encontrar um estudo que explique modelos mentais no cotidiano/trabalho (?)". (N. T.)

Ch 3

Stretch: Explain mental models

Stretch: Open w/ AF 447 - explain why it crashed

Stretch: Explain Cog tunnelling

Stretch: Find a plane crash that was averted

Stretch: Find a study that explains mental models in everyday/workplace (?)

> PARA DETERMINAR METAS:
> - Escolha uma meta forçada: uma ambição que reflita suas maiores aspirações.
> - Em seguida, divida-a em objetivos menores e crie metas SMART.

FOCO

No entanto, como estamos falando da vida real, minha atenção sempre está sujeita a distrações e outras questões. Portanto, além de formar um plano, eu precisava me empenhar em manter o foco. Tentei sempre pensar em uma ideia essencial do capítulo sobre o desastre aéreo evitado do voo 32 da Qantas:

— Podemos reforçar nosso foco criando modelos mentais — contando histórias para nós mesmos — quanto ao que *esperamos* ver.

Para não me distrair das metas forçadas e SMART, eu precisava imaginar o que *esperava* que acontecesse quando fosse para a minha mesa todo dia de manhã. Assim, domingo à noite, criei o hábito de passar um tempo com uma caneta e um bloco de papel e imaginar como o dia e a semana seguintes *deveriam* ser. Em geral, eu escolhia três ou quatro coisas que queria que acontecessem e me obrigava a responder a uma série de perguntas:

MINHA META
Encontrar uma história de aviação que ilustre modelos mentais

O QUE VAI ACONTECER PRIMEIRO?
VOU COMPLETAR UMA LISTA DE ESPECIALISTAS EM AVIAÇÃO

↓

QUE DISTRAÇÕES PODEM APARECER?
VAI TER UM MONTE DE E-MAILS ME ESPERANDO

↓

COMO VOCÊ VAI LIDAR COM ESSA DISTRAÇÃO?
SÓ VOU ABRIR MEU E-MAIL ÀS 11H30

↓

COMO VOCÊ VAI SABER SE CONSEGUIU?
TEREI LIGADO PARA PELO MENOS DEZ PESSOAS E FALADO COM QUATRO ESPECIALISTAS EM AVIAÇÃO

↓

O QUE É NECESSÁRIO PARA CONSEGUIR?
VOU PRECISAR DE UMA XÍCARA DE CAFÉ PARA QUE NÃO ME SINTA TENTADO A ME LEVANTAR

↓

O QUE VOCÊ VAI FAZER DEPOIS?
VOU PESQUISAR FONTES E PREPARAR UMA LISTA DE TELEFONES PARA O DIA SEGUINTE

Normalmente, leva apenas alguns minutos para imaginar o que eu espero que aconteça. Mas, depois desse exercício, fico com uma história na cabeça — um modelo mental de como a manhã deve transcorrer — e, portanto, quando as distrações inevitáveis aparecem, é mais fácil decidir na hora se elas merecem minha atenção ou se posso ignorá-las.

Se meu e-mail mostra que tenho trinta mensagens novas, sei que devo ignorá-las até as 11h30, porque é o que a história na minha cabeça me manda fazer. Se o telefone toca e o identificador de chamadas indica que é um especialista com quem eu estava tentando falar, vou atender, porque essa interrupção cabe no meu modelo mental.

Tenho uma meta forçada e uma meta SMART, que me proporcionam um plano — e uma imagem mental de como esse plano deve se desdobrar —, de modo que fica muito mais fácil fazer escolhas que orientam a concentração.

> **PARA MANTER O FOCO:**
> - Imagine o que vai acontecer. O que virá primeiro? Quais são os obstáculos em potencial? Como você vai evitá-los? Contar a si mesmo uma história sobre o que você *espera* que aconteça facilita quando você tiver que decidir para onde dirigir sua atenção quando o plano encontrar a vida real.

TOMADA DE DECISÃO

Eu já havia estabelecido metas forçadas e SMART. Tinha um modelo mental para manter o foco. Tinha encontrado formas de aprimorar a motivação. Porém, apesar disso tudo, de vez em quando acontecia alguma coisa que mandava minhas intenções cuidadosamente elaboradas para o espaço. Às vezes era algo pequeno, como minha esposa perguntando se eu almoçaria com ela. Às vezes era grande, como um editor me pedindo para fazer um projeto empolgante, mas imprevisto.

Então como eu deveria decidir quando me vejo diante do inesperado? Talvez tivesse um conceito valioso no capítulo sobre raciocínio probabilístico:

— Imagine vários futuros e então se obrigue a descobrir quais são mais prováveis e por quê.

Para uma decisão simples, como escolher se eu devia almoçar com minha esposa, o cálculo era fácil: em um futuro em potencial, eu tirava uma hora de almoço e voltava satisfeito e relaxado. Em outro, o almoço se estende e passamos a maior parte do tempo debatendo logística familiar e problemas com babás, e depois volto para a minha mesa morto e atrasado.

Ao pensar em futuros em potencial, eu estava mais preparado para influenciar quais desses futuros aconteceriam de fato. Por exemplo, ao escolher um restaurante para encontrar minha esposa, sugeri um perto do escritório, para que pudesse voltar para a minha mesa rápido. Quando o assunto de logística familiar apareceu, pedi para conversarmos sobre calendários à noite. Ao prever o futuro, eu estava mais preparado para tomar decisões mais sábias.

Mas decisões maiores — como se eu devia aceitar um projeto empolgante — demandam um pouco mais de análise. Por exemplo, no meio do processo de escrita deste livro, uma produtora me perguntou se eu estaria interessado em desenvolver um programa de TV. Para decidir se eu devia aproveitar essa oportunidade — que atrasaria minha pesquisa, mas talvez compensasse a longo prazo —, listei alguns futuros em potencial do que poderia acontecer se trabalhasse no roteiro de um programa:

Futuro Um	Futuro Dois	Futuro Três	Futuro Quatro
Passo muito tempo trabalhando, e meu programa não dá em nada.	Passo muito tempo trabalhando, e meu programa é um sucesso.	Passo uma quantidade de tempo modesta trabalhando, e meu programa não dá em nada.	Passo uma quantidade de tempo modesta trabalhando, e meu programa é um sucesso.

Eu não fazia ideia de como avaliar esses futuros em potencial. Sabia que havia mais dezenas de possibilidades que deviam ser consideradas, mas que eu não tinha como prever. Então, liguei para alguns amigos que trabalham com televisão. Com base nas conversas com eles, estimei uma probabilidade aproximada para cada situação.

Futuro Um	Futuro Dois	Futuro Três	Futuro Quatro
45%	5%	45%	5%
Porque você pode dedicar muito tempo a um programa, mas a maioria nunca faz sucesso.	Porque, embora a maioria dos programas não dê em nada, nunca se sabe...	Porque eu posso controlar a quantidade de tempo que dedico, se me planejar direito.	Porque quem sabe?

Com base na estimativa dos profissionais, parecia que, se eu dedicasse muito tempo, a chance de isso compensar era pequena. Mas, se eu investisse uma quantidade modesta de tempo, havia chance de que eu pelo menos aprendesse algo.

Àquela altura, eu queria me deixar levar por meus instintos bayesianos, então passei alguns dias permitindo que minha imaginação explorasse resultados variados. No final, decidi que estava ignorando outro futuro em potencial: mesmo se o programa nunca se concretizasse, eu talvez me divertisse muito. Então decidi aceitar — mas especifiquei, logo de início, que queria dar uma contribuição modesta.

Foi uma decisão ótima. De maneira geral, minha participação no projeto foi pequena — talvez um total de duas semanas. Mas a compensação superou minhas expectativas. O programa vai estrear no segundo semestre deste ano, e aprendi muito durante o projeto.

Porém, o mais importante é que essa decisão foi pensada. Como eu havia previsto várias situações possíveis — e, na verdade, traçado algumas metas forçadas e SMART antes de aceitar o projeto —, consegui administrar minha participação.

PARA TOMAR DECISÕES MELHORES:

- Imagine diversos futuros. Quando se obriga a pensar em possibilidades variadas — entre as quais algumas podem ser contraditórias —, você se prepara melhor para tomar decisões sensatas.
- Podemos apurar nossos instintos bayesianos se buscarmos experiências e perspectivas diferentes e ideias de outras pessoas. Quando obtemos informações e nos permitimos analisá-las, as opções ficam mais claras.

A GRANDE IDEIA

Este apêndice oferece um panorama rápido de alguns conceitos-chave que foram importantes para a minha própria vida cotidiana. Se você consegue sentir mais motivação, ficar mais focado, determinar metas melhores e tomar boas decisões, já é um bom caminho rumo à produtividade. Evidentemente, este livro tem outras ideias que também ajudam quando precisamos gerir pessoas, quando tentamos aprender mais rápido, quando precisamos inovar mais rápido. Cada uma dessas áreas de produtividade tem suas próprias ideias também:

PARA AUMENTAR A EFICÁCIA DE EQUIPES:

- Administre o *como*, não o *quem* das equipes. A segurança psicológica existe quando todo mundo acredita que pode falar mais ou menos no mesmo nível dos demais e quando os companheiros de equipe se mostram atenciosos em relação aos sentimentos de cada um.
- Se você lidera uma equipe, pense na mensagem que suas escolhas transmitem. Você incentiva a igualdade de voz ou recompensa as pessoas mais barulhentas? Você demonstra que está prestando atenção ao repetir o que as pessoas dizem e responder a perguntas e sugestões? Você exibe sensibilidade ao reagir quando alguém parece chateado ou ansioso? Você mostra essa sensibilidade, para que as outras pessoas sigam o exemplo?

PARA GERIR PESSOAS DE FORMA PRODUTIVA:

- Técnicas de gestão enxuta e ágil indicam que funcionários trabalham melhor e com mais inteligência quando acreditam que têm mais autoridade para tomar decisões e quando acreditam que seus colegas estão comprometidos com seu sucesso.
- Ao transferir a decisão para a pessoa mais próxima do problema, o gestor aproveita o conhecimento de *todo mundo* e permite inovações.
- Uma noção de controle pode estimular a motivação, mas, para essa disposição levar a ideias e soluções, as pessoas precisam saber que suas sugestões não serão ignoradas e que os erros não serão motivo de retaliação.

PARA ESTIMULAR A INOVAÇÃO:

- Muitas vezes, a criatividade surge quando se combinam ideias antigas de formas novas — e "mediadores de inovações" são fundamentais. Para você se tornar um mediador e estimular a mediação em sua organização:

- Leve em conta suas próprias experiências de vida. Preste atenção ao que você pensa ou sente, pois é assim que se distingue um clichê de uma ideia de verdade. Analise suas próprias reações emocionais.
- Reconheça que o estresse que surge durante o processo criativo não é sinal de que está tudo indo para o buraco. Na verdade, muitas vezes a desesperança criativa é crucial: a ansiedade pode ser o fator que nos leva a ver ideias antigas de forma nova.
- Por fim, lembre-se de que o alívio resultante de um sucesso criativo, ainda que agradável, pode também nos impedir de ver alternativas. Quando nos obrigamos a criticar o que já fizemos, quando olhamos para nossas criações por outras perspectivas, quando damos autoridade a alguém que não tinha antes, nossos olhos permanecem abertos.

PARA ABSORVER MELHOR OS DADOS:

- Quando encontramos informações novas, deveríamos nos obrigar a *fazer algo* com elas. Escreva um recado para si mesmo explicando o que você acabou de ouvir, ou dê um jeito simples de testar uma ideia, ou monte um gráfico com uma série de dados em um papel, ou se obrigue a explicar a ideia para um amigo. Cada escolha que fazemos na vida é um experimento — o segredo é tratarmos de perceber os dados embutidos nessas decisões e, assim, usá-los de alguma forma que nos faça aprender.

O mais importante, nesses conceitos todos, é a ideia elementar por trás dessas lições, a trama que liga as oito noções no cerne deste livro: a produtividade não tem a ver com reconhecer as escolhas que outras pessoas costumam ignorar. Tem a ver com tomar certas decisões de determinadas formas. A maneira como escolhemos encarar nossa própria vida; as histórias que contamos a nós mesmos e as metas que nos obrigamos a descrever em detalhes; a cultura que estabelecemos em nossas equipes; os referenciais que aplicamos às nossas escolhas e o modo como administramos as informações na vida. Pessoas e empresas produtivas se obrigam a fazer escolhas que muitos outros preferem ignorar. A produtividade surge quando os indivíduos se forçam a pensar de um jeito diferente.

Quando eu estava trabalhando neste livro, encontrei uma história que adorei, uma das minhas partes preferidas da pesquisa. O caso tinha a ver com Malcom McLean, o homem que praticamente inventou o contêiner de carga moderno. McLean morreu em 2001, mas deixou fitas de vídeo e inúmeros registros, e passei meses lendo sobre ele, e também entrevistando parentes e dezenas de antigos colegas. Eles descreveram um homem que havia perseguido de forma implacável uma ideia — bens transportados dentro de caixotes enormes de metal aumentariam a produtividade das docas — e contaram que essa noção acabaria transformando a indústria, o mercado de transporte de cargas e a economia de continentes inteiros. Eles explicaram que McLean era muito produtivo porque tinha uma obsessão fanática por uma única ideia.

Dediquei muitas, muitas horas para saber mais sobre McLean. Escrevi vários rascunhos de sua história, determinado a encaixá-lo neste livro.

No entanto, no fim das contas, nenhum deles funcionou. A lição que ele proporcionava — que uma devoção obstinada a uma ideia pode conduzir a mudanças imensas — acabou se mostrando menos universal e importante do que os outros conceitos que eu queria explicar. A história de McLean era interessante, mas não essencial. O que funcionou para ele não funciona para todo mundo. Existem muitos exemplos em que uma devoção fanática saiu pela culatra. A percepção dele não era grande o bastante para ser incluída junto das outras oito deste livro.

E, no entanto, o tempo que eu passei pesquisando sobre McLean valeu a pena, porque descartar esse trabalho me ajudou a entender a mecânica do foco. Meu modelo mental para este livro vivia em conflito com o que eu estava descobrindo sobre McLean. Minha metodologia SMART para a história dele não batia com minha meta forçada de descrever lições de aplicação universal. Em outras palavras, a pesquisa sobre McLean me ajudou a entender do que este livro *devia* tratar. Serviu como um lembrete precioso de como a produtividade funciona de fato: produtividade não é quando todas as ações são eficientes. Não significa que nunca há desperdício. Na verdade, como a Disney descobriu, às vezes é preciso criar tensão para estimular a criatividade. Às vezes um equívoco é o passo mais importante no caminho para o sucesso.

Mas, no final, se você aprender a reconhecer certas escolhas que para muitas pessoas podem não parecer óbvias, será capaz de se tornar alguém mais inteligente, mais rápido e melhor com o tempo. Qualquer um pode ser mais criativo, mais focado, mais capaz de formular metas e tomar decisões sábias. É possível transformar escolas se a maneira como os indivíduos absorvem informações for alterada. É possível ensinar equipes a aprender mais com erros ou a tirar proveito de tensões ou a converter horas aparentemente desperdiçadas em lições de como se aproximar das metas. É possível recriar escolas se as pessoas mais perto de algum problema receberem autoridade. A vida de idosos pode mudar se eles aprenderem a se tornar subversivos.

Todos somos capazes de ser mais produtivos. Agora você sabe como começar.

Agradecimentos

A verdade é que a maior parte de minha capacidade de ficar mais inteligente, mais rápido e melhor depende da gentileza de outras pessoas; então eu gostaria de agradecer a muitas delas.

Este livro existe graças ao poder da força de vontade de Andy Ward, que primeiro topou uma ideia e depois, ao longo de dois anos, ajudou a transformá-la em um livro. Tudo em Andy — desde sua edição delicada até sua exigência incessante por qualidade, passando por sua amizade genuína e sincera — inspira as pessoas à sua volta a ser melhor e a quererem fazer com que o mundo seja mais belo e justo. Sou incrivelmente grato por ter tido a chance de conhecê-lo.

Também tenho a imensa felicidade de haver aterrissado na Random House, que atua sob a orientação sábia e firme de Gina Centrello, Susan Kamil e Tom Perry, e conta também com os esforços sobre-humanos de Maria Braeckel, Sally Marvin, Sanyu Dilon, Theresa Zorro, Avideh Bashirrad, Nicole Morano, Caitlin McCaskey, Melissa Milsten, Leigh Marchant, Alaina Waagner, Dennis Ambrose, Nancy Delia, Benjamin Dreyer e a paciência de Jó de Kaela Myers. E estou profundamente em dívida com todos aqueles que têm um grande talento para pegar estas palavras e levá-las às mãos das pessoas: David Phethean, Tom Nevins, Beth Koehler, David Weller, Richard Callison, Christine McNamara, Jeffrey Weber, David Romine, Cynthia Lasky, Stacy Berenbaum, Glenn Ellis, Allyson Pearl, Kristen Fleming, Cathy Serpico, Ken Wohlrob e todo o resto da equipe de vendas da Random House. Também tenho a sorte de trabalhar com Jason Arthur, Emma Finnigan, Matthew Ruddle, Jason Smith, Nigel Wilcockson e Aslan Byrne na William Heinemann e com Martha Konya-Forstner e Cathy Poine no Canadá.

Estou em dívida também com Andrew Wylie e James Pullen, da agência Wylie. Andrew possui um desejo inabalável de fazer com que o mundo seja mais seguro para os escritores, e agradeço seus esforços. James Pullen me ajudou a entender como ser publicado em idiomas nos quais eu com certeza teria sido reprovado na escola.

Tenho uma dívida gigantesca para com o The New York Times: agradeço imensamente a Dean Baquet, Andy Rosenthal e Matt Purdy, cuja liderança e cujo exemplo me ajudam todos os dias a orientar minhas escolhas pessoais. Arthur Sulzberger, Mark Thompson e Meredith Kopit Levien são amigos excelentes e fizeram com que fosse possível a busca pela verdade. Sou muito grato pelo tempo que passei com Dean Murphy, editor de negócios, e Peter Lattman, editor-assistente de negócios: a amizade, os conselhos e a paciência de ambos me permitiram escrever este livro. Também foi indispensável a orientação de Larry Ingrassia em praticamente qualquer assunto. Gerry Marzorati é um grande amigo, assim como Kinsey Wilson, Susan Chira, Jake Silverstein, Bill Wasik e Cliff Levy.

Mais alguns agradecimentos: estou em dívida com David Leonhardt, A. G. Sulzberger, Walt Bogdanich, Sam Dolnick, Eduardo Porter, David Perpich, Jodi Kantor, Vera Titunik, David Segal, Joe Nocera, Michael Barbaro, Jim Stewart e outros colegas no Times por toda a generosidade com suas ideias.

Agradeço também a Alex Blumberg, Adam Davidson, Paula Szuchman, Nivi Nord, Alex Berenson, Nazanin Rafsanjani, Brendan Koerner, Nicholas Thompson, Sarah Ellison, Amanda Schaffer, Dennis Potami, James e Mandy Wynn, Noah Kotch, Greg Nelson, Caitlin Pike, Jonathan Klein, Amanda Klein, Matthew e Chloe Galkin, Nick Panagopulos e Marissa Ronca, Donnan Steele, Stacey Steele, Wesley Morris, Adir Waldman, Rich Frankel, Jennifer Couzin, Aaron Bendikson, Richard Rampell, David Lewicki, Beth Waltemath, Ellen Martin, Amy Wallace, Russ Uman, Erin Brown, Jeff Norton, Raj De Datta, Ruben Sigala, Dan Costello e Peter Black: todos me proporcionaram apoio e orientação cruciais ao longo do trabalho. A capa e o projeto gráfico de miolo da edição americana brotaram da cabeça incrivelmente talentosa de Anton Ioukhnovets. Obrigado, Anton.

Agradeço também a meus leais apuradores de dados — Cole Louison e Benjamin Phalen — e a Olivia Boone, que ajudou a formatar e organizar as notas de fim.

Estou em dívida com muitas pessoas por toda a generosidade em me oferecer seu tempo e conhecimento durante as pesquisas para este livro. Muitas foram mencionadas nas notas, mas quero agradecer especialmente a William Langewiesche, que me explicou a mecânica (e a terminologia) da aviação, e Ed Catmull e Amy Wallace, que transformaram o capítulo da Disney em realidade.

Por fim, agradeço sobretudo à minha família: Katy Duhigg, Jacquie Jenkusky, David Duhigg, Dan Duhigg, Toni Martorelli, Alexandra Alter e Jake Goldstein são amigos maravilhosos. Meus filhos, Oliver e Harry, são fonte de inspiração e alegria. Meus pais, John e Doris, me incentivaram a escrever desde cedo.

E, claro, minha esposa, Liz: seu amor e apoio, sua orientação, inteligência e amizade constantes fizeram com que este livro fosse possível.

Novembro de 2015

Nota sobre as fontes

A pesquisa para este livro se fundamenta em centenas de entrevistas, artigos e estudos. Muitas dessas fontes estão detalhadas no próprio texto ou nas notas de fim, junto com indicações para que leitores interessados encontrem recursos adicionais.

Na maioria das situações, as pessoas que me proporcionaram fontes significativas de informações ou que publicaram estudos fundamentais para a pesquisa receberam resumos de minha pesquisa e tiveram a oportunidade de conferir os fatos e oferecer comentários adicionais, corrigir discrepâncias ou levantar questões quanto à forma como as informações foram apresentadas. Muitos desses comentários estão reproduzidos nas notas de fim. (Nenhuma fonte teve acesso ao texto completo do livro; todos os comentários se baseiam em resumos encaminhados às fontes.) Apuradores independentes também entraram em contato com fontes importantes e analisaram documentos para verificar e corroborar afirmações.

Em poucos casos, concedi confidencialidade às fontes que, por motivos diversos, preferiram contribuir na condição de anonimato. Em três situações, algumas características foram omitidas ou alteradas ligeiramente para impedir a identificação, a fim de preservar a privacidade de pacientes ou por outros motivos.

Notas

1. MOTIVAÇÃO [pp. 15-40]

   1. A instituição hoje é conhecida como Ochsner Medical Center.
   2. Richard L. Strub, "Frontal Lobe Syndrome in a Patient with Bilateral Globus Pallidus Lesions". *Archives of Neurology*, v. 46, n. 9, pp. 1024-7, 1989.
   3. Michel Habib, "Athymhormia and Disorders of Motivation in Basal Ganglia Disease". *The Journal of Neuropsychiatry and Clinical Neurosciences*, v. 16, n. 4, pp. 509-24, 2004.
   4. Mauricio Delgado, neurologista da Universidade Rutgers, descreve o corpo estriado da seguinte forma: "O corpo estriado é a unidade receptora de uma estrutura maior, os gânglios da base. Digo unidade receptora porque ele recebe conexões de diversas áreas do cérebro que auxiliam em funções cerebrais distintas — assim, o corpo estriado encontra-se em uma posição privilegiada para influenciar o comportamento. Os gânglios da base e ainda o corpo estriado são muito importantes em facetas do comportamento relacionadas a movimento (é comum ver déficits nessa estrutura em pacientes com mal de Parkinson), cognição e motivação. Uma linha de pensamento referente ao corpo estriado e seu papel na motivação e, especificamente, no processamento de recompensas acredita que ele está associado à forma como aprendemos o conceito de recompensa e ao uso dessa informação para tomar decisões que ajudam a orientar o comportamento, avisando ao cérebro durante o processo se determinada recompensa é melhor ou pior do que expectativas prévias".
   5. Oury Monchi et al., "Functional Role of the Basal Ganglia in the Planning and Execution of Actions". *Annals of Neurology*, v. 59, n. 2, pp. 257-64, 2006. Edmund T. Rolls, "Neurophysiology and Cognitive Functions of the Striatum". *Revue Neurologique*, v. 150, pp. 648-60, 1994. Patricia S. Goldman-Rakic, "Regional, Cellular, and Subcellular Variations in the Distribution of D1 and D5 Dopamine Receptors in Primate Brain". *The Journal of Neuroscience*, v. 15, n. 12, pp. 7821-36, 1995. Bradley Voytek e Robert T. Knight, "Prefrontal Cortex and Basal Ganglia Contributions to

Working Memory". *Proceedings of the National Academy of Sciences of the United States of America*, v. 107, n. 42, p. 18167-72, 2010.
6. Minha compreensão quanto ao modo como danos cerebrais influenciam o comportamento se deve a Julien Bogousslavsky e Jeffrey L. Cummings. *Behavior and Mood Disorders in Focal Brain Lesions*. Cambridge: Cambridge University Press, 2000.
7. Muitas vezes, o mal de Parkinson está associado a danos à substância negra, uma região que se comunica com o corpo estriado. R. K. B. Pearce et al., "Dopamine Uptake Sites and Dopamine Receptors in Parkinson's Disease and Schizophrenia". *European Neurology*, v. 30, suplemento 1, pp. 9-14, 1990. Philip Seeman et al., "Low Density of Dopamine D4 Receptors in Parkinson's, Schizophrenia, and Control Brain Striata". *Synapse*, v. 14, n. 4, pp. 247-53, 1993. Philip Seeman et al., "Human Brain D1 and D2 Dopamine Receptors in Schizophrenia, Alzheimer's, Parkinson's, and Huntington's Diseases". *Neuropsychopharmacology*, v. 1, n. 1, pp. 5-15, 1987.
8. Mauricio R. Delgado et al., "Tracking the Hemodynamic Responses to Reward and Punishment in the Striatum". *Journal of Neurophysiology*, v. 84, n. 6, pp. 3072-7, 2000.
9. Em algumas versões deste experimento, os participantes recebiam pequenas recompensas financeiras por acertos e punições por erros. Em resposta a um e-mail para checagem de informações, Delgado ofereceu mais contexto para os experimentos: "O objetivo daquele estudo inicial era investigar o circuito de recompensas do ser humano. Isto é, a partir de estudos com animais, sabemos que certas regiões do cérebro eram importantes para o processamento de informações relacionadas a recompensas. Não sabíamos tanto sobre como isso acontecia no cérebro humano e como isso acontecia com recompensas humanas mais comuns, como dinheiro, que afetavam vícios comportamentais, como o hábito patológico de apostar. Portanto, com o jogo de adivinhações, nossa meta inicial era comparar o que acontecia no cérebro quando os participantes recebiam uma recompensa financeira (por um chute certo) e um castigo financeiro ou uma perda (por um chute incorreto). O padrão observado é muito característico de uma resposta a recompensas. Vemos atividade no corpo estriado (tanto na parte dorsal quanto na ventral). A resposta é um aumento inicial no começo do experimento quando aparece um ponto de interrogação e o participante tenta adivinhar. Concluímos que era um reflexo da expectativa de uma possível recompensa. Outro estudo que usou essa tarefa (ver Delgado et al., 2004, e Leotti e Delgado, 2011) corrobora essa opinião, assim como o estudo de Brian Knutson (2001). O participante ainda não sabe se o chute está certo e levará a uma recompensa ou errado e levará a uma perda. Então o aumento é comum nos dois tipos de experimento. Quando o resultado é revelado, observamos um padrão interessante em que o corpo estriado distingue resultados positivos e negativos — ganhos ou perdas. Uma das interpretações para isso era que o corpo estriado estava classificando o valor dos resultados. Segundo uma interpretação mais global que leva em conta todas as contribuições e respostas neurais dessa estrutura, o corpo estriado recebe a informação sobre o resultado/a recompensa, compara com a expectativa

(por exemplo, quando o resultado é melhor ou pior do que o esperado — se a pessoa chutou que era uma carta alta, a carta era alta ou o chute foi errado) e permite que o sistema se atualize e contribua para a decisão seguinte (por exemplo, tente uma carta baixa da próxima vez)".

10. Em resposta a um e-mail para checagem de informações, Delgado aprofundou seus comentários: "Havia três experimentos relacionados a este. [...] [No] primeiro (Tricomi et al., 2004), os participantes foram informados de que eles veriam dois círculos. Quando vissem o amarelo, por exemplo, deveriam tentar adivinhar, tal como antes, se a resposta certa era o botão 1 ou o 2, e a resposta certa renderia uma recompensa financeira. Se eles vissem um círculo azul, deveriam apertar um botão (controle motor), mas esse botão não tinha nada a ver com a recompensa, era aleatório. Na verdade, a recompensa era aleatória nos dois casos, mas se os indivíduos acreditassem que o botão apertado fazia diferença, como na condição do círculo amarelo, eles ativavam a resposta do corpo estriado muito mais do que se a recompensa não fosse condicionada. Esse experimento demonstrou que se os participantes se sentissem no controle, a resposta à recompensa era mais proeminente. O segundo experimento voltou ao jogo de adivinhação de cartas (Delgado et al., 2005) e acrescentou antes de cada teste uma dica, como um círculo, que previa se a carta seria alta ou baixa. Os participantes tinham que aprender por tentativa e erro o que a dica previa. O experimento demonstrou que o sinal no corpo estriado estava associado à descoberta da recompensa, não apenas ao processamento do valor da recompensa. [...] No terceiro experimento (Leotti e Delgado, 2005), apresentamos aos indivíduos, digamos, duas pistas: um quadrado e um círculo. Quando eles viam o quadrado, sabiam que tinham 50% de chance de acertar (um tipo de adivinhação), e, se escolhessem a opção correta, receberiam uma recompensa (não havia perda nesse experimento, só recompensa ou nada). Nessa condição, eles se sentiam no 'controle'. Muito parecido com o participante no meu estudo que achava que podia 'vencer o jogo'. A outra era uma condição sem escolha. Nesse caso, eles viam um círculo e precisavam escolher também. Só que, dessa vez, era o computador que escolhia. E se o computador acertasse, eles ganhavam uma recompensa. Então, em ambas as condições, havia uma recompensa (ou nenhuma). Mas a principal diferença era que ou os participantes tinham como escolher ou o computador escolhia. Curiosamente, as pessoas preferiam a condição com escolha, ainda que essa condição exigisse mais esforço (a escolha de fato) e levasse à mesma quantidade de recompensas. Também percebemos que havia atividade no corpo estriado com o quadrado (em comparação com o círculo). Isto é, quando os participantes descobriam que teriam escolha, víamos atividade nessa área de recompensa do cérebro, o que sugeria que a simples oportunidade de fazer uma escolha pode ser já uma recompensa".

11. Para saber mais sobre o trabalho de Delgado, recomendo: Elizabeth M. Tricomi, Mauricio R. Delgado e Julie A. Fiez, "Modulation of Caudate Activity by Action Contingency". *Neuron*, v. 41, n. 2, pp. 281-92, 2004. Mauricio R. Delgado, M.

Meredith Gillis e Elizabeth A. Phelps, "Regulating the Expectation of Reward via Cognitive Strategies". *Nature Neuroscience*, v. 11, n. 8, pp. 880-1, 2008. Laura N. Martin e Mauricio R. Delgado, "The Influence of Emotion Regulation on Decision--Making under Risk". *Journal of Cognitive Neuroscience*, v. 23, n. 9, pp. 2569-81, 2011. Lauren A. Leotti e Mauricio R. Delgado, "The Value of Exercising Control over Monetary Gains and Losses". *Psychological Science*, v. 25, n. 2, pp. 596-604, 2014. Lauren A. Leotti e Mauricio R. Delgado, "The Inherent Reward of Choice". *Psychological Science*, v. 22, pp. 1310-8, 2011.

12. "Self-Employment in the United States". *Monthly Labor Review*, U.S. Bureau of Labor Statistics, set. 2010. Disponível em: <http://www.bls.gov/opub/mlr/2010/09/art2full.pdf>.

13. Um estudo de 2006 conduzido pelo Government Accountability Office [Tribunal de Contas do governo] concluiu que 31% dos trabalhadores tinham empregos temporários.

14. Michelle Conlin et al., "The Disposable Worker". *Bloomberg Businessweek*, 7 jan. 2010.

15. Lauren A Leotti, Sheena S. Iyengar e Kevin N. Ochsner, "Born to Choose: The Origins and Value of the Need for Control". *Trends in Cognitive Sciences*, v. 14, n. 10, pp. 457-63, 2010.

16. Diana I. Cordova e Mark R. Lepper, "Intrinsic Motivation and the Process of Learning: Beneficial Effects of Contextualization, Personalization, and Choice". *Journal of Educational Psychology*, v. 88, n. 4, p. 715, 1996. Judith Rodin e Ellen J. Langer, "Long-Term Effects of a Control-Relevant Intervention with the Institutionalized Aged". *Journal of Personality and Social Psychology*, v. 35, n. 12, p. 897, 1977. Rebecca A. Henry e Janet A. Sniezek, "Situational Factors Affecting Judgments of Future Performance". *Organizational Behavior and Human Decision Processes*, v. 54, n. 1, pp. 104-32, 1993. Romin W. Tafarodi, Alan B. Milne e Alyson J. Smith, "The Confidence of Choice: Evidence for an Augmentation Effect on Self-Perceived Performance". *Personality and Social Psychology Bulletin*, v. 25, n. 11, pp. 1405-16, 1999. Jack W. Brehm, "Postdecision Changes in the Desirability of Alternatives". *The Journal of Abnormal and Social Psychology*, v. 52, n. 3, p. 384, 1956. Leon Festinger, *A Theory of Cognitive Dissonance*, v. 2. Stanford: Stanford University Press, 1962. Daryl J. Bem, "An Experimental Analysis of Self-Persuasion". *Journal of Experimental Social Psychology*, v. 1, n. 3, pp. 199-218, 1965. Louisa C. Egan, Laurie R. Santos e Paul Bloom, "The Origins of Cognitive Dissonance: Evidence from Children and Monkeys". *Psychological Science*, v. 18, n. 11, pp. 978-83, 2007.

17. E. J. Langer e J. Rodin, "The Effects of Choice and Enhanced Personal Responsibility for the Aged: A Field Experiment in an Institutional Setting". *Journal of Personality and Social Psychology*, v. 34, n. 2, pp. 191-8, 1976.

18. Margaret W. Sullivan e Michael Lewis, "Contextual Determinants of Anger and Other Negative Expressions in Young Infants". *Developmental Psychology*, v. 39, n. 4, p. 693, 2003.

19. Lauren A. Leotti e Mauricio R. Delgado, "The Inherent Reward of Choice". *Psychological Science*, v. 22, pp. 1310-8, 2011.
20. Ibid.
21. Erika A. Patall, Harris Cooper e Jorgianne Civey Robinson, "The Effects of Choice on Intrinsic Motivation and Related Outcomes: A Meta-Analysis of Research Findings". *Psychological Bulletin*, v. 134, n. 2, p. 270, 2008. Deborah J. Stipek e John R. Weisz, "Perceived Personal Control and Academic Achievement". *Review of Educational Research*, v. 51, n. 1, pp. 101-37, 1981. Steven W. Abrahams, *Goal-Setting and Intrinsic Motivation: The Effects of Choice and Performance Frame-of-Reference*, Universidade Columbia, 1989. Tese de doutorado. Teresa M. Amabile e Judith Gitomer, "Children's Artistic Creativity Effects of Choice in Task Materials". *Personality and Social Psychology Bulletin*, v. 10, n. 2, pp. 209-15, 1984. D'Arcy A. Becker, "The Effects of Choice on Auditors' Intrinsic Motivation and Performance". *Behavioral Research in Accounting*, v. 9, 1997. Dan Stuart Cohen, *The Effects of Task Choice, Monetary, and Verbal Reward on Intrinsic Motivation: A Closer Look at Deci's Cognitive Evaluation Theory*, Universidade Estadual de Ohio, 1974. Tese de doutorado. Diana I. Cordova e Mark R. Lepper, "Intrinsic Motivation and the Process of Learning: Beneficial Effects of Contextualization, Personalization, and Choice". *Journal of Educational Psychology*, v. 88, n. 4, p. 715, 1996. Hsiao d'Ailly, "The Role of Choice in Children's Learning: A Distinctive Cultural and Gender Difference in Efficacy, Interest, and Effort". *Canadian Journal of Behavioural Science*, v. 36, n. 1, p. 17, 2004. Edward L. Deci, *The Psychology of Self-Determination*. Nova York: Free Press, 1980. J. B. Detweiler, R. J. Mendoza e M. R. Lepper, "Perceived Versus Actual Choice: High Perceived Choice Enhances Children's Task Engagement". VIII Annual Meeting of the American Psychological Society, San Francisco, 1996. John J. M. Dwyer, "Effect of Perceived Choice of Music on Exercise Intrinsic Motivation". *Health Values: The Journal of Health Behavior, Education and Promotion*, v. 19, n. 2, pp. 18-26, 1995. Gregory G. Feehan e Michael E. Enzle, "Subjective Control over Rewards: Effects of Perceived Choice of Reward Schedule on Intrinsic Motivation and Behavior Maintenance". *Perceptual and Motor Skills*, v. 72, n. 3, pp. 995-1006, 1991. Terri Flowerday, Gregory Schraw e Joseph Stevens, "The Role of Choice and Interest in Reader Engagement". *The Journal of Experimental Education*, v. 72, n. 2, pp. 93-114, 2004. Claus A. Hallschmidt, *Intrinsic Motivation: The Effects of Task Choice, Reward Magnitude and Reward Choice*, Universidade de Alberta, 1977. Tese de doutorado. Sheena S. Iyengar e Mark R. Lepper, "Rethinking the Value of Choice: A Cultural Perspective on Intrinsic Motivation". *Journal of Personality and Social Psychology*, v. 76, n. 3, p. 349, 1999. Keven A. Prusak et al., "The Effects of Choice on the Motivation of Adolescent Girls in Physical Education". *Journal of Teaching in Physical Education*, v. 23, n. 1, pp. 19-29, 2004. Johnmarshall Reeve, Glen Nix e Diane Hamm, "Testing Models of the Experience of Self-Determination in Intrinsic Motivation and the Conundrum of Choice". *Journal of Educational Psychology*,

v. 95, n. 2, p. 375, 2003. Romin W. Tafarodi, Alan B. Milne e Alyson J. Smith, "The Confidence of Choice: Evidence for an Augmentation Effect on Self-Perceived Performance". *Personality and Social Psychology Bulletin*, v. 25, n. 11, pp. 1405-16, 1999. Miron Zuckerman et al., "On the Importance of Self-Determination for Intrinsically-Motivated Behavior". *Personality and Social Psychology Bulletin*, v. 4, n. 3, pp. 443-6, 1978.

22. Em resposta a um e-mail para checagem de informações, o coronel Robert Gruny, comandante do Regimento de Treinamento de Recrutas do MCRD de San Diego, escreveu: "A partir do instante em que os recrutas descem do ônibus pela primeira vez e pisam nas pegadas amarelas, eles são expostos a um volume de choque e estresse coletivo que é concebido para enfatizar o trabalho em equipe [e] a obediência a ordens e para reforçar o fato de que eles estão entrando em uma nova fase da vida na qual a dedicação abnegada de uns aos outros é muito mais desejada do que conquistas individuais. Além da avaliação médica e dos cortes de cabelo mencionados, a primeira noite inclui também revista em busca de contrabando, as atividades práticas do processamento administrativo e a entrega de uniformes e um telefonema para casa para informar aos pais ou outro indivíduo de escolha que eles chegaram bem ao Centro de Recrutas".

23. Em resposta a um e-mail para checagem de informações, o coronel Gruny respondeu a respeito das reformas de Krulak: "A série de reformas girava em torno da implementação de uma filosofia de valores no treinamento dos recrutas e incluía a introdução da Forja. Embora definitivamente a motivação pessoal e a liderança tenham sido incrementadas, essas reformas também se concentravam em trabalho em equipe, obediência e no desenvolvimento de valores fundamentais (honra, coragem e dedicação). A intenção do general Krulak foi incutir uma filosofia de treinamento cujo resultado fosse que nossos fuzileiros tomassem as decisões certas com base em valores, fosse em combate ou em tempos de paz".

24. Minha compreensão quanto ao programa básico de treinamento do Corpo de Fuzileiros Navais dos Estados Unidos se deve ao general Krulak e ao major Neil A. Ruggiero, diretor de relações públicas no MCRD San Diego/Região de Recrutamento Oeste. Além do mais, agradeço a Thomas E. Ricks e seu livro *Making the Corps* (Nova York: Scribner, 2007). Também consultei Vincent Martino, Jason A. Santamaria e Eric K. Clemons, *The Marine Corps Way: Using Maneuver Warfare to Lead a Winning Organization*. Nova York: McGraw-Hill, 2005. James Woulfe, *Into the Crucible: Making Marines for the 21st Century*. Novato: Presidio Press, 2009. Jon R. Katzenbach, *Desempenho máximo: unindo o coração e a mente de seus colaboradores*. São Paulo: Negócio, 2002. Megan M. Thompson e Donald R. McCreary, *Enhancing Mental Readiness in Military Personnel*. Toronto: Defense Research and Development, 2006. Ross R. Vickers Jr. e Terry L. Conway, "Changes in Perceived Locus of Control During Basic Training", 1984. Raymond W. Novaco et al., *Psychological and Organizational Factors Related to Attrition and Performance in Marine Corps*

Recruit Training. n. AR-001. Seattle: Washington University Department of Psychology, 1979. Thomas M. Cook, Raymond W. Novaco e Irwin G. Sarason, "Military Recruit Training as an Environmental Context Affecting Expectancies for Control of Reinforcement". *Cognitive Therapy and Research*, v. 6, n. 4, pp. 409-27, 1982.

25. Julian B. Rotter, "Generalized Expectancies for Internal Versus External Control of Reinforcement". *Psychological Monographs: General and Applied*, v. 80, n. 1, p. 1, 1966. Timothy A. Judge et al., "Are Measures of Self-Esteem, Neuroticism, Locus of Control, and Generalized Self-Efficacy Indicators of a Common Core Construct?". *Journal of Personality and Social Psychology*, v. 83, n. 3, p. 693, 2002. Herbert M. Lefcourt, *Locus of Control: Current Trends in Theory and Research*. Hillsdale: L. Erlbaum, 1982. Cassandra Bolyard Whyte, "High-Risk College Freshmen and Locus of Control". *Humanist Educator*, v. 16, n. 1, pp. 2-5, 1977. Angela Roddenberry e Kimberly Renk, "Locus of Control and Self-Efficacy: Potential Mediators of Stress, Illness, and Utilization of Health Services in College Students". *Child Psychiatry and Human Development*, v. 41, n. 4, pp. 353-70, 2010. Victor A. Benassi, Paul D. Sweeney e Charles L. Dufour, "Is There a Relation Between Locus of Control Orientation and Depression?". *Journal of Abnormal Psychology*, v. 97, n. 3, p. 357, 1988.
26. Alexandra Stocks, Kurt A. April e Nandani Lynton, "Locus of Control and Subjective Well-Being: A Cross-Cultural Study". *Problems and Perspectives in Management*, v. 10, n. 1, pp. 17-25, 2012.
27. Claudia M. Mueller e Carol S. Dweck, "Praise for Intelligence Can Undermine Children's Motivation and Performance". *Journal of Personality and Social Psychology*, v. 75, n. 1, p. 33, 1998.
28. O experimento específico conduzido pela professora Dweck descrito neste capítulo estava mais orientado para sua teoria implícita de inteligência do que para o lócus de controle. Em uma entrevista, ela traçou comparações entre esse estudo e suas consequências para a compreensão do lócus de controle.
29. Para saber mais sobre a pesquisa fascinante da professora Dweck, recomendo: Carol S. Dweck e Ellen L. Leggett, "A Social-Cognitive Approach to Motivation and Personality". *Psychological Review*, v. 95, n. 2, p. 256, 1988. Carol S. Dweck, "Motivational Processes Affecting Learning". *American Psychologist*, v. 41, n. 10, p. 1040, 1986. Carol S. Dweck, Chi-yue Chiu e Ying-yi Hong, "Implicit Theories and Their Role in Judgments and Reactions: A Word from Two Perspectives". *Psychological Inquiry*, v. 6, n. 4, pp. 267-85, 1995. Carol Dweck, *Por que algumas pessoas fazem sucesso e outras não*. Rio de Janeiro: Fontanar, 2008.
30. Em resposta a um e-mail para checagem de informações, o coronel Jim Gruny, comandante do Regimento de Treinamento de Recrutas do MCRD de San Diego, escreveu que "isso parece um cenário que pode ter sido correto na época em que o fuzileiro que o descreveu passou pelo treinamento de recrutas. Os recrutas não limpam mais refeitórios. Dito isso, esse cenário ilustra corretamente os métodos usados por nossos instrutores e as lições que eles tentam passar para nossos recrutas".

31. Em resposta a um e-mail para checagem de informações, um porta-voz do Corpo de Fuzileiros Navais dos Estados Unidos ressaltou que os recrutas permanecem sob supervisão ao longo de toda a duração da Forja e que o terreno onde a Forja é realizada é de propriedade do CFN. Na Califórnia, a Forja acontece em Camp Pendleton; em Parris Island, na Carolina do Sul, é uma área em torno de uma pista de pouso antiga. O coronel Jim Gruny, comandante do Regimento de Treinamento de Recrutas do MCRD de San Diego, escreveu que "o general Krulak foi um pioneiro no uso de treinamento com base em valores e em uma Forja para solidificá-lo nos recrutas. Krulak disse que originalmente ele tinha três intenções ao conceber a Forja como evento culminante. Em primeiro lugar, seria a última oportunidade do instrutor de aprovar ou reprovar cada recruta. Em segundo, o processo 'enfatizaria e reforçaria todos os valores centrais que estavam sendo transmitidos ao longo do treinamento dos recrutas' [...]. Por fim, faria 'o recruta passar de uma ênfase em disciplina pessoal para o estado que nós queríamos que eles estivessem em combate, que é abnegação'. [...] O recruta que não for aprovado na Forja talvez precise ser reciclado em outra companhia, onde ele poderá realizar a Forja de novo. Ele só será dispensado do Corpo de Fuzileiros Navais se for reprovado várias vezes na Forja ou se sofrer algum ferimento que o impeça de prestar serviço militar". O coronel Christopher Nash, comandante do Batalhão de Treinamento em Armamentos e Campanha, escreveu: "A Forja é um evento de resistência de 54 horas que marca a transformação de um civil em fuzileiro naval dos Estados Unidos. Ao longo de um período de três dias, os recrutas percorrerão cerca de 68 quilômetros a pé, comerão não mais que três rações até o fim do evento e terão menos de quatro horas de sono por noite. A Forja gira em torno de valores centrais e trabalho em equipe. Os recrutas devem superar 24 estações/obstáculos, participar de três discussões sobre valores centrais e dois eventos de resistência noturna ao longo dos três dias. Ninguém pode completar um evento sozinho. A Forja termina com uma escalada de dezesseis quilômetros, o Ceifador, na qual é realizada uma cerimônia simbólica. Nesse evento, os recrutas ganham o título de fuzileiros navais".

32. Joey E. Klinger, *Analysis of the Perceptions of Training Effectiveness of the Crucible at Marine Corps Recruit Depot, San Diego*, Escola Naval de Pós-Graduação, 1999. Tese de doutorado. S. P. Dynan, *Updating Tradition: Necessary Changes to Marine Corps Recruit Training*. Quantico: Marine Corps Command and Staff College, 2006. M. C. Cameron, *Crucible Marine on Point: Today's Entry-Level Infantry Marine*. Quantico: Marine Corps Command and Staff College, 2006. Michael D. Becker, "We Make Marines": *Organizational Socialization and the Effects of "The Crucible" on the Values Orientation of Recruits During US Marine Corps Training*, Universidade de Pensilvânia em Indiana, 2013. Tese de doutorado. Benjamin Eiseman, "Into the Crucible: Making Marines for the 21st Century". *Military Review*, v. 80, n. 1, p. 94, 2000. Terry Terriff, "Warriors and Innovators: Military Change and Organizational Culture in the US Marine Corps". *Defense Studies*, v. 6, n. 2, pp. 215-47, 2006. Antonio B. Smith,

United States Marine Corps' Entry-Level Training for Enlisted Infantrymen: The Marginalization of Basic Warriors. Quantico: Marine Corps Command and Staff College, 2001. William Berris, *Why General Krulak Is the Marine Corps' Greatest Strategic Leader*. Carlisle Barracks: US Army War College, 2011. Terry Terriff, "Of Romans and Dragons: Preparing the US Marine Corps for Future Warfare". *Contemporary Security Policy*, v. 28, n. 1, pp. 143-62, 2007. Marie B. Caulfield, *Adaptation to First Term Enlistment Among Women in the Marine Corps*. Boston: Veterans Administration Medical Center, 2000. Craig M. Kilhenny, *An Organizational Analysis of Marine Corps Recruit Depot, San Diego*, Escola Naval de Pós-Graduação, 2003. Tese de doutorado. Larry Smith, *The Few and the Proud: Marine Corps Drill Instructors in Their Own Words*. Nova York: W. W. Norton, 2007. Thomas M. Cook, Raymond W. Novaco e Irwin G. Sarason, "Military Recruit Training as an Environmental Context Affecting Expectancies for Control of Reinforcement". *Cognitive Therapy and Research*, v. 6, n. 4, pp. 409-27, 1982. Ross R. Vickers Jr. e Terry L. Conway, *The Marine Corps Basic Training Experience: Psychosocial Predictors of Performance, Health, and Attrition*. San Diego: Naval Health Research Center, 1983. Ross R. Vickers Jr. e Terry L. Conway, "Changes in Perceived Locus of Control During Basic Training". In: Annual Meeting of the American Psychological Association, Toronto, Canadá, 24-28 ago., 1984. Thomas M. Cook, Raymond W. Novaco e Irwin G. Sarason, *Generalized Expectancies, Life Experiences, and Adaptation to Marine Corps Recruit Training*. Seattle: Washington University: Department of Psychology, 1980. R. R. Vickers Jr. et al., *The Marine Corps Training Experience: Correlates of Platoon Attrition Rate Differences*. San Diego: Naval Health Research Center, 1983.

33. Rosalie A. Kane et al., "Everyday Matters in the Lives of Nursing Home Residents: Wish for and Perception of Choice and Control". *Journal of the American Geriatrics Society*, v. 45, n. 9, pp. 1086-93, 1997. Rosalie A. Kane et al., "Quality of Life Measures for Nursing Home Residents". *The Journals of Gerontology Series A: Biological Sciences and Medical Sciences*, v. 58, n. 3, pp. 240-8, 2003. James R. Reinardy e Rosalie A. Kane, "Anatomy of a Choice: Deciding on Assisted Living or Nursing Home Care in Oregon". *Journal of Applied Gerontology*, v. 22, n. 1, pp. 152-74, 2003. Robert L. Kane e Rosalie A. Kane, "What Older People Want from Long-Term Care, and How They Can Get It". *Health Affairs*, v. 20, n. 6, pp. 114-27, 2001. William J. McAuley e Rosemary Blieszner, "Selection of Long-Term Care Arrangements by Older Community Residents". *The Gerontologist*, v. 25, n. 2, pp. 188-93, 1985. Bart J. Collopy, "Autonomy in Long Term Care: Some Crucial Distinctions". *The Gerontologist*, v. 28, suplemento, pp. 10-7, 1988. Elizabeth H. Bradley et al., "Expanding the Andersen Model: The Role of Psychosocial Factors in Long-Term Care Use". *Health Services Research*, v. 37, n. 5, pp. 1221-42, 2002. Virginia G. Kasser e Richard M. Ryan, "The Relation of Psychological Needs for Autonomy and Relatedness to Vitality, Well-Being, and Mortality in a Nursing Home: Effects of Control and Predictability on the Physical and Psychological Well-Being of the Institutionalized Aged". *Journal of*

Applied Social Psychology, v. 29, n. 5, pp. 935-4, 1999. James F. Fries, "The Compression of Morbidity". *The Milbank Memorial Fund Quarterly: Health and Society*, v. 83, n. 4, pp. 801-23, 2005. Richard Schulz, "Effects of Control and Predictability on the Physical and Psychological Well-Being of the Institutionalized Aged". *Journal of Personality and Social Psychology*, v. 33, n. 5, p. 563, 1976.

34. Em resposta a um e-mail para checagem de informações, Habib complementou que, em vez de afirmar categoricamente que os pacientes não compreendem os sentimentos, talvez seja mais correto dizer que "é uma questão de expressão de sentimentos, não tanto dos sentimentos propriamente ditos. Eles são capazes de se lembrar do que sentiram antes e não há provas de que não sintam mais. Na realidade, parece que, como já não manifestam sinais de busca por satisfação, a impressão é que eles não têm mais sentimentos. Essa observação também é intrigante, pois sugere que a intensidade dos sentimentos depende da capacidade do indivíduo de buscar satisfação ou recompensa".

2. EQUIPES [pp. 41-71]

1. Alex Roberts, "What a Real Study Group Looks Like". *MBA Blog*, Yale School of Management, 31 ago. 2010. Disponível em: <http://som.yale.edu/what-real-study-group-looks>.
2. Em resposta a um e-mail com perguntas para checagem de informações, Julia Rozovsky escreveu: "Cheguei a ficar bem amiga de algumas pessoas do meu grupo de estudos, mas eu era muito mais ligada à minha equipe de estudo de casos".
3. "Yale SOM Team Wins National Net Impact Case Competition". Yale School of Management, 10 nov. 2011. Disponível em: <http://som.yale.edu/news/news/yale-som-team-wins-national-net-impact-case-competition>.
4. Em resposta a um e-mail com perguntas para checagem de informações, Julia Rozovsky escreveu: "Em cada competição nós que decidíamos participar. Cada competição era uma equipe/ingresso/pacote/processo diferente. Eu por acaso trabalhei com a mesma equipe com uma frequência razoável".
5. Em resposta a um e-mail com perguntas para checagem de informações, uma porta-voz do Google escreveu que "a proposta geral do People Analytics é estudar os principais motivadores de Saúde, Felicidade e Produtividade dos 'Googlers' por um método científico e rigoroso. [...] Nenhum segmento único da empresa controla ou administra contratações ou promoções; o processo é partilhado pelos próprios 'Googlers', pelos gerentes etc.". Para saber mais sobre a prática de recursos humanos no Google, por favor, confira: Thomas H. Davenport, Jeanne Harris e Jeremy Shapiro, "Competing on Talent Analytics". *Harvard Business Review*, v. 88, n. 10, pp. 52-8, 2010. John Sullivan, "How Google Became the #3 Most Valuable Firm by Using People Analytics to Reinvent HR". ERE Media, 25 fev. 2013. Disponível em:

<http://www.eremedia.com/ere/how-google-became-the-3-most-valuable-firm-by-using-people-analytics-to-reinvent-hr/>. David A. Garvin, "How Google Sold Its Engineers on Management". *Harvard Business Review*, v. 91, n. 12, pp. 74-82, 2013. Adam Bryant, "Google's Quest to Build a Better Boss". *The New York Times*, 12 mar. 2011. Laszlo Bock, *Work Rules! Insights from Inside Google That Will Transform the Way You Live and Lead*. Nova York: Twelve, 2015.

6. Nos anos de 2007, 2008, 2012, 2013 e 2014, o Google foi considerado o número um pela revista *Fortune*.
7. Em resposta a um e-mail com perguntas para checagem de informações, Julia Rozovsky escreveu: "Trabalhei em vários outros esforços antes de me juntar à equipe do Projeto Aristóteles. Segue uma pequena biografia que uso internamente: 'Julia Rozovsky entrou para a equipe de People Analytics do Google em agosto de 2012. No tempo que passou no Google, Julia colaborou com equipes para formular planejamento de força de trabalho e estratégias de projeto, analisou o impacto de programas de flexibilidade no ambiente de trabalho e realizou pesquisas sobre a formação de líderes autônomos. Agora, ela atua como [gerente de projeto] do Projeto Aristóteles, que visa aprimorar a eficácia das equipes no Google. Antes do Google, Julia colaborou com pesquisadores da Faculdade de Administração de Harvard em estudos de estratégia competitiva e comportamento organizacional, com foco em teoria dos jogos, ética e controles financeiros e estrutura organizacional. Antes disso, trabalhou como consultora estratégica em uma empresa especializada em análise de marketing. Julia possui MBA da Faculdade de Administração de Yale e é formada em matemática e economia pela Universidade Tufts'".
8. Em seus comentários em resposta a perguntas para checagem de informações, uma porta-voz do Google escreveu: "Precisamos começar primeiro com a definição de equipe e então chegamos a grupos de pessoas que colaboram intimamente em projetos e trabalham para atingir uma meta em comum. Depois, como sabíamos que uma definição hierárquica de equipe seria restritiva demais em nosso ambiente, onde as pessoas colaboravam com departamentos diversos, precisávamos dar um jeito de identificar de forma sistemática equipes intactas e as pessoas que de fato participavam delas, para que pudéssemos estudá-las. No fim das contas, precisamos fazer isso manualmente, pedindo para os líderes superiores identificarem as equipes em suas organizações e pedirem que os líderes de equipes confirmassem seus integrantes".
9. David Lyle Light Shields et al., "Leadership, Cohesion, and Team Norms Regarding Cheating and Aggression". *Sociology of Sport Journal*, v. 12, pp. 324-36, 1995.
10. Para saber mais sobre normas, por favor, confira: Muzafer Sherif, *The Psychology of Social Norms*. Londres: Octagon Books, 1965. Jay Jackson, "Structural Characteristics of Norms". *Current Studies in Social Psychology*, v. 301, p. 309, 1965. P. Wesley Schultz et al., "The Constructive, Destructive, and Reconstructive Power of Social Norms". *Psychological Science*, v. 18, n. 5, pp. 429-34, 2007. Robert B. Cialdini, "Descriptive Social Norms as Underappreciated Sources of Social Control". *Psychometrika*, v. 72,

n. 2, pp. 263-8, 2007. Keithia L. Wilson et al., "Social Rules for Managing Attempted Interpersonal Domination in the Workplace: Influence of Status and Gender". *Sex Roles*, v. 44, n. 3-4, pp. 129-54, 2001. Daniel C. Feldman, "The Development and Enforcement of Group Norms". *Academy of Management Review*, v. 9, n. 1, pp. 47--53, 1984. Deborah J. Terry, Michael A. Hogg e Katherine M. White, "The Theory of Planned Behaviour: Self-Identity, Social Identity and Group Norms". *The British Journal of Social Psychology*, v. 38, p. 225, 1999. Jolanda Jetten, Russell Spears e Antony S. R. Manstead, "Strength of Identification and Intergroup Differentiation: The Influence of Group Norms". *European Journal of Social Psychology*, v. 27, n. 5, pp. 603-9, 1997. Mark G. Ehrhart e Stefanie E. Naumann, "Organizational Citizenship Behavior in Work Groups: A Group Norms Approach". *Journal of Applied Psychology*, v. 89, n. 6, p. 960, 2004. Jennifer A. Chatman e Francis J. Flynn, "The Influence of Demographic Heterogeneity on the Emergence and Consequences of Cooperative Norms in Work Teams". *Academy of Management Journal*, v. 44, n. 5, pp. 956-74, 2001.
11. Sigal G. Barsade, "The Ripple Effect: Emotional Contagion and Its Influence on Group Behavior". *Administrative Science Quarterly*, v. 47, n. 4, pp. 644-75, 2002. Vanessa Urch Druskat e Steven B. Wolff, "Building the Emotional Intelligence of Groups". *Harvard Business Review*, v. 79, n. 3, pp. 80-91, 2001. Vanessa Urch Druskat e Steven B. Wolff, "Group Emotional Intelligence and Its Influence on Group Effectiveness". In: Cary Cherniss e Daniel Goleman (Orgs.). *The Emotionally Intelligent Workplace: How to Select for, Measure, and Improve Emotional Intelligence in Individuals, Groups and Organizations*. San Francisco: Jossey-Bass, 2001. pp. 132--55. Daniel Goleman, Richard Boyatzis e Annie McKee, "The Emotional Reality of Teams". *Journal of Organizational Excellence*, v. 21, n. 2, pp. 55-65, 2002. William A. Kahn, "Psychological Conditions of Personal Engagement and Disengagement at Work". *Academy of Management Journal*, v. 33, n. 4, pp. 692-724, 1990. Tom Postmes, Russell Spears e Sezgin Cihangir, "Quality of Decision Making and Group Norms". *Journal of Personality and Social Psychology*, v. 80, n. 6, p. 918, 2001. Chris Argyris, "The Incompleteness of Social-Psychological Theory: Examples from Small Group, Cognitive Consistency, and Attribution Research". *American Psychologist*, v. 24, n. 10, p. 893, 1969. James R. Larson e Caryn Christensen, "Groups as Problem--Solving Units: Toward a New Meaning of Social Cognition". *British Journal of Social Psychology*, v. 32, n. 1, pp. 5-30, 1993. P. Wesley Schultz et al., "The Constructive, Destructive, and Reconstructive Power of Social Norms". *Psychological Science*, v. 18, n. 5, pp. 429-34, 2007.
12. Em resposta a um e-mail com perguntas para checagem de informações, Julia Rozovsky escreveu: "Essa era a sensação que eu tinha com o grupo de estudos de vez em quando. Não sempre".
13. Em seus comentários em resposta a perguntas para checagem de informações, uma porta-voz do Google escreveu: "Queríamos testar muitas normas de grupo que

achávamos que pudessem ser importantes. Mas, na fase de testes, não sabíamos que o *como* seria muito mais importante que o *quem*. Quando começamos a analisar os modelos estatísticos, ficou claro que as normas não só eram mais importantes em nossos modelos, mas que também cinco temas se destacavam do restante".

14. Amy C. Edmondson, "Learning from Mistakes Is Easier Said than Done: Group and Organizational Influences on the Detection and Correction of Human Error". *The Journal of Applied Behavioral Science*, v. 32, n. 1, pp. 5-28, 1996. Vanessa Urch Druskat e Steven B. Wolff, "Group Emotional Intelligence and Its Influence on Group Effectiveness". In: Cary Cherniss e Daniel Goleman (Orgs.). *The Emotionally Intelligent Workplace: How to Select for, Measure, and Improve Emotional Intelligence in Individuals, Groups and Organizations*. San Francisco: Jossey-Bass, 2001. pp. 132-55. David W. Bates et al., "Incidence of Adverse Drug Events and Potential Adverse Drug Events: Implications for Prevention". *Journal of the American Medical Association*, v. 274, n. 1, pp. 29-34, 1995. Lucian L. Leape et al., "Systems Analysis of Adverse Drug Events". *Journal of the American Medical Association*, v. 274, n. 1, pp. 35-43, 1995.

15. Em resposta a um e-mail com perguntas para checagem de informações, Edmondson escreveu: "Não foi conclusão MINHA a de que erros acontecem por causa de complexidade nos sistemas (e sua desafiadora combinação com heterogeneidade de pacientes). [...] Eu sou apenas a mensageira que apresenta essa perspectiva para certos públicos. Mas, sim, as oportunidades para equívocos são constantes, então o desafio é desenvolver atenção e trabalho em equipe que identifiquem, corrijam e evitem os deslizes".

16. Em resposta a um e-mail com perguntas para checagem de informações, Edmondson escreveu: "Minha meta era averiguar se o clima interpessoal que eu havia concluído que diferia nesse ambiente diferiria em outras organizações, especialmente entre grupos dentro de uma mesma organização. Mais tarde, chamei isso de segurança psicológica (ou segurança psicológica da equipe). Eu também queria descobrir se, no caso de haver diferença, ela estaria associada a diferenças de postura de aprendizado (e diferenças de desempenho)". Para saber mais sobre a obra de Edmondson, por favor, confira: Amy C. Edmondson, "Psychological Safety and Learning Behavior in Work Teams". *Administrative Science Quarterly*, v. 44, n. 2, pp. 350-83, 1999. Ingrid M. Nembhard e Amy C. Edmondson, "Making It Safe: The Effects of Leader Inclusiveness and Professional Status on Psychological Safety and Improvement Efforts in Health Care Teams". *Journal of Organizational Behavior*, v. 27, n. 7, pp. 941-66, 2006. Amy C. Edmondson, Roderick M. Kramer e Karen S. Cook, "Psychological Safety, Trust, and Learning in Organizations: A Group-Level Lens". *Trust and Distrust in Organizations: Dilemmas and Approaches*, v. 10, pp. 239-72, 2004. Amy C. Edmondson, *Managing the Risk of Learning: Psychological Safety in Work Teams*. Boston: Division of Research, Harvard Business School, 2002. Amy C. Edmondson, Richard M. Bohmer e Gary P. Pisano, "Disrupted Routines: Team Learning and New

Technology Implementation in Hospitals". *Administrative Science Quarterly*, v. 46, n. 4, pp. 685-716, 2001. Anita L. Tucker e Amy C. Edmondson, "Why Hospitals Don't Learn from Failures". *California Management Review*, v. 45, n. 2, pp. 55-72, 2003. Amy C. Edmondson, "The Competitive Imperative of Learning". *Harvard Business Review*, v. 86, n. 7-8, p. 60, 2008. Amy C. Edmondson, "A Safe Harbor: Social Psychological Conditions Enabling Boundary Spanning in Work Teams". *Research on Managing Groups and Teams*, v. 2, pp. 179-99, 1999. Amy C. Edmondson e Kathryn S. Roloff, "Overcoming Barriers to Collaboration: Psychological Safety and Learning in Diverse Teams". *Team Effectiveness in Complex Organizations: Cross-Disciplinary Perspectives and Approaches*, v. 34, pp. 183-208, 2009.

17. Amy C. Edmondson, "Psychological Safety and Learning Behavior in Work Teams". *Administrative Science Quarterly*, v. 44, n. 2, pp. 350-83, 1999.
18. Em seus comentários em resposta a perguntas para checagem de informações, uma porta-voz do Google escreveu: "Os artigos de Edmondson sobre segurança psicológica foram muito úteis quanto tentamos descobrir como agrupar em metatemas normas que percebíamos ser importantes. Quando conferimos os artigos sobre segurança psicológica, reparamos que normas como a de permitir que outros cometessem erros sem sofrer retaliação, a de permitir opiniões divergentes, a de acreditar que os outros não estão tentando prejudicar ninguém, todas faziam parte da segurança psicológica. Isso se tornou um de nossos cinco temas-chave, junto com confiança, estrutura/clareza, significado do trabalho e impacto".
19. Minha compreensão quanto aos primeiros dias do *Saturday Night Live* se deve aos roteiristas e atores que se dispuseram a conversar comigo e também a Tom Shales e James Andrew Miller, *Live from New York: An Uncensored History of "Saturday Night Live"*. Boston: Back Bay Books, 2008. Ellin Stein, *That's Not Funny, That's Sick: The National Lampoon and the Comedy Insurgents Who Captured the Mainstream*. Nova York: Norton, 2013. Marianne Partridge (Org.). *"Rolling Stone" Visits "Saturday Night Live"*. Garden City: Dolphin Books, 1979. Doug Hill e Jeff Weingrad, *Saturday Night: A Backstage History of "Saturday Night Live"*. San Francisco: Untreed Reads, 2011.
20. Em resposta a um e-mail com perguntas para checagem de informações, Schiller escreveu: "Foi uma experiência intensa para mim, já que eu nunca tinha morado em Nova York nem trabalhado em um programa humorístico de variedades. A maioria de nós sabia bem pouco de Manhattan, então passávamos muito tempo juntos, não só porque Nova York na época era meio perigosa e assustadora, mas também porque não conhecíamos muita gente e estávamos criando o programa. Tínhamos vinte, trinta e poucos anos. Sim, íamos a restaurantes e bares juntos mesmo depois de sair do estúdio. Andávamos em bando, cada um tentando fazer os outros rirem".
21. Malcolm Gladwell, "Group Think: What Does Saturday Night Live Have in Common with German Philosophy?". *The New Yorker*, 2 dez. 2002.
22. Donelson Forsyth, *Group Dynamics*. Boston: Cengage Learning, 2009.
23. Alison Castle. *"Saturday Night Live": The Book*. Colônia: Taschen, 2015.

24. Em resposta a um e-mail com perguntas para checagem de informações, Beatts escreveu: "Minha piada sobre o Holocausto, que com certeza foi contada em tom de brincadeira porque não tem nenhum outro jeito de contar piadas, não teve nada a ver com os roteiristas do programa. As palavras exatas foram: 'Imagine se Hitler não tivesse matado 6 milhões de judeus, como seria difícil encontrar apartamento em Nova York.' Era uma piada sobre a dificuldade de se achar apartamentos em Nova York, aproveitando a grande quantidade de judeus em Nova York e uma noção étnica genérica, tipo o slogan de uma padaria que dizia 'Você não precisa ser judeu para adorar o pão de centeio da Levy's. Mas não faria mal.' Nada a ver com os roteiristas. Marilyn Miller se ofendeu só de ouvir a menção a Hitler e ao Holocausto, que para ela não podiam ser tema para comédia. [...] [Quanto à] competição entre os roteiristas, não que não existisse, porque existia, mas [...] todo mundo sempre tinha chance de voltar com tudo na semana seguinte. Além disso, os outros roteiristas e todo mundo em geral, apesar da disputa por espaço no ar, pela aprovação de Lorne, pelo reconhecimento do público etc., sempre davam muito apoio para os esforços uns dos outros e respeitavam muito os erros de cada um. Ninguém ficava esfregando as mãos de alegria e dando risada, ha-ha, seu esquete foi cortado e o meu entrou, toma! Estava mais para uma postura 'Boa sorte da próxima'. Acho que todo mundo se sentia como parte de uma família, talvez disfuncional, mas ainda assim unida. Eu diria que acontecem mais rasteiras e inveja e rivalidade e disputa e panelinha no pátio de uma escola de ensino fundamental do que sempre teve no *SNL* na época em que eu estava lá".
25. Em resposta a um e-mail com perguntas para checagem de informações, Alan Zweibel escreveu: "Eu não estava bravo por causa de nada relacionado àquele personagem ou ao processo em que ele foi escrito. Não estávamos nos falando por motivos que não lembro bem agora. Mas, depois de três episódios em que não escrevi com ela (e para ela), nós dois percebemos que nosso trabalho estava sendo prejudicado, que funcionávamos melhor como equipe do que como indivíduos, então fizemos as pazes e voltamos a colaborar".
26. Em resposta a um e-mail com perguntas para checagem de informações, Schiller escreveu: "Eu diria que alguns, não todos, escritores de comédia e comediantes de palco têm algum elemento de tristeza ou raiva na vida, e isso os ajudou a alimentar a comédia deles. Eles têm língua afiada, e os de *stand-up* eram acostumados a interrupções de pessoas agressivas e precisavam estar preparados para dar um troco rápido. Então, eles são capazes de dizer algo engraçado e sarcástico, mas também sabem atacar com um comentário rápido e hostil (porém também engraçado). [...] Embora todo mundo se gostasse ali, a atmosfera no *SNL* podia ficar bastante competitiva com base no fato de que eram dez roteiristas e que só alguns esquetes cabiam no programa, então todos tentávamos escrever o esquete vencedor ou fazer (no meu caso) o melhor curta-metragem".
27. As respostas certas para o teste são chateado, decidida, cético e cauteloso. Essas imagens encontram-se em: Simon Baron-Cohen et al., "Another Advanced Test

of Theory of Mind: Evidence from Very High Functioning Adults with Autism or Asperger Syndrome". *Journal of Child Psychology and Psychiatry*, v. 38, n. 7, pp. 813--22, 1997. E em Simon Baron-Cohen et al., "The 'Reading the Mind in the Eyes' Test Revised Version: A Study with Normal Adults, and Adults with Asperger Syndrome or High-Functioning Autism". *Journal of Child Psychology and Psychiatry*, v. 42, n. 2, pp. 241-51, 2001.
28. Anita Williams Woolley et al., "Evidence for a Collective Intelligence Factor in the Performance of Human Groups". *Science*, v. 330, n. 6004, pp. 686-8, 2010.
29. Anita Woolley e Thomas Malone, "What Makes a Team Smarter? More Women". *Harvard Business Review*, v. 89, n. 6, pp. 32-3, 2011. Julia B. Bear e Anita Williams Woolley, "The Role of Gender in Team Collaboration and Performance". *Interdisciplinary Science Reviews*, v. 36, n. 2, pp. 146-53, 2011. David Engel et al., "Reading the Mind in the Eyes or Reading Between the Lines? Theory of Mind Predicts Collective Intelligence Equally Well Online and Face-to-Face". *PloS One*, v. 9, n. 12, 2014. Anita Williams Woolley e Nada Hashmi, "Cultivating Collective Intelligence in Online Groups". In: Pietro Michelucci (Org.). *Handbook of Human Computation*. Nova York: Springer, 2013. pp. 703-14. Heather M. Caruso e Anita Williams Woolley, "Harnessing the Power of Emergent Interdependence to Promote Diverse Team Collaboration". *Research on Managing Groups and Teams: Diversity and Groups*, v. 11, pp. 245-66, 2008. Greg Miller, "Social Savvy Boosts the Collective Intelligence of Groups". *Science*, v. 330, n. 6000, p. 22, 2010. Anita Williams Woolley et al., "Using Brain-Based Measures to Compose Teams: How Individual Capabilities and Team Collaboration Strategies Jointly Shape Performance". *Social Neuroscience*, v. 2, n. 2, pp. 96-105, 2007. Peter Gwynne, "Group Intelligence, Teamwork, and Productivity". *Research Technology Management*, v. 55, n. 2, p. 7, 2012.
30. Simon Baron-Cohen et al., "The 'Reading the Mind in the Eyes' Test Revised Version: A Study with Normal Adults, and Adults with Asperger Syndrome or High-Functioning Autism". *Journal of Child Psychology and Psychiatry*, v. 42, n. 2, pp. 241-51, 2001.
31. Em resposta a um e-mail com perguntas para checagem de informações, Alan Zweibel escreveu: "[Michaels] disse que gostava quando apareciam muitas iniciais no alto da folha porque isso significava que ele tinha uma variedade de sugestões e sensibilidades. Acho que o programa existe há quarenta anos porque Lorne é um gênio para reconhecer talento, lidar com as mudanças dos tempos e incentivar todo mundo a trabalhar uns com os outros (ao mesmo tempo em que desenvolvem suas próprias vozes), e assim o total é maior que a soma das partes".
32. No roteiro que foi ao ar, O'Donoghue diz: "Eu sei que consigo! Eu sei que consigo! Eu sei que consigo! Eu sei que consigo! Ataque cardíaco! Ataque cardíaco! Ataque cardíaco! Ataque cardíaco! Ai, meu Deus, que dor! Ai, meu Deus, que dor! Ai, meu Deus, que dor!". Vale apontar que o conceito original de histórias infantis deprimentes partiu de O'Donoghue, não de Garrett.

3. FOCO [pp. 72-99]

1. Minha compreensão quanto aos detalhes do voo 447 da Air France se deve a diversos especialistas, entre eles William Langewiesche, Steve Casner, Christopher Wickens e Mica Endsley. Também tirei grande proveito de várias publicações: William Langewiesche, "The Human Factor". *Vanity Fair*, out. 2014. Nicola Clark, "Report Cites Cockpit Confusion in Air France Crash". *The New York Times*, 6 jul. 2012. Nicola Clark, "Experts Say Pilots Need More Air Crisis Training". *The New York Times*, 21 nov. 2011. Kim Willsher, "Transcripts Detail the Final Moments of Flight from Rio". *Los Angeles Times*, 16 out. 2011. Nick Ross e Neil Tweedie, "Air France Flight 447: 'Damn It, We're Going to Crash'". *The Daily Telegraph*, 1º maio 2012. "Air France Flight 447: When All Else Fails, You Still Have to Fly the Airplane". *Aviation Safety*, 1º mar. 2011. "Concerns over Recovering AF447 Recorders". *Aviation Week*, 3 jun. 2009. Flight Crew Operating Manual, *Airbus 330—Systems—Maintenance System*. Tim Vasquez, "Air France Flight 447: A Detailed Meteorological Analysis". Weather Graphics, 3 jun. 2009. Disponível em: <http://www.weathergraphics.com/tim/af447/>. Cooperative Institute for Meteorological Satellite Studies, "Air France Flight #447: Did Weather Play a Role in the Accident?". CIMSS *Satellite Blog*, 1º jun. 2009. Disponível em: <http://cimss.ssec.wisc.edu/goes/blog/archives/2601>. Richard Woods e Matthew Campbell, "Air France 447: The Computer Crash". *The Times*, 7 jun. 2009. "AF 447 May Have Come Apart Before Crash". Associated Press, 3 jun. 2009. Wil S. Hylton, "What Happened to Air France Flight 447?". *The New York Times Magazine*, 4 maio 2011. "Accident Description F-GZC". Flight Safety Foundation, web. "List of Passengers Aboard Lost Air France Flight". Associated Press, 4 jun. 2009. "Air France Jet 'Did Not Break Up in Mid-Air', Air France Crash: First Official Airbus A330 Report Due by Air Investigations and Analysis Office". *Sky News*, 2 jul. 2009. Matthew Wald, "Clues Point to Speed Issues in Air France Crash". *The New York Times*, 7 jun. 2009. Air France, "AF 447 RIOPARIS-CDG, Pitot Probes". 22 out. 2011. Disponível em: <http://corporate.airfrance.com/en/press/af-447-rio-paris-cdg/pitot-probes/>. Edward Cody, "Airbus Recommends Airlines Replace Speed Sensors". *The Washington Post*, 31 jul. 2009. Jeff Wise, "What Really Happened Aboard Air France 447". *Popular Mechanics*, 6 dez. 2011. David Kaminski-Morrow, "AF447 Stalled but Crew Maintained Nose-Up Attitude". *Flight International*, 27 maio 2011. David Talbot, "Flight 447's Fatal Attitude Problem". *Technology Review*, 27 maio 2011. Glenn Pew, "Air France 447—How Did This Happen?". *AVweb*, 27 maio 2011. Bethany Whitfield, "Air France 447 Stalled at High Altitude, Official BEA Report Confirms". *Flying*, 27 maio 2011. Peter Garrison, "Air France 447: Was It a Deep Stall?". *Flying*, 1º jun. 2011. Gerald Traufetter, "Death in the Atlantic: The Last Four Minutes of Air France Flight 447". *Spiegel Online*, 25 fev. 2010. Nic Ross e Jeff Wise, "How Plane Crash Forensics Lead to Safer Aviation". *Popular Mechanics*, 18 dez. 2009. *Interim Report on the Accident on 1 June 2009 to the Airbus A330-203*

Registered F-GZCP Operated by Air France Flight AF 447 Rio de Janeiro-Paris. Paris: Bureau d'Enquêtes et d'Analyses pour la sécurité de l'aviation civile (BEA), 2012. *Interim Report N° 3 on the Accident on 1 June 2009 to the Airbus A330-203 registered F-GZCP Operated by Air France Flight AF 447 Rio de Janeiro-Paris*. Paris: BEA, 2011. *Final Report on the Accident on 1ˢᵗ June 2009 to the Airbus A330-203 Registered F-GZCP Operated by Air France Flight AF 447 Rio de Janeiro-Paris*. Paris: BEA, 2012. "Appendix 1 to Final Report on the Accident on 1st June 2009 to the Airbus A330-203 Registered F-GZCP Operated by Air France Flight AF 447 Rio de Janeiro-Paris". Paris: BEA, jul. 2012. *Lost: The Mystery of Flight 447*, BBC One, jun. 2010. "Crash of Flight 447". *Nova*, 2010, produzido por Nacressa Swan. "Air France 447, One Year Out". *Nova*, 2010, produzido por Peter Tyson.
2. A Air France argumentou que é incorreto atribuir a erro dos pilotos a causa principal para a queda do voo 447. (Essa opinião é contestada por diversos especialistas em aviação.) A Air France recebeu uma lista completa de perguntas relativas a detalhes apresentados neste capítulo. A empresa se recusou a comentar questões que não estavam contidas nos tópicos tratados pelo relatório oficial sobre o voo 447 publicado pelo Bureau d'Enquêtes et d'Analyses pour la Sécurité de l'Aviation Civile, ou BEA, que é a principal autoridade francesa responsável pela investigação de acidentes aéreos. Em declaração oficial, um porta-voz da Air France afirmou: "É essencial lembrar que o relatório da investigação do BEA, a única investigação oficial e pública até o momento, aborda e detalha muitas das questões mencionadas [nesse capítulo]. O relatório está disponível em inglês no site do BEA. Só podemos orientar o jornalista a esse relatório como suplemento a nossas respostas".
3. Respondendo a perguntas, um porta-voz da Air France observou que a automação para voos longos existia vinte anos antes do A330, e que antigamente "a tripulação incluía um engenheiro de voo, responsável por monitorar todos os sistemas da aeronave durante o voo. Em aviões modernos, a figura do engenheiro de voo desaparece, mas ainda é necessário o monitoramento dos sistemas da aeronave. Isso é realizado pelos pilotos. Por fim, assim como no passado, quando o voo excede determinada quantidade de horas, a tripulação é reforçada com um ou mais pilotos, de modo a permitir que cada piloto tenha um tempo de descanso".
4. Isabel Wilkerson, "Crash Survivor's Psychic Pain May Be the Hardest to Heal". *The New York Times*, 22 ago. 1987. Mike Householder, "Survivor of 1987 Mich. Plane Crash Breaks Silence". Associated Press, 15 maio 2013.
5. Neste acidente, 99 pessoas tiveram morte instantânea. Duas outras morreram depois devido a complicações.
6. Ken Kaye, "Flight 401 1972 Jumbo Jet Crash Was Worst Aviation Disaster in State History". *Sun Sentinel*, 29 dez. 1992.
7. Rede de Segurança em Aviação, arquivos da National Transportation Safety Board.
8. Respondendo a perguntas, um porta-voz da Air France escreveu: "O BEA não concluiu que a ação de arfagem tenha sido resultado das ações do piloto diante da inclinação

lateral na aeronave, mas sim diante da perda de leitura de altitude, da velocidade vertical de seiscentos pés por minuto na descida, do barulho, da inclinação do nariz que havia diminuído segundos antes etc.".

9. Respondendo a perguntas, um porta-voz da Air France escreveu: "O que foi escrito é verdade, mas não esclarece completamente essa fase devido à falta de alguns elementos essenciais, como o fato de que o alarme de estol disparou duas vezes no começo do incidente, o que pode ter feito os pilotos duvidarem da validez quando ele passou a apitar repetidamente. O relatório do BEA declarou que os alarmes sonoros não são 'impossíveis de passar despercebidos' e que, pelo contrário, costumam ser os primeiros a ser ignorados".
10. Zheng Wang e John M. Tchernev, "The 'Myth' of Media Multitasking: Reciprocal Dynamics of Media Multitasking, Personal Needs, and Gratifications". *Journal of Communication*, v. 62, n. 3, pp. 493-513, 2012. Daniel T. Willingham, *Cognition: The Thinking Animal*. 3. ed. Upper Saddle River: Pearson, 2007.
11. Juergan Kiefer et al., "Cognitive Heuristics in Multitasking Performance". Berlim: Center of Human-Machine Systems, Technische Universität Berlin, 2014. Disponível em: <http://www.prometei.de/fileadmin/prometei.de/publikationen/Kiefer_eurocogsci2007.pdf>.
12. Barnaby Marsh et al., "Cognitive Heuristics: Reasoning the Fast and Frugal Way". In: J. P. Leighton e R. J. Sternberg (Orgs.). *The Nature of Reasoning*. Nova York: Cambridge University Press, 2004. "Human Performance". Aerostudents. Disponível em: <http://aerostudents.com/files/humanMachineSystems/humanPerformance.pdf>.
13. Para ver mais sobre este tema, recomendo especialmente Martin Sarter, Ben Givens e John P. Bruno, "The Cognitive Neuroscience of Sustained Attention: Where Top-Down Meets Bottom-Up". *Brain Research Reviews*, v. 35, n. 2, pp. 146-60, 2001. Michael I. Posner e Steven E. Petersen, "The Attention System of the Human Brain". *Annual Review of Neuroscience*, v. 13, n. 1, pp. 25-42, 1990. Eric I. Knudsen, "Fundamental Components of Attention". *Annual Review of Neuroscience*, v. 30, pp. 57-78, 2007. Steven E. Petersen e Michael I. Posner, "The Attention System of the Human Brain: 20 Years After". *Annual Review of Neuroscience*, v. 35, p. 73, 2012. Raja Parasuraman, Robert Molloy e Indramani L. Singh, "Performance Consequences of Automation-Induced 'Complacency'". *The International Journal of Aviation Psychology*, v. 3, n. 1, pp. 1-23, 1993. Francis T. Durso e Raymond S. Nickerson et al. (Orgs.). *Handbook of Applied Cognition*. Hoboken: Wiley, 2007. Christopher D. Wickens, "Attention in Aviation". University of Illinois at Urbana-Champaign Institute of Aviation, Research Gate, fev. 1987. Disponível em: <http://www.researchgate.net/publication/4683852_Attention_in_aviation>. Christopher D. Wickens, "The Psychology of Aviation Surprise: An 8 Year Update Regarding the Noticing of Black Swans". *Proceedings of the 15th International Symposium on Aviation Psychology*, 2009.
14. Ludwig Reinhold Geissler, "The Measurement of Attention". *The American Journal of Psychology*, pp. 473-529, 1909. William A. Johnston e Steven P. Heinz, "Flexibility

and Capacity Demands of Attention". *Journal of Experimental Psychology: General*, v. 107, n. 4, p. 420, 1978. Robin A. Barr, "How Do We Focus Our Attention?". *The American Journal of Psychology*, pp. 591-603, 1981.
15. G. R. Dirkin, "Cognitive Tunneling: Use of Visual Information Under Stress". *Perceptual and Motor Skills*, v. 56, n. 1, pp. 191-8, 1983. David C. Foyle, Susan R. Dowell e Becky L. Hooey, "Cognitive Tunneling in Head-Up Display (HUD) Superimposed Symbology: Effects of Information Location", 2001. Adrien Mack e Irvin Rock, *Inattentional Blindness*. Cambridge: MIT Press, 2000. Steven B. Most, Brian J. Scholl, Daniel J. Simons e Erin R. Clifford, "What You See Is What You Get: Sustained Inattentional Blindness and the Capture of Awareness". *Psychological Review*, v. 112, n. 1, pp. 217-42, 2005. Daniel J. Simons, "Attentional Capture and Inattentional Blindness". *Trends in Cognitive Sciences*, v. 4, n. 4, pp. 147-55, 2000. Gustav Kuhn e Benjamin W. Tatler, "Misdirected by the Gap: The Relationship Between Inattentional Blindness and Attentional Misdirection". *Consciousness and Cognition*, v. 20, n. 2, pp. 432-6, 2011. William J. Horrey e Christopher D. Wickens, "Examining the Impact of Cell Phone Conversations on Driving Using Meta-Analytic Techniques". *Human Factors: The Journal of the Human Factors and Ergonomics Society*, v. 48, n. 1, pp. 196-205, 2006.
16. G. D. Logan, "An Instance Theory of Attention and Memory". *Psychological Review*, v. 109, pp. 376-400, 2002. D. L. Strayer e F. A. Drews, "Attention". In: Francis T. Durso et al. (Orgs.). *Handbook of Applied Cognition*. Hoboken: Wiley, 2007. A. D. Baddeley, "Selective Attention and Performance in Dangerous Environments". *British Journal of Psychology*, v. 63, pp. 537-46, 1972. E. Goldstein. *Cognitive Psychology: Connecting Mind, Research and Everyday Experience*. Independence: Cengage Learning, 2014.
17. Em resposta a um e-mail para checagem de informações, Strayer complementou: "Com sistemas automatizados, podemos não nos focar ou prestar atenção na tarefa — chegamos a nos perder em devaneios em situações tediosas ou repetitivas. Concentrar a atenção demanda esforço, e isso pode levar a um nível alto de fadiga mental, e vemos um 'declínio de vigilância' em que ocorrem lapsos de atenção (e cometemos erros e deixamos passar circunstâncias cruciais). Muitas vezes é o que acontece com tarefas de monitoramento (ficar de olho no sistema autônomo), e quando ocorrem problemas podemos não perceber ou reagir de forma automática (mesmo se não for a ação correta — chamamos a isso de deslizes em que o piloto automático assumiu)".
18. Airbus, *Airbus A330 Aircraft Recovery Manual Airbus*, 2005. Disponível em: <http://www.airbus.com/fileadmin/media_gallery/files/tech_data/ARM/ARM_A330_20091101.pdf>.
19. O sistema de alerta automático desse A330 era programado para que o alarme de estol parasse de apitar quando o estol do avião fosse muito grave. Em algumas situações, quando o grau de inclinação era alto demais e o fluxo de ar nos tubos de Pitot, muito baixo, o computador estimava que os dados coletados estavam equivocados. Então não soava nenhum alarme. Assim, ocorreu uma situação perversa para o voo

447 depois que os tubos de Pitot descongelaram: às vezes, quando Bonin fazia algo que agravava o estol, o alarme parava. Os computadores seguiam a programação, mas o resultado era informações que deviam ser confusas para os pilotos.
20. Koji Jimura, Maria S. Chushak e Todd S. Braver, "Impulsivity and Self-Control During Intertemporal Decision Making Linked to the Neural Dynamics of Reward Value Representation". *The Journal of Neuroscience*, v. 33, n. 1, pp. 344-57, 2013. Ayeley P. Tchangani, "Modeling for Reactive Control and Decision Making in Uncertain Environment". In: John X. Liu (Org.). *Control and Learning in Robotic Systems*. Nova York: Nova Science Publishers, 2005, pp. 21-58. Adam R. Aron, "From Reactive to Proactive and Selective Control: Developing a Richer Model for Stopping Inappropriate Responses". *Biological Psychiatry*, v. 69, n. 12, pp. 55-68, 2011. Veit Stuphorn e Erik Emeric, "Proactive and Reactive Control by the Medial Frontal Cortex". *Frontiers in Neuroengineering*, v. 5, p. 9, 2012. Todd S. Braver et al., "Flexible Neural Mechanisms of Cognitive Control Within Human Prefrontal Cortex". *Proceedings of the National Academy of Sciences*, v. 106, n. 18, pp. 7351-6, 2009. Todd S. Braver, "The Variable Nature of Cognitive Control: A Dual Mechanisms Framework". *Trends in Cognitive Sciences*, v. 16, n. 2, pp. 106-13, 2012. Yosuke Morishima, Jiro Okuda e Katsuyuki Sakai, "Reactive Mechanism of Cognitive Control System". *Cerebral Cortex*, v. 20, n. 11, pp. 2675-83, 2010. Lin Zhiang e Kathleen Carley, "Proactive or Reactive: An Analysis of the Effect of Agent Style on Organizational Decision Making Performance". *Intelligent Systems in Accounting, Finance and Management*, v. 2, n. 4, pp. 271-87, 1993.
21. Joel M. Cooper et al., "Shifting Eyes and Thinking Hard Keep Us in Our Lanes". *Human Factors and Ergonomics Society Annual Meeting Proceedings*, v. 53, n. 23, pp. 1753-6, 2009. Para mais informações sobre este assunto, por favor, confira: Frank A. Drews e David L. Strayer, "Chapter 11: Cellular Phones and Driver Distraction". In: Michael A. Regan, John D. Lee e Kristie L. Young (Orgs.). *Driver Distraction: Theory, Effects, and Mitigation*. Boca Raton: CRC Press, 2008, pp. 169-90. Frank A. Drews, Monisha Pasupathi e David L. Strayer, "Passenger and Cell Phone Conversations in Simulated Driving". *Journal of Experimental Psychology: Applied*, v. 14, n. 4, p. 392, 2008. Joel M. Cooper, Nathan Medeiros-Ward e David L. Strayer, "The Impact of Eye Movements and Cognitive Workload on Lateral Position Variability in Driving". *Human Factors: The Journal of the Human Factors and Ergonomics Society*, v. 55, n. 5, pp. 1001-14, 2013. David B. Kaber et al., "Driver Performance Effects of Simultaneous Visual and Cognitive Distraction and Adaptation Behavior". *Transportation Research Part F: Traffic Psychology and Behaviour*, v. 15, n. 5, pp. 491-501, 2012. I. J. Faulks et al., "Update on the Road Safety Benefits of Intelligent Vehicle Technologies—Research in 2008-2009". In: 2010 Australasian Road Safety Research, Policing and Education Conference, 31 ago.-3 set. Camberra, Austrália: 2010.
22. Em conversa para apurar dados, Stephen Casner, psicólogo pesquisador da Nasa, disse que se um avião estivesse caindo ao ritmo de mais de 10 mil pés por minuto, a

força g seria algo bem próximo de 1, e, assim, seria pouco provável que os passageiros percebessem qualquer problema. No entanto, acrescentou ele, "na verdade, *ninguém* sabe qual é a sensação. Todo mundo que já soube o que era cair a 10 mil metros por minutos morreu logo após descobrir".

23. Em resposta a perguntas, um porta-voz da Air France escreveu: "Um aspecto fundamental é que o alarme de estol parou quando a velocidade caiu para menos de sessenta nós, levando os pilotos a acreditarem que não havia mais estol. Especialmente porque, sempre que eles empurravam o *stick* para tentar sair do estol, o alarme de estol começava a apitar de novo, levando-os a cancelar a ação de arfagem! Além disso, durante a última fase, as indicações de velocidade vertical estavam instáveis, agravando as dúvidas e a confusão na cabeça dos pilotos".

24. Em e-mail de resposta a perguntas para checagem de informações, Crandall escreveu: "Em 1986, comecei a trabalhar com o dr. Gary Klein na empresa dele, Klein Associates Inc. O estudo que você cita sobre bombeiros e comandantes militares já havia começado quando entrei para a empresa. Ele prosseguiu por vários anos, indo muito além do Corpo de Bombeiros e do controle e comando militar, e foi conduzido por Gary e pela equipe de pesquisadores da Klein Associates (que era um grupo incrível de pessoas muito inteligentes e peculiares). Atuei tanto em funções administrativas quando de pesquisa na Klein Associates e estive envolvido em alguns estudos, mas não em outros. Como dono e cientista-chefe, Gary orientava nossos esforços para descrever como (algumas) pessoas são capazes de 'não perder a cabeça em ambientes caóticos' e, em particular, como (algumas) pessoas são capazes de tomar decisões eficazes em situações de estresse, risco e pressão de prazos. [...] É correto afirmar que, nas entrevistas que realizamos, quando indagados quanto à tomada de decisão e como alguém saberia fazer X em determinada situação, os participantes muitas vezes respondiam com 'experiência', 'instinto', 'intuição' ou 'eu só sabia'. [...] Esses relatos de decisão intuitiva se tornaram um fundamento de nossos esforços de pesquisa. [...] Os estudos que conduzimos na UTI neonatal confirmaram o que estávamos verificando em outros universos profissionais — pessoas bastante experientes e capacitadas ficam muito boas em prestar atenção no que é mais importante (os indicadores cruciais) em determinada situação, sem se deixar distrair por informações menos importantes. [...] Ao longo do tempo e passando por situações semelhantes repetidamente, elas aprendem o que importa e o que não importa. Aprendem a avaliar uma situação muito rápido e de forma correta. Veem relações entre diversos indicadores (agrupamentos, pacotes, ligações) que formam um padrão significativo. Algumas pessoas chamam a isso de gestalt, e, outras, de 'modelos mentais' ou esquemas". Para mais detalhes, por favor, confira: Beth Crandall e Karen Getchell-Reiter, "Critical Decision Method: A Technique for Eliciting Concrete Assessment Indicators from the Intuition of NICU Nurses". *Advances in Nursing Science*, v. 16, n. 1, pp. 42-51, 1993. B. Crandall e R. Calderwood, "Clinical Assessment Skills of Experienced Neonatal Intensive Care Nurses". *Contract*, v. 1,

R43, 1989. B. Crandall e V. Gamblian, "Guide to Early Sepsis Assessment in the NICU". *Instruction Manual Prepared for the Ohio Department of Development Under the Ohio SBIR Bridge Grant Program*. Fairborn: Klein Associates, 1991.
25. Em e-mail de resposta a perguntas para checagem de informações, Crandall escreveu: "A outra enfermeira era uma aluna — estava em treinamento para atuar como enfermeira em uma UTI neonatal. Darlene era sua preceptora — ajudando-a a aprender, supervisionando e orientando conforme ela aprendia a cuidar de bebês prematuros. Assim, a bebê ERA responsabilidade de Darlene no sentido de que ela era a preceptora/supervisora da enfermeira que tomava conta da bebê. Você está certo, ela percebeu que a criança não parecia 'bem'. Eis a descrição do incidente que registramos com base em nossas anotações durante a entrevista: 'Quando o incidente ocorreu, eu estava atuando como preceptora de uma nova enfermeira. Já fazia algum tempo que trabalhávamos juntas, e ela estava quase no fim do período de instrução, então estava realmente encarregada dos pacientes e eu mais numa posição de supervisora. Enfim, era quase o fim do turno, e passei por uma incubadora, e a criança chamou minha atenção mesmo. A cor dela estava estranha e a pele estava manchada. A barriga parecia ligeiramente redonda. Olhei para a ficha, e ali dizia que a temperatura da bebê estava instável. Também percebi que o calcanhar da menina tinha sido furado para um exame de sangue alguns minutos antes e o furinho ainda estava sangrando. Quando perguntei à minha orientanda como ela achava que a bebê estava, ela disse que a menina parecia meio sonolenta. Fui chamar o médico na mesma hora e lhe disse que tínhamos "um grande problema" com aquela bebê. Falei que a temperatura da criança estava instável, que a coloração estava estranha, ela parecia letárgica e o furo no calcanhar sangrava. Ele reagiu na hora, aplicou antibiótico na menina e pediu uma cultura. Fiquei chateada com a orientanda por ela não ter percebido esses indicadores ou por ter percebido e não ter juntado os pontos. Quando conversamos depois, perguntei sobre a queda de temperatura da criança ao longo de quatro leituras. Ela havia percebido, mas sua reação foi aumentar a temperatura da incubadora. Ela havia reagido ao problema da "superfície", em vez de tentar descobrir qual podia ser a causa do problema'".
26. Thomas D. LaToza, Gina Venolia e Robert DeLine, "Maintaining Mental Models: A Study of Developer Work Habits". *Proceedings of the 28th International Conference on Software Engineering*. Nova York: ACM, 2006. Philip Nicholas Johnson-Laird, "Mental Models and Cognitive Change". *Journal of Cognitive Psychology*, v. 25, n. 2, pp. 131-8, 2013. Philip Nicholas Johnson-Laird, *How We Reason*. Oxford: Oxford University Press, 2006. Philip Nicholas Johnson-Laird, *Mental Models*. Série Cognitive Science, n. 6. Cambridge: Harvard University Press, 1983. Earl K. Miller e Jonathan D. Cohen, "An Integrative Theory of Prefrontal Cortex Function". *Annual Review of Neuroscience*, v. 24, n. 1, pp. 167-202, 2001. J. D. Sterman e D. V. Ford, "Expert Knowledge Elicitation to Improve Mental and Formal Models". *Systems Approach to Learning and Education into the 21st Century*, v. 1. In: 15th International System Dynamics Conference, 19-22 ago. Istambul, Turquia: 1997. Pierre Barrouillet,

Nelly Grosset e Jean-François Lecas, "Conditional Reasoning by Mental Models: Chronometric and Developmental Evidence". *Cognition*, v. 75, n. 3, pp. 237-66, 2000. R. M. J. Byrne, *The Rational Imagination: How People Create Alternatives to Reality*. Cambridge: MIT Press, 2005. P. C. Cheng e K. J. Holyoak, "Pragmatic Reasoning Schemas". In: J. E. Adler e L. J. Rips (Orgs.). *Reasoning: Studies of Human Inference and Its Foundations*. Cambridge: Cambridge University Press, 2008, pp. 827-42. David P. O'Brien, "Human Reasoning Includes a Mental Logic". *Behavioral and Brain Sciences*, v. 32, n. 1, pp. 96-7, 2009. Niki Verschueren, Walter Schaeken e Gery d'Ydewalle, "Everyday Conditional Reasoning: A Working Memory-Dependent Tradeoff Between Counterexample and Likelihood Use". *Memory and Cognition*, v. 33, n. 1, pp. 107-19, 2005.

27. Em resposta a um e-mail para checagem de informações, Crandall escreveu: "O segredo dessa história (para mim, pelo menos) é que especialistas enxergam padrões significativos que novatos nem percebem. Como enfermeira experiente de UTI neonatal, Darlene já viu centenas de bebês. Ela não está pensando em todos [...] eles formaram um amálgama de como é um bebê prematuro de X semanas. Ela também já viu muitos bebês com septicemia (acontece muito em UTIs neonatais, por diversos motivos sem relação alguma com a qualidade do tratamento). A combinação de indicadores (curativo sujo de sangue, temperatura baixa, barriga distendida, sonolência/letargia) levou ao reconhecimento de que 'esta bebê está com problemas' e 'provável septicemia'. Pelo menos, isso foi o que ela nos contou na entrevista. [...] Também acho que as pessoas muitas vezes inventam narrativas para conseguir explicar o que acontece à sua volta e para conseguir entender — especialmente quando estão com dificuldade para compreender algo. Nesse incidente, Darlene não teve dificuldade para compreender o que estava acontecendo — ela reconheceu no mesmo instante o que estava acontecendo. [...] Acho que a história de Darlene tem a ver com conhecimento e com a diferença entre a maneira como especialistas e novatos percebem e compreendem determinada situação. [...] Histórias consomem tempo e são lineares (aconteceu isso, e então isto e aí aquilo). Quando pessoas experientes descrevem acontecimentos como esse, acontece tudo muito rápido: elas 'leem' a situação, entendem o que está acontecendo e sabem o que fazer".

28. Em resposta a um e-mail para checagem de informações, Casner acrescentou: "Eu não diria que os pilotos são 'passivos', mas que eles têm uma dificuldade extrema para manter a atenção em um sistema automatizado que funciona de forma tão confiável. Seres humanos não são bons em ficar parados olhando. [...] Temos recursos de atenção limitados (por exemplo, nossos filhos fazem coisas pelas nossas costas e não são flagrados). Então precisamos manter nossa atenção voltada a todo instante para a direção que achamos que é mais importante. Se, na cabine de comando, um computador na minha frente funcionou de modo impecável por cem horas seguidas, é difícil concebê-lo como o elemento mais importante do mundo. Por exemplo, meu filho pode não estar sendo flagrado por algo muito bizarro no mesmo instante. Em

nosso estudo sobre devaneios de pilotos [*Thoughts in Flight: Automation Use and Pilots' Task-Related and Task-Unrelated Thought*], constatamos que o piloto voando passava cerca de 30% do tempo pensando em 'questões sem relação com a tarefa'. O outro, o piloto monitorando, passava cerca de 50% do tempo em devaneios. Por que não? Se você não me der algo importante ou urgente em que pensar, vou acabar pensando em algo por conta própria".

29. Sinan Aral, Erik Brynjolfsson e Marshall Van Alstyne, "Information, Technology, and Information Worker Productivity". *Information Systems Research*, v. 23, n. 3, pp. 849-67, 2012. Sinan Aral e Marshall Van Alstyne, "The Diversity-Bandwidth Trade-Off". *American Journal of Sociology*, v. 117, n. 1, pp. 90-171, 2011. Nathaniel Bulkley e Marshall W. Van Alstyne, "Why Information Should Influence Productivity", 2004. Nathaniel Bulkley e Marshall W. Van Alstyne, "An Empirical Analysis of Strategies and Efficiencies in Social Networks". Boston U. School of Management, artigo n. 2010-29, MIT Sloan, artigo n. 4682-08, 1º fev. 2006. Disponível em: <http://ssrn.com/abstract=887406>. Neil Gandal, Charles King e Marshall Van Alstyne, "The Social Network Within a Management Recruiting Firm: Network Structure and Output". *Review of Network Economics*, v. 8, n. 4, pp. 302-24, 2009.

30. Em resposta a um e-mail para checagem de informações, Van Alstyne acrescentou: "Uma das hipóteses originais atribuía a vantagem da carga menor de projetos à eficácia associada a economias de especialização. Realizar uma única atividade concentrada pode deixar a pessoa muito boa nessa atividade. A ideia remete a Adam Smith e à eficiência associada a tarefas concentradas em uma fábrica de alfinetes. Generalização, ou em nosso contexto a busca de trabalhos diversificados, equivalia a estender projetos às áreas de finanças, educação e aplicação comercial de TI. São indústrias muito diferentes. Conduzir projetos entre elas demanda conhecimentos diferentes e também exige que se recorra a diferentes redes sociais. Nesses projetos de consultoria, especialização significa focar, digamos, apenas nos projetos de finanças. O conhecimento poderia ser aprofundado nessa área, e a rede social poderia ser adaptada para incluir apenas contatos de finanças. Pelo menos essa é uma teoria que explica por que especialização talvez seja melhor. Obviamente, a especialização pode restringir a quantidade de projetos possíveis — pode não haver um projeto de finanças novo quando por acaso já existe algum, ou alguns, em educação ou TI. Mas, talvez, se esperarmos, vamos arrumar outro projeto de finanças".

31. Em resposta a um e-mail para checagem de informações, Val Alstyne identificou outros motivos por que unir uma pequena quantidade de projetos, e um projeto em estágio inicial, oferecia vantagens: "A primeira é a possibilidade de se dedicar a mais de uma tarefa ao mesmo tempo. A princípio, assumir projetos novos apenas aumenta a produção, no caso o faturamento gerado pelos consultores. O aumento no faturamento pode continuar mesmo além do ponto em que a produtividade em determinado projeto começa a declinar. Considere um projeto como uma coletânea de tarefas (avaliar as necessidades do cliente, gerar candidatos em potencial,

selecionar candidatos, analisar currículos, apresentar opções aos clientes, fechar o negócio...). Quando a pessoa recebe um novo trabalho, as novas tarefas desalojam algumas do trabalho em curso. Então um projeto anterior pode levar mais tempo quando a pessoa assume um novo projeto, estendendo o período durante o qual ela é paga. No entanto, a produção total ainda pode aumentar por um tempo quando a pessoa assumir projetos novos. O fluxo de receita de uma pessoa que estiver lidando com seis projetos tende a ser maior do que o de uma pessoa com quatro, embora cada um dos seis projetos demore mais para ser concluído do que se fosse apenas um grupo de quatro. No entanto, a certa altura, esse relacionamento assume uma tendência nítida para baixo. Projetos novos levam tempo demais e o faturamento cai. Assumir outro projeto apenas diminui a produtividade. Nas palavras de um consultor, 'são muitas bolas no ar e aí muitas caem'. As tarefas demoram tempo demais para ser concluídas, algumas nem são, e o fluxo de receita passa a gotejar por um período muito longo. Então existe uma quantidade ótima de projetos a assumir, e são menos de doze. A segunda questão a considerar, como você sugere, é o acesso a uma riqueza de informações. Isso exibe uma curva em U invertida semelhante. Nós conseguimos avaliar quantas informações novas às quais cada pessoa tinha acesso acompanhando suas comunicações por e-mail. Mensuramos isso no sentido de 'variação', isto é, quão *incomum* era um fato em relação a outros fatos recebidos. [...] A princípio, mais acesso a uma quantidade maior de informações novas apenas aumentava a produtividade. Os superastros de fato receberam cerca de 25% mais informações novas do que os colegas em geral, e esse acesso a novidades ajudou a prever seu sucesso. No entanto, com o tempo, pessoas que tiveram acesso a uma quantidade muito grande de informação nova — cerca de duas vezes mais que os superastros — foram menos produtivas que os superastros. O excesso de informação era estranho, fora de contexto e impossível de ser aproveitado, ou era informação demais para se processar. Um volume extraordinário de novidade gera um equivalente corporativo do problema 'Onde está Wally': é impossível achar a informação importante no meio de tanto ruído. Esses dois fatores eram previsores estatisticamente significativos dos superastros".

32. Richard De Crespigny, *QF32*. Sydney: Pan Macmillan Australia, 2012. *Aviation Safety Investigation Report 089: In-Flight Uncontained Engine Failure Airbus A380-842, VH--OQA.* Camberra: Australian Transport Safety Bureau, Department of Transport and Regional Services, 2013. Jordan Chong, "Repaired Qantas A380 Arrives in Sydney". *The Sydney Morning Herald*, 22 abr. 2012. Tim Robinson, "Qantas QF32 Flight from the Cockpit". *The Royal Aeronautical Society*, 8 dez. 2010. "Qantas Airbus A380 Inflight Engine Failure". Australian Transport Safety Bureau, 8 dez. 2010. "Aviation Occurrence Investigation AO-2010-089 Interim-Factual". Australian Transport Safety Bureau, 18 maio 2011. "In-Flight Uncontained Engine Failure — Overhead Batam Island, Indonesia, November 4, 2010, VHOQA, Airbus A380-842". Australian Transport Safety Bureau, investigação n. AO-2010-089, Sydney.

33. Agradeço ao comandante De Crespigny por seu tempo e também por seu livro, *QF32*. Em uma entrevista, De Crespigny enfatizou que fala por si, não pela Qantas, ao lembrar e descrever esses acontecimentos.
34. Em resposta a um e-mail para checagem de informações, Burian estendeu seus comentários e disse que seu relato deveria ser lido sob a óptica de que "tirar o foco do que estava errado/defeituoso/indisponível para o que estava certo/funcionando/disponível foi um ponto de virada. Falei de como isso aconteceu com ele naquela situação específica, mas generalizei o modo como essa mudança de quadro mental se mostrou muito útil para pilotos, em especial quando eles se viam diante de várias condições de erro. [...] As aeronaves modernas possuem uma tecnologia muito avançada e os projetos de sistemas são bastante robustos e razoavelmente obscuros. Isso pode fazer com que seja bastante difícil para os pilotos entender os porquês e por onde de alguns defeitos e que relações pode haver entre vários defeitos. Em vez de tentar distinguir uma miríade de defeitos e pensar nas relações e consequências de todos eles, mudar o foco para as capacidades da aeronave simplifica as demandas cognitivas e pode facilitar a decisão quanto a como fazer o que precisa ser feito. [...] Quando acontece algo crítico, pilotos muito bons fazem várias coisas — tentam determinar qual aspecto mais crítico precisa ser visto antes (delimitar a atenção), mas também recuam de vez em quando (ampliar a atenção) para fazer duas coisas: 1) conferir se não estão deixando passar nenhuma indicação/informação que possa contradizer ou alterar o entendimento da situação e 2) monitorar a situação como um todo como parte do processo de avaliação das questões mais críticas que precisam de atenção. Por exemplo, considere uma emergência catastrófica (que exige um pouso de emergência em solo ou na água) que ocorre em altitude de cruzeiro. A tripulação terá algum tempo para lidar com o problema, mas, em algum momento, a atenção terá de se voltar para enfrentar diretamente o defeito/problema para os preparativos e a execução do pouso. Bons pilotos estão sempre avaliando as ações tomadas, a eficácia e as ações necessárias em relação à condição geral da aeronave e à fase do voo. Claro, bons pilotos também aproveitam plenamente a ajuda de outras pessoas no processo todo (isto é, bom gerenciamento de recursos de tripulação). Bons pilotos também fazem muitos exercícios do tipo 'e se' antes de qualquer ocorrência, repassando mentalmente diversos cenários para pensar no que seria preciso fazer, como a situação evoluiria, que circunstâncias poderiam alterar a maneira como eles reagiriam etc. Pilotos de aviação comuns são treinados para fazer algo semelhante quando se perguntam em diversos momentos ao longo de um voo: 'Se eu perdesse meu (único) motor agora (isto é, o motor morre), onde eu pousaria?'".
35. Em resposta a um e-mail para checagem de informações, De Crespigny acrescentou: "Dave usava um programa [no computador de bordo] para conferir a distância para pouso. O primeiro passo deu resultado de SEM SOLUÇÃO porque havia erros demais para o programa calcular uma solução de pouso. Dave então simplificou as entradas de erros. O programa LDPA [sigla em inglês para 'aplicação para desempenho de

distância para pouso'] então apresentou uma distância para pouso com margem de apenas cem metros. Enquanto Dave e os outros calculavam o desempenho (que de qualquer modo acabou sendo incorreto por causa de erros no programa LDPA e de danos mais sérios à aeronave [freios] do que os que haviam sido indicados), mantive um foco aberto para toda a situação: aeronave, combustível, trajetórias críticas, deveres dos pilotos, tripulação da cabine, passageiros, controle de tráfego aéreo, serviços de emergência. [...] Simplificar o A380 (com 4 mil peças) para um Cessna (a versão voadora do modelo de motocicleta Ariel Red Hunter de 1938) simplificou muito a minha vida: removeu a complexidade, fez com que cada sistema fosse fácil de entender por uma perspectiva mecânica (não mecatrônica), simplificou meu modelo mental dos sistemas da aeronave, liberou espaço na minha cabeça para lidar com a situação toda. Em uma emergência [é] vital haver uma hierarquia estruturada de responsabilidade e autoridade. É ainda mais importante que os pilotos entendam os papéis, as tarefas e o trabalho em equipe necessários em uma equipe autônoma de apenas dois pilotos (um número maior em nosso caso a bordo do voo 32), isolada de qualquer ajuda e responsável por 469 vidas".

36. Em resposta a um e-mail para checagem de informações, De Crespigny explicou que é impossível recriar as condições do voo 32 em um simulador porque os problemas do avião eram extremos demais.

4. DETERMINAÇÃO DE METAS [pp. 100-28]

1. Minha compreensão quanto aos acontecimentos que antecederam a Guerra do Yom Kippur se deve ao professor Uri Bar-Joseph, que teve a generosidade de me enviar longos comentários por escrito, assim como as seguintes fontes: Abraham Rabinovich, *The Yom Kippur War: The Epic Encounter That Transformed the Middle East*. Nova York: Schocken, 2007. Uri Bar-Joseph, *The Watchman Fell Asleep: The Surprise of Yom Kippur and Its Sources*. Albany: State University of New York Press, 2012. Uri Bar-Joseph, "Israel's 1973 Intelligence Failure". *Israel Affairs*, v. 6, n. 1, pp. 11-35, 1999. Uri Bar-Joseph e Arie W. Kruglanski, "Intelligence Failure and Need for Cognitive Closure: On the Psychology of the Yom Kippur Surprise". *Political Psychology*, v. 24, n. 1, pp. 75-99, 2003. Yosef Kuperwaser, *Lessons from Israel's Intelligence Reforms*. Washington, D.C.: Saban Center for Middle East Policy at the Brookings Institution, 2007. Uri Bar-Joseph e Jack S. Levy, "Conscious Action and Intelligence Failure". *Political Science Quarterly*, v. 124, n. 3, pp. 461-88, 2009. Uri Bar-Joseph e Rose McDermott, "Personal Functioning Under Stress Accountability and Social Support of Israeli Leaders in the Yom Kippur War". *Journal of Conflict Resolution*, v. 52, n. 1, pp. 144-70, 2008. Uri Bar-Joseph, "'The Special Means of Collection': The Missing Link in the Surprise of the Yom Kippur War". *The Middle East Journal*, v. 67, n. 4, pp. 531-46, 2013. Yaakov Lapin, "Declassified Yom Kippur War Papers

Reveal Failures". *The Jerusalem Post*, 20 set. 2012. Hamid Hussain, "Opinion: The Fourth Round — A Critical Review of 1973 Arab-Israeli War". *Defence Journal*, nov. 2002. Disponível em: <http://www.defencejournal.com/2002/nov/4th-round.htm>. P. R. Kumaraswamy, *Revisiting the Yom Kippur War*. Londres: Frank Cass, 2000. Charles Liebman, "The Myth of Defeat: The Memory of the Yom Kippur War in Israeli Society". *Middle Eastern Studies*, v. 29, n. 3, p. 411, 1993. Simon Dunstan, *The Yom Kippur War: The Arab-Israeli War of 1973*. Oxford: Osprey Publishing, 2007. Asaf Siniver, *The Yom Kippur War: Politics, Legacy, Diplomacy*. Oxford: Oxford University Press, 2013.

2. Uri Bar-Joseph, *The Watchman Fell Asleep: The Surprise of Yom Kippur and Its Sources*. Albany: State University of New York Press, 2012.

3. Por e-mail, o historiador Uri Bar-Joseph explicou que o conceito era "um conjunto de suposições que se baseavam em informações documentadas encaminhadas a Israel por Ashraf Marwan, o genro do presidente falecido Nasser e conselheiro de confiança de Sadar, que desde o final da década de 1970 trabalhou para o Mossad. As principais suposições eram: (1) O Egito não pode ocupar a península do Sinai sem neutralizar a superioridade aérea de Israel. Isso só aconteceria se eles atacassem as bases da [Força Aérea israelense] no começo da guerra. Para isso, o Egito precisa de aviões de ataque de longo alcance, que o país só viria a ter em 1975; (2) A fim de impedir que Israel atacasse alvos estratégicos no Egito, o país precisa de mísseis Scud que possam atingir Tel Aviv. Os Scuds começaram a chegar ao Egito no verão de 1973, mas só estariam operacionais a partir de fevereiro de 1974; (3) A Síria não vai começar uma guerra sem o Egito. Zeira desenvolveu uma fé ardorosa nessas suposições e as transformou em um conceito ortodoxo, ao qual se ateve até o começo da guerra".

4. Uri Bar-Joseph e Arie W. Kruglanski, "Intelligence Failure and Need for Cognitive Closure: On the Psychology of the Yom Kippur Surprise". *Political Psychology*, v. 24, n. 1, pp. 75-99, 2003.

5. Para saber mais sobre conclusão cognitiva, por favor, confira: Steven L. Neuberg e Jason T. Newsom, "Personal Need for Structure: Individual Differences in the Desire for Simpler Structure". *Journal of Personality and Social Psychology*, v. 65, n. 1, p. 113, 1993. Cynthia T. F. Klein e Donna M. Webster, "Individual Differences in Argument Scrutiny as Motivated by Need for Cognitive Closure". *Basic and Applied Social Psychology*, v. 22, n. 2, pp. 119-29, 2000. Carsten K. W. De Dreu, Sander L. Koole e Frans L. Oldersma, "On the Seizing and Freezing of Negotiator Inferences: Need for Cognitive Closure Moderates the Use of Heuristics in Negotiation". *Personality and Social Psychology Bulletin*, v. 25, n. 3, pp. 348-62, 1999. A. Chirumbolo, A. Areni e G. Sensales, "Need for Cognitive Closure and Politics: Voting, Political Attitudes and Attributional Style". *International Journal of Psychology*, v. 39, pp. 245-53, 2004. Arie W. Kruglanski, *The Psychology of Closed Mindedness*. Nova York: Psychology Press, 2013. Arie W. Kruglanski et al., "When Similarity Breeds Content: Need for

Closure and the Allure of Homogeneous and Self-Resembling Groups". *Journal of Personality and Social Psychology*, v. 83, n. 3, p. 648, 2002.

6. Uri Bar-Joseph, *The Watchman Fell Asleep: The Surprise of Yom Kippur and Its Sources*. Albany: State University of New York Press, 2012. Donna M. Webster e Arie W. Kruglanski, "Individual Differences in Need for Cognitive Closure". *Journal of Personality and Social Psychology*, v. 67, n. 6, p. 1049, 1994.
7. Uri Bar-Joseph e Arie W. Kruglanski, "Intelligence Failure and Need for Cognitive Closure: On the Psychology of the Yom Kippur Surprise". *Political Psychology*, v. 24, n. 1, pp. 75-99, 2003.
8. Arie W. Kruglanski e Donna M. Webster, "Motivated Closing of the Mind: 'Seizing' and 'Freezing'". *Psychological Review*, v. 103, n. 2, p. 263, 1996.
9. Ibid. Carsten K. W. De Dreu, Sander L. Koole e Frans L. Oldersma, "On the Seizing and Freezing of Negotiator Inferences: Need for Cognitive Closure Moderates the Use of Heuristics in Negotiation". *Personality and Social Psychology Bulletin*, v. 25, n. 3, pp. 348-62, 1999.
10. Em e-mail de resposta a perguntas para checagem de informações, Arie Kruglanski escreveu: "Pessoas com muita necessidade de conclusão têm dificuldade para reconhecer perspectivas e pontos de vista de outros. Pessoas com muita necessidade de conclusão também preferem estruturas de decisão hierárquicas e autocráticas em grupos porque elas proporcionam mais conclusão do que estruturas horizontais ou democráticas, que tendem a ser mais caóticas. Pessoas com muita necessidade de conclusão, portanto, não toleram diversidade nem diferenças de opinião em grupos e não são muito criativas. Em termos de política, conservadores tendem a ter mais necessidade de conclusão que liberais, mas pessoas com muita necessidade de conclusão tendem a ser mais dedicadas a coisas e valores do que pessoas com pouca necessidade de conclusão".
11. Uri Bar-Joseph e Arie W. Kruglanski, "Intelligence Failure and Need for Cognitive Closure: On the Psychology of the Yom Kippur Surprise". *Political Psychology*, v. 24, n. 1, pp. 75-99, 2003.
12. Uri Bar-Joseph, "Intelligence Failure and Success in the War of Yom Kippur". Artigo não publicado.
13. Abraham Rabinovich, "Three Years Too Late, Golda Meir Understood How War Could Have Been Avoided," *The Times of Israel*, 12 set., 2013.
14. Zeev Schiff, *A History of the Israeli Army, 1874 to the Present*. Nova York: Macmillan, 1985.
15. Richard S. Lazarus, *Fifty Years of the Research and Theory of RS Lazarus: An Analysis of Historical and Perennial Issues*. Nova York: Psychology Press, 2013.
16. P. R. Kumaraswamy, *Revisiting the Yom Kippur War*. Londres: Frank Cass, 2000.
17. Minha compreensão quanto à General Electric se deve a: Joseph L. Bower e Jay Dial, "Jack Welch: General Electric's Revolutionary". Harvard Business School, estudo de caso n. 394-065, out. 1993, rev. abr. 1994. Francis Aguilar e Thomas W.

Malnight, "General Electric Co: Preparing for the 1990s". Harvard Business School, estudo de caso n. 9-390, 20 dez. 1989. Francis J. Aguilar, R. Hamermesh e Caroline Brainard, "General Electric: Reg Jones and Jack Welch". Harvard Business School, estudo de caso n. 9-391-144, 29 jun. 1991. Kirsten Lungberg, "General Electric and the National Broadcasting Company: A Clash of Cultures". Harvard University John F. Kennedy School of Government, estudo de caso, 1989. Nitin Nohria, Anthony J. Mayo e Mark Benson, "General Electric's 20th Century CEOs". Harvard Business School, estudo de caso, dez. 2005. Jack Welch e John A. Byrne. *Jack: Straight from the Gut*. Nova York: Warner, 2003. Larry Greiner, "Steve Kerr and His Years with Jack Welch at GE". *Journal of Management Inquiry*, v. 11, n. 4, pp. 343-50, 2002. Stratford Sherman, "The Mind of Jack Welch". *Fortune*, 27 mar. 1989. Marilyn Harris et al., "Can Jack Welch Reinvent GE?". *BusinessWeek*, 30 jun. 1986. Mark Potts, "GE Chief Hopes to Shape Agile Giant". *Los Angeles Times*, 1º jun 1988. Noel Tichy e Ram Charan, "Speed Simplicity and Self-Confidence: An Interview with Jack Welch"; *Harvard Business Review*, set. 1989. Ronald Grover e Mark Landler, "NBC Is No Longer a Feather in GE's Cap". *BusinessWeek*, 2 jun. 1991. Harry Bernstein, "The Two Faces of GE's 'Welchism'". *Los Angeles Times*, 12 jan. 1988. "Jack Welch Reinvents General Electric. Again". *The Economist*, 30 mar. 1991. L. J. Dans, "They Call Him 'Neutron'". *Business Month*, mar. 1988. Richard Ellsworth e Michael Kraft, "Jack Welch at GE: 1981-1989". Claremont Graduate School, Peter F. Drucker and Masatoshi Ito Graduate School of Management, estudo de caso. Peter Petre, "Jack Welch: The Man Who Brought GE to Life". *Fortune*, 5 jan. 1987. Peter Petre, "What Welch Has Wrought at GE". *Fortune*, 7 jul. 1986. Stephen W. Quickel, "Welch on Welch". *Financial World*, 3 abr. 1990. Monica Roman, "Big Changes Are Galvanizing General Electric". *BusinessWeek*, 18 dez. 1989. Thomas Stewart, "GE Keeps Those Ideas Coming". *Fortune*, 12 ago. 1991.
18. Nitin Nohria, Anthony J. Mayo e Mark Benson, "General Electric's 20th Century CEOs". *Harvard Business Review*, 19 dez. 2005, rev. abr. 2011. John Cunningham Wood e Michael C. Wood, *Peter F. Drucker: Critical Evaluations in Business and Management*, v. 1. Londres: Routledge, 2005.
19. Gary P. Latham, Terence R. Mitchell e Dennis L. Dossett, "Importance of Participative Goal Setting and Anticipated Rewards on Goal Difficulty and Job Performance". *Journal of Applied Psychology*, v. 63, n. 2, p. 163, 1978. Gary P. Latham e Gerard H. Seijts, "The Effects of Proximal and Distal Goals on Performance on a Moderately Complex Task". *Journal of Organizational Behavior*, v. 20, n. 4, pp. 421-9, 1999. Gary P. Latham e J. James Baldes, "The 'Practical Significance' of Locke's Theory of Goal Setting". *Journal of Applied Psychology*, v. 60, n. 1, p. 122, 1975. Gary P. Latham e Craig C. Pinder, "Work Motivation Theory and Research at the Dawn of the Twenty-First Century". *Annual Review of Psychology*, v. 56, pp. 485-516, 2005. Edwin A. Locke e Gary P. Latham, "Building a Practically Useful Theory of Goal Setting and Task Motivation: A Thirty-Five-Year Odyssey". *American*

Psychologist, v. 57, n. 9, p. 705, 2002. A. Bandura, "Self-Regulation of Motivation and Action Through Internal Standards and Goal Systems". In: L. A. Pervin (Org.). *Goal Concepts in Personality and Social Psychology*. Hillsdale: Erlbaum, 1989. pp. 19-85. Travor C. Brown e Gary P. Latham, "The Effects of Goal Setting and Self-Instruction Training on the Performance of Unionized Employees". *Relations Industrielles/Industrial Relations*, v. 55, n. 1, pp. 80-95, 2000. Judith F. Bryan e Edwin A. Locke, "Goal Setting as a Means of Increasing Motivation". *Journal of Applied Psychology*, v. 51, n. 3, p. 274, 1967. Scott B. Button, John E. Mathieu e Dennis M. Zajac, "Goal Orientation in Organizational Research: A Conceptual and Empirical Foundation". *Organizational Behavior and Human Decision Processes*, v. 67, n. 1, pp. 26-48, 1996. Dennis L. Dossett, Gary P. Latham e Terence R. Mitchell, "Effects of Assigned Versus Participatively Set Goals, Knowledge of Results, and Individual Differences on Employee Behavior When Goal Difficulty Is Held Constant". *Journal of Applied Psychology*, v. 64, n. 3, p. 291, 1979. Elaine S. Elliott e Carol S. Dweck, "Goals: An Approach to Motivation and Achievement". *Journal of Personality and Social Psychology*, v. 54, n. 1, p. 5, 1988. Judith M. Harackiewicz et al., "Predictors and Consequences of Achievement Goals in the College Classroom: Maintaining Interest and Making the Grade". *Journal of Personality and Social Psychology*, v. 73, n. 6, p. 1284, 1997. Howard J. Klein et al., "Goal Commitment and the Goal-Setting Process: Conceptual Clarification and Empirical Synthesis". *Journal of Applied Psychology*, v. 84, n. 6, p. 885, 1999. Gary P. Latham e Herbert A. Marshall, "The Effects of Self-Set, Participatively Set, and Assigned Goals on the Performance of Government Employees". *Personnel Psychology*, v. 35, n. 2, pp. 399-404, jun. 1982. Gary P. Latham, Terence R. Mitchell e Dennis L. Dossett, "Importance of Participative Goal Setting and Anticipated Rewards on Goal Difficulty and Job Performance". *Journal of Applied Psychology*, v. 63, n. 2, p. 163, 1978. Gary P. Latham e Lise M. Saari, "The Effects of Holding Goal Difficulty Constant on Assigned and Participatively Set Goals". *Academy of Management Journal*, v. 22, n. 1, pp. 163-8, 1979. Don VandeWalle, William L. Cron e John W. Slocum Jr., "The Role of Goal Orientation Following Performance Feedback". *Journal of Applied Psychology*, v. 86, n. 4, p. 629, 2001. Edwin A. Locke e Gary P. Latham (Orgs.). *New Developments in Goal Setting and Task Performance*. Londres: Routledge, 2013.
20. Gary P. Latham e Gary A. Yukl, "Assigned Versus Participative Goal Setting with Educated and Uneducated Woods Workers". *Journal of Applied Psychology*, v. 60, n. 3, p. 299, 1975.
21. Em e-mail de resposta a perguntas para checagem de informações, Latham escreveu que a conquista de metas também demanda acesso aos recursos e ao feedback necessários quanto ao progresso em relação à meta. "Para metas de longo prazo/distais, é preciso estabelecer metas proximais/submetas. Submetas fazem duas coisas: preservam a motivação para se alcançar a meta distal, conforme a realização de uma

submeta leva ao desejo de realizar outra submeta; e o feedback resultante da busca de cada submeta nos informa se estamos no caminho certo ou se nos desviamos."
22. Edwin A. Locke e Gary P. Latham, "New Directions in Goal-Setting Theory". *Current Directions in Psychological Science*, v. 15, n. 5, pp. 265-8, 2006.
23. Em e-mail de resposta a perguntas para checagem de informações, Latham escreveu: "Quando as pessoas não têm capacidade de alcançar uma meta de desempenho, isto é, uma meta que tenha a ver com um resultado desejável específico, como uma pontuação de oitenta no golfe ou aumento de 23% no faturamento, é possível que aconteça [foco inadequado ou visão restrita]. A solução é estabelecer uma meta de aprendizado específica e difícil que enfatize a descoberta/o desenvolvimento de um processo, um procedimento, um sistema que lhe permita melhorar seu desempenho, como [pensar em] cinco maneiras de melhorar sua tacada em vez de acertar o buraco em no máximo dois lances".
24. A princípio, Kerr foi um de 24 consultores contratados por Jack Welch para expandir os Exercícios para toda a GE.
25. Noel M. Tichy e Stratford Sherman, "Walking the Talk at GE". *Training and Development*, v. 47, n. 6, pp. 26-35, 1993. Ronald Henkoff, "New Management Secrets from Japan". *Fortune*, 27 nov. 1995. Ron Ashkenas, "Why Work-Out Works: Lessons from GE's Transformation Process". *Handbook of Business Strategy*, v. 4, n. 1, pp. 15-21, 2003. Charles Fishman, "Engines of Democracy". *Fast Company*, out. 1999. Disponível em: <http://www.fastcompany.com/37815/engines-democracy>. Thomas A. Stewart, "GE Keeps Those Ideas Coming". In: Rosabeth Moss Kanter, Barry A. Stein e Todd D. Jick. *The Challenge of Organizational Change: How Companies Experience It and Leaders Guide It*. Nova York: The Free Press, 1992, pp. 474-82. Joseph P. Cosco, "General Electric Works It All Out". *Journal of Business Strategy*, v. 15, n. 3, pp. 48-50, 1994.
26. Em e-mail de resposta a perguntas para checagem de informações, Kerr escreveu: "Destaquei para as equipes de liderança que 'dizer não para uma ideia ruim é tão útil quanto dizer sim para uma boa', mas que eles não podiam descartar nenhuma recomendação dizendo algo como 'Já pensamos nisso' ou 'Já tentamos isso antes e não deu certo'. Sempre defendi a tese de que os Exercícios oferecem uma oportunidade excelente para ensinar as pessoas sobre o negócio e que eles deviam a todo mundo uma explicação profissional e cortês para não apoiar determinada recomendação".
27. Em e-mail de resposta a perguntas para checagem de informações, Kerr escreveu que ele nunca incentivou as pessoas a apresentar propostas sem um esboço de plano e um cronograma. "Os detalhes do plano teriam de ser formulados depois da aprovação", disse.
28. Joseph P. Cosco, "General Electric Works It All Out". *Journal of Business Strategy*, v. 15, n. 3, pp. 48-50, 1994.
29. Ronald Henkoff, "New Management Secrets from Japan". *Fortune*, 27 nov. 1995.

30. A história do trem-bala japonês contada para Jack Welch (e repetida em obras populares de não ficção) é ligeiramente distinta do registro histórico. O relato apresentado aqui reflete a história que Welch ouviu, mas ela não inclui alguns detalhes, como o fato de que o conceito de trilho de alta velocidade foi explorado pelo sistema ferroviário japonês, mas acabou abandonado antes da Segunda Guerra Mundial. Em um e-mail de resposta a perguntas para checagem de informações, um representante da Empresa Ferroviária Central do Japão explicou que, nos anos 1950, a "Linha Tokaido, a principal do país, era muito movimentada e [a quantidade de passageiros] vinha aumentando devido ao crescimento econômico depois da guerra, e o Japão precisava atender às necessidades crescentes dos passageiros que se deslocavam entre Tóquio (capital e maior cidade) e Osaka (segunda maior cidade). Na verdade, houve um conceito de 'trem-bala' antes da Segunda Guerra Mundial, [em] 1939 [...] mas, com a guerra, o plano [fora] suspenso. A Ferrovia Nacional do Japão decidiu construir [uma] linha nova de bitola padrão (muitas das [linhas] convencionais japonesas [adotavam] uma bitola estreita) em 1957. O governo [aceitou] o plano em 1958, e a construção começou". Também vale observar que, ao mesmo tempo, havia esforços da iniciativa privada japonesa para desenvolver trens mais rápidos. A Ferrovia Elétrica Odakyu, por exemplo, estava trabalhando em um trem capaz de alcançar mais de 140 quilômetros por hora. Para entender melhor a história do trem-bala, recomendo: Toshiji Takatsu, "The History and Future of High-Speed Railways in Japan". *Japan Railway and Transport Review*, v. 48, pp. 6-21, 2007. Mamoru Taniguchi, "High Speed Rail in Japan: A Review and Evaluation of the Shinkansen Train". Artigo n. UCTC 103, University of California Transportation Center, 1992. Roderick Smith, "The Japanese Shinkansen: Catalyst for the Renaissance of Rail". *The Journal of Transport History*, v. 24, n. 2, pp. 222-37, 2003. Moshe Givoni, "Development and Impact of the Modern High-Speed Train: A Review". *Transport Reviews*, v. 26, n. 5, pp. 593-611, 2006.
31. Em e-mail de resposta a perguntas para checagem de informações, um representante da Empresa Ferroviária Central do Japão escreveu que, "no Japão, [um] engenheiro da FNJ [Ferrovia Nacional do Japão] era considerado [a] elite dos engenheiros japoneses na época, e o engenheiro que projetou o Shinkansen (sr. Shima) era um dos engenheiros da FNJ. [...] Ele trabalhava na FNJ já [havia] muito tempo e tinha conhecimento e experiência com ferrovias". O porta-voz observou que o sr. Shima foi convidado a supervisar o Tōkaidō Shinkansen a partir de 1955. "Na época do projeto de trem-bala de 1939 que mencionei antes, eles já pretendiam desenvolver trens que tivessem [uma velocidade máxima de] duzentos km/h. [O] engenheiro do Shinkansen tinha a nítida intenção de ligar Tóquio e Osaka por três horas desde o início, e [o] protótipo chamado 'Série 1000' chegou a 256 km/h em 1963."
32. Andrew B. Bernard, Andreas Moxnes e Yukiko U. Saito, *Geography and Firm Performance in the Japanese Production Network*. Artigo n. 14034, National Bureau of Economic Research, 2014.

33. S. Kerr e S. Sherman, "Stretch Goals: The Dark Side of Asking for Miracles". *Fortune*, 13 nov. 1995. Sim B. Sitkin et al., "The Paradox of Stretch Goals: Organizations in Pursuit of the Seemingly Impossible". *Academy of Management Review*, v. 36, n. 3, pp. 544-66, 2011. Scott Jeffrey, Alan Webb e Axel K-D. Schulz, "The Effectiveness of Tiered Goals Versus Stretch Goals". CAAA 2006 Annual Conference Paper, 2006. Kenneth R. Thompson, Wayne A. Hochwarter e Nicholas J. Mathys, "Stretch Targets: What Makes Them Effective?". *The Academy of Management Executive*, v. 11, n. 3, pp. 48-60, 1997. S. Kerr e D. LePelley, "Stretch Goals: Risks, Possibilities, and Best Practices". *New Developments in Goal Setting and Task Performance*, pp. 21-31, 2013. Steven Kerr e Steffen Landauer, "Using Stretch Goals to Promote Organizational Effectiveness and Personal Growth: General Electric and Goldman Sachs". *The Academy of Management Executive*, v. 18, n. 4, pp. 134-8, 2004. Kelly E. See, "Motivating Individual Performance with Challenging Goals: Is It Better to Stretch a Little or a Lot?", obra oferecida para publicação, Duke University, jun. 2003. Adrian D. Manning, David B. Lindenmayer e Joern Fischer, "Stretch Goals and Backcasting: Approaches for Overcoming Barriers to Large-Scale Ecological Restoration". *Restoration Ecology*, v. 14, n. 4, pp. 487-92, 2006. Jim Heskett, "Has the Time Come for 'Stretch' in Management?". Harvard Business School, *Working Knowledge*, 1º ago. 2008. Disponível em: <http://hbswk.hbs.edu/item/5989.html>.
34. Charles Fishman, "Engines of Democracy". *Fast Company*, p. 33, out. 1999. Disponível em: <http://www.fastcompany.com/37815/engines-democracy>.
35. Em e-mail de resposta a perguntas para checagem de informações, um porta-voz da General Electric escreveu que "a unidade de Durham foi criada com a flexibilidade necessária para realizar mudanças drásticas. Muitos ajustes estavam sendo feitos quando a fábrica abriu, em 1992. Durham foi concebida desde o início como uma 'incubadora' para novas práticas industriais na GE Aviation. Sim, Jack [Welch] cobrava qualidade — mas, considerando a concorrência agressiva no mercado da aviação, essas metas eram um pré-requisito para o sucesso e para gerar o tipo de lucro necessário para financiar novos projetos de motores na época (em especial, o GE90)".
36. Kenneth R. Thompson, Wayne A. Hochwarter e Nicholas J. Mathys, "Stretch Targets: What Makes Them Effective?". *The Academy of Management Executive*, v. 11, n. 3, pp. 48-60, 1997.
37. William E. Coyne, "How 3M Innovates for Long-Term Growth". *Research-Technology Management*, v. 44, n. 2, pp. 21-4, 2001.
38. Sim B. Sitkin et al., "The Paradox of Stretch Goals: Organizations in Pursuit of the Seemingly Impossible". *Academy of Management Review*, v. 36, n. 3, pp. 544-66, 2011.
39. Scott Jeffrey, Alan Webb e Axel K-D. Schulz, "The Effectiveness of Tiered Goals Versus Stretch Goals". CAAA 2006 Annual Conference Paper, 2006.
40. Ibid.
41. Kenneth R. Thompson, Wayne A. Hochwarter e Nicholas J. Mathys, "Stretch Targets: What Makes Them Effective?". *The Academy of Management Executive*, v. 11, n. 3, pp. 48-60, 1997.

42. Gil Yolanda et al., "Capturing Common Knowledge About Tasks: Intelligent Assistance for To-Do Lists". *ACM Transactions on Interactive Intelligent Systems (TiiS)*, v. 2, n. 3, p. 15, 2012. Victoria Bellotti et al., "What a To-Do: Studies of Task Management Towards the Design of a Personal Task List Manager". *Proceedings of the SIGCHI Conference on Human Factors in Computing Systems*, pp. 735-42, 2004. Gabriele Oettingen e Doris Mayer, "The Motivating Function of Thinking About the Future: Expectations Versus Fantasies". *Journal of Personality and Social Psychology*, v. 83, n. 5, p. 1198, 2002. Anja Achtziger et al. "Metacognitive Processes in the Self-Regulation of Goal Pursuit". In: Pablo Briñol e Kenneth DeMarree. *Social Metacognition*. Série Frontier of Social Psychology. Nova York: Psychology Press, 2012, pp. 121-39.
43. Críticos das metas forçadas dizem que, se não houver restrições, é possível causar impactos negativos a uma organização. Para saber mais, por favor, confira: Lisa D. Ordóñez et al., "Goals Gone Wild: The Systematic Side Effects of Overprescribing Goal Setting". *The Academy of Management Perspectives*, v. 23, n. 1, pp. 6-16, 2009. Confira também a resposta de Edwin A. Locke e Gary P. Latham ("Has Goal Setting Gone Wild, or Have Its Attackers Abandoned Good Scholarship?", *The Academy of Management Perspectives*, v. 23, n. 1, pp. 17-23, 2009).
44. Comissão de Inquérito, *The Yom Kippur War, an Additional Partial Report: Reasoning and Complement to the Partial Report of April 1, 1974*. V. 1. Jerusalém: 1974.
45. Mitch Ginsberg, "40 Years On, Yom Kippur War Intel Chiefs Trade Barbs". *The Times of Israel*, 6 out. 2013. "Eli Zeira's Mea Culpa". *Haaretz*, 22 set. 2004. Lilach Shoval, "Yom Kippur War Intelligence Chief Comes Under Attack 40 Years Later". *Israel Hayom*, 7 out. 2013.
46. Ibid.

5. GESTÃO DE PESSOAS [pp. 129-58]

1. Conforme mencionei no capítulo, tanto o FBI quanto Frank, Christie e Colleen Janssen receberam resumos deste capítulo e perguntas quanto aos detalhes da pesquisa. O FBI preferiu não comentar, exceto com o disposto abaixo. A família Janssen não respondeu a pedidos repetidos de comentários por telefone e carta. As fontes para os detalhes da pesquisa sobre o caso Janssen incluem entrevistas, além de autos da ação "Estados Unidos da América contra Kelvin Melton, Quantavious Thompson, Jaym Camel Tibbs, Tianna Daney Maynard, Jenna Martin, Clifton James Roberts, Patricia Ann Kramer, Jevante Price e Michael Martell Gooden (n. 5:14-CR-72-1; 5:14-CR-72-2; 5:14-CR-72-3; 5:14-CR-72-4; 5:14-CR-72-5; 5:14-CR-72-6; 5:14-CR-72-7; 5:14-CR-72-8; 5:14-CR-72-9), protocolada no Tribunal de Primeira Instância do Distrito Leste da Divisão Oeste da Carolina do Norte; Declaração Juramentada em Respaldo a Requerimento de Ordem Judicial para Aprovação de Interceptações

de Emergência, na Causa do Requerimento pelos Estados Unidos da América por uma Ordem de Autorização para a Interceptação de Comunicações Telefônicas e Eletrônicas, n. 5:14-MJ-1315-D, protocolada no Tribunal de Primeira Instância do Distrito Leste da Divisão Oeste da Carolina do Norte; Estados Unidos contra Kelvin Melton, Ação Penal n. 5:14-MJ-1316, protocolada no Tribunal de Primeira Instância do Distrito Leste da Carolina do Norte; Estados Unidos contra Chason Renee Chase, ou "Lady Jamaica", Ação Penal n. 3:14-MJ-50, protocolada no Tribunal de Primeira Instância do Distrito da Carolina do Norte, e outros arquivamentos relacionados ao suposto sequestro de Janssen. Os detalhes também foram obtidos de: Alan G. Breed e Michael Biesecher, "FBI: NC Inmate Helped Orchestrate Kidnapping". Associated Press, 11 abr. 2014. Kelly Gardner, "FBI Now Investigating Wake Forest Man's Disappearance". WRAL.com, 8 abr. 2014. Alyssa Newcomb, "FBI Rescued Kidnap Victim as Suspects Discussed Killing Him, Feds Say". *Good Morning America*, 10 abr. 2014. Anne Blythe e Ron Gallagher, "FBI Rescues Wake Forest Man. Abduction Related to Daughter's Work as Prosecutor, Investigators Say". *The Charlotte Observer*, 10 abr. 2014. Michael Biesecher e Kate Brumbach, "NC Inmate Charged in Kidnapping of DA's Father". Associated Press, 12 abr. 2014. Lydia Warren e Associated Press, "Bloods Gang Member Who Is Serving Life Sentence 'Masterminded Terrifying Kidnap of Prosecutor's Father Using a Cell Phone He'd Smuggled in to Prison'". *Daily Mail*, 11 abr. 2014. Lydia Warren e Associated Press, "Gang Members Who 'Kidnapped Prosecutor's Father and Held Him Captive for Days Had Meant to Capture HER—But They Went to Wrong Address'". *Daily Mail*, 23 abr. 2014. Ashley Frantz e AnneClaire Stapleton, "Prosecutor's Dad Kidnapped in 'Elaborate' Plot e FBI Rescues Him". CNN.com, 10 abr. 2014. Shelley Lynch, "Kidnapping Victim Rescued by FBI Reunited with Family". Release de imprensa do FBI, 10 abr. 2014. Disponível em: <https://www.fbi.gov/charlotte/press-releases/2014/kidnapping--victim-rescued-by-fbi-reunited-with-family>. Scott Pelley e Bob Orr, "FBI Told How Its Agents Rescued a North Carolina Man Who Was Kidnapped by Gang Members and Terrorized for Five Days". *CBS Evening News*, 10 abr. 2014. Marcus K. Garner, "Indictment: Kidnapping Crew Had Wrong Address, Took Wrong Person". *Atlanta Journal Constitution*, 22 abr. 2014. Andrew Kenney, "Prisoner Charged in Kidnap Conspiracy May Have Had Phone for Weeks". *The Charlotte Observer*, 11 abr. 2014. "Criminal Complaint Filed Against Kelvin Melton in Kidnapping Case". Release de imprensa do FBI, 11 abr. 2014. Disponível em: <https://www.fbi.gov/charlotte/press-releases/2014/criminal-complaint-filed-against-kelvin-melton-in-kidnapping--case>. Colleen Jenkins e Bernadette Baum, "Two More Charged in Gang-Linked Kidnapping of N. C. Prosecutor's Father". Reuters, 16 abr. 2014. "McDonald's Receipt Leads to Arrest in Wake Forest Kidnapping". *The News and Observer*, 17 abr. 2014. "Prosecutor — Not Her Father — Was Intended Victim in Wake Forest Kidnapping, Officials Say". *The News and Observer*, 22 abr. 2014. Patrik Jonsson, "N. C. Prosecutor Kidnap Plot: Home Attacks on Justice Officials on the Upswing".

The Christian Science Monitor, 23 abr. 2014. "NC Kidnapping Victim Writes Thank-You Letter". Associated Press, 29 abr. 2014. Thomas McDonald, "Documents Detail Kidnapping Plot of Wake Prosecutor's Father". *The Charlotte Observer*, 23 jul. 2014. Daniel Wallis, "Alleged Gangster Admits Lying in North Carolina Kidnap Probe". Reuters, 29 ago. 2014. Spink John, "FBI Team Rescues a North Carolina Kidnapping Victim". *Atlanta Journal Constitution*, 11 abr. 2014.

2. Alguns observadores no caso Janssen sugeriram que as autoridades usassem na investigação um dispositivo conhecido como "*stingray*" [arraia], que pode rastrear a localização exata de um telefone celular. Diante do questionamento quanto ao uso de uma *stingray* nesse caso, o FBI respondeu com uma mensagem que a organização fornece diante de outros pedidos da mídia a respeito de rastreamento de celulares: "Informações de localização são um componente vital para investigações policiais nas esferas federal, estadual e local. De modo geral, o FBI não descreve técnicas específicas que as forças policiais adotam para obter informações sobre localização, visto que elas são consideradas confidenciais e sua divulgação ao público poderia comprometer o uso de tais técnicas no futuro, e assim prejudicar todos os níveis dos esforços policiais. O FBI coleta e mantém apenas informações com valor investigativo e relevância para seus casos, e esses dados [são] preservados de acordo com legislação federal pertinente e a política da Procuradoria. O FBI apenas armazena os dados referentes a torres de transmissão para uso em investigações específicas. A coleta de registros telefônicos de celulares só é realizada após aprovações prévias necessárias para a investigação específica e somente após a decisão judicial pertinente. Se os registros obtidos forem considerados relevantes, os registros específicos serão incluídos na pasta do caso investigado. O FBI mantém pastas de casos de acordo com cronogramas de retenção de arquivo aprovados pelo Arquivo Nacional (NARA). Se o FBI acreditar que o uso de qualquer tecnologia ou técnica pode levar a informações sobre indivíduos que a jurisprudência determina que possuem direito razoável à privacidade, é política do FBI obter um mandado de busca e apreensão".

3. Como observado neste capítulo, os detalhes referentes a Kelvin Melton, Tianna Brooks (que também usaria o nome Tianna Maynard) e outros supostos sequestradores ou pessoas supostamente envolvidas no sequestro de Janssen encontram-se em autos de tribunal ou entrevistas. Durante a escrita deste livro, Melton, Brooks e outros envolvidos no crime foram denunciados, mas não foram a julgamento. Até a realização do julgamento e a apresentação do veredito, as alegações permanecem com essa condição, de alegações, e os crimes descritos neste capítulo continuam sem ter sido provados em um tribunal. Em janeiro de 2016, Melton disse ao tribunal que não era responsável pelo sequestro de Janssen. Outros supostos sequestradores também devem negar responsabilidade ou culpa. Os advogados de Melton, assim como o de Brooks, receberam sinopses de todos os detalhes deste capítulo e foram consultados quanto a se seus clientes, que estão detidos por outras acusações ou à espera de julgamento, gostariam de responder. O ad-

vogado de Brooks não respondeu. O de Melton, Ryan D. Stump, escreveu por e-mail: "Estamos proibidos por ordem judicial de discutir os detalhes do caso do sr. Melton e as provas apresentadas. Infelizmente, devido a essas restrições, não podemos comentar o caso".

4. Em resposta a um e-mail para checagem de informações, uma porta-voz do FBI disse que o sistema anterior ao Sentinel, além de usar fichas de papel, possuía também um sistema de indexação eletrônica. Entrevistas com agentes confirmaram a informação, mas acrescentaram que esse sistema eletrônico muitas vezes se mostrava incompleto e, portanto, pouco confiável.

5. Em resposta a um e-mail para checagem de informações, uma porta-voz do FBI detalhou o Sentinel da seguinte forma: "O Sentinel é uma ferramenta que administra registros; ele documenta investigações e atividades relacionadas a casos, informações que possuímos e obtemos. O Sentinel fornece um pedaço do quebra-cabeça. Ele documenta os resultados do trabalho do FBI e é usado em conjunto com as informações que coletamos ou acessamos através de outras parcerias a fim de suplementar os dados".

6. As palavras "enxuto (a)" e "ágil" podem ter significados diferentes em contextos distintos. Por exemplo, existe desenvolvimento enxuto de produtos, start-ups enxutas, gestão ágil e construção ágil. Algumas dessas definições e metodologias são muito específicas. Neste capítulo, em geral usei as expressões no sentido mais abrangente. No entanto, para explicações mais detalhadas quanto às diversas aplicações dessas filosofias, recomendo: Rachna Shah e Peter T. Ward, "Lean Manufacturing: Context, Practice Bundles, and Performance". *Journal of Operations Management*, v. 21, n. 2, pp. 129-49, 2003. Jeffrey K. Liker, *Becoming Lean: Inside Stories of U.S. Manufacturers*. Portland: Productivity Press, 1997. J. Ben Naylor, Mohamed M. Naim e Danny Berry, "Leagility: Integrating the Lean and Agile Manufacturing Paradigms in the Total Supply Chain". *International Journal of Production Economics*, v. 62, n. 1, pp. 107-18, 1999. Robert Cecil Martin, *Agile Software Development: Principles, Patterns, and Practices*. Upper Saddle River: Prentice Hall, 2003. Paul T. Kidd. *Agile Manufacturing: Forging New Frontiers*. Reading: Addison-Wesley, 1995. Alistair Cockburn, *Agile Software Development: The Cooperative Game*. Upper Saddle River: Addison-Wesley, 2006. Pekka Abrahamsson, Outi Salo e Jussi Ronkainen, *Agile Software Development Methods: Review and Analysis*. Oulu: VTT Publications, 2002.

7. Rick Madrid faleceu em 2012. Pelas informações sobre o sr. Madrid, a NUMMI e a General Motors, sou profundamente grato a Frank Langfitt, da National Public Radio, Brian Reed, do programa *This American Life*, e a outros repórteres de jornais e empresas de mídia diversos por toda a generosidade em partilhar anotações e transcrições comigo, assim como aos antigos colegas de Madrid, que me contaram suas lembranças. Detalhes sobre Madrid, incluindo suas palavras, foram obtidos em diversas fontes, incluindo fitas de entrevistas com ele, anotações e transcrições de entrevistas que ele concedeu a outros repórteres e lembranças de colegas. Ademais, contei com: Harry Bernstein, "GM Workers Proud of Making the Team". *Los An-*

geles Times, 16 jun. 1987. Clara Germani, "GM-Toyota Venture in California Breaks Tradition, Gets Results". *The Christian Science Monitor*, 21 dez. 1984. Michelle Levander, "The Divided Workplace: Exhibit Traces Battle for Control of Factory". *Chicago Tribune*, 17 set. 1989. Victor F. Zonana, "Auto Venture at Roadblock: GM--Toyota Fremont Plant Produces Happy Workers, High-Quality Product—and a Glut of Unsold Chevrolet Novas". *Los Angeles Times*, 21 dez. 1987. "NUMMI". *This American Life*, WBEZ Chicago, 26 mar. 2010. Charles O'Reilly III, "New United Motors Manufacturing, Inc. (NUMMI)". Stanford Business School Case Studies, n. HR-11, 2 dez. 1998. Maryann Keller, *Rude despertar: ascensão, queda e luta pela recuperação da General Motors*. Rio de Janeiro: Bertrand Brasil, 1991. Joel Smith e William Childs, "Imported from America: Cooperative Labor Relations at New United Motor Manufacturing, Inc.". *Industrial Relations Law Journal*, pp. 70-81, 1987. John Shook, "How to Change a Culture: Lessons from NUMMI". *MIT Sloan Management Review*, v. 51, n. 2, pp. 42-51, 2010. Michael Maccoby, "Is There a Best Way to Build a Car?". *Harvard Business Review*, nov. 1997. Daniel Roos, James P. Womack e Daniel Jones. *The Machine That Changed the World: The Story of Lean Production*. Nova York: HarperPerennial, 1991. Jon Gertner, "From 0 to 60 to World Domination". *The New York Times*, 18 fev. 2007. Ceci Connolly, "Toyota Assembly Line Inspires Improvements at Hospital". *The Washington Post*, 3 jun. 2005. Andrew C. Inkpen, "Learning Through Alliances: General Motors and NUMMI". *Strategic Direction*, v. 22, n. 2, 2006. Paul Adler, "The 'Learning Bureaucracy': New United Motor Manufacturing, Inc.". *Research in Organizational Behavior*, v. 15, 1993. "The End of the Line For GM-Toyota Joint Venture". *All Things Considered*, NPR, mar. 2010. Martin Zimmerman e Ken Basinger, "Toyota Considers Halting Operations at California's Last Car Plant". *Los Angeles Times*, 24 jul. 2009. Soyoung Kim e Chang-ran Kim, "UPDATE 1—Toyota May Drop U.S. Joint Venture with GM". Reuters, 10 jul. 2009. Alan Ohnsman e Kae Inoue, "Toyota Will Shut California Plant in First Closure". Bloomberg, 28 ago. 2009. Jeffrey Liker. *O modelo Toyota: 14 princípios de gestão do maior fabricante do mundo*. Porto Alegre: Bookman, 2005. Steven Spear e H. Kent Bowen, "Decoding the DNA of the Toyota Production System". *Harvard Business Review*, v. 77, pp. 96-108, 1999. David Magee, *O segredo da Toyota. Como a Toyota se tornou a nº 1. Lições de liderança da maior fabricante de automóveis do mundo*. Rio de Janeiro: Elsevier, 2008.

8. Maryann Keller, *Rude despertar: ascensão, queda e luta pela recuperação da General Motors*. Rio de Janeiro: Bertrand Brasil, 1991.
9. Por meio de declaração em resposta a perguntas para checagem de informações, um porta-voz da Toyota escreveu: "A Toyota não pode corroborar nenhuma das descrições da unidade de Fremont durante a operação antes da joint venture independente com a GM. Embora as descrições gerais da filosofia da Toyota e de certos fatos históricos coincidam com nossa visão e nossa opinião a respeito do ocorrido — como o uso dos cabos *andon*, a viagem de ex-funcionários da GM ao Japão e a

melhora de qualidade dos produtos após a formação da NUMMI —, infelizmente não podemos confirmar nem oferecer resposta alguma quanto aos relatos específicos que você apresenta. No entanto, podemos oferecer a seguinte declaração da empresa a respeito da joint venture NUMMI, que você pode usar se assim desejar: 'A NUMMI foi um modelo pioneiro de colaboração industrial entre Japão e Estados Unidos, e temos orgulho de suas conquistas significativas. Ainda somos gratos a todos os que participaram da NUMMI, incluindo fornecedores, a comunidade local e, principalmente, os talentosos companheiros de equipe que contribuíram para o sucesso dessa joint venture inovadora'". Por meio de declaração, uma porta-voz da General Motors escreveu: "Não posso comentar os aspectos específicos que você informou relativos à experiência em Fremont e à NUMMI no começo dos anos 1980, mas *com certeza* posso confirmar que essa não é a realidade das unidades da GM hoje em dia. [...] O Sistema Global de Produção da GM é um sistema de produção único e comum que alinha e estimula os funcionários a usar os melhores processos, práticas e tecnologias a fim de eliminar desperdícios em todas as etapas. [...] Embora seja verdade que as raízes do SGP estejam no Sistema Toyota de Produção (STP) implementado na NUMMI em 1984, muitos componentes do SGP derivaram de nossos esforços para aprender com métodos de produção enxuta usados no mundo inteiro. [...] Embora todos os princípios e elementos sejam considerados cruciais para a implementação bem-sucedida do SGP, um princípio é fundamental para a adaptabilidade do SGP: Aprimoramento Contínuo. Nossos funcionários, estimulados, usam o SGP para aprimorar nossos sistemas de produção, estabelecer um ambiente de trabalho mais seguro e aprimorar a qualidade de nossos produtos para o consumidor".

10. Em um e-mail para checagem de informações, Jeffrey Liker, que estudou e escreveu muito sobre a Toyota, afirmou: "A Toyota percebeu que, para ser uma empresa global, precisaria se estabelecer no exterior, e ela tinha pouca experiência com isso sem ser com vendas. Ela acreditava que o Sistema Toyota de Produção era vital para o sucesso e dependia muito de que as pessoas compreendessem perfeitamente a filosofia e sempre se aprimorassem em um ambiente de confiança. Eles encaravam a NUMMI como um experimento vasto para testar se seria possível fazer o STP funcionar nos Estados Unidos, com funcionários e gerentes americanos. Na verdade, pelo acordo original com a GM, a empresa pretendia produzir apenas veículos Chevrolet, e, como as vendas foram ruins por causa da imagem negativa da marca Chevrolet, eles introduziram o Toyota Corolla. Para a GM, o principal atrativo era a obtenção de alguns carros pequenos com boa lucratividade e aprender a fazer o mesmo. Eles aparentemente tinham um vago interesse no STP. Para a Toyota, a NUMMI foi considerada um marco fundamental para o futuro da empresa, e eles estudavam o máximo possível tudo o que acontecia a cada dia a respeito das atividades nos Estados Unidos e do desenvolvimento da cultura Toyota fora do Japão".

11. Em resposta a um e-mail para checagem de informações, Baron escreveu: "Nosso objetivo era um pouco mais abrangente do que 'cultura'. Estávamos interessados

em ver como as primeiras decisões dos fundadores quanto ao projeto e a estrutura organizacional das relações de emprego afetavam a evolução dos empreendimentos incipientes".

12. Em resposta a um e-mail para checagem de informações, Baron escreveu que as fontes a quem eles recorreram superavam apenas o *San Jose Mercury News*: "Vasculhamos uma variedade de fontes, incluindo o 'Merc', para tentar identificar sinais de novas descobertas. A isso acrescentamos registros de empresas como a CorpTech (que se concentra em marketing voltado para pequenas empresas de tecnologia). A partir dessas fontes, montamos listas de empresas por subsetor (biotecnologia, semicondutores etc.). Depois, selecionamos itens dessas listas, tentando obter uma amostra representativa de empresas em termos de tempo de existência, presença ou não de capital de risco etc. Algum tempo mais tarde, depois de 'a internet' aparecer como um setor distinguível, replicamos o modelo de pesquisa com foco especificamente nela, para ver se os resultados eram semelhantes ou diferentes entre as novas empresas de internet em relação às que já estávamos estudando, e percebemos que os padrões eram os mesmos".
13. James N. Baron e Michael T. Hannan, "The Economic Sociology of Organizational Entrepreneurship: Lessons from the Stanford Project on Emerging Companies". In: Victor Nee e Richard Swedberg (Orgs.). *The Economic Sociology of Capitalism*. Nova York: Russell Sage, 2002, pp. 168-203. James N. Baron e Michael T. Hannan, "Organizational Blueprints for Success in High-Tech Start-Ups: Lessons from the Stanford Project on Emerging Companies". *Engineering Management Review, IEEE*, v. 31, n. 1, p. 16, 2003. James N. Baron, M. Diane Burton e Michael T. Hannan, "The Road Taken: Origins and Evolution of Employment Systems in Emerging Companies". *Articles and Chapters*, p. 254, 1996. James N. Baron, Michael T. Hannan e M. Diane Burton, "Building the Iron Cage: Determinants of Managerial Intensity in the Early Years of Organizations". *American Sociological Review*, v. 64, n. 4, pp. 527-47, 1999.
14. Em resposta a um e-mail para checagem de informações, Baron escreveu: "Talvez seja implicância, mas estávamos olhando para empresas cujos fundadores tinham 'projetos' ou premissas culturais semelhantes por trás de suas criações. Chamo a atenção para isso porque nossa base para diferenciação não eram práticas observáveis, mas a maneira como os fundadores pensavam e falavam de seus empreendimentos incipientes".
15. Havia também uma quantidade considerável de empresas que não se encaixavam claramente em nenhuma das cinco categorias.
16. Em resposta a um e-mail para checagem de informações, Baron disse que ele não devia ser considerado um especialista em Facebook e que foi prometido o anonimato aos participantes do estudo. E acrescentou: "Observamos que empresas de engenharia se transformavam, com uma frequência razoável, em burocracias ou em empresas de dedicação. Essas transições eram muito menos drásticas que outras, sugerindo que um dos motivos para a popularidade do modelo de engenharia para uma start-up é que é possível se 'metamorfosear' em outro modelo conforme a empresa amadurece".

17. Baron, em resposta a um e-mail para checagem de informações, disse que o modelo burocrático e o autocrático têm diferenças, mas são semelhantes no fato de que "(1) os dois são bastante incomuns neste setor em meio às start-ups; e (2) não são populares junto aos profissionais técnicos e científicos".
18. Os pesquisadores prometeram confidencialidade às empresas que participaram do estudo e não quiseram divulgar que empresas específicas foram estudadas.
19. James N. Baron, Michael T. Hannan e M. Diane Burton, "Labor Pains: Change in Organizational Models and Employee Turnover in Young, High-Tech Firms". *American Journal of Sociology*, v. 106, n. 4, pp. 960-1012, 2001.
20. James N. Baron e Michael T. Hannan, "Organizational Blueprints for Success in High-Tech Start-Ups: Lessons from the Stanford Project on Emerging Companies". *Engineering Management Review, IEEE*, v. 31, n. 1, p. 16, 2003.
21. Em resposta a um e-mail para checagem de informações, Baron acrescentou: "O que isso não demonstra explicitamente é que empresas de dedicação tendiam a competir com base em melhores relacionamentos com seus clientes a longo prazo. Não se trata apenas de relacionamento com vendedores, mas da presença de equipes estáveis de pessoal técnico, que, trabalhando de forma interdependente com os profissionais de contato com o consumidor, permite que essas empresas desenvolvam tecnologias que atendam às necessidades de seus clientes de longo prazo".
22. Steve Babson (Org.). *Lean Work: Empowerment and Exploitation in the Global Auto Industry*. Detroit: Wayne State University Press, 1995.
23. Em um e-mail para checagem de informações, Jeffrey Liker disse que o diretor de recursos humanos da Toyota havia falado a um representante do sindicato que, "antes de demitir qualquer funcionário, eles remanejariam internamente o trabalho, depois a diretoria teria uma redução de salário e depois eles reduziriam a carga horária antes de se cogitar corte de pessoal. Em troca, ele disse que o sindicato precisaria aceitar três condições: 1) o critério para promoção profissional seria competência, não tempo de serviço; 2) a quantidade de tipos de cargo deveria ser mínima para permitir flexibilidade para que os funcionários realizassem trabalhos diferentes; e 3) a diretoria e o sindicato trabalhariam juntos para melhorar a produtividade. No primeiro ano, as vendas do Chevy Nova não estavam indo bem, havia um excedente de cerca de 40% de funcionários e todos permaneceram empregados envolvidos em treinamento e *kaizen* por alguns meses até conseguirem colocar o Corolla em produção".
24. Paul S. Adler, "Time-and-Motion Regained". *Harvard Business Review*, v. 71, n. 1, pp. 97-108, 1993.
25. É importante observar que, apesar do sucesso da NUMMI, a empresa não era perfeita. Seu destino estava amarrado ao da indústria automotiva; então, quando a venda de carros total caiu, os lucros da NUMMI também sofreram. A atividade da fábrica da NUMMI era mais cara do que concorrentes estrangeiros de baixo custo, então houve períodos em que a empresa teve prejuízo. E quando a GM tentou exportar a cultura da NUMMI para outras unidades, perceberam que, em alguns lugares, não dava cer-

to. As desavenças entre líderes sindicais e diretores eram intensas demais. Alguns executivos se recusavam a acreditar que, se os operários recebessem autoridade, eles a usariam com responsabilidade. Alguns funcionários não estavam dispostos a dar à GM o benefício da dúvida.

26. Quando a Grande Recessão atingiu a indústria automotiva, a NUMMI foi uma das vítimas. A GM, rumo à falência devido a dívidas em outras partes da empresa, cancelou a parceria com a NUMMI em 2009. A Toyota concluiu que não podia continuar a gerir a fábrica por conta própria. A NUMMI fechou em 2010, depois de produzir quase 8 milhões de veículos.

27. Detalhes sobre o desenvolvimento do sistema Sentinel foram obtidos em entrevistas e em: Glenn A. Fine, *The Federal Bureau of Investigation's Pre-Acquisition Planning for and Controls over the Sentinel Case Management System*. Audit Report 06-14. Washington, D.C.: U.S. Department of Justice, Office of the Inspector General, Audit Division, mar. 2006. Glenn A. Fine, *Sentinel Audit II: Status of the Federal Bureau of Investigation's Case Management System*. Audit Report 07-03. Washington, D.C.: U.S. Department of Justice, Office of the Inspector General, Audit Division, dez. 2006. Glenn A. Fine, *Sentinel Audit III: Status of the Federal Bureau of Investigation's Case Management System*. Audit Report 07-40. Washington, D.C.: U.S. Department of Justice, Office of the Inspector General, Audit Division, ago. 2007. Raymond J. Beaudet, *Sentinel Audit IV: Status of the Federal Bureau of Investigation's Case Management System*. Audit Report 09-05. Washington, D.C.: U.S. Department of Justice, Office of the Inspector General, Audit Division, dez. 2008. Glenn A. Fine, *Sentinel Audit V: Status of the Federal Bureau of Investigation's Case Management System*. Audit Report 10-03. Washington, D.C.: U.S. Department of Justice, Office of the Inspector General, Audit Division, nov. 2009. *Status of the Federal Bureau of Investigation's Implementation of the Sentinel Project*. Audit Report 10-22. Washington, D.C.: U.S. Department of Justice, Office of the Inspector General, mar. 2010. Thomas J. Harrington, "Response to OIG Report on the FBI's Sentinel Project". Release de imprensa do FBI, 20 out. 2010. Disponível em: <https://www.fbi.gov/news/pressrel/press-releases/mediaresponse_102010>. Cynthia A. Schnedar, *Status of the Federal Bureau of Investigation's Implementation of the Sentinel Project*. Report 12-08. Washington, D.C.: U.S. Department of Justice, Office of the Inspector General, dez. 2011. Michael E. Horowitz. *Interim Report on the Federal Bureau of Investigation's Implementation of the Sentinel Project*. Report 12-38. Washington, D.C.: U.S. Department of Justice, Office of the Inspector General, set. 2012. Michael E. Horowitz, *Audit of the Status of the Federal Bureau of Investigation's Sentinel Program*. Report 14-31. Washington, D.C.: U.S. Department of Justice, Office of the Inspector General, set. 2014. William Anderson et al., *Sentinel Report*. Pittsburgh: Carnegie Mellon Software Engineering Institute, set. 2010. David Perera, "Report Questions FBI's Ability to Implement Agile Development for Sentinel". *FierceGovernmentIT*, 5 dez. 2010. Disponível em: <http://www.fiercegovernmentit.com/story/

report-questions-fbis-ability-implement-agile-development-sentinel/2010-12-05>. David Perera, "FBI: We'll Complete Sentinel with $20 Million and 67 Percent Fewer Workers". *FierceGovernmentIT*, 20 out. 2010. Disponível em: <http://www.fiercegovernmentit.com/story/fbi-well-complete-sentinel-20-million-and-67-percent--fewer-workers/2010-10-20>. Jason Bloomberg, "How the FBI Proves Agile Works for Government Agencies". *CIO*, 22 ago. 2012. Disponível em: <http://www.cio.com/article/2392970/agile-development/how-the-fbi-proves-agile-works-for--government-agencies.html>. Eric Lichtblau, "FBI Faces New Setback in Computer Overhaul". *The New York Times*, 18 mar. 2010. "More Fallout from Failed Attempt to Modernize FBI Computer System". Gabinete do senador Chuck Grassley, 21 jul. 2010. "Technology Troubles Plague FBI, Audit Finds". *The Wall Street Journal*, 20 out. 2010. "Audit Sees More FBI Computer Woes". *The Wall Street Journal*, 21 out. 2010. "FBI Takes Over Sentinel Project". *Information Management Journal*, v. 45, n. 1, 2011. Curt Anderson, "FBI Computer Upgrade Is Delayed". Associated Press, 23 dez. 2011. Damon Porter, "Years Late and Millions over Budget, FBI's Sentinel Finally On Line". *PC Magazine*, 31 jul. 2012. Evan Perez, "FBI Files Go Digital, After Years of Delays". *The Wall Street Journal*, 1º ago. 2012.

28. Para saber mais sobre gestão e metodologias enxutas e ágeis, por favor, confira: Craig Larman, *Agile and Iterative Development: A Manager's Guide*. Boston: Addison-Wesley Professional, 2004. Barry Boehm e Richard Turner, *Balancing Agility and Discipline: A Guide for the Perplexed*. Boston: Addison-Wesley Professional, 2003. James Shore, *A arte do desenvolvimento ágil*. Rio de Janeiro: Alta Books, 2008. David Cohen, Mikael Lindvall e Patricia Costa, "An Introduction to Agile Methods". *Advances in Computers*, v. 62, pp. 1-66, 2004. Matthias Holweg, "The Genealogy of Lean Production". *Journal of Operations Management*, v. 25, n. 2, pp. 420-37, 2007. John F. Krafcik, "Triumph of the Lean Production System", *MIT Sloan Management Review*, v. 30, n. 1, p. 41, 1988. Jeffrey Liker e Michael Hoseus, *A cultura Toyota: a alma do modelo Toyota*. Porto Alegre: Bookman, 2009. Steven Spear e H. Kent Bowen, "Decoding the DNA of the Toyota Production System". *Harvard Business Review*, v. 77, pp. 96--108, 1999. James P. Womack e Daniel T. Jones, *A mentalidade enxuta nas empresas: elimine o desperdício e crie riqueza*. Rio de Janeiro: Campus, 1998. Stephen A. Ruffa, *Going Lean: How the Best Companies Apply Lean Manufacturing Principles to Shatter Uncertainty, Drive Innovation, and Maximize Profits*. Nova York: American Management Association, 2008. Julian Page, *Implementing Lean Manufacturing Techniques: Making Your System Lean and Living with It*. Cincinnati: Hanser Gardner, 2004.

29. "What Is Agile Software Development?". *Agile Alliance*, 8 jun., 2013. Disponível em: <http://www.agilealliance.org/the-alliance/what-is-agile/>. Kent Beck et al., "Manifesto for Agile Software Development". Agile Manifesto, 2001. Disponível em: <http://www.agilemanifesto.org/>.

30. Dave West et al., "Agile Development: Mainstream Adoption Has Changed Agility". *Forrester Research*, v. 2, p. 41, 2010.

31. Ed Catmull e Amy Wallace, *Criatividade S.A.: superando as forças invisíveis que ficam no caminho da verdadeira inspiração*. Rio de Janeiro: Rocco, 2014.
32. J. P. Womack e D. Miller, *Going Lean in Health Care*. Cambridge: Institute for Healthcare Improvement, 2005.
33. Jeff Stein, "FBI Sentinel Project Is over Budget and Behind Schedule, Say IT Auditors". *The Washington Post*, 20 out. 2010.
34. Esse método de planejamento costuma ser chamado de "abordagem em cascata", por ser uma metodologia de projeto sequencial em que o progresso "flui" para baixo a partir da concepção, seguindo para iniciação, análise, projeto, construção, teste, produção/implementação e manutenção. Central a essa metodologia é a crença de que cada etapa pode ser prevista e programada.
35. Em resposta a um e-mail para checagem de informações, Fulgham acrescentou: "Designei o diretor de TI (Jeff Johnson) como executivo supervisor de operações. Contratamos um mestre de formação ágil (Mark Crandall) para atuar como consultor e mentor (não como gerente de projeto). Criamos uma área de trabalho aberta no porão para permitir comunicação colaborativa entre os integrantes da equipe. Designamos três agentes especiais para assuntos cibernéticos como chefes de desenvolvimento de saída, e o diretor, o vice-diretor e eu lhes demos autoridade para recomendar qualquer melhoria de processo e/ou consolidação de forma (a fim de não se limitar a digitalizar processos/formas antiquados). Recorri aos presidentes dos nossos principais fornecedores dos produtos que iam constituir o Sentinel para obter seu apoio e os melhores profissionais disponíveis. A equipe adotou a metodologia ágil (sob a liderança de Mark). Todos os *stakeholders* do FBI faziam parte do lado empresarial da equipe do Sentinel para garantir que as necessidades do programa fossem supridas. A equipe técnica conduzia e orientava maratonas quinzenais. Fazíamos compilações automatizadas todas as noites. Uma equipe de controle de qualidade dedicada ficava junto da equipe de desenvolvimento e eu conduzia uma reunião de quinze em quinze dias para ver programações totalmente funcionais (nenhum esboço) e aprovava pessoalmente qualquer pré-requisito. Todas as partes envolvidas — o Departamento de Justiça, a Inspetoria-Geral do Departamento de Justiça, a Casa Branca e outras agências interessadas do governo — compareciam nesses dias de demonstração para observar nosso progresso e processo".
36. Em resposta a um e-mail para checagem de informações, uma porta-voz do FBI escreveu, a respeito do Sentinel: "Não estamos prevendo o crime. Podemos identificar tendências e ameaças".
37. Jeff Sutherland. *Scrum: a arte de fazer o dobro do trabalho na metade do tempo*. São Paulo: Leya, 2014.
38. Robert S. Mueller III, "Statement Before the House Permanent Select Committee on Intelligence". Washington, D.C., 6 out. 2011. Disponível em: <https://www.fbi.gov/news/testimony/the-state-of-intelligence-reform-10-years-after-911>.

6. TOMADA DE DECISÃO [pp. 159-91]

1. Ao longo deste capítulo, as fichas são tratadas por seu valor conceitual em dólar. No entanto, é importante observar que, em torneios como este, as fichas são símbolos usados para determinar vencedores — não são trocadas por dinheiro por equivalência direta. Na realidade, os prêmios são pagos com base na posição dos competidores. Por exemplo, alguém poderia ter 200 mil dólares em fichas, ficar em quinto lugar e levar 300 mil dólares. Nesse torneio em particular, o prêmio era de 2 milhões de dólares e, por acaso, o valor total das fichas também era de 2 milhões de dólares.

2. O Tournament of Champions de 2004 foi descrito em ordem cronológica ligeiramente distinta do que aconteceu para salientar os destaques de cada rodada. Fora a mudança de ordem ao descrever as rodadas, nenhum outro fato foi alterado. Agradeço a Annie Duke, Howard Lederer e Phil Hellmuth pelo tempo e pelas explicações quanto ao Tournament of Champions de 2004 e ao pôquer em geral. Ademais, este relato se fundamentou na versão filmada do TOC 2004, fornecida pela ESPN, e: Annie Duke e David Diamond, *Annie Duke: como ganhei milhões jogando pôquer no World Series of Poker*. São Paulo: Globo, 2007. "Annie Duke: The Big Things You Don't Do". *The Moth Radio Hour*, 13 set. 2012. Disponível em: ⟨http://themoth.org/posts/stories/the-big-things-you-dont-do⟩. "Annie Duke: A House Divided". *The Moth Radio Hour*, 20 jul. 2011. Disponível em: ⟨http://themoth.org/posts/stories/a-house-divided⟩. "Dealing with Doubt". *Radiolab*, 11ª temporada, episódio 4. Disponível em: ⟨http://www.radiolab.org/story/278173--dealing-doubt/⟩. Dina Cheney, "Flouting Convention, Part II: Annie Duke Finds Her Place at the Poker Table". *Columbia College Today*, jul. 2004. Disponível em: ⟨http://www.college.columbia.edu/cct_archive/jul04/features4.php⟩. Ginia Bellafante, "Dealt a Bad Hand? Fold 'Em. Then Raise". *The New York Times*, 19 jan. 2006. Chuck Darrow, "Annie Duke, Flush with Success". *The Philadelphia Inquirer*, 8 jun. 2010. Jamie Berger, "Annie Duke, Poker Pro". *Columbia Magazine*, 4 mar. 2013. Disponível em: ⟨http://www.columbia.edu/cu/alumni/Magazine/Spring2002/Duke.html⟩. "Annie Duke Profile". *The Huffington Post*, 21 fev. 2013. Del Jones, "Know Yourself, Know Your Rival". *USA Today*, 20 jul. 2009. Richard Deitsch, "Q&A with Annie Duke". *Sports Illustrated*, 26 maio 2005. Mark Sauer, "Annie Duke Found Her Calling". *San Diego Union-Tribune*, 9 out. 2005. George Sturgis Coffin, *Secrets of Winning Poker*. [S.l.]: Wilshire, 1949. Richard D. Harroch e Lou Krieger, *Poker para leigos*. Rio de Janeiro: Alta Books, 2011. David Sklansky, *Teoria do poker*. Belo Horizonte: Raise, 2011. Michael Bowling et al., "Heads-Up Limit Hold'em Poker Is Solved". *Science*, v. 347, n. 6218, pp. 145-9, 2015. Darse Billings et al., "The Challenge of Poker". *Artificial Intelligence*, v. 134, n. 1, pp. 201--40, 2002. Kevin B. Korb, Ann E. Nicholson e Nathalie Jitnah, "Bayesian Poker". *Proceedings of the Fifteenth Conference on Uncertainty in Artificial Intelligence*. San Francisco: Morgan Kaufmann, 1999.

3. Gerald Hanks, "Poker Math and Probability". *Pokerology*. Disponível em: <http://www.pokerology.com/lessons/math-and-probability/>.
4. Daniel Kahneman e Amos Tversky, "Prospect Theory: An Analysis of Decision Under Risk". *Econometrica: Journal of the Econometric Society*, v. 47, n. 2, pp. 263-91, 1979.
5. O torneio teve uma audiência estimada de 1,5 milhão de telespectadores.
6. Em conversa por telefone para checagem de informações, Annie explicou seu raciocínio: "Se Greg tivesse valetes ou algo melhor, minha situação seria ruim. Eu estava muito indecisa quanto ao jogo que ele podia ter e estava em uma situação em que eu precisava muito criar mais certeza para mim. Precisava muito decidir se ele tinha ases ou reis, e então desistir. Além disso, Greg Raymer, naquela altura, era uma grandeza desconhecida, mas eu tinha visto com meu irmão alguns vídeos de partidas dele e percebemos algo que achamos que fosse um 'tique', algo que ele fazia fisicamente quando estava com um jogo bom. Isso não é nada certo, não dá para saber se um tique é 100%, mas me ajudou a achar que ele estava com um jogo forte".
7. "Aggregative Contingent Estimation". Office of the Director of National Intelligence (IARPA), 2014, web.
8. Minha compreensão quanto ao Good Judgement Project se deve a: Barbara Mellers et al., "Psychological Strategies for Winning a Geopolitical Forecasting Tournament". *Psychological Science*, v. 25, n. 5, pp. 1106-15, 2014. Daniel Kahneman, "How to Win at Forecasting: A Conversation with Philip Tetlock". *Edge*, 6 dez. 2012. Disponível em: <https://edge.org/conversation/how-to-win-at-forecasting>. Michael D. Lee, Mark Steyvers e Brent Miller, "A Cognitive Model for Aggregating People's Rankings". *PloS One*, v. 9, n. 5, 2014. Lyle Ungar et al., "The Good Judgment Project: A Large Scale Test", 2012. Philip Tetlock, *Expert Political Judgment: How Good Is It? How Can We Know?* Princeton: Princeton University Press, 2005. Jonathan Baron et al., "Two Reasons to Make Aggregated Probability Forecasts More Extreme". *Decision Analysis*, v. 11, n. 2, pp. 133-45, 2014. Philip E. Tetlock et al., "Forecasting Tournaments Tools for Increasing Transparency and Improving the Quality of Debate". *Current Directions in Psychological Science*, v. 23, n. 4, pp. 290-5, 2014. David Ignatius, "More Chatter than Needed". *The Washington Post*, 1º nov. 2013. Alex Madrigal, "How to Get Better at Predicting the Future". *The Atlantic*, 11 dez. 2012. Warnaar et al., "Aggregative Contingent Estimation System". Uriel Haran, Ilana Ritov e Barbara A. Mellers, "The Role of Actively Open-Minded Thinking in Information Acquisition, Accuracy, and Calibration". *Judgment and Decision Making*, v. 8, n. 3, pp. 188-201, 2013. David Brooks, "Forecasting Fox". *The New York Times*, 21 mar. 2013. Philip Tetlock e Dan Gardner, *Seeing Further*. Nova York: Random House, 2015.
9. A quantidade exata de pesquisadores envolvidos variou ao longo do GJP.
10. Em resposta a um e-mail para checagem de informações, Barbara Mellers e Philip Tetlock, outro líder do GJP, escreveram: "Tínhamos dois tipos diferentes de treinamento no primeiro ano do torneio. Um era raciocínio probabilístico e o outro,

treinamento em cenários. O raciocínio probabilístico funcionou um pouco melhor; então, nos anos seguintes, implementamos apenas ele. O treinamento era revisto a cada ano. Ao longo de sua evolução, havia uma seção sobre raciocínio geopolítico e outra sobre raciocínio probabilístico. [...] Eis uma seção que descreve o treinamento: nós criávamos módulos educacionais de treinamento em raciocínio probabilístico e cenários baseados em recomendações de primeira linha. O treinamento em cenários ensinava os previsores a gerar novos futuros, conceber ativamente mais possibilidades, usar árvores decisórias e evitar vieses, como prever mudanças demais, criar cenários incoerentes ou determinar probabilidades superiores a 100% para resultados mutuamente exclusivos ou exaustivos. O treinamento em probabilidades orientava os previsores a considerar classes de referência, diversas estimativas de médias a partir de modelos existentes, enquetes e painéis de especialistas, extrapolar conforme o tempo quando as variáveis forem contínuas e evitar armadilhas do pensamento, como excesso de confiança, viés de confirmação e negligência da taxa-base. Cada módulo de treinamento era interativo, com perguntas e respostas, para verificar a compreensão dos participantes".

11. Em resposta a um e-mail para checagem de informações, Don Moore escreveu: "Em média, os que tinham treinamento se saíram melhor. Mas nem todo mundo que passou pelo treinamento foi melhor do que todas as pessoas sem treinamento".
12. David Brooks, "Forecasting Fox". *The New York Times*, 21 mar. 2013.
13. Em resposta a um e-mail para checagem de informações, Don Moore escreveu: "Nossos previsores são bons não apenas pelo alto índice de acerto, mas pela humildade bem calibrada. Eles não são confiantes além da conta. É ideal saber quando o futuro foi previsto com boa precisão e quando não foi".
14. Por e-mail, Howard Lederer, bicampeão do World Series of Poker, explicou os detalhes necessários para analisar este jogo: "O jogo que você usou como exemplo é MUITO mais complicado do que parece". Considerando os elementos conhecidos, na verdade há mais de 20% de chance de se ganhar. "Eis o motivo. Se você SOUBER que seu adversário tem um ás ou um rei, saberá de sete cartas. Suas duas [cartas], uma das cartas de seu adversário e as quatro [cartas comunitárias] na mesa. Ou seja, há 45 cartas desconhecidas (você não tem nenhuma informação sobre a outra carta de seu adversário). Com isso, você teria nove cartas de copas para vencer e 36 cartas de outros naipes para perder. A probabilidade seria de 1 para 4, ou uma chance em cinco. O percentual é 20%. Desde que você não coloque mais de 20% do seu dinheiro no pote, é uma boa aposta. O que você pode perguntar é: se eu só tenho 20% de chance de vencer contra um ás ou um rei, como é que posso ter mais de [20%] para vencer? Seu adversário pode não ter um ás ou um rei! Ele pode ter um projeto de *flush* de espadas sem ás nem rei, pode ter um projeto de sequência com 5 e 6. Pode ter um projeto de *flush* de copas com carta baixa. Isso seria ótimo para você! Também é possível que ele não tenha nada e esteja tentando blefar para cima de você. Em geral, eu diria que há cerca de 30% de chance de que seu adversário

tenha uma dessas opções de projeto ou de blefe (considerando a quantidade de possibilidades existentes). Então vamos calcular algumas probabilidades: em 70% das vezes, ele tem um ás ou um rei, e você ganha em 20% dessas. Em 25% das vezes, ele tem um projeto, e você vence em cerca de 82% das vezes (estou combinando diversas probabilidades possíveis levando em conta a gama de mãos de quando ele está com um projeto). E, em 5%, ele está blefando, e você vence 89% das vezes em que ele não tem nada. A probabilidade total de você vencer é: (0,7 × 0,2) + (0,25 × 0,82) + (0,05 × 0,89) = 39%! Esse é um cálculo simples de 'valor esperado'. Dá para ver que o 0,7, o 0,25 e o 0,05 da conta somam 1. Isso quer dizer que cobrimos todas as mãos possíveis e atribuímos probabilidades. E estamos estimando da melhor forma possível nossa chance contra cada mão. Na mesa, você não tem tempo de fazer todas as contas, mas, 'por instinto', é possível sentir as probabilidades e decidir com facilidade. Por outro lado, se não vier o *flush* e seu adversário apostar, você deveria considerar pagar para ver mesmo assim. Você ficaria bem acima de 1 para 10, e provavelmente a chance de ele estar blefando é maior que isso. Isso é só um gostinho da complexidade do pôquer."

15. Para saber mais sobre cálculo de probabilidades no pôquer, por favor, confira: Pat Dittmar, *Practical Poker Math: Basic Odds and Probabilities for Hold'em and Omaha*. Toronto: ECW Press, 2008. "Poker Odds for Dummies". CardsChat. Disponível em: <https://www.cardschat.com/odds-for-dummies.php>. Kyle Siler, "Social and Psychological Challenges of Poker". *Journal of Gambling Studies*, v. 26, n. 3, pp. 401-20, 2010.

16. Em resposta a um e-mail para checagem de informações, Howard Lederer escreveu: "É mais complexo do que isso. Jogadores amadores cometem vários tipos de erros. Alguns jogam de um jeito muito solto. Eles desejam incerteza e preferem ação a prudência. Outros são conservadores demais, preferindo perder pouco em uma mão a se arriscar para ganhar, mas também a perder mais. O trabalho de um jogador profissional é apenas fazer o melhor jogo possível a cada mão. A longo prazo, as decisões superiores dele vão derrotar as decisões ruins do adversário, quaisquer que sejam. O valor social do pôquer é que ele é um excelente treinamento para aprender a tomar decisões sensatas em condições de incerteza. Quando você pega o jeito do pôquer, desenvolve as habilidades necessárias para tomar decisões probabilísticas na vida".

17. Embora não tenha relação alguma com os acontecimentos descritos neste capítulo, é preciso informar que Lederer foi um dos fundadores e membros do conselho de Tiltware, LLC, a empresa por trás do Full Tilt Poker, um site popular que foi acusado de fraude bancária e apostas ilegais pelo Departamento de Justiça dos Estados Unidos. Em 2012, Lederer celebrou um acordo em uma ação civil movida pelo Departamento de Justiça contra o Full Tilt Poker. Ele não admitiu infração alguma, mas aceitou pagar mais de 2,5 milhões de dólares.

18. Tecnicamente, Howard tem 81,5% de chance de vencer — no entanto, como é difícil vencer meia mão de pôquer, a probabilidade foi arredondada para 82%.

19. Em resposta a um e-mail para checagem de informações, Howard Lederer escreveu: "Eu diria que, em uma situação com três mãos, [um par de setes] tem quase 90% de chance de ser melhor antes do *flop*. Essa é uma mão em que eu diria que qualquer um teria jogado do mesmo jeito que eu e ela; apostando tudo antes do *flop*. Depois de estarmos com todas as fichas na mesa, não sou ligeiramente favorito, sou o grande favorito. Essa [é] uma característica única do Hold'Em. Se a sua mão é ligeiramente melhor que a do adversário, muitas vezes você é um grande favorito. Pares de sete têm cerca de 81% de chance de vencer pares de seis".
20. Em resposta a um e-mail para checagem de informações, Howard Lederer escreveu: "Não é fácil escolher uma profissão em que você perde com mais frequência do que ganha. É preciso se concentrar a longo prazo e entender que, se tiver probabilidades de 1 para 10 ou uma quantidade suficiente de 1 para 5, você vai se dar bem. E entender também que vai perder cinco vezes em seis".
21. Tenenbaum, em resposta a um e-mail para checagem de informações, descreveu sua pesquisa da seguinte forma: "Muitas vezes, começamos com um aparente vão entre humanos e computadores, em que humanos superam computadores normais com intuições que podem não parecer computações. [...] Mas aí tentamos fechar esse vão, entendendo como as intuições humanas na verdade podem ter um fundamento computacional sutil, que então pode ser programado em uma máquina, para fazer com que a máquina seja mais inteligente de formas mais humanas".
22. Joshua B. Tenenbaum et al., "How to Grow a Mind: Statistics, Structure, and Abstraction". *Science*, v. 331, n. 6022, pp. 1279-85, 2011.
23. Ibid.
24. Em e-mail de resposta a perguntas para checagem de informações, Tenenbaum disse que muitos dos exemplos usados eram razoavelmente complexos e que "os motivos para que as funções de previsão tivessem esses formatos são uma combinação de (1) as probabilidades a priori, (2) certa pressuposição quanto a quando um evento deverá fazer parte de uma amostra (a 'probabilidade'), (3) confirmação bayesiana de a prioris para a posterioris, e (4) o uso do 50º percentil da a posteriori como base para previsão. A parte correta do que você tem é que, em nosso modelo simples, só (1) varia de domínio para domínio — entre filmes, deputados, tempos de vida etc. —, enquanto (2-4) são iguais para todas as tarefas. Mas [é] devido a esses processos causais (que mudam entre domínios), combinados ao restante das computações estatísticas (que não se alteram entre domínios), que as funções de previsão têm esse formato". É importante observar que os gráficos neste texto não representam resultados empíricos corretos, mas sim padrões de previsão — as estimativas que representam o 50º percentil de se acertar ou errar.
25. Estas são versões resumidas das perguntas feitas. Os enunciados exatos de cada pergunta foram: "Digamos que você ouça falar de um filme que tenha faturado 60 milhões de dólares na bilheteria, mas você não sabe há quanto tempo ele está em cartaz. Qual seria o faturamento total de bilheteria que você preveria para esse

filme?", "Seguradoras empregam atuários para produzir previsões sobre o tempo de vida das pessoas — a idade com que elas vão morrer — com base em dados demográficos. Se você estivesse analisando um caso de seguro para um homem de 39 anos, qual seria sua previsão para quanto tempo ele viverá?", "Imagine que você está na cozinha de alguém e vê que tem um bolo no forno. O temporizador mostra que ele está assando há catorze minutos. Qual seria sua previsão para o tempo total que o bolo levaria para assar?", "Se você tivesse ouvido falar de um homem que está na Câmara dos Deputados há onze anos, qual seria o tempo total de serviço na Câmara que você preveria para ele?".

26. Em e-mail de resposta a perguntas para checagem de informações, Tenenbaum escreveu que "o jeito mais natural de fazer essas previsões por computador é rodar programas que, na prática, implementem a lógica do teorema de Bayes. Normalmente, os computadores não 'usam' de forma explícita o teorema de Bayes, porque, exceto em casos simples, em geral é impossível fazer as computações diretas do teorema. Então os programadores inserem no computador programas criados para formar previsões aproximadamente condizentes com o teorema de Bayes em uma variedade ampla de casos, incluindo estes".

27. Sheldon M. Ross, *Introduction to Probability and Statistics for Engineers and Scientists*. San Diego: Academic Press, 2004.

28. Em geral, "taxa base" remete a uma pergunta do tipo "sim ou não". No experimento de Tenenbaum, os participantes tinham que fazer previsões numéricas, em vez de responder a uma pergunta binária, então é mais correto se referir a essa suposição como uma "distribuição prévia".

29. Em e-mail de resposta a perguntas para checagem de informações, Tenenbaum escreveu que "Não se sabe, com base em nosso trabalho, se as previsões de circunstâncias de certa categoria melhoram progressivamente à medida que se tem mais experiência com circunstâncias do mesmo tipo. Às vezes podem melhorar e às vezes não. E essa não é a única maneira de se adquirir uma a priori. Como vemos no exemplo dos faraós e em outros projetos nossos com outros pesquisadores, as pessoas podem adquirir uma a priori de várias formas além da experiência direta com certa categoria de circunstância, incluindo conhecimento de segunda mão, analogias com outras categorias, formação de analogias etc.".

30. Eugene Kim, "Why Silicon Valley's Elites Are Obsessed with Poker", *Business Insider*, 22 nov. 2014. Disponível em: <http://www.businessinsider.com/best-poker-players-in-silicon-valley-2014-11>.

31. Em e-mail de resposta a perguntas para checagem de informações, Hellmuth escreveu: "Annie é uma grande jogadora de pôquer e mostrou seu valor. Eu a respeito e respeito seu talento no Hold'Em".

32. Em e-mail de resposta a perguntas para checagem de informações, Hellmuth escreveu: "Acho que ela estava tentando me balançar (me deixar abalado e irritado) ao me mostrar um nove naquela situação. Muitos jogadores teriam desmontado com aquele

meu jogo (par alto) [e] uma carta 'Segura' no *turn*, mas eu ganho a vida fugindo da norma e confiando em meus instintos (minha magia, minha capacidade de leitura). Confiei neles e desisti".

33. Em e-mail de resposta a perguntas para checagem de informações, Hellmuth escreveu: "Com as fichas que eu tinha na hora, eu precisava apostar tudo com oito para dez naquele *flop* (eu tinha um par alto e havia projetos de *flush* e a possibilidade de projetos de sequência). Completamente básico. Se você está tentando sugerir que apostei porque estava balançado emocionalmente, está enganado. Eu não tinha escolha ali".

34. Em e-mail de resposta a perguntas para checagem de informações, Hellmuth defendeu a ideia de que ele e Annie haviam combinado, quando o torneio ficou entre os dois, que cada um garantiria 750 mil dólares ao outro, quem quer que vencesse, e que eles jogariam pelos 500 mil restantes. Annie Duke confirmou o acordo.

7. INOVAÇÃO [pp. 192-220]

1. Minha compreensão quanto ao desenvolvimento de *Frozen* se deve especialmente à generosidade de Ed Catmull, Jennifer Lee, Andrew Millstein, Peter Del Vecho, Kristen Anderson-Lopes, Bobby Lopez, Amy Wallace e Amy Astley, assim como a outros funcionários da Disney que pediram para não ser identificados. Ademais, recorri a: Charles Solomon, *The Art of Frozen*. San Francisco: Chronicle Books, 2015. John August, "*Frozen* with Jennifer Lee". *Scriptnotes*, 28 jan. 2014. Disponível em: <http://johnaugust.com/2014/frozen-with-jennifer-lee>. Nicole Laporte, "How *Frozen* Director Jennifer Lee Reinvented the Story of the Snow Queen". *Fast Company*, 28 fev. 2014. Lucinda Everett, "*Frozen*: Inside Disney's Billion-Dollar Social Media Hit". *The Telegraph*, 31 mar. 2014. Jennifer Lee, "*Frozen*, Final Shooting Draft". Walt Disney Animation Studios, 23 set. 2013. Disponível em: <http://gointothestory.blcklst.com/wp-content/uploads/2014/11/Frozen.pdf>. "*Frozen*: Songwriters Kristen Anderson-Lopez and Robert Lopez Official Movie Interview". YouTube, 31 out. 2013. Disponível em: <https://www.youtube.com/watch?v=mzZ77n4Ab5E>. Susan Wloszczyna, "With *Frozen*, Director Jennifer Lee Breaks Ice for Women Directors". *Indiewire*, 26 nov. 2013. Disponível em: <http://blogs.indiewire.com/womenandhollywood/with-frozen-director-jennifer-lee-breaks-the-ice-for-women-directors>. Jim Hill, "Countdown to Disney *Frozen*: How One Simple Suggestion Broke the Ice on the Snow Queen's Decades-Long Story Problems". *Jim Hill Media*, 18 out. 2013. Disponível em: <http://jimhillmedia.com/editor_in_chief1/b/jim_hill/archive/2013/10/18/countdown-to-disney-quot-frozen-quot-how-one-simple--suggestion-broke-the-ice-on-the-quot-snow-queen-quot-s-decades-long-story--problems.aspx>. Brendon Connelly, "Inside the Research, Design, and Animation of Walt Disney's *Frozen* with Producer Peter Del Vecho". *Bleeding Cool*, 25 set. 2013. Disponível em: <http://www.bleedingcool.com/2013/09/25/inside-the-research-

-design-and-animation-of-walt-disneys-frozen-with-producer-peter-del-vecho/>. Ed Catmull e Amy Wallace, *Criatividade S.A.: superando as forças invisíveis que ficam no caminho da verdadeira inspiração*. Rio de Janeiro: Rocco, 2014. Mike P. Williams, "Chris Buck Reveals True Inspiration Behind Disney's *Frozen* (Exclusive)". Yahoo! Movies, 8 abr. 2014. Williams College, "Exploring the Songs of *Frozen* with Kristen Anderson-Lopez '94". YouTube, 30 jun. 2014. Disponível em: <https://www.youtube.com/watch?v=ftddAzabQMM>. Dan Sarto, "Directors Chris Buck and Jennifer Lee Talk *Frozen*". Animation World Network, 7 nov. 2013. Jennifer Lee, "Oscars 2014: *Frozen*'s Jennifer Lee on Being a Female Director". *Los Angeles Times*, 1º mar. 2014. Rob Lowman, "Unfreezing *Frozen*: The Making of the Newest Fairy Tale in 3D by Disney". *Los Angeles Daily News*, 19 nov. 2013. Jill Stewart, "Jennifer Lee: Disney's New Animation Queen". *LA Weekly*, 15 maio 2013. Simon Brew, "A Spoiler-Y, Slightly Nerdy Interview About Disney's *Frozen*". *Den of Geek!*, 12 dez. 2013. Disponível em: <http://www.denofgeek.com/movies/frozen/28567/a-spoiler-y-nerdy-interview-about-disneys-frozen>. Sean Flynn, "Is It Her Time to Shine?". *The Newport Daily News*, 17 fev. 2014. Mark Harrison, "Chris Buck and Jennifer Lee Interview: On Making *Frozen*". *Den of Geek!*, 6 dez. 2013. Disponível em: <http://www.denofgeek.com/movies/frozen/28495/chris-buck-and-jennifer-lee-interview-on-making-frozen>. Mike Fleming, "Jennifer Lee to Co-Direct Disney Animated Film *Frozen*". *Deadline Hollywood*, 29 nov. 2012. Rebecca Keegan, "Disney Is Reanimated with *Frozen*, *Big Hero 6*". *Los Angeles Times*, 9 maio 2013. Lindsay Miller, "On the Job with Jennifer Lee, Director of *Frozen*". *Popsugar*, 28 fev. 2014. Disponível em: <http://www.popsugar.com/celebrity/Frozen-Director-Jennifer-Lee-Interview-Women-Film-33515997. Trevor Hogg, "Snowed Under: Chris Buck Talks About *Frozen*". *Flickering Myth*, 26 mar. 2014. Disponível em: <http://www.flickeringmyth.com/2014/03/snowed-under-chris-buck-talks-about.html. Jim Hill, "Countdown to Disney *Frozen*: The Flaky Design Idea Behind the Look of Elsa's Ice Palace". *Jim Hill Media*, 9 out. 2013. Disponível em: <http://jimhillmedia.com/editor_in_chief1/b/jim_hill/archive/2013/10/09/countdown-to-disney-quot-frozen-quot-the-flaky-design-idea-behind-the-look-of-elsa-s-ice-palace.aspx>. Rebecca Keegan, "Husband-Wife Songwriting Team's Emotions Flow in *Frozen*". *Los Angeles Times*, 1º nov. 2013. Heather Wood Rudulph, "Get That Life: How I Co-Wrote the Music and Lyrics for *Frozen*". *Cosmopolitan*, 27 abr. 2015. Simon Brew, "Jennifer Lee and Chris Buck Interview: *Frozen*, Statham, *Frozen 2*". *Den of Geek!*, 4 abr. 2014. Disponível em: <http://www.denofgeek.com/movies/frozen/29346/jennifer-lee-chris-buck-interview-frozen-statham-frozen-2>. Carolyn Giardina, "Oscar: With *Frozen*, Disney Invents a New Princess". *The Hollywood Reporter*, 27 nov. 2013. Steve Persall, "Review: Disney's *Frozen* Has a Few Cracks in the Ice". *Tampa Bay Times*, 26 nov. 2013. Kate Muir, "Jennifer Lee on Her Disney Hit *Frozen*: We Wanted the Princess to Kick Ass". *The Times*, 12 dez. 2013. "Out of the Cold". *The Mail on Sunday*, 29 dez. 2013. Kathryn Shattuck, "Frozen Directors Take Divide-

-and-Conquer Approach". *The New York Times*, 16 jan. 2014. Ma'ayan Rosenzweig e Greg Atria, "The Story of *Frozen*: Making a Disney Animated Classic". *ABC News Special Report*, 2 set. 2014. Disponível em: <http://abcnews.go.com/Entertainment/fullpage/story-frozen-making-disney-animated-classic-movie-25150046>. Amy Edmondson et al., "Case Study: Teaming at Disney Animation". *Harvard Business Review*, 27 ago. 2014.

2. Em e-mail de resposta a perguntas para checagem de informações, Andrew Millstein, diretor da Disney Animation Studios, escreveu: "São comentários desse tipo que alimentam nosso processo criativo e nos ajudam a levar adiante todos os nossos filmes em produção. É comum que a liderança criativa de qualquer filme fique apegada demais a seus filmes e perca a objetividade. Nosso Consórcio de Roteiro funciona como um público extremamente criterioso e habilidoso que pode destacar defeitos na história e, principalmente, oferecer possíveis soluções. [...] Você descreve um processo de experimentação, exploração e descoberta, que são elementos essenciais em todos os nossos filmes. A pergunta não é se isso vai acontecer, mas sim de que forma. Essa é uma parte constante de nosso processo, e é a expectativa [de] qualquer equipe de cineastas. É o que contribui para o alto nível de qualidade estabelecido pelos nossos filmes".

3. Em e-mail de resposta a perguntas para checagem de informações, Bobby Lopez deixou claro que Kristen participou com críticas e sugestões durante a composição de *Avenida Q* e *Book of Mormon*, mas não foi creditada oficialmente pelos espetáculos.

4. Em e-mail de resposta a perguntas para checagem de informações, uma porta-voz da Disney Animation escreveu que o estúdio gostaria de enfatizar "que esse processo se tornou bastante típico para todos os filmes da Disney Animation desde que John [Lasseter] e Ed [Catmull] se tornaram nossos líderes de estúdio — o processo de exibições-teste, as sessões de comentários, o desmonte e a remontagem de um filme. Isso é típico, não atípico".

5. Em e-mail de resposta a perguntas para checagem de informações, Ed Catmull, presidente da Disney Animation, escreveu que as diversas histórias neste capítulo são "pontos de vista de diferentes momentos no período de desenvolvimento do filme. [...] Para falar a verdade, seria possível substituir com outras palavras e assim descrever praticamente o modo como *todo* filme passa por explorações e mudanças. Vale a pena chamar a atenção para isso para que as pessoas não fiquem com a impressão de que isso foi diferente para o *Frozen*".

6. Em e-mail de resposta a perguntas para checagem de informações, Millstein escreveu: "A criatividade precisa de tempo, espaço e apoio para explorar plenamente diversas ideias simultaneamente. Nossa liderança criativa precisa confiar uns nos outros para experimentar, errar e tentar de novo e de novo até as respostas às perguntas e aos problemas da história ficarem melhores e mais refinadas. Também precisa haver um esforço incansável de busca pelas melhores soluções para problemas difíceis e delicados e nunca um contentamento por soluções inferiores devido a questões de

prazo. Nossas equipes criativas precisam acreditar que a diretoria acredita fundamentalmente nesse processo e dá todo o apoio".

7. Amanda Vaill, *Somewhere: The Life of Jerome Robbins*. Nova York: Broadway Books, 2008. "Q&A with Producer Director Judy Kinberg, 'Jerome Robbins: Something to Dance About'". Direção de Judy Kinberg, *American Masters*, PBS, 28 jan. 2009. Disponível em: <http://www.pbs.org/wnet/americanmasters/jerome-robbins-q-a-with-producerdirector-judy-kinberg/1100/>. Sanjay Roy, "Step-by-Step Guide to Dance: Jerome Robbins". *The Guardian*, 7 jul. 2009. Sarah Fishko, "The Real Life Drama Behind West Side Story". NPR, 7 jan. 2009. Disponível em: <http://www.npr.org/2011/02/24/97274711/the-real-life-drama-behind-west-side-story>. Jeff Lundun e Scott Simon, "Part One: Making a New Kind of Musical". NPR, 26 set. 2007. Disponível em: <http://www.npr.org/templates/story/story.php?storyId=14730899>. Jeff Lundun e Scott Simon, "Part Two: Casting Calls and Out of Town Trials". NPR, 26 set. 2007. Disponível em: <http://www.npr.org/templates/story/story.php?storyId=14744266>. Jeff Lundun e Scott Simon, "Part Three: Broadway to Hollywood—and Beyond". NPR, 26 set. 2007. Disponível em: <http://www.npr.org/templates/story/story.php?storyId=14749729>. "West Side Story Film Still Pretty, and Witty, at 50". NPR, 17 out. 2011. Disponível em: <http://www.npr.org/2011/10/17/141427333/west-side-story-still-pretty-and-witty-at-50>. Jesse Green, "When You're a Shark You're a Shark All the Way". *New York Magazine*, 15 mar. 2009. Larry Stempel, "The Musical Play Expands". *American Music*, v. 10, n. 2, pp. 136-69, 1992. Beth Genné, "'Freedom Incarnate': Jerome Robbins, Gene Kelly, and the Dancing Sailors as an Icon of American Values in World War II". *Dance Chronicle*, v. 24, n. 1, pp. 83-103, 2001. Bill Fischer e Andy Boynton, "Virtuoso Teams". *Harvard Business Review*, 1º jul. 2005. Otis L. Guernsey (Org.). *Broadway Song and Story: Playwrights/Lyricists/Composers Discuss Their Hits*. Nova York: Dodd Mead, 1985. Larry Stempel, *Showtime: A History of the Broadway Musical Theater*. Nova York: W. W. Norton, 2010. Robert Emmet Long, "West Side Story". In: *Broadway, the Golden Years: Jerome Robbins and the Great Choreographer-Directors: 1940 to the Present*. Nova York: Continuum, 2001. Leonard Bernstein, "A West Side Log" (1982). Terri Roberts, "West Side Story: 'We Were All Very Young'". *The Sondheim Review*, v. 9, n. 3, inverno de 2003. Steven Suskin, *Opening Night on Broadway: A Critical Quotebook of the Golden Era of the Musical Theatre, Oklahoma! (1943) to Fiddler on the Roof (1964)*. Nova York: Schirmer Trade Books, 1990. Amanda Vaill, "Jerome Robbins— About the Artist". *American Masters*, PBS, 27 jan 2009. Disponível em: <http://www.pbs.org/wnet/americanmasters/jerome-robbins-about-the-artist/1099/>.

8. Há algumas exceções a esta fórmula musical, especialmente *Oklahoma!*, em que se usou dança para expressar a trama e momentos de emoção.

9. Tim Carter, "Leonard Bernstein: West Side Story. By Nigel Simeone". *Music and Letters*, v. 92, n. 3, pp. 508-10, 2011.

10. *Amor, sublime amor* passou por vários títulos até o definitivo [no original, *West Side Story*] ser escolhido.
11. Trechos de cartas foram obtidos na Leonard Bernstein Collection da Biblioteca do Congresso, bem como de arquivos disponibilizados por diversos autores e pelo sistema da Biblioteca Pública de Nova York.
12. Isso foi escrito por Leonard Bernstein, citado em *The Leonard Bernstein Letters* (New Haven: Yale University Press, 2013).
13. Jerome Robbins, citado em *The Leonard Bernstein Letters* (New Haven: Yale University Press, 2013).
14. Amanda Vaill, *Somewhere: The Life of Jerome Robbins*. Nova York: Broadway Books, 2008.
15. Ibid.
16. Deborah Jowitt, *Jerome Robbins: His Life, His Theater, His Dance*. Nova York: Simon & Schuster, 2004.
17. Brian Uzzi et al., "Atypical Combinations and Scientific Impact". *Science*, v. 342, n. 25, pp. 468-72, 2013.
18. Para saber mais sobre o trabalho de Uzzi e Jones, por favor, confira: Stefan Wuchty, Benjamin F. Jones e Brian Uzzi, "The Increasing Dominance of Teams in Production of Knowledge". *Science*, v. 316, n. 5827, pp. 1036-9, 2007. Benjamin F. Jones, Stefan Wuchty e Brian Uzzi, "Multi-University Research Teams: Shifting Impact, Geography, and Stratification in Science". *Science*, v. 322, n. 5905, pp. 1259-62, 2008. Holly J. Falk-Krzesinski et al., "Advancing the Science of Team Science". *Clinical and Translational Science*, v. 3, n. 5, pp. 263-6, 2010. Ginger Zhe Jin et al., *The Reverse Matthew Effect: Catastrophe and Consequence in Scientific Teams*. Artigo 19489, National Bureau of Economic Research, 2013. Brian Uzzi e Jarrett Spiro, "Do Small Worlds Make Big Differences? Artist Networks and the Success of Broadway Musicals, 1945-1989". [S.l.]: Evanston, 2003. Não publicado. Brian Uzzi e Jarrett Spiro, "Collaboration and Creativity: The Small World Problem". *American Journal of Sociology*, v. 111, n. 2, pp. 447-504, 2005. Brian Uzzi, "A Social Network's Changing Statistical Properties and the Quality of Human Innovation". *Journal of Physics A: Mathematical and Theoretical*, v. 41, n. 22, 2008. Brian Uzzi, Luis A. N. Amaral e Felix Reed-Tsochas, "Small-World Networks and Management Science Research: A Review". *European Management Review*, v. 4, n. 2, pp. 77-91, 2007.
19. Em e-mail de resposta a perguntas para checagem de informações, Uzzi escreveu: "A outra questão é que é mais provável que equipes acertem esse ideal de criatividade. Elas têm mais chance do que autores individuais de montar uma combinação incomum de fontes anteriores. Além disso, um artigo com a combinação certa de ideias convencionais e incomuns produzido por uma equipe se sai melhor do que o de um autor individual com a mesma combinação de ideias convencionais e incomuns. Isso indica que equipes são melhores que indivíduos para reunir fontes e concluir ideias a partir de combinações incomuns".

20. Amos Tversky e Daniel Kahneman, "Availability: A Heuristic for Judging Frequency and Probability". *Cognitive Psychology*, v. 5, n. 2, pp. 207-32, 1973. Daniel Kahneman e Amos Tversky, "Prospect Theory: An Analysis of Decision Under Risk". *Econometrica: Journal of the Econometric Society*, v. 47, n. 2, pp. 263-91, 1979. Amos Tversky e Daniel Kahneman, "Judgment Under Uncertainty: Heuristics and Biases". *Science*, v. 185, n. 4157, pp. 1124-31, 1974. Amos Tversky e Daniel Kahneman, "The Framing of Decisions and the Psychology of Choice". *Science*, v. 211, n. 4481, pp. 453-58, 1981. Daniel Kahneman e Amos Tversky, "Choices, Values, and Frames". *American Psychologist*, v. 39, n. 4, p. 341, 1984. Daniel Kahneman, *Rápido e devagar: duas formas de pensar*. Rio de Janeiro: Objetiva, 2012. Daniel Kahneman e Amos Tversky, "On the Psychology of Prediction". *Psychological Review*, v. 80, n. 4, p. 237, 1973.
21. Qiong Wang et al., "Naive Bayesian Classifier for Rapid Assignment of rRNA Sequences into the New Bacterial Taxonomy". *Applied and Environmental Microbiology*, v. 73, n. 16, pp. 5261-7, 2007. Jun S. Liu, "The Collapsed Gibbs Sampler in Bayesian Computations with Applications to a Gene Regulation Problem". *Journal of the American Statistical Association*, v. 89, n. 427, pp. 958-66, 1994.
22. Andrew Hargadon e Robert I. Sutton, "Technology Brokering and Innovation in a Product Development Firm". *Administrative Science Quarterly*, v. 42, n. 4, pp. 716--49, 1997.
23. René Carmona et al., *Numerical Methods in Finance: Bordeaux, June 2010*. Springer Proceedings in Mathematics, vol. 12. Berlim: Springer Berlin Heidelberg, 2012. René Carmona et al., "An Introduction to Particle Methods with Financial Application". In: *Numerical Methods in Finance*, 3-49. Pierre Del Moral. *Mean Field Simulation for Monte Carlo Integration*. Boca Raton: CRC Press, 2013. Roger Eckhardt, "Stan Ulam, John von Neumann, and the Monte Carlo Method". *Los Alamos Science*, edição especial, pp. 131-7, 1987.
24. Andrew Hargadon e Robert I. Sutton, "Technology Brokering and Innovation in a Product Development Firm". *Administrative Science Quarterly*, v. 42, n. 4, pp. 716--49, 1997. Roger P. Brown, "Polymers in Sport and Leisure". *Rapra Review Reports*, v. 12, n. 3, 2 nov. 2001. Melissa Larson, "From Bombers to Bikes". *Quality*, v. 37, n. 9, p. 30, 1998.
25. Benjamin Spock, *Meu filho, meu tesouro: como criar seus filhos com bom senso e carinho*. [São Paulo]: Círculo do Livro, [1973].
26. Ronald S. Burt, "Structural Holes and Good Ideas". *American Journal of Sociology*, v. 110, n. 2, pp. 349-99, 2004.
27. Em e-mail de resposta a perguntas para checagem de informações, Burt escreveu: "Os gerentes ofereciam a melhor ideia que tinham para aprimorar o valor de sua função para a empresa. Os dois diretores da função avaliavam cada ideia (desprovida de identificação de autoria). A avaliação sumária de cada ideia acabava sendo prevista sobretudo pela capacidade da pessoa autora da ideia de estender uma rede

de contatos para além de fronteiras (buracos estruturais) entre grupos, funções, divisões na empresa".

28. Para saber mais sobre o conceito de mediação, por favor, confira: Ronald S. Burt, *Structural Holes: The Social Structure of Competition*. Cambridge: Harvard University Press, 2009. Ronald S. Burt, "The Contingent Value of Social Capital". *Administrative Science Quarterly*, v. 42, n. 2, pp. 339-65, 1997. Ronald S. Burt, "The Network Structure of Social Capital". In B. M. Staw e R. I. Sutton, *Research in Organizational Behavior*, v. 22. Nova York: Elsevier Science JAI, 2000, pp. 345-423. Ronald S. Burt, *Brokerage and Closure: An Introduction to Social Capital*. Nova York: Oxford University Press, 2005. Ronald S. Burt, "The Social Structure of Competition". *Explorations in Economic Sociology*, v. 65, p. 103, 1993. Lee Fleming, Santiago Mingo e David Chen, "Collaborative Brokerage, Generative Creativity, and Creative Success". *Administrative Science Quarterly*, v. 52, n. 3, pp. 443-75, 2007. Satu Parjanen, Vesa Harmaakorpi e Tapani Frantsi, "Collective Creativity and Brokerage Functions in Heavily Cross-Disciplined Innovation Processes". *Interdisciplinary Journal of Information, Knowledge, and Management*, v. 5, n. 1, pp. 1-21, 2010. Thomas Heinze e Gerrit Bauer, "Characterizing Creative Scientists in Nano-S&T: Productivity, Multidisciplinarity, and Network Brokerage in a Longitudinal Perspective". *Scientometrics*, v. 70, n. 3, pp. 811-30, 2007. Markus Baer, "The Strength-of-Weak-Ties Perspective on Creativity: A Comprehensive Examination and Extension". *Journal of Applied Psychology*, v. 95, n. 3, p. 592, 2010. Ajay Mehra, Martin Kilduff e Daniel J. Brass, "The Social Networks of High and Low Self-Monitors: Implications for Workplace Performance". *Administrative Science Quarterly*, v. 46, n. 1, pp. 121-46, 2001.
29. Agradeço à Biblioteca Pública de Nova York por disponibilizar uma versão inicial do roteiro de *Amor, sublime amor*. Este é um resumo desse roteiro, abreviado para facilitar a apresentação.
30. Este texto é uma combinação de versões concluídas do roteiro de *Amor, sublime amor*, observações de Robbins e entrevistas que ofereciam uma descrição da coreografia da primeira apresentação do espetáculo, entre outras fontes.
31. Larry Stempel, "The Musical Play Expands". *American Music*, pp. 136-69, 1992.
32. Sarah Fishko, "The Real Life Drama Behind West Side Story". NPR, 7 jan. 2009. Disponível em: <http://www.npr.org/2011/02/24/97274711/the-real-life-drama-behind-west-side-story>.
33. A equipe principal de *Frozen* incluía Buck, Lee, Del Vecho, Bobby Lopez e Kristen Anderson-Lopez, Paul Brigg, Jessica Julius, Tom MacDougall, Chris Montan e, em certas ocasiões, pessoas de outros departamentos.
34. Em e-mail de resposta a perguntas para checagem de informações, uma porta-voz da Walt Disney Animation Studios escreveu que Lee "e sua irmã brigavam como qualquer criança; elas cresceram juntas com a idade. Nunca se distanciaram. [...] Durante a faculdade, elas ficaram próximas. Chegaram a morar juntas em Nova York por um tempo".

35. Em e-mail de resposta a perguntas para checagem de informações, Millstein escreveu: "Soluções para problemas de roteiro [costumam estar] relacionadas a experiências emocionais íntimas. Nós nos inspiramos em nossas próprias histórias e em nossa vida emocional. [...] Também nos inspiramos nas experiências de outras pessoas no estúdio e em pesquisas aprofundadas nas áreas específicas que o filme pretender explorar. No caso de Frozen, tínhamos um grupo de pesquisa interno na Disney Animation: funcionárias que eram irmãs. Elas podem oferecer um relato de primeira mão sobre como é ter uma irmã e que experiências de vida tiveram. Esse tipo de material de fonte primária é maravilhoso".
36. Gary Wolf, "Steve Jobs: The Next Insanely Great Thing". *Wired*, abr. 1996.
37. Em e-mail de resposta a perguntas para checagem de informações, Catmull escreveu: "É simplificar demais dizer que as pessoas precisam ser levadas a fazer algo. Sim, elas precisam, mas também precisam ter liberdade para criar, e nós temos que lhes dar segurança para que possam encontrar algo novo. Andrew e eu precisamos ser uma força para movimentar as coisas e, ao mesmo tempo, tentar evitar que o medo atrase ou prenda as pessoas. É por isso que o trabalho é tão difícil".
38. Art Fry, "The Post-it note: An Intrapreneurial Success". *SAM Advanced Management Journal*, v. 52, n. 3, p. 4, 1987.
39. P. R. Cowley, "The Experience Curve and History of the Cellophane Business". *Long Range Planning*, v. 18, n. 6, pp. 84-90, 1985.
40. Lewis A. Barness, "History of Infant Feeding Practices". *The American Journal of Clinical Nutrition*, v. 46, n. 1, pp. 168-70, 1987. Donna A. Dowling, "Lessons from the Past: A Brief History of the Influence of Social, Economic, and Scientific Factors on Infant Feeding". *Newborn and Infant Nursing Reviews*, v. 5, n. 1, pp. 2-9, 2005.
41. Gary Klein, *Seeing What Others Don't: The Remarkable Ways We Gain Insights*. Nova York: PublicAffairs, 2013.
42. Em e-mail de resposta a perguntas para checagem de informações, Bobby Lopez escreveu: "Pela nossa perspectiva — apertávamos 'enviar' em um e-mail com um mp3 em anexo e depois ficávamos contando os minutos, as horas ou às vezes dias até recebermos notícias deles. Às vezes isso tinha algum significado e às vezes não. Demoramos um pouco para ter notícias, então começamos a duvidar da música, mas quando eles telefonaram, ficou claro que estavam muito animados".
43. Em e-mail de resposta a perguntas para checagem de informações, uma porta-voz da Walt Disney Animation Studio escreveu que Lee "já havia escrito uma versão do roteiro em abril [de 2012 em] que Elsa era uma personagem mais agradável, mas ainda havia um plano para ela ficar má no meio do filme. A primeira vez que ['Let It Go'] apareceu foi em [uma] exibição-teste em agosto de 2012. 'Let It Go' ajudou a mudar o tom da personagem Elsa. Vale observar que John Lasseter tinha uma relação pessoal com o filme também: quando pensava em Elsa, ele pensava no filho, Sam, que tem diabete infantil. Sempre que Sam era furado e sondado quando criança, ele se virava para John e perguntava 'Por que eu?'. A diabete não era culpa de Sam, assim como aqueles poderes gelados não eram culpa de Elsa".

44. Em e-mail de resposta a perguntas para checagem de informações, uma porta-voz da Walt Disney Animation Studio escreveu que Chris Buck tinha uma visão para o que devia ser o final do filme. "O final — fazer tudo se encaixar emocionalmente — era um quebra-cabeça. Em outubro de 2012, Jennifer já havia imaginado o final com os quatro protagonistas em uma nevasca de medo, que o animador John Ripa traçou em storyboard. John Lasseter aplaudiu de pé na sala ao ver os storyboards de Ripa. Como Jennifer diz, 'Nós sabíamos o final, só precisávamos conquistá-lo.'"
45. Teresa M. Amabile et al., "Assessing the Work Environment for Creativity". *Academy of Management Journal*, v. 39, n. 5, pp. 1154-84, 1996. Teresa M. Amabile, Constance N. Hadley e Steven J. Kramer, "Creativity Under the Gun". *Harvard Business Review*, v. 80, n. 8, pp. 52-61, 2002. Teresa M. Amabile, "How to Kill Creativity". *Harvard Business Review*, v. 76, n. 5, pp. 76-87, 1998. Teresa M. Amabile, "A Model of Creativity and Innovation in Organizations". *Research in Organizational Behavior*, v. 0, n. 1, pp. 123-67, 1988.
46. Em e-mail de resposta a perguntas para checagem de informações, Catmull escreveu que é importante destacar o fato de que Lee era uma segunda diretora, não "codiretora", algo que tem vários sentidos em Hollywood. "Existe um título de 'codiretor', que fica em um nível inferior ao de 'diretor'. Na Disney, é comum termos dois diretores e os dois usarem o título de 'diretor'. Neste caso, Jenn e Chris eram diretores no mesmo nível. [...] Jenn foi promovida a diretora junto com Chris."
47. Em e-mail de resposta a perguntas para checagem de informações, Millstein escreveu: "A promoção de Jenn a uma posição igual de diretora junto com Chris proporcionou uma oportunidade para mudar positivamente a dinâmica da equipe e a receptividade a novas ideias em potencial. [...] Jenn é uma cineasta muito sensível e enfática. Sua sensibilidade em relação à dinâmica da equipe, sua função, sua voz e a grande necessidade de manter uma colaboração intensa foi o que ajudaram a fazer com que *Frozen* desse certo". Segundo Buck, outro fato que influenciou a decisão de promover Lee a diretora foi que, na época, um dos filhos dele estava com um problema de saúde que precisava de atenção, e assim "John e Ed e Andrew viram minha necessidade pessoal e me perguntaram, logo antes, o que eu acharia se Jenn fosse codiretora. E eu disse que sim, com certeza, eu adoraria".
48. Agradeço a Stephen Palumbi, da Estação Marítima Hopkins de Stanford, e Elizabeth Alter, da City University of New York, por me ajudarem a compreender a hipótese do distúrbio intermediário.
49. Joseph H. Connell, "Diversity in Tropical Rain Forests and Coral Reefs". *Science*, n.s. 199, n. 4335, pp. 1302-10, 1978.
50. Assim como muitas teorias científicas, a hipótese do distúrbio intermediário tem muitas origens. Para uma história mais completa, por favor, confira: David M. Wilkinson, "The Disturbing History of Intermediate Disturbance". *Oikos*, v. 84, n. 1, pp. 145-7, 1999.
51. John Roth e Mark Zacharias, *Marine Conservation Ecology*. Londres: Routledge, 2011.

52. Para saber mais sobre a hipótese do distúrbio intermediário, incluindo a perspectiva das pessoas que contestam a teoria, por favor, confira: David M. Wilkinson, "The Disturbing History of Intermediate Disturbance". *Oikos*, v. 84, n. 1, pp. 145-7, 1999. Jane A. Catford et al., "The Intermediate Disturbance Hypothesis and Plant Invasions: Implications for Species Richness and Management". *Perspectives in Plant Ecology, Evolution and Systematics*, v. 14, n. 3, pp. 231-41, 2012. John Vandermeer et al., "A Theory of Disturbance and Species Diversity: Evidence from Nicaragua After Hurricane Joan". *Biotropica*, v. 28, n. 4, pp. 600-13, 1996. Jeremy W. Fox, "The Intermediate Disturbance Hypothesis Should Be Abandoned". *Trends in Ecology and Evolution*, v. 28, n. 2, pp. 86-92, 2013.
53. Em e-mail de resposta a perguntas para checagem de informações, Catmull escreveu que a descoberta do final de *Frozen* foi resultado de um esforço coletivo. John Ripa, um animador da Disney, fez o storyboard do final. "Essa foi uma parte intensa e influente do desenvolvimento da história. [...] [Além do mais], houve aportes externos particularmente impactantes que ajudaram a progredir bastante."
54. Em e-mail de resposta a perguntas para checagem de informações, uma porta-voz da Walt Disney Animation Studios escreveu: "Jennifer acha que isto é muito, muito importante: Essa foi uma história que Jennifer e Chris fizeram juntos. Foi uma parceria. [Os e-mails] que Kristen mostrou se baseavam em conversas diárias de Jennifer com Chris. Chris é tão importante para essas conversas quanto Jennifer, Kristen e Bobby. [...] Este filme é [de Chris Buck], antes de mais nada".

8. ABSORÇÃO DE DADOS [pp. 221-46]

1. "Dante Williams" é um pseudônimo usado para proteger a privacidade de um aluno que era menor de idade na época das circunstâncias descritas.
2. Ben Fischer, "Slaying Halts 'Peace Bowl'". *Cincinnati Enquirer*, 13 ago. 2007.
3. Marie Bienkowski et al., *Enhancing Teaching and Learning Through Educational Data Mining and Learning Analytics: An Issue Brief*. Washington, D.C.: U.S. Department of Education, Office of Technology, out. 2012. Disponível em: <https://tech.ed.gov/wp-content/uploads/2014/03/edm-la-brief.pdf>.
4. Para saber mais sobre a pesquisa de Elizabeth Holtzapple e a metodologia da Cincinnati Public Schools relativa ao uso de dados, recomendo: Elizabeth Holtzapple, "Criterion-Related Validity Evidence for a Standards-Based Teacher Evaluation System". *Journal of Personnel Evaluation in Education*, v. 17, n. 3, pp. 207-19, 2003. Elizabeth Holtzapple, *Report on the Validation of Teachers Evaluation System Instructional Domain Ratings*. Cincinnati: Cincinnati Public Schools, 2001.
5. "South Avondale Elementary: Transformation Model". Ohio Department of Education, s.d.

6. As informações sobre a EI e outras reformas da Cincinnati Public Schools foram obtidas em diversas fontes, incluindo: Kim McGuire, "In Cincinnati, They're Closing the Achievement Gap". *Star Tribune*, 11 maio 2004. Alyson Klein, "Education Week, Veteran Educator Turns Around Cincinnati Schools". *Education Week*, 4 fev. 2013. Nolan Rosenkrans, "Cincinnati Offers Toledo Schools a Road Map to Success". *The Blade*, 13 maio 2012. Gregg Anrig, "How to Turn an Urban School District Around — Without Cheating". *The Atlantic*, 9 maio 2013. John Kania e Mark Kramer, "Collective Impact". *Stanford Social Innovation Review*, v. 9, n. 1, pp. 36-41, inverno 2011. Lauren Morando Rhim, *Learning How to Dance in the Queen City: Cincinnati Public Schools' Turnaround Initiative, Darden/Curry Partnership for Leaders in Education*. Charlottesville: University of Virginia, 2011. Emily Ayscue Hassel e Bryan C. Hassel, "The Big U Turn". *Education Next*, v. 9, n. 1, pp. 20-7, 2009. Rebecca Herman et al., *Turning Around Chronically Low-Performing Schools: A Practice Guide*. Washington, D.C.: National Center for Education Evaluation and Regional Assistance, Institute of Education Sciences, U.S. Department of Education, 2008. *Guide to Understanding Ohio's Accountability System, 2008-2009*. Columbus: Ohio Department of Education, 2009, web. Daniela Doyle e Lyria Boast, *2010 Annual Report: The University of Virginia School Turnaround Specialist Program*. Darden/Curry Partnership for Leaders in Education, Public Impact. Charlottesville: University of Virginia, 2011. Dana Brinson et al., *School Turnarounds: Actions and Results, Public Impact*. Lincoln: Center on Innovation and Improvement, 2008. L. M. Rhim e S. Redding (Orgs.). *The State Role in Turnaround: Emerging Best Practices*. San Francisco: WestEd, 2014. William S. Robinson e LeAnn M. Buntrock, "Turnaround Necessities". *The School Administrator*, v. 68, n. 3, pp. 22-7, mar. 2011. Susan McLester, "Turnaround Principals". *District Administration*, maio 2011. Daniel Player e Veronica Katz, "School Improvement in Ohio and Missouri: An Evaluation of the School Turnaround Specialist Program", CEPWC Working Paper Series n. 10, University of Virginia, Curry School of Education, jun. 2013, web. Alison Damast, "Getting Principals to Think Like Managers". *Bloomberg Businessweek*, 16 fev. 2012. "CPS 'Turnaround Schools' Lift District Performance". *The Cincinnati Herald*, 21 ago. 2010. Dakari Aarons, "Schools Innovate to Keep Students on Graduation Track". *Education Week*, 2 jun. 2010. "Facts at a Glance". Columbia Public Schools K-12, s.d., web.
7. A Elementary Initiative do sistema da Cincinnati Public Schools possuía outros componentes além da orientação quanto ao uso de dados pelos professores: o uso de dados e de análise para orientar decisões com base em indicadores; a implementação de um novo sistema de avaliação principal alinhado ao plano estratégico da subsecretaria que incluísse notas sobre o desempenho dos alunos; a expansão das equipes de professores em aprendizado na escola para desenvolver a capacidade em todas as escolas; o treinamento de especialistas de nível primário e intermediário em disciplinas centrais; e uma postura mais familiar e envolvida com a comunidade. "A partir do uso de dados e de indicadores, vamos aprimorar a prática, diferenciar

a instrução e acompanhar os resultados de aprendizado de cada aluno", dizia um resumo da iniciativa. "Nossa meta é criar uma cultura de aprendizado colaborativo que envolva famílias, seja acolhido pelas escolas e tenha o apoio da Secretaria de Educação, da prefeitura e da comunidade. Essa cultura encontra-se no âmago da iniciativa para as escolas de nível fundamental. [...] Assim como a comunidade médica usa diagnósticos para determinar o tratamento de pacientes em terapia intensiva, nós também estamos usando dados e análise em quinze escolas em estado crítico para reformular o treinamento, o apoio e a prestação de serviços alinhados às necessidades acadêmicas, sociais e emocionais dos alunos." ("Elementary Initiative: Ready for High School". Cincinnati Public Schools, 2014. Disponível em: <http://www.cps-k12.org/academics/district-initiatives/elementary-initiative>.) Vale acrescentar que, embora todas as pessoas consultadas durante a pesquisa para este capítulo atribuam a transformação da South Avondale ao impulso dado por uma metodologia orientada para dados, elas também observaram que essas mudanças só foram possíveis graças à liderança firme da escola e à dedicação dos professores.

8. "Elementary Initiative: Ready for High School". Cincinnati Public Schools, 2014. Disponível em: <http://www.cps-k12.org/academics/district-initiatives/elementary-initiative>.
9. Ibid. "South Avondale Elementary School Ranking". School Digger, 2014. Disponível em: <http://www.schooldigger.com/go/OH/schools/0437500379/school.aspx>. "South Avondale Elementary School Profile". Great Schools, 2013, web.
10. "School Improvement, Building Profiles, South Avondale". Ohio Department of Education, 2014, web.
11. Para saber mais sobre a importância dos dados para a melhoria nas salas de aula, por favor, confira: Thomas J. Kane et al., "Identifying Effective Classroom Practices Using Student Achievement Data". *Journal of Human Resources*, v. 46, n. 3, pp. 587-613, 2011. Pam Grossman et al., "Measure for Measure: Á Pilot Study Linking English Language Arts Instruction and Teachers' Value-Added to Student Achievement". CALDER Working Paper n. 45, Calder Urban Institute, maio 2010. Morgaen L. Donaldson, "So Long, Lake Wobegon? Using Teacher Evaluation to Raise Teacher Quality". Center for American Progress, 25 jun. 2009, web. Eric Hanushek, "Teacher Characteristics and Gains in Student Achievement: Estimation Using Micro-Data". *The American Economic Review*, v. 61, n. 2, pp. 280-8, 1971. Elizabeth Holtzapple, "Criterion-Related Validity Evidence for a Standards-Based Teacher Evaluation System". *Journal of Personnel Evaluation in Education*, v. 17, n. 3, pp. 207-19, 2003. Brian A. Jacob e Lars Lefgren, *Principals as Agents: Subjective Performance Measurement in Education*. Artigo n. w11463, National Bureau of Economic Research, 2005. Brian A. Jacob, Lars Lefgren e David Sims, *The Persistence of Teacher-Induced Learning Gains*. Artigo n. w14065, National Bureau of Economic Research, 2008. Thomas J. Kane e Douglas O. Staiger, *Estimating Teacher Impacts on Student Achievement: An Experimental Evaluation*. Artigo n. w14607, National

Bureau of Economic Research, 2008. Anthony Milanowski, "The Relationship Between Teacher Performance Evaluation Scores and Student Achievement: Evidence from Cincinnati". *Peabody Journal of Education*, v. 79, n. 4, pp. 33-53, 2004. Richard J. Murnane e Barbara R. Phillips, "What Do Effective Teachers of Inner-City Children Have in Common?" *Social Science Research*, v. 10, n. 1, pp. 83-100, 1981. Steven G. Rivkin, Eric A. Hanushek e John F. Kain, "Teachers, Schools, and Academic Achievement". *Econometrica*, v. 73, n. 2, pp. 417-58, 2005.

12. Jessica L. Buck, Elizabeth McInnis e Casey Randolph, *The New Frontier of Education: The Impact of Smartphone Technology in the Classroom*. American Society for Engineering Education, 2013 ASEE Southeast Section Conference. Neal Lathia et al., "Smartphones for Large-Scale Behavior Change Interventions". *IEEE Pervasive Computing*, v. 3, pp. 66-73, 2013. "Sites That Help You Track Your Spending and Saving". *Money Counts: Young Adults and Financial Literacy*, NPR, 18 maio 2011. Shafiq Qaadri, "Meet a Doctor Who Uses a Digital Health Tracker and Thinks You Should Too". *The Globe and Mail*, 4 set. 2014. Claire Cain Miller, "Collecting Data on a Good Night's Sleep". *The New York Times*, 10 mar. 2014. Steven Beasley e Annie Conway, "Digital Media in Everyday Life: A Snapshot of Devices, Behaviors, and Attitudes". Museum of Science and Industry, Chicago, 2011. Adam Tanner, "The Web Cookie Is Dying. Here's the Creepier Technology That Comes Next". *Forbes*, 17 jun. 2013. Disponível em: <http://www.forbes.com/sites/adamtanner/2013/06/17/the-web-cookie-is-dying-heres-the-creepier-technology-that-comes-next/>.
13. Para mais sobre sobrecarga e cegueira informacional, por favor, confira: Martin J. Eppler e Jeanne Mengis, "The Concept of Information Overload: A Review of Literature from Organization Science, Accounting, Marketing, MIS, and Related Disciplines". *The Information Society*, v. 20, n. 5, pp. 325-44, 2004. Pamela Karr-Wisniewski e Ying Lu, "When More Is Too Much: Operationalizing Technology Overload and Exploring Its Impact on Knowledge Worker Productivity". *Computers in Human Behavior*, v. 26, n. 5, pp. 1061-72, 2010. Joseph M. Kayany, "Information Overload and Information Myths". Itera, s.d. Disponível em: <http://www.itera.org/wordpress/wp-content/uploads/2012/09/ITERA12_Paper15.pdf>. Marta Sinclair e Neal M. Ashkanasy, "Intuition Myth or a Decision-Making Tool?". *Management Learning*, v. 36, n. 3, pp. 353-70, 2005.
14. Sheena S. Iyengar, Gur Huberman e Wei Jiang, "How Much Choice Is Too Much? Contributions to 401(k) Retirement Plans". In: *Pension Design and Structure: New Lessons from Behavioral Finance*. Filadélfia: Pension Research Council, 2004, pp. 83-95.
15. Em e-mail de resposta a perguntas para checagem de informações, Tucker Kurman, colega de Sheena Sethi-Iyengar, a autora principal do artigo, escreveu: "O que se observou na análise foi que, preservadas todas as condições, cada acréscimo de dez planos estava associado a uma queda de 1,5% a 2% de participação de funcionários (o máximo de participação — 75% — ocorria quando havia duas opções de planos).

[...] À medida que a quantidade de opções aumentava, o declínio da participação se intensificava. Se você examinar a representação gráfica [Figura 5-2 no artigo] da relação entre participação e quantidade de opções, perceberá que começamos a ver um declínio *mais agudo* no índice de participação quando a quantidade de planos chegou a cerca de 31".

16. Jeanne Mengis e Martin J. Eppler, "Seeing Versus Arguing the Moderating Role of Collaborative Visualization in Team Knowledge Integration". *Journal of Universal Knowledge Management*, v. 1, n. 3, pp. 151-62, 2006. Martin J. Eppler e Jeanne Mengis, "The Concept of Information Overload: A Review of Literature from Organization Science, Accounting, Marketing, MIS, and Related Disciplines". *The Information Society*, v. 20, n. 5, pp. 325-44, 2004.

17. Fergus I. M. Craik e Endel Tulving, "Depth of Processing and the Retention of Words in Episodic Memory". *Journal of Experimental Psychology: General*, v. 104, n. 3, p. 268, 1975. Monique Ernst e Martin P. Paulus, "Neurobiology of Decision Making: A Selective Review from a Neurocognitive and Clinical Perspective". *Biological Psychiatry*, v. 58, n. 8, pp. 597-604, 2005. Ming Hsu et al., "Neural Systems Responding to Degrees of Uncertainty in Human Decision-Making". *Science*, v. 310, n. 5754, pp. 1680-3, 2005.

18. Para saber mais sobre o aspecto decisório de plataformas e cognição, por favor, confira: Gerd Gigerenzer e Wolfgang Gaissmaier, "Heuristic Decision Making". *Annual Review of Psychology*, v. 62, pp. 451-82, 2011. Laurence T. Maloney, Julia Trommershäuser e Michael S. Landy, "Questions Without Words: A Comparison Between Decision Making Under Risk and Movement Planning Under Risk". *Integrated Models of Cognitive Systems*, pp. 297-313, 2007. Wayne Winston, *Decision Making Under Uncertainty*. Ithaca: Palisade Corporation, 1999. Eric J. Johnson e Elke U. Weber, "Mindful Judgment and Decision Making". *Annual Review of Psychology*, v. 60, p. 53, 2009. Kai Pata, Erno Lehtinen e Tago Sarapuu, "Inter-Relations of Tutor's and Peers' Scaffolding and Decision-Making Discourse Acts". *Instructional Science*, v. 34, n. 4, pp. 313-41, 2006. Priscilla Wohlstetter, Amanda Datnow e Vicki Park, "Creating a System for Data-Driven Decision Making: Applying the Principal-Agent Framework". *School Effectiveness and School Improvement*, v. 19, n. 3, pp. 239-59, 2008. Penelope L. Peterson e Michelle A. Comeaux, "Teachers' Schemata for Classroom Events: The Mental Scaffolding of Teachers' Thinking During Classroom Instruction". *Teaching and Teacher Education*, v. 3, n. 4, pp. 319-31, 1987. Darrell A. Worthy et al., "With Age Comes Wisdom: Decision Making in Younger and Older Adults". *Psychological Science*, v. 22, n. 11, pp. 1375-80, 2011. Pat Croskerry, "Cognitive Forcing Strategies in Clinical Decisionmaking". *Annals of Emergency Medicine*, v. 41, n. 1, pp. 110-20, 2003. Brian J. Reiser, "Scaffolding Complex Learning: The Mechanisms of Structuring and Problematizing Student Work". *The Journal of the Learning Sciences*, v. 13, n. 3, pp. 273-304, 2004. Robert Clowes e Anthony F. Morse. "Scaffolding Cognition with Words". In: *Proceedings of the Fifth International Workshop on Epigenetic Ro-*

botics: *Modeling Cognitive Development in Robotic Systems*. Lund: Lund University Cognitive Studies, 2005, pp. 101-5.
19. Para saber mais sobre disfluência, por favor, confira: Adam L. Alter, "The Benefits of Cognitive Disfluency". *Current Directions in Psychological Science*, v. 22, n. 6, pp. 437--42, 2013. Adam L. Alter et al., "Overcoming Intuition: Metacognitive Difficulty Activates Analytic Reasoning". *Journal of Experimental Psychology: General*, v. 136, n. 4, p. 569, 2007. Adam L. Alter. *Drunk Tank Pink: And Other Unexpected Forces That Shape How We Think, Feel, and Behave*. Nova York: Penguin, 2013. Adam L. Alter et al., "Overcoming Intuition: Metacognitive Difficulty Activates Analytic Reasoning". *Journal of Experimental Psychology: General*, v. 136, n. 4, p. 569, 2007. Adam L. Alter e Daniel M. Oppenheimer, "Effects of Fluency on Psychological Distance and Mental Construal (or Why New York Is a Large City, but New York Is a Civilized Jungle)". *Psychological Science*, v. 19, n. 2, pp. 161-7, 2008. Adam L. Alter e Daniel M. Oppenheimer, "Uniting the Tribes of Fluency to Form a Metacognitive Nation". *Personality and Social Psychology Review*, v. 13, n. 3, pp. 219-35, 2009. John Hattie e Gregory C. R. Yates, *Visible Learning and the Science of How We Learn*. Londres: Routledge, 2013. Nassim Nicholas Taleb, *Antifrágil: coisas que se beneficiam com o caos*. Rio de Janeiro: Best Business, 2014. Daniel M. Oppenheimer, "The Secret Life of Fluency". *Trends in Cognitive Sciences*, v. 12, n. 6, pp. 237-41, 2008. Edward T. Cokely e Colleen M. Kelley, "Cognitive Abilities and Superior Decision Making Under Risk: A Protocol Analysis and Process Model Evaluation". *Judgment and Decision Making*, v. 4, n. 1, pp. 20-33, 2009. Connor Diemand-Yauman, Daniel M. Oppenheimer e Erikka B. Vaughan, "Fortune Favors the Bold (and the Italicized): Effects of Disfluency on Educational Outcomes". *Cognition*, v. 118, n. 1, pp. 111-5, 2011. Hyunjin Song e Norbert Schwarz, "Fluency and the Detection of Misleading Questions: Low Processing Fluency Attenuates the Moses Illusion". *Social Cognition*, v. 26, n. 6, pp. 791-9, 2008. Anuj K. Shah e Daniel M. Oppenheimer, "Easy Does It: The Role of Fluency in Cue Weighting". *Judgment and Decision Making*, v. 2, n. 6, pp. 371-9, 2007. Em e-mail de resposta a perguntas para checagem de informações, Adam Alter, professor da NYU que estuda disfluência, explicou o conceito como "a sensação de dificuldade mental que as pessoas têm quando tentam processar (entender) certas informações — palavras complexas; texto impresso com fontes decoradas; texto escrito sobre fundo de cor parecida; o resgate de lembranças vagas; o esforço para se lembrar de um número de telefone etc. Não é preciso haver manipulação ou uso de dados propriamente ditos para que uma experiência seja disfluente. Parte disso remete à sua definição de dados — parece que você está dando uma definição muito ampla, então talvez ela se aproxime da minha se você pensar em qualquer processo cognitivo como 'uso de dados'".
20. Por e-mail, Alter escreveu que alguns trabalhos recentes "contestam as obras sobre disfluência. [...] Alguns amigos/colegas meus escreveram outro texto ['Disfluent Fonts Don't Help People Solve Math Problems'] que demonstra como o efeito é

complicado; [e] como pode ser difícil replicar pelo menos um dos efeitos (os efeitos do teste de reflexão cognitiva)".
21. Em e-mail de resposta a perguntas para checagem de informações, Adam Alter estendeu seu comentário para observar que a disfluência resulta em um aprendizado "talvez mais duradouro, mas com certeza mais profundo. Não entramos em muitos detalhes quanto a taxa de deterioração — por quanto tempo a informação é retida —, mas provavelmente as ideias duram mais quando são processadas mais a fundo. [...] Quanto mais as pessoas refletem sobre as informações, mais elas tendem a lembrá-las. Esse é um princípio geral da psicologia cognitiva. Se eu pedir para você se lembrar da palavra 'balão', vai ser mais fácil lembrar se, ao guardá-la na memória, você imaginar um balão vermelho flutuando no céu, ou um balão caindo na sua mão, ou se fizer qualquer outra coisa além de só tentar enfiar a palavra na sua memória já abarrotada".
22. O Chase Manhattan Bank, agora conhecido como JPMorgan Chase, recebeu um resumo de todos os fatos contidos neste capítulo. Um representante da empresa escreveu: "Levando em conta que já faz mais de quinze anos [desde] a fusão do Bank One e do JPMorgan Chase em 2004, está sendo difícil encontrar internamente as fontes certas para isto".
23. Em e-mail de resposta a perguntas para checagem de informações, Fludd escreveu que seu estilo de gestão tinha outros elementos que, para ela, contribuíram para seu sucesso: "Eu também conseguia identificar que os cobradores tinham estilos de aprendizado diferentes, o que fazia com que eles interpretassem os dados de formas diversas que podiam resultar em impactos negativos ou positivos a seu desempenho. [...] A diretoria me acusava de mimar meus cobradores porque às vezes eu preparava um café da manhã para eles nos fins de semana. A comida sempre ajudava. Minha condição de pastora muitas vezes me ajudava a me aproximar dos cobradores e auxiliá-los de forma que outros gerentes não conseguiam. Eu visitava parentes no hospital, comparecia a casamentos, atendia a pedidos de oração. Os cobradores sabiam que eu era uma gerente séria, mas também sabiam que eu me preocupava com eles. [...] É importante saber interpretar dados e explicá-los de algum modo significativo e relevante. Era importante os cobradores terem acesso a dados relevantes para seu desempenho. No entanto, se você não puder dar ao funcionário um mapa que lhe mostre como absorver os dados recebidos e chegar ao destino de desempenho desejado, não adianta nada. A forma como esses dados são encaminhados é igualmente importante. O que todo gerente precisa lembrar é que não se pode esquecer o lado humano dos dados que eles estão transmitindo".
24. Em e-mail de resposta a perguntas para checagem de informações, Niko Cantor escreveu: "Também é verdade que Charlotte era melhor do que a maioria dos outros gerentes, mais envolvida, mais motivadora para que seus subordinados tratassem de melhorar. Ela fazia o trabalho parecer mais um jogo. O fato de os cobradores ouvirem melhor e assim se identificarem melhor porque eram mais envolvidos tinha alguns efeitos que eram importantes".

25. Johnson começou a carreira de professora na escola Pleasant Hill Elementary e depois entrou para a South Avondale, atuando como coordenadora pedagógica.
26. Os "Exercícios de Lápis Quente" eram exclusivos da South Avondale, não parte de todas as escolas que participavam da Elementary Initiative.
27. "Delia Morris" é um pseudônimo usado para proteger a privacidade de uma aluna que era menor de idade na época das circunstâncias descritas.
28. Yousef Haik e Tamer Shahin, *Engineering Design Process*. Independence: Cengage Learning, 2010. Clive L. Dym et al., *Introdução à engenharia: uma abordagem baseada em projeto*. Porto Alegre: Bookman, 2010. Atila Ertas e Jesse C. Jones, *The Engineering Design Process*. Nova York: Wiley, 1996. Thomas J. Howard, Stephen J. Culley e Elies Dekoninck, "Describing the Creative Design Process by the Integration of Engineering Design and Cognitive Psychology Literature". *Design Studies*, v. 29, n. 2, pp. 160-80, 2008.
29. "What is the Engineering Design Process?", Innovation First International. Disponível em: <http://curriculum.vexrobotics.com/curriculum/intro-to-engineering/what-is-the-engineering-design-process>.
30. Stephen J. Hoch, "Availability and Interference in Predictive Judgment". *Journal of Experimental Psychology: Learning, Memory, and Cognition*, v. 10, n. 4, p. 649, 1984.
31. Em e-mail de resposta a perguntas para checagem de informações, Stephen Hoch, autor desse estudo, escreveu: "O único outro detalhe que eu acrescentaria é que ideias antigas podem atrapalhar ideias novas, criando interferência e, na prática, bloqueando o processo de raciocínio. Uma forma de superar essa interferência é fazer uma pausa para que as ideias antigas se apaguem em termos de proeminência".
32. Irwin P. Levin, Sandra L. Schneider e Gary J. Gaeth, "All Frames Are Not Created Equal: A Typology and Critical Analysis of Framing Effects". *Organizational Behavior and Human Decision Processes*, v. 76, n. 2, pp. 149-88, 1998. Hilary A. Llewellyn--Thomas, M. June McGreal e Elaine C. Thiel, "Cancer Patients' Decision Making and Trial-Entry Preferences: The Effects of 'Framing' Information About Short-Term Toxicity and Long-Term Survival". *Medical Decision Making*, v. 15, n. 1, pp. 4-12, 1995. David E. Bell, Howard Raiffa e Amos Tversky, *Decision Making: Descriptive, Normative, and Prescriptive Interactions*. Cambridge: Cambridge University Press, 1988. Amos Tversky e Daniel Kahneman, "Rational Choice and the Framing of Decisions". *The Journal of Business*, v. 59, n. 4, parte 2, pp. S251-78, 1986.
33. Em e-mail de resposta a perguntas para checagem de informações, Johnson escreveu: "A ideia é que pensemos em um subconjunto das informações relevantes".
34. Lekan Oguntoyinbo, "Hall Sweet Home". *Diverse Issues in Higher Education*, v. 27, n. 25, p. 8, 2011. Dana Jennings, "Second Home for First Gens". *The New York Times*, 20 jul. 2009.
35. Pam A. Mueller e Daniel M. Oppenheimer, "The Pen Is Mightier Than the Keyboard: Advantages of Longhand over Laptop Note Taking". *Psychological Science*, v. 25, n. 6, 2014.

36. Em mensagem de resposta a perguntas para checagem de informações, Pam Mueller, de Princeton, a primeira autora do estudo, escreveu: "Só porque muitas pessoas (na internet) parecem achar que não dividimos os participantes em grupos de forma aleatória e que, portanto, nossas conclusões são inválidas, talvez valha a pena destacar que a composição dos dois grupos era, de fato, aleatória. Chegamos a perguntar aos estudantes sobre como preferiam tomar notas, mas, devido à pequena quantidade de participantes em certas condições (por exemeplo, estudantes de Princeton que preferiam papel e caneta e foram designados para a condição laptop), não podemos traçar nenhuma conclusão rigorosa a respeito das interações nesse aspecto. Existe a sugestão de que as pessoas que adotavam papel e caneta como método habitual eram mais eficazes que outras ao usarem um laptop (isto é, ainda fazendo anotações curtas e parafraseadas). Um aspecto que deve ser observado é que a grande maioria dos estudantes de Princeton declarou que geralmente fazia suas anotações com um laptop, enquanto a maior parte dos alunos na UCLA declarou que fazia anotações com papel e caneta. Foi reconfortante constatar que nosso segundo estudo (conduzido na UCLA) replicou o primeiro (conduzido em Princeton)".

37. Em mensagem de resposta a perguntas para checagem de informações, Mueller escreveu: "As anotações dos usuários de laptop possuíam muito mais conteúdo. Portanto, imaginamos que o desempenho dos usuários de laptop daria um salto quando tivessem chance de consultar as anotações — os usuários de laptop tinham muito mais informações à sua disposição na hora de estudar. Entretanto (o que foi muito surpreendente), parece que, se eles não processaram as informações no ato da codificação (isto é, durante a palestra), a quantidade superior de anotações não ajudava, ou pelo menos não com pouco tempo para estudar. Talvez, se o período de estudos fosse maior, eles pudessem reconstituir o conteúdo da palestra, mas, naquela altura, o processo é bastante ineficiente e teria sido preferível fazer anotações 'melhores' (isto é, à caneta, com menos redundâncias ipsis litteris) antes".

Índice remissivo

As páginas em *itálico* se referem às figuras

401(k), planos de previdência, 226, 228-9
Air France, voo 447, 72-83; e modelos mentais, 87-8, 98
Airbus, 72-3, 78, 98; modelos mentais de, 92, 96, 98; mostrador primário de voo de, 78; tubos de Pitot, 74-5, 77, 80; *ver também* Air France, voo 447
álcool, alcoolismo, 160-1
Alter, Adam, 229
Amor, sublime amor, 196-8, 201-2, 204-5, 207, 209, 219; Ato 1 original, 201-3; prólogo de, 204-5
Anderson-Lopez, Kristen, 206, 209, 215--6, 218
animadores, 150, 192, 208, 215, 240; e método Pixar, 150; Walt Disney Animation Studios e, 150, 194-5, 210
Anna (personagem), 192-5, 207, 211, 217
ansiedade: Annie Duke e, 162; avanços criativos e, 209, 219; entre israelenses, 100, 103, 111, 127; *Frozen* e, 206, 219
antissemitismo, 196
aparelho de ressonância magnética funcional, 21

apatia, 17-8, 19, 37, 39-40
Apple, 208
artigos acadêmicos, 198-9, *251*, 254
"As galinhas criaram dentes", 147
atenção: automação e, 73, 76; produtividade e, 99, 104-5; restrição cognitiva e, 77; *ver também* Air France, voo 447; decisões; modelos mentais
atendimento médico enxuto, 150
automação: atenção e, 73, 76; e restrição cognitiva, 76-7; em aviação, 72-4; produtividade e, 76; *ver também* Air France, voo 447
aviação, 115-7, *252-3*; automação em, 72-4; *ver também* Air France, voo 447
Aykroyd, Dan, 54-5

balé, 196, 205
Bar-Joseph, Uri, 106
Baron, James, 139-40, 142-3
Baron-Cohen, Simon, 62
Beatts, Anne, 54, 56, 64
Belushi, John, 54-5

Bernstein, Leonard, 195-6, 204-5
Billings, Andy, 91
biodiversidade, 212-5; árvores caídas e, 213-4
Bloods (gangue), 131
Bock, Laszlo, 66-7
bombeiros, 84
Bonin, Pierre-Cédric, 74-83, 87
Brooks, Tianna, 155
Brunson, Doyle, 175
Buck, Chris, 193-5, 206, 210, 212
buffeting (turbulência), 79, 82
Burian, Barbara, 96
Burt, Ronald, 201
Butler, Brian, 115

cabos *andon*, 144-6, 155, 158
Califórnia, Universidade da: em Berkeley, 48, 76, 167, 171, 185; em Los Angeles, 76, 245
capitalistas de risco, 140, 143
carro elétrico, projeto de, 239
cartões de crédito, 229
casas de repouso, 35-6, 39
Casner, Stephen, 88
Catmull, Ed, 150, 195, 208, 211-2, 220
cegueira informacional, 226-9
Ceifador de Almas (pista de obstáculos), 33
Cessna, 96-7
Chase Manhattan Bank, 229-31
Chase, Chevy, 54
Cheers, programa de TV, 111
Chevy Nova, automóvel, 145
Cincinnati, 221-5, 237-46, 234; escolas públicas em, 12, 221-5, 234-46;

Universidade de, 243-4
Cingapura, aeroporto Changi de, 92, 94, 97-8
Clube de Robótica, 242
cobrança de dívidas, 229-33
cognição: bayesiana, 181; computacional, 178
Columbia, Universidade, 24, 160-1, 226, 228, 242
Conaty, William, 112
"conceito, o" (inteligência militar israelense), 101
conclusão cognitiva, 104-5, 252, 254
confiança, 139, 143, 150, 157; criatividade e, 220; cultura de, na Toyota, 138; culturas de dedicação e, 143; no *Saturday Night Live*, 65; perda de, após a Guerra do Yom Kippur, 110; segurança psicológica e, 52, 70
conflitos raciais, 196, 222
Congresso, tempo de atuação no, 180-1
Connell, Joseph, 212-4
consórcio de roteiro, 193-5, 206, 216
contêineres de carga, 261
controle: decisões e, 24-5, 207; motivação e, 70, 251; produtividade e, 147-8; *ver também* escolhas; lócus de controle
conversa, turnos em, 62
coreografia, 195-7, 205
Corpo de Fuzileiros Navais (EUA): lócus de controle interno e, 28, 34, 248, 250; treinamento básico em, 27-35, 248
corpo estriado, 18-9, 21-3
corredores, 122-4
Crandall, Beth, 84-6
criatividade: em artigos acadêmicos, 198-9; inovação e, 195, 201, 207, 215, 219-20; psicologia e, 211

cultura de astro, 140, 143
culturas, 12, 44, 47, 49, 51-2, 70, 139, 150, 260; categorias de, 140-2; da General Electric, 112; da Toyota, 138; orientadas para dados, 223-4; *ver também* metas SMART
culturas ágeis, 157
culturas autocráticas, 141
culturas burocráticas, 141
culturas comunais, 56
culturas criativas, 13
culturas de compromisso, 12
culturas de dedicação, 141-3, 148, 157
curva de distribuição de Erlang, 180, 183
curva de distribuição gaussiana (normal), 179, *180*, 181

dados: cegueira informacional e, 226-9; cobrança de dívidas e, 229-33; disfluentes, 224; em educação, 222-3, 234-6; em estudos em hospitais, 49-51; em experimento psicológico, 22; uso de, pelo Google, 11, 44-5, 47-8, 52, 66-8; *ver também* culturas; decisões
Dayan, Moshe, 101-2, 107-8, 126
De Crespigny, Richard Champion, 92-9
decisões: animadores da Disney e, 150; FBI e, 150, 153, 155, 157; imaginando diversos futuros e, 169, 257-8, *259*; metodologia Ágil e, 149; motivação e, 24, 34-6; na NUMMI, 153; no atendimento médico, 150; no pôquer, 159-60; por professores, 223-4; processo de projeto de engenharia e, 238, *239*, 240, 243; produção enxuta e, 150; psicologia bayesiana e, 181, 191; psicologia das, 162; Sistema Toyota de Produção e, 138, 207; sobrecarga informacional e, 227-9; trabalho em equipe e, 66, 70; uso do Google para, 225; *ver também* raciocínio probabilístico
decolagem/arremetida (aviação), *ver* TO/GA
Del Vecho, Peter, 195, 206-7, 218
Delgado, Mauricio, 21-5, 147
demissões, 144, 148
Departamento de Educação, EUA, 223
desabrigo, 238
desemprego, 147
desesperança criativa, 209, 211, 219
determinação de metas, 251-5 fluxograma, *125*; *ver também* metas proximais; metas SMART
digitação versus escrita, 245
DiMaio, Bill, 117
Diretoria de Inteligência Militar (Israel), 100, 106
Diretoria de Inteligência Nacional (EUA), 166
discurso Toyota, 150
disfluência, 224, 233, 240, 242, 244; aprendizado e, 229, 244; criação de, 228; escrita versus digitação e, 245
Disney, 192-5, 207, 210; Animation, 150, 208; processo, 219; *ver também* Frozen
Dubey, Abeer, 45-6, 48, 67
Duke, Annie, 159-66, 171-7, 185-91
Duke, Universidade, 123
Dweck, Carol, 29, *251*

economia comportamental, 199
economistas, 89, 161, 199
Edison, Thomas, 200
Edmondson, Amy, 49-53, 65
Edwards, Deon, 238-9, 242-4
Egito, 100, 102, 106; Guerra do Yom Kippur, 109, 110; retirada de soviéticos do, 107-9
EI, *ver* Elementary Initiative
Electronic Arts, 91
Elementary Initiative (EI), 223-4, 234-5
Elsa (personagem), 192-5, 207, 209-10, 217-8
enfermeiros, 49-51, 69, 84; decisões de, 150; distribuição de autoridade para, 150; UTI neonatal, 84-6
enófilos, 228
Entel, Traci, 231
enxadristas, 104
Eppler, Martin, 227
equipes de torneios de casos, 42-3, 48
equipes e trabalho em equipe: decisões e, 66, 70; em empresas de dedicação, 144; em hospitais, 49-51; em programas de MBA, 41, 43-4; Equipe A versus Equipe B, 58-63; no ambiente de trabalho americano, 69-70; no Google, 11, 45-8, 52, 66-8, 70; no *Saturday Night Live*, 54, 56-7, 63-6, 70-1; normas de grupo e, 48; *ver também* segurança psicológica
escala de necessidade de conclusão, 104-5
escolas: de administração, 42, 148; *ver também* Harvard, Faculdade de Administração; Yale, Faculdade de Administração; de aviação, 98; públicas, 122, 221, 225; públicas versus particulares, 162; trabalho de equipe em, 69; *ver também* Cincinnati, escolas públicas de
escolas públicas, 122; em Cincinnati, 12, 221-5, 234-46
escolhas, 38; como imperativo biológico, 24; controle e, 25; e produtividade, 260; em casas de repouso, 35-6, 39; jogos experimentais e, 22-3; lócus de controle e, 28-9, 36; motivação e, 35-40, 250-1; previsão do futuro e, 185; significativas, 39; treinamento de fuzileiros navais e, 27, 29-30, 34, 248, 250
escrita versus digitação, 245
estol (aerodinâmica), 75-6, 79-81, 87, 97
Exercícios, 116-7
Exercícios de Lápis Quente, 221, 236

fábrica de equipamentos nucleares, 114, 116
fábrica de motores de avião, 115-7
Facebook, 140, 225, 249
faculdades de administração, 42, 148; *ver também* Harvard, Faculdade de Administração de; Yale, Faculdade de Administração de
faculdades e universidades: cálculo de chance de ingresso em, 177; *ver também faculdades e universidades específicas*
faraós, tempo de vida de, 182, *183*, 184
faturamento de bilheteria de filmes, 179-82, 185; de *Frozen*, 218
FBI (Federal Bureau of Investigation), 130n, 131-3, 148-58; decisões no, 150, 153, 155, 157

filmes, 54, 204, 206; *ver também*
    faturamento de bilheteria de filmes
Fludd, Charlotte, 230-3
fluxogramas: determinação de metas em,
    125; processo de projeto de engenharia
    e, 239-40, 242-3
Forças de Defesa de Israel, 101, 110; *ver*
    também Guerra do Yom Kippur
Forja, A (Fuzileiros Navais dos Estados
    Unidos), 31, 34, 36
fórmula infantil, 208
FossilMan (Greg Raymer), 159-60, 164-5,
    174
fracassos: de sistemas informatizados do
    FBI, 133; negócios, 184-5
freelancers, trabalho freelance, 23
Fremont, fábrica automotiva de, 134-5, 138,
    144-8
freudiana, psicoterapia, 200
Frozen, 192-5, 206-12, 215-8, 240; Oscar
    para, 218
Fulgham, Chad, 148-53, 155, 157
Fundação Nacional para a Ciência, EUA, 238
futuros, diversos, 169, 257-8, *259*

gaussiana (normal), curva de distribuição,
    179, *180*, 181
Gawande, Atul, 9-11, 247
Gen-1, 244
General Electric (GE), 111; influência do
    sistema ferroviário do Japão na, 118,
    120; metas forçadas e, 120-1, 126; metas
    SMART e, 112-8, *112*, 126
General Motors (GM), 133-8, 144, 147
gestão enxuta, 153, 155

Gino, Francesca, 211
GJP *ver* Good Judgement Project
Gladwell, Malcolm, 55
Golan, colinas do, 100, 102, 107, 110
Good Judgement Project [Projeto Bom
    Raciocínio](GJP), 167, 170-1, 185
Google, 44, 225; cientistas de dados do, 11;
    classificação pela *Fortune* do, 44; como
    start-up no começo, 139; em decisões
    pessoais, 225; segurança psicológica
    e, 52; sequestro de Janssen e, 132;
    trabalho em equipe e, 11, 45-8, 52,
    66-8, 70, 93
Google Analytics Engineering, 68
Griffiths, Thomas, 179, 180-2
grupos de estudo, 41-2, 44, 48
Guerra do Yom Kippur: como guerra em
    duas frentes, *109*, 110; convocação
    dos reservistas na, 108-9; inquérito
    parlamentar sobre, 126-7; prelúdio à,
    100-3, 106-8; *ver também* Zeira, Eli
Guerra dos Seis Dias, 100-1, 107

Habib, Michel, 19-20, 39
Hannan, Michael, 139-40, 142-3
Hans, príncipe (personagem), 192, 194-5,
    217
Harvard, Faculdade de Administração de,
    49, 65, 111, 147, 211
Harvard, Universidade, 9, 48, 76
hastes de amortecedores (peça automotiva),
    138
Hellmuth, Phil, 175, 186, *187-9*
heurística, 76
Holtzapple, Elizabeth, 223

home office, opções de, 144
homossexualidade, 196
hospitais: decisões em, 150; distribuição de autoridade em, 150; trabalho em equipe em, 49-51; UTIs neonatais em, 84-6

IDEO (empresa de design de produtos), 200
incêndio, 214
inovação: criatividade e, 195, 201, 207, 215, 219-20; desesperança criativa e, 209; do Sistema Toyota de Produção, 207; produtividade e, 195, 219
instinto: bayesiano, 182, 191, 259; conclusão cognitiva e, 104-5; modelos mentais e, 92, 95; para o controle, 24; pensamento reativo e, 81; restrição cognitiva e, 77-8; *ver também* decisões
Instituto Correcional de Polk, 131
Instituto de Tecnologia de Massachusetts, *ver* MIT
inteligência coletiva, 60-2
internet, 139, 179, 199, 225
investigações sobre terrorismo, 153

J. P. Morgan Chase, 149
Janssen, Colleen, 131-2
Janssen, Frank, 129, 131-3, 148, 154-8
Japão: sistema ferroviário do, 118-20; Toyota e, 134-8, 144, 147
JETS (gangue de *Amor, sublime amor*)
Jobs, Steve, 208, 219
Johnson, Eric, 228
Johnson, Jeff, 153
Johnson, Nancy, 234-6

Jones, Ben, 198-9
Joy, Dennis, 30

Kane, Rosalie, 36
Kerr, Steve, 116-8, 120, 126
Klein Associates, 83
Klein, Gary, 209
Kruglanski, Arie, 105
Krulak, Charles C., 27, 29-30, 33, 248
Kumaraswamy, P.R., 111

laptops, 245
Las Vegas, Nevada, 163
Lasseter, John, 193-5, 217
Latham, Gary, 113-4, 116, 127
Laurents, Arthur, 195-7, 204
Lawrence, Carol, 205
Lederer, Howard, 163-4, 171-7
Lee, Jennifer: como diretora, 212, 215-7; como roteirista, 194, 206-7, 210
Lehman Brothers, 149
lei de potência, distribuição de, 179
"Ler a mente nos olhos", teste, 58, 59, 62
"Let It Go" (canção), 210, 218; Oscar para, 218
licença-maternidade, 45, 144
linhas de montagem: interrupções nas, 137, 144-5, 157; na fábrica de Fremont, 135, 144-5, 147; produtividade e, 10; Sistema Toyota de Produção, 136-8, 150
listas de tarefas, 13, 81, 116, 124-6, 206, 252, 254
Locke, Edwin, 113-4, 116, 127
lócus de controle externo, 28

lócus de controle interno, 28-9, 34, 36, 39, 248, 250
Lopez, Bobby, 194, 206, 209
loteria, 199

MacArthur, bolsa para "gênios", 9
Macon, Yzvetta, 221-2, 225
Madrid, Rick, 133-8, 144-5, 148
Manifesto para o Desenvolvimento Ágil de Softwares (Manifesto Ágil), 149, 153
manipulação cognitiva, 234
maratona, 122-3, 124, 125
Maryland, Universidade de, 103
McCall, Bruce, 56-7
McLean, Malcolm, 261-2
mediadores, 205, 207, 219-20; de ideias, 201; de inovações, 201, 204, 211; *ver também* Frozen
mediadores criativos, 207
Meir, Golda, 102, 109, 126
Mellers, Barbara, 170
Melton, Kelvin, 131-2, 154
metas forçadas, 120-3, 255; em conjunto com metas SMART, 122-6, 252, 254, 255, 256, 256-7, 259; limitações de, na Guerra do Yom Kippur, 127
metas próximas, 124, 126-7
metas SMART, 252, 254, 259, 262; em conjunto com metas forçadas, 122-6, 252, 254, 255, 256-7, 259; GE e, 112, 114-5, 117-8, 126; limitações de, na Guerra do Yom Kippur, 127; Zeira e, 127
metodologia Ágil, 12, 149, 153, 155, 157
Meu filho, meu tesouro (Spock), 200

Michaels, Lorne, 53-7, 63-5, 71
Miller, Marilyn Suzanne, 55-6, 63-4
Millstein, Andrew, 211
MIT (Instituto de Tecnologia de Massachusetts), 59, 88, 90
modelo de engenharia, 140-1
modelos mentais, 87-91, 95-6, 98-9, 255, 257; Air France, voo 447, e, 87-8, 98; como previsões habituais, 87; corredores e, 123; emergências de aviação e, 252; enfermeiros e, 85-7; produtividade e, 88-91, 99; Qantas Airways, voo 32, e, 12, 92-8, 255; *ver também* atenção
Moore, Don, 171, 185
Morris, Delia, 237-44
Morris, Garrett, 57, 64
Mossad, 102, 108
motivação, 23-5; decisões e, 24, 34-6; em indivíduos, 18, 20, 36-40; escolhas e, 35-6, 250-1; experimentos com, 21-3; lócus de controle e, 28-9, 70, 248; segurança psicológica e, 70; teoria da, 25
Mueller, Robert, 155
Mukherjee, Satyam, 199
Museu Nacional de História Americana, 148

Nandy, Sagnik, 68
Nasa, 76, 88, 96
National Heads-Up, campeonato de pôquer, 190
National Institutes of Health (EUA), 76
National Lampoon, revista, 54

NBC, 111
New United Motor Manufacturing, Inc., *ver* NUMMI
New York Times, 9, 248
No Child Left Behind, lei, 234
normal (gaussiana), curva de distribuição, 179, *180*, 181
normas, 51, 57, 61, 65, 68-70; de grupo, 47-8, 56; essenciais, 67; produtividade e, 52; segurança psicológica e, 52; sociais, 141
Northwestern, Universidade, 198, 241
Novello, Don, 65
NUMMI (New United Motor Manufacturing, Inc.), 147-8, 153, 157; citada em faculdades de administração, 147-8; como inspiração para estilos de gestão, 149; decisões e, 153; fábrica de Fremont reaberta por, 134, 136, 144, 147; fundo de paralisação de trabalho na, 144

O'Donoghue, Michael, 54, 57, 64
Olaf (personagem), 192, 194-5, 211, 217
Onze de Setembro, 153
ópera, 196-7, 205
Organização Mundial da Saúde (OMS), 9
Osaka, 118

painéis, 222-3, 234-5
Palumbi, Steve, 214
Parkinson, mal de, 20
peças teatrais, 196-8, 201, 203-5; *ver também* Bernstein, Leonard; Laurents, Arthur

peneira (processamento de informações), 227
pensamento reativo, 80, 87, 99
pensamento trem-bala, 120
Pensilvânia, Universidade da, 167
People Analytics (Google), 44, 45
pesquisas: metas forçadas e, 122; sobre cobrança de dívidas e cobradores, 229-30; sobre cultura de start-ups, 140; sobre enfermeiros, 50; sobre funcionários do Google, 45, 52, 66; sobre lócus de controle de fuzileiros navais, 34
Philippe, Robert, 15-19, 36-8, 40
Philippe, Viola, 15-6, 36-8, 40
Pixar, 150, 195
plataformas (processamento de informações), 227-8
pôquer, 159-66, 171-7, 173n; psicologia bayesiana e, 185-91
post-its, 208
Prêmio Nobel, 161
previsão, 86-7, 162, 166-7, 177, 179, 185; *ver também* modelos mentais
Princeton, Universidade, 245
probabilidade do pote, 173n, 175
processo de projeto de engenharia, 238, 239, 240, 243
Procter & Gamble, 222
produção enxuta, 133, 138, 148-50
produtividade, 9-13, 260; atenção e, 99, 104-5; automação e, 76; em detrimento do bom senso, 105; escolhas e, 260; inovação e, 195, 219; linhas de montagem e, 10; modelos mentais e, 88, 90-1, 99; na fábrica de Fremont, 146-8; normas e, 52; segurança psicológica e, 70; universalidade da, 263

professores: de psicologia, 161; em escolas públicas de Cincinnati, 222, 224, 235-7, 243, 246; em programas de MBA, 42
programação ágil, 133
programas de MBA, 41, 43-4; *ver também* Harvard, Faculdade de Administração de; Yale, Faculdade de Administração de
Projeto Aristóteles, 45-8, 66, 68
Projeto Bom Raciocínio *ver* Good Judgement Project
Projeto Oxigênio, 45
psicologia: bayesiana, 181-2, 184-91, 259; pôquer e, 185-91; criatividade e, 211; de decisões, 162; do empreendedorismo, 185; economia e, 199; professores de, 161
psicoterapia freudiana, 200
Pychyl, Timothy, 124, 125

Qantas Airways, voo 32, 12, 91-8, 255
Quintanilla, Eric, 25-6, 30-1, 33, 36

Rabinovich, Abraham, 103, 106
raciocínio probabilístico, 167, 169-70, 172-5, 173n, 178, 257-8, 259
Radner, Gilda, 54-6
Raymer, Greg, *ver* FossilMan
rebeliões em casas de repouso, 35-6
recessão, 147
recifes de coral, 212, 214
recrutas, *ver* Corpo de Fuzileiros Navais, EUA
redes sociais, 199
referencial, 241-2
resgate de refém, 153

ressonância magnética, 18-9; aparelho de ressonância magnética funcional, 21
restrição cognitiva, 76-8, 80, 87-8, 99; e Air France, voo 447, 77; e Qantas Airways, voo 32, 95
Robbins, Jerome, 195-8, 201, 203, 205, 207, 209, 219
Robert, David, 79-82
rodopio, 211-2
Roseannadanna, Roseanne (personagem), 56
Rozovsky, Julia, 41-5, 48, 52-3, 68

sabotagem e sabotadores, 135, 147
salas de dados, 225, 235-7
San Diego Marine Corps Recruit Depot, 27
Sarducci, padre Guido (personagem), 65
Sarkozy, Nicholas, 167-9, 168-70
Saturday Night Live, 53-4, 56-7, 63-6, 71
saúde pública, modelos de, 199
Schiller, Tom, 54, 57
Science, revista, 59
segurança psicológica, 65, 67-8, 70; Google e, 52; liderança de equipe e, 70; motivação e, 70; produtividade e, 70; *Saturday Night Live* e, 58
sensibilidade social, 62, 64-6
Sentinel (sistema informatizado), 132-3, 149, 151-5
sequestro, 12, 129-33, 154-8
Shakespeare, 195-7
SHARKS (gangue de *Amor, sublime amor*), 204
Shook, John, 138
Shore, Howard, 54
Shuster, Rosie, 55

Siman-Tov, Binyamin, 106-7
Sinai, península do, 100, 102, 106
Síria, 100, 102, 107, 110; e a Guerra do Yom Kippur, *109*, 110; retirada de soviéticos da, 109
sistema ferroviário, Japão, 118-20
Smith, Joel, 146
sobrecarga informacional, 227
soldados, 84
South Avondale, escola, 221-5, 237, 246
soviéticos e União Soviética, 107-9
St. Paul, escola, 160
Stanford, Universidade, 29, 139, 200, 214
"stand-up", reuniões em pé, 152
start-ups, 139-40, 142, 184
Stempel, Larry, 205
Strayer, David, 77, 81
Stringer, Mike, 199
Strub, Richard, 17-8, 38
"subversivos" (pacientes de casas de repouso), 35-6
Suez, canal de, 101-2, 107, 110
Sul da Califórnia, Universidade do, 111, 116
suposições, 170, 182, 184, 186, 188
Sutherland, Jeff, 153

Taça da Paz, 221, 246
Tanque do Sargento Timmerman (pista de obstáculos), 31-3
técnicas de criação de filhos, 200
tecnologia, aplicação de, 238
tecnologia da informação, 244
Tel Aviv, 101, 106-7
tempos de vida, 179, *180*, 181-2, 185; de faraós, 182, *183*, 184

tendência para a ação, 12, 29
Tenenbaum, Joshua, 177-8, 180-2, 184
teorema de Bayes, 181-2, 185; mapeamento genético e, 200
testes de personalidade, 103
Texas Hold'Em, modalidade de jogo de pôquer, 171-5
Thole, srta. (professora de inglês), 243-4
Time, 102
Times of Israel, jornal, 109
tirosinase (enzima), 37
TO/GA (aviação, decolagem/arremetida), 80-1, 83, 88
Tōkaidō Shinkansen, 119
Tomlin, Lily, 55
Tony (personagem), 197, 203
Tóquio, 118-9
Tournament of Champions (pôquer), 159, 164, 166, 174, 186-90
Toyoda, Tetsuro, 145
Toyota, 133-8, 145, 149; Sistema, de Produção, 134, 136-8, 145, 147, 149, 207; *ver também* produção enxuta
treinamento básico, 26-36, 248; *ver também* lócus de controle interno
Trends in Cognitive Sciences, periódico, 24
turbulência, *ver buffeting*

UMP, *ver* Union pour un Mouvement Populaire
Ungar, Lyle, 167
unidades de terapia intensiva neonatal (UTIs neonatais), 84-6
Union Pacific, 122
Union pour un Mouvement Populaire (UMP), *169*, 170

United Auto Workers (sindicato), 134-5, 144, 146
Utah, Universidade de, 77
UTIs neonatais, *ver* unidades de terapia intensiva neonatal
Uzzi, Brian, 198-200

Vaill, Amanda, 204
Vale do Silício, 139-40, 142-3, 148
Van Alstyne, Marshall, 90
variáveis: aviação e, 73; em cobrança de dívidas, 233; funcionários do Google e, 45, 46; na política, 168
vinhos, carta de, 227-8
Virginia Mason Medical Center, 150
vírus, 199

Wagner, Richard, 205
Wall Street, 133
Walt Disney Animation Studios, 150, 195, 210
Webster, Donna, 105
Welch, Jack, 114, 118, 120-1
Western Hills High, 237, 243, 246
Williams, Dante, 221, 223, 236, 246
Woolley, Anita, 61-2
World Series of Poker, 174, 190

Yale, Faculdade de Administração de, 41, 43-4, 48, 76, 139

Zeira, Eli: erro de discernimento por, 111; metas forçadas e SMART e, 127; nomeado para a Diretoria de Inteligência Militar (Israel), 100-1, 103, 105; sobre acúmulo de forças inimigas, 106-8
Zweibel, Alan, 55-7, 63

1ª EDIÇÃO [2016] 1 reimpressão

ESTA OBRA FOI COMPOSTA PELA ABREU'S SYSTEM EM INES LIGHT
E IMPRESSA EM OFSETE PELA LIS GRÁFICA SOBRE PAPEL PÓLEN DA
SUZANO S.A. PARA A EDITORA SCHWARCZ EM JUNHO DE 2024.

A marca FSC® é a garantia de que a madeira utilizada na fabricação do papel deste livro provém de florestas que foram gerenciadas de maneira ambientalmente correta, socialmente justa e economicamente viável, além de outras fontes de origem controlada.